Consignes de sécurité

Pendant la séance

- Protéger son corps avec une blouse en coton quand cela est nécessaire.
- Mettre des lunettes de protection pour manipuler.
- Porter des gants lorsque cela est indiqué par le professeur ou dans le protocole.
- Attacher les cheveux longs.
- Ranger les vêtements et les sacs à l'abri des machines ou des projections de liquides dangereux. Aucun objet ne doit gêner les allées et venues.
- Se renseigner sur la dangerosité des produits et des machines utilisés avant toute manipulation [▶ Pictogrammes ci-dessous].
- Suivre le protocole. Ne pas prendre d'initiative sans l'autorisation du professeur et lui signaler tout problème.
- Utiliser la verrerie appropriée avec précaution pour éviter la casse.
- Ne jamais réaliser d'expérience avec une prise de courant, tu risques de t'électrocuter.
- Garder un espace de travail propre et ordonné.

À la fin de la séance

- Ne pas jeter les produits usagés, mais les placer dans les récupérateurs adaptés.
- Nettoyer sa paillasse et ranger le matériel.
- Se laver les mains.

Nouveaux pictogrammes

La manipulation de produits chimiques peut être dangereuse.
Les fabricants de produits chimiques doivent suivre une réglementation stricte pour informer les utilisateurs des risques et des mesures de prévention.

Explosif

Inflammable

Comburant

Gaz sous pression

Corrosif

Toxicité aiguë pour l'organisme

Dangereux pour la santé

Toxicité spécifique sur la santé

Dangereux pour l'environnement

J'apprends à utiliser une loupe binoculaire

La situation

Noémie souhaite observer les animaux qui sont présents dans le sol. Pour cela, elle utilise une loupe binoculaire, qui permet d'observer des objets de petite taille en les grossissant de 10 à 40 fois.

Les étapes

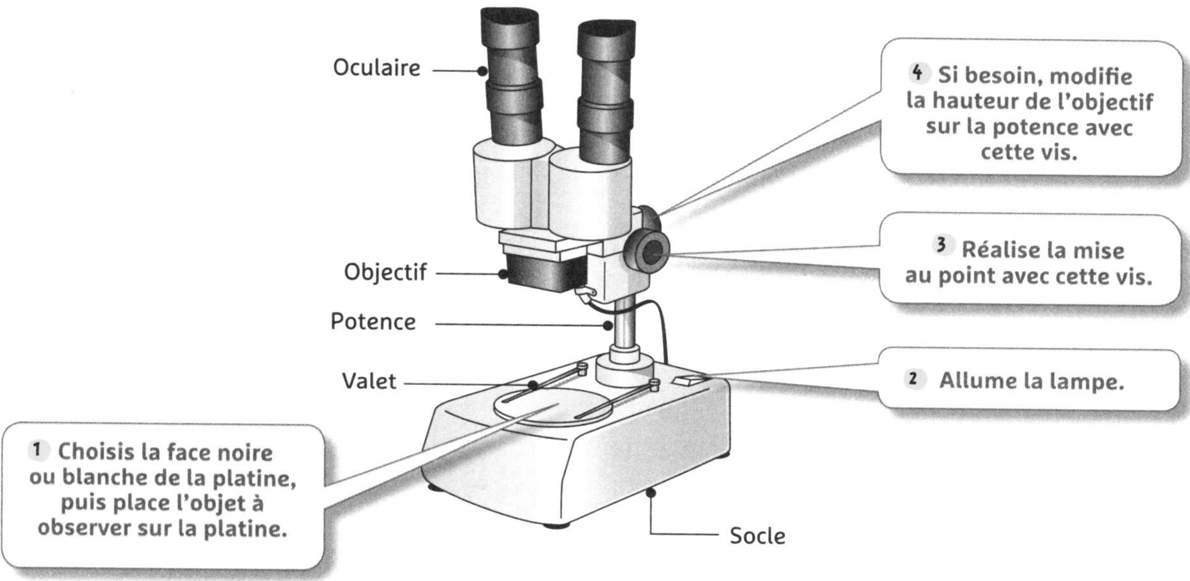

4 Si besoin, modifie la hauteur de l'objectif sur la potence avec cette vis.
3 Réalise la mise au point avec cette vis.
2 Allume la lampe.
1 Choisis la face noire ou blanche de la platine, puis place l'objet à observer sur la platine.

À partir de l'image observée, tu peux…

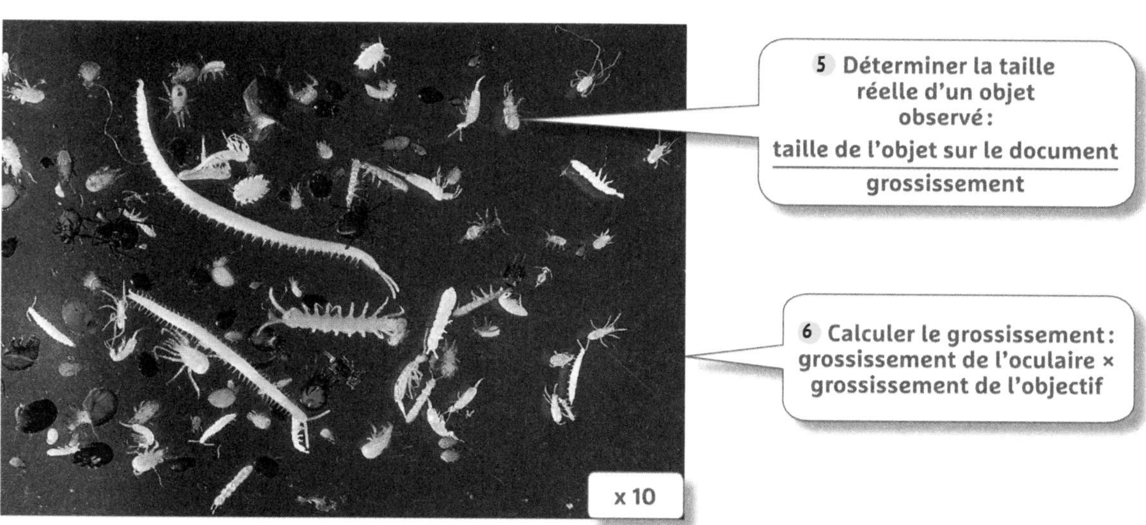

x 10
5 Déterminer la taille réelle d'un objet observé :
taille de l'objet sur le document / grossissement
6 Calculer le grossissement : grossissement de l'oculaire × grossissement de l'objectif

Les animaux du sol. ▲

J'apprends à mesurer une masse avec une balance électronique

La situation

On souhaite mesurer la masse d'un liquide contenu dans un récipient en verre.

L'unité légale de masse est le kilogramme (kg).

Les étapes

1. Mets la balance en marche en appuyant sur le bouton ON/TARE. Attends qu'elle affiche une valeur, par exemple 0,00 g.

2. Pose délicatement le récipient vide sur le plateau.

3. Appuie ensuite sur le bouton ON/TARE : la balance affiche alors de nouveau la valeur 0,00 g.

4. Retire le récipient de la balance. Verse le liquide dans le récipient.

5. Repose le récipient sur le plateau de la balance, puis suis les indications ci-dessous.

127.9 g
OFF
ON TARE

1 Lis l'indication de la balance : elle indique alors la masse du liquide.

2 Repère l'unité de masse donnée par la balance.

3 Quand tu as noté la masse mesurée, retire le récipient de la balance, puis éteins-la.

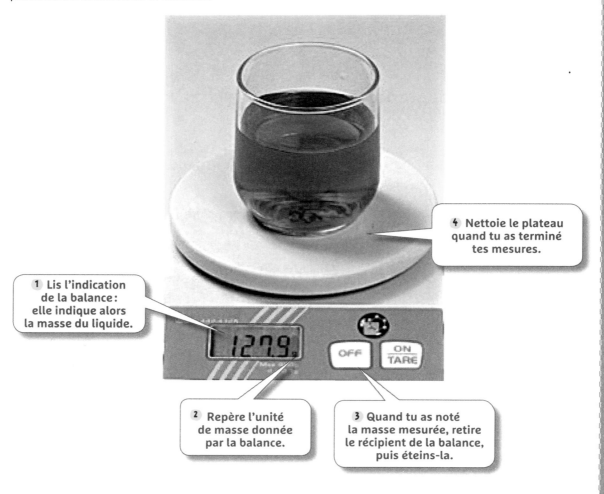

4 Nettoie le plateau quand tu as terminé tes mesures.

J'apprends à réaliser un test de solubilité

La situation

Julie veut savoir si le sucre est soluble dans l'eau.

Les étapes

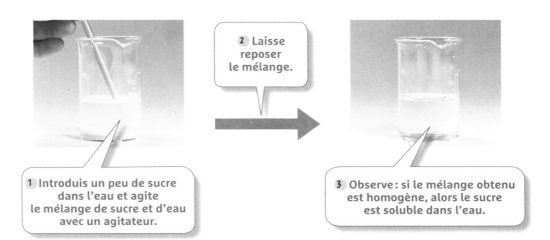

1 Introduis un peu de sucre dans l'eau et agite le mélange de sucre et d'eau avec un agitateur.

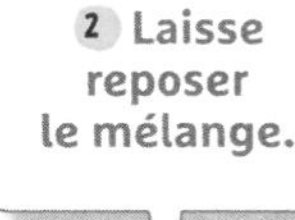

2 Laisse reposer le mélange.

3 Observe : si le mélange obtenu est homogène, alors le sucre est soluble dans l'eau.

J'apprends à réaliser un test de miscibilité

La situation

Adrien veut savoir si l'eau et la glycérine (liquide incolore utilisé pour fabriquer certains médicaments) sont miscibles.

Les étapes

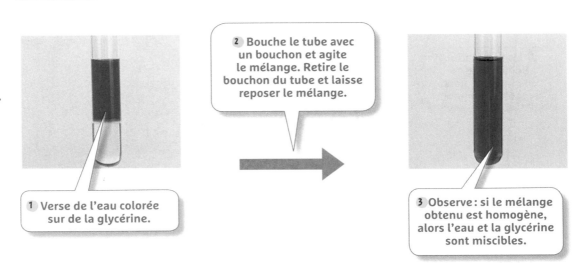

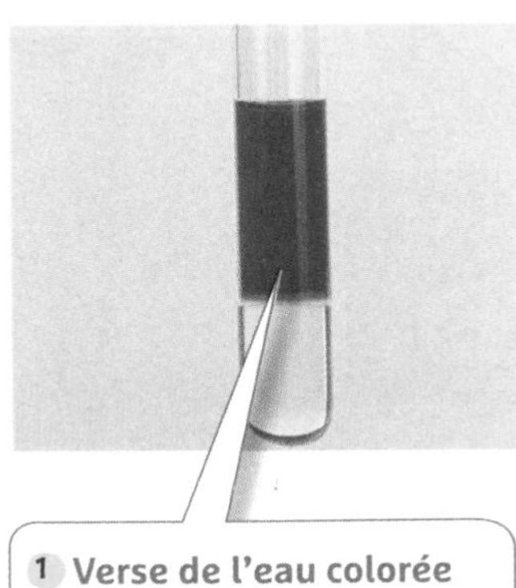

1 Verse de l'eau colorée sur de la glycérine.

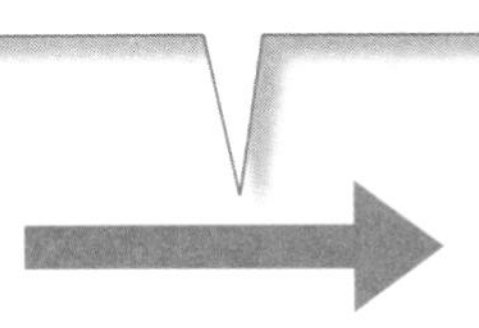

2 Bouche le tube avec un bouchon et agite le mélange. Retire le bouchon du tube et laisse reposer le mélange.

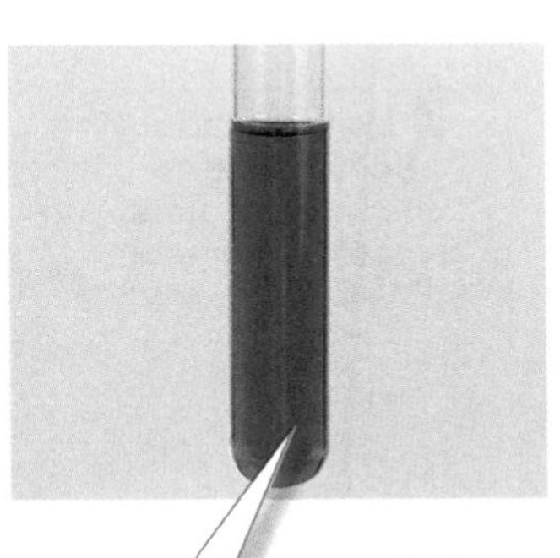

3 Observe : si le mélange obtenu est homogène, alors l'eau et la glycérine sont miscibles.

J'apprends à réaliser un circuit électrique simple

La situation

Thomas doit réaliser un circuit électrique avec une pile plate, des fils de connexion, un interrupteur et une lampe sur support.

Les étapes

1 Dispose les différents éléments sur ton plan de travail comme sur cette photo.

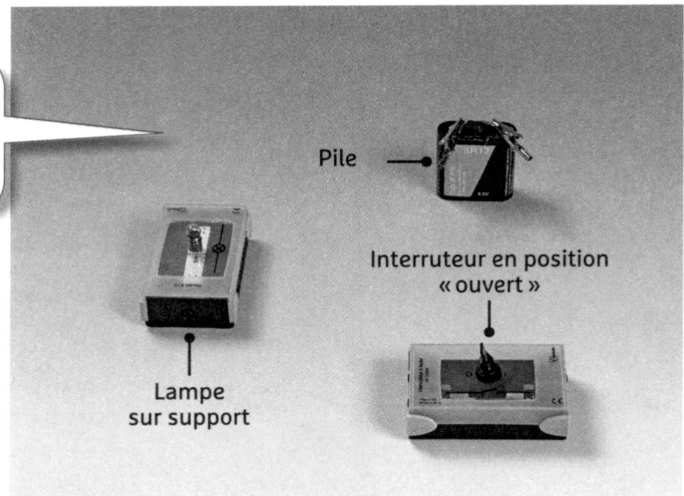

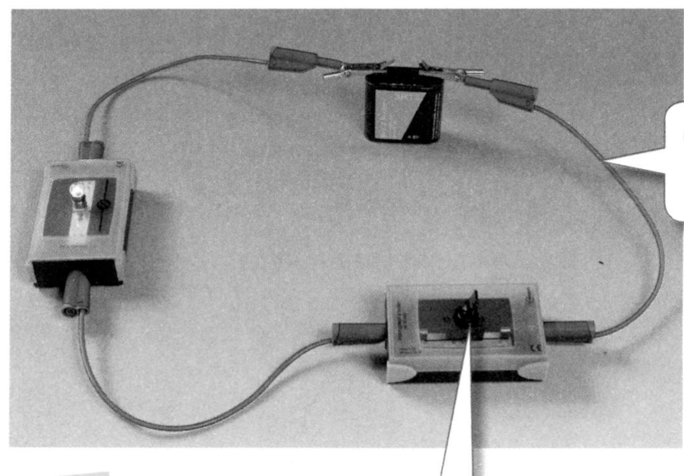

2 Relie les éléments 2 à 2 à l'aide des fils de connexion.

3 Fait passer l'interrupteur en position « fermé ».

Le corps humain est suffisament conducteur pour risquer l'électrocution, même en touchant une seule borne d'une prise électrique.

J'apprends à mesurer une température

La situation

Lors d'une sortie pour étudier une mare près de leur collège, les élèves d'une classe de 6e doivent relever la température de l'eau de la mare.

Une température s'exprime en degrés Celcius, symbole °C.

Avec un thermomètre à liquide

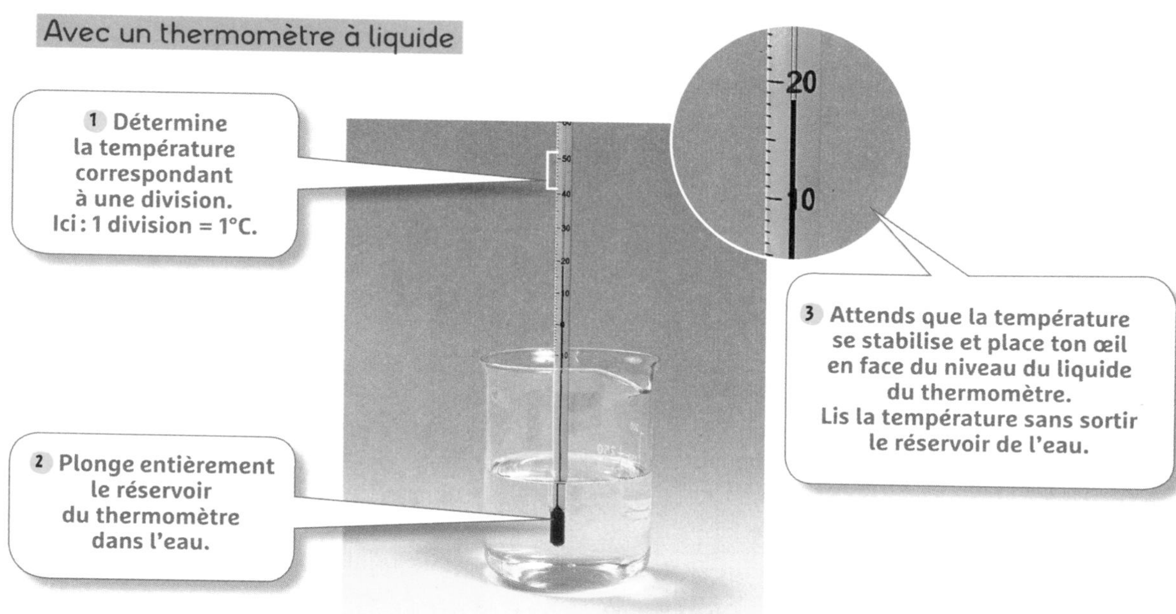

1 Détermine la température correspondant à une division.
Ici : 1 division = 1°C.
20
10
2 Plonge entièrement le réservoir du thermomètre dans l'eau.
3 Attends que la température se stabilise et place ton œil en face du niveau du liquide du thermomètre.
Lis la température sans sortir le réservoir de l'eau.

Avec un thermomètre numérique

1 Mets le thermomètre en marche.

2 Place la sonde dans l'échantillon (ici un mélange réfrigérant).

3 Attends que la température se stabilise et lis sa valeur sur l'afficheur sans sortir la sonde de l'échantillon.

J'apprends à réaliser une recherche sur Internet

La situation

Sarah et Mathieu doivent préparer un exposé sur le devenir des déchets en France. Ils doivent en particulier expliquer ce qu'est le tri sélectif.

Les étapes

- Repère les mots-clés du sujet et trouve des mots associés à l'aide de tes connaissances. Tu peux revoir les chapitres de ton manuel qui traite de ce sujet ou d'un sujet proche.
→ mots-clés du sujet et associés : déchet, France, collecte, tri, recyclage…
- Utilise un moteur de recherche pour effectuer ta requête (voir chapitre 20 du manuel).

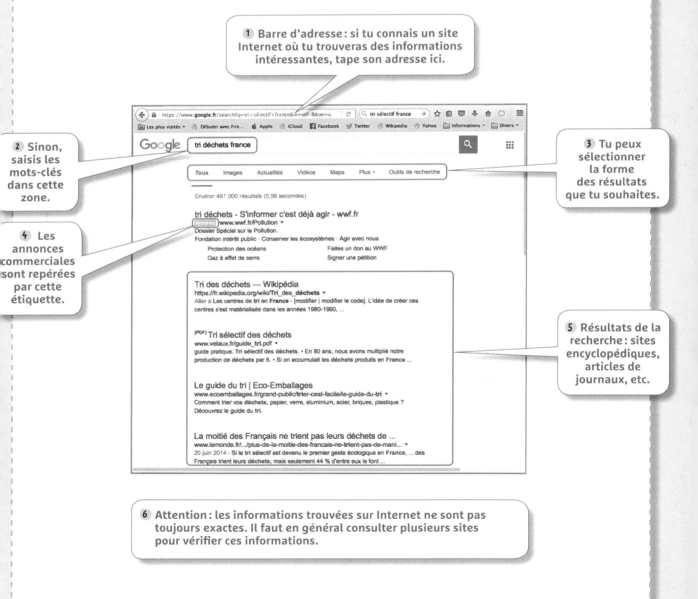

1 Barre d'adresse : si tu connais un site Internet où tu trouveras des informations intéressantes, tape son adresse ici.

2 Sinon, saisis les mots-clés dans cette zone.

3 Tu peux sélectionner la forme des résultats que tu souhaites.

4 Les annonces commerciales sont repérées par cette étiquette.

5 Résultats de la recherche : sites encyclopédiques, articles de journaux, etc.

Google — tri déchets france

Tous | Images | Actualités | Vidéos | Maps | Plus | Outils de recherche

Environ 491 000 résultats (0,56 secondes)

tri déchets - S'informer c'est déjà agir - wwf.fr
Annonce www.wwf.fr/Pollution
Dossier Spécial sur la Pollution.
Fondation intérêt public · Conserver les écosystèmes · Agir avec nous
Protection des océans — Faites un don au WWF
Gaz à effet de serre — Signer une pétition

Tri des déchets — Wikipédia
https://fr.wikipedia.org/wiki/Tri_des_déchets
Aller à Les centres de tri en France - [modifier | modifier le code]. L'idée de créer ces centres s'est matérialisée dans les années 1980-1990, …

[PDF] Tri sélectif des déchets
www.velaux.fr/guide_tri.pdf
guide pratique. Tri sélectif des déchets. • En 80 ans, nous avons multiplié notre production de déchets par 6. • Si on accumulait les déchets produits en France …

Le guide du tri | Eco-Emballages
www.ecoemballages.fr/grand-public/trier-cest-facile/le-guide-du-tri
Comment trier vos déchets, papier, verre, aluminium, acier, briques, plastique ? Découvrez le guide du tri.

La moitié des Français ne trient pas leurs déchets de …
www.lemonde.fr/.../plus-de-la-moitie-des-francais-ne-trient-pas-de-mani...
20 juin 2014 - Si le tri sélectif est devenu le premier geste écologique en France, … des Français trient leurs déchets, mais seulement 44 % d'entre eux le font …

6 Attention : les informations trouvées sur Internet ne sont pas toujours exactes. Il faut en général consulter plusieurs sites pour vérifier ces informations.

J'apprends à lire une courbe

La situation

Le professeur de Lisa a demandé à ses élèves de décrire leur propre croissance pendant les premiers mois de leur vie. Pour cela, les éleves doivent étudier une courbe qui se trouve dans leur carnet de santé : l'évolution de leur taille en fonction de leur âge de 0 à 36 mois.

La courbe expliquée

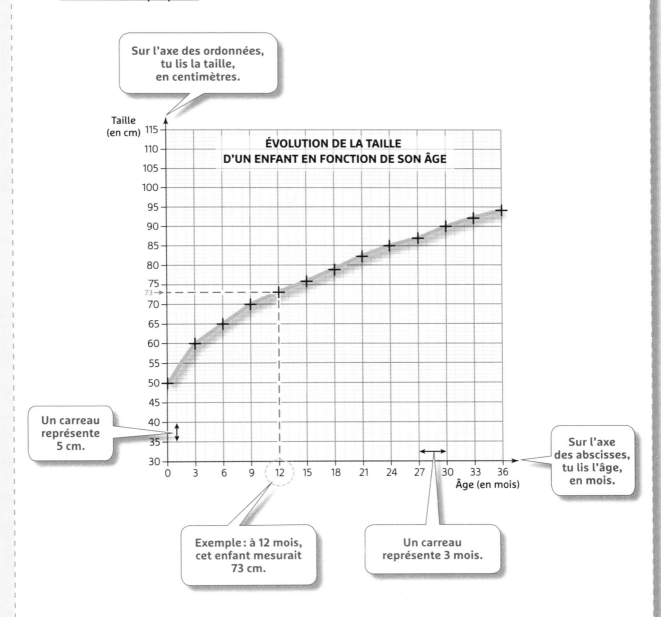

Sur l'axe des ordonnées, tu lis la taille, en centimètres.

ÉVOLUTION DE LA TAILLE D'UN ENFANT EN FONCTION DE SON ÂGE

Taille (en cm) : 30, 35, 40, 45, 50, 55, 60, 65, 70, 73, 75, 80, 85, 90, 95, 100, 105, 110, 115

Âge (en mois) : 0, 3, 6, 9, 12, 15, 18, 21, 24, 27, 30, 33, 36

Un carreau représente 5 cm.

Sur l'axe des abscisses, tu lis l'âge, en mois.

Exemple : à 12 mois, cet enfant mesurait 73 cm.

Un carreau représente 3 mois.

Unités de mesure

Grandeur	Instrument de mesure	Unité légale	Unités usuelles
Longueur	• Règle graduée • Mètre ruban	mètre (m)	• kilomètre (km) 1 km = 1 000 m • centimètre (cm) 1 cm = 0,01 m • millimètre (mm) 1 mm = 0,001 m
Volume	Éprouvette graduée	mètre cube (m^3)	• décimètre cube (dm^3) 1 dm^3 = 0,001 m^3 • litre (L) 1L = 1 dm^3 • millilitre (mL) 1 mL = 1 cm^3
Masse	Balance	kilogramme (kg)	• gramme (g) 1 g = 0,001 kg • tonne (t) 1 t = 1 000 kg
Temps	Chronomètre	seconde (s)	• minute (min) 1 min = 60 s • heure (h) 1 h = 60 min = 3 600 s
Pression	Manomètre	pascal (Pa)	• hectopacal (hPa) 1 hPa = 100 Pa • bar (ba) 1 bar = 100 000 Pa • atmosphère (atm) 1 atm = 101 325 Pa
Température	Thermomètres	kelvin (K)	• degré Celsius (°C) 0 K = −273,15 °C • 0 °C : température de fusion de l'eau sous 1 013 hPa • 100 °C : température d'ébullition de l'eau sous 1 013 hPa

Conversion des mesures

Tableau de conversion de masses

L'unité légale de masse est le **kilogramme** (kg).

Pour changer d'unité de masse, on peut utiliser le tableau ci-dessous.
Par exemple : 1 kg = 1000 g
1 g = 0,001 kg.

kilogramme (kg)	hectogramme (hg)	décagramme (dag)	gramme (g)	décigramme (dg)	centigramme (cg)	milligramme (mg)
1	0	0	0			
0	0	0	1			

Remarque : 1 tonne (t) = 1000 kilogrammes (kg).

Tableau de conversion de capacités et de volumes

L'unité légale de volume est le **mètre cube** (m^3).

La capacité d'un récipient est le volume maximal de liquide qu'il peut contenir. L'unité légale de capacité est le litre (L).

Pour changer d'unité de volume ou de capacité, on peut utiliser le tableau ci-dessous.
Par exemple : 1 dm^3 = 1000 cm^3 1 L = 1000 mL
1 cm^3 = 0,001 dm^3 1 mL = 0,001 L

kilolitre (kL)	hectolitre (hL)	décalitre (daL)	litre (L)	décilitre (dL)	centilitre (cL)	millilitre (mL)
m^3			dm^3			cm^3
			1	0	0	0
			0	0	0	1

Tableau de conversion de longueurs

L'unité légale de longueur est le **mètre** (m).

Pour changer d'unité de longueur, on peut utiliser le tableau ci-dessous.
Par exemple : 1 m = 1000 mm
1 mm = 0,001 m

kilomètre (km)	hectomètre (hm)	décamètre (dam)	mètre (m)	décimètre (dm)	centimètre (cm)	millimètre (mm)
			1	0	0	0
			0	0	0	1

Clé d'identification* de quelques arbres feuillus

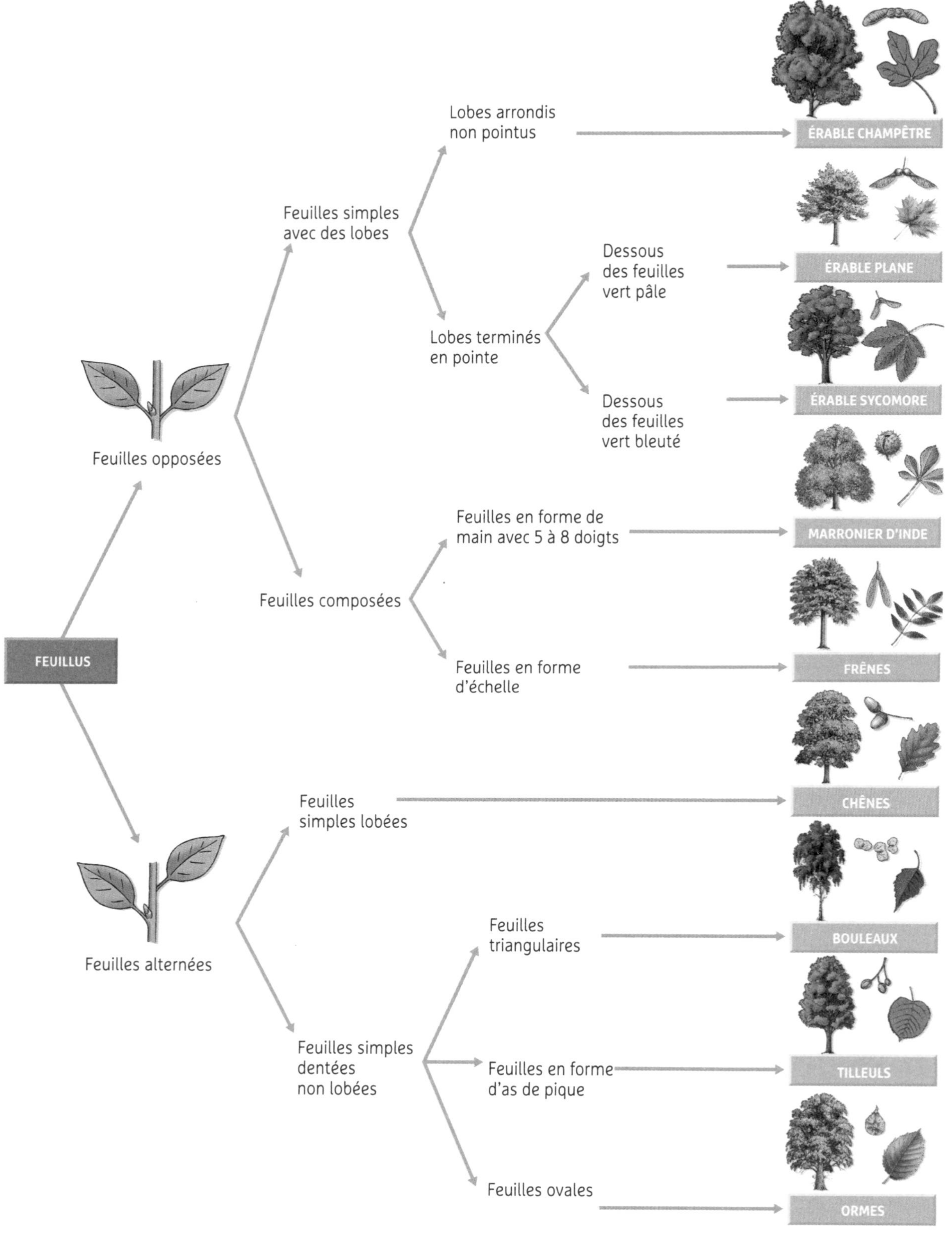

* Clé d'identification (ou détermination) simplifiée. Une clé sert à identifier un être vivant. On procède par élimination : à chaque bifurcation, on choisit entre deux caractères (ici la forme et l'aspect des feuilles) en répondant par « oui » ou « non », ou bien « a » ou « n'a pas ».

Clé d'identification* de quelques arbres conifères

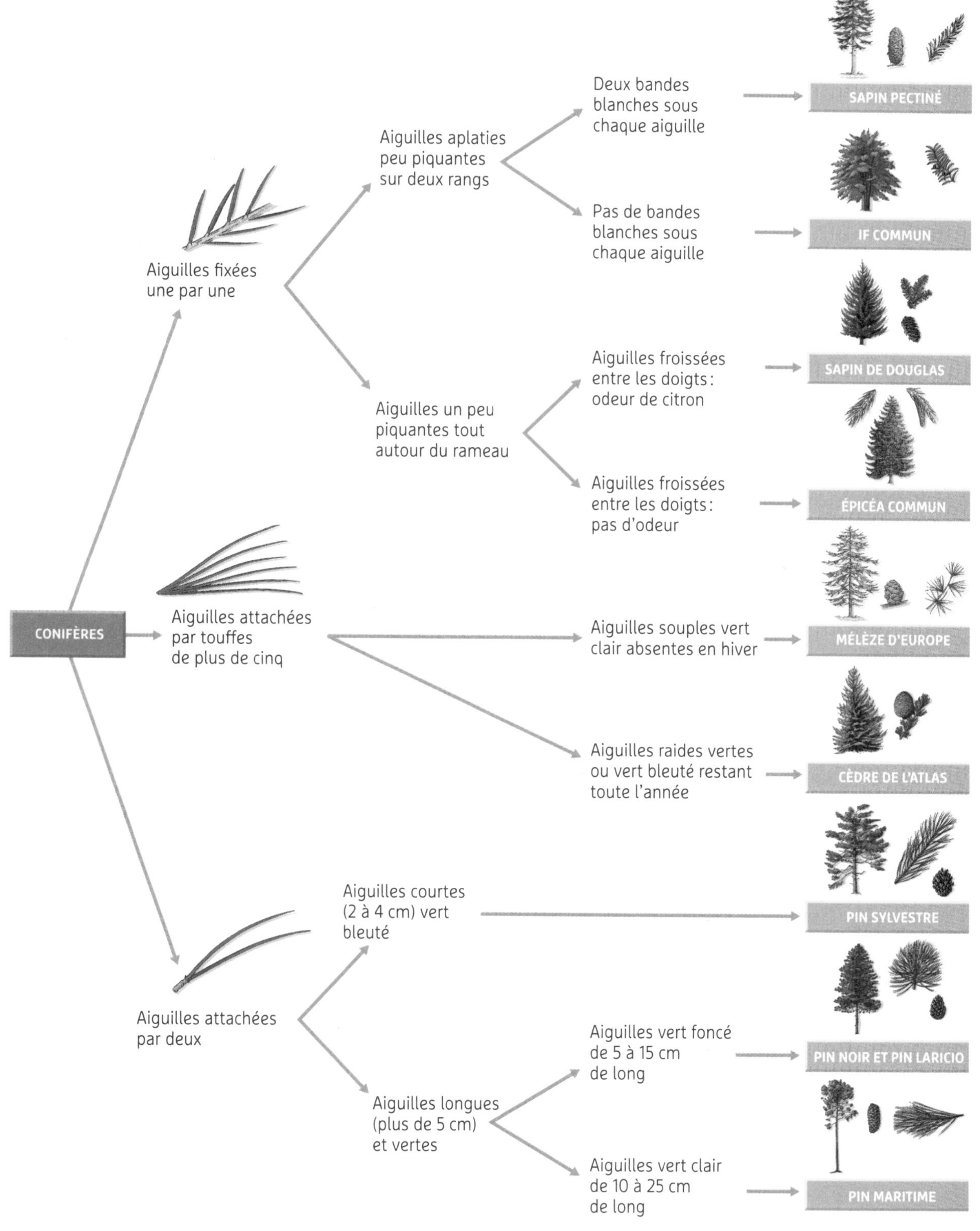

* Clé d'identification (ou détermination) simplifiée. Une clé sert à identifier un être vivant. On procède par élimination : à chaque bifurcation, on choisit entre deux caractères (ici la forme et l'aspect des feuilles) en répondant par « oui » ou « non », ou bien « a » ou « n'a pas ».

Classification générale* des êtres vivants

Tête et/ou bouche et/ou yeux : ANIMAUX

Voir pages suivantes

Champignons

► Levure
L : 0,06 mm

► Champignons de Paris
H : 5 cm

Végétaux verts

Algues vertes

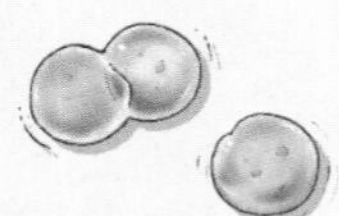

► Pleurocoque
L : 0,05 mm

► Laitue de mer
H : 20 cm

Tiges, feuilles

Feuilles minuscules à 1 seule nervure : MOUSSES

► Polytric
H : 8 cm

Feuilles développées

Feuilles en fronde : FOUGÈRES

► Polypode
H : 30 cm

Graines

Cônes ; aiguilles : CONIFÈRES

► Pin
H : 35 m

Fleurs : PLANTES À FLEURS

► Coquelicot
h : 50 cm

► Érable (feuillu)
h : 7 m

Ciliés

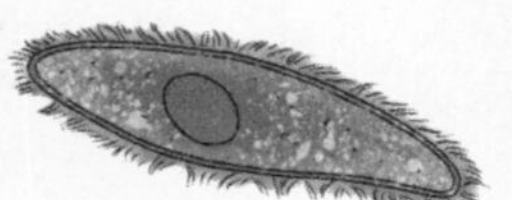

► Paramécie
L : 0,04 cm

Algues brunes

► Fucus
H : 40 cm

Euglènes

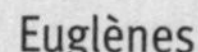

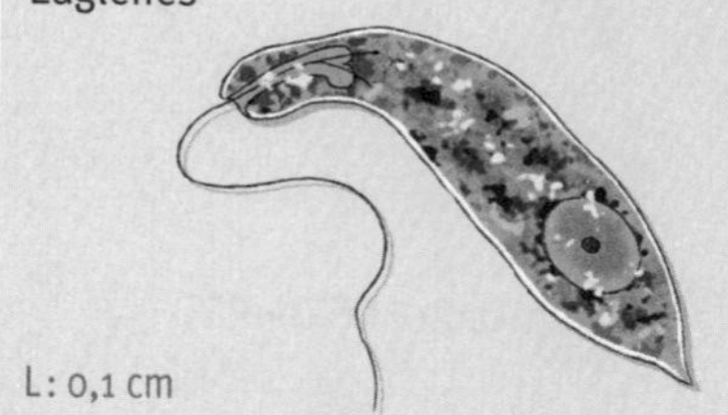

L : 0,1 cm

Source : *Comprendre et enseigner la classification*, Belin, 2008.

* Classification simplifiée du vivant, présentée en groupes emboîtés (voir p. 183), fondée sur la classification moderne des scientifiques. Les tailles sont indicatives.

Classification générale des animaux

Coquille visible ou cachée : MOLLUSQUES

Coquille en deux parties : BIVALVES
- Moule
  L : 8 cm

1 ou 2 paires de tentacules sur la tête, pied porteur : GASTÉROPODES
- Escargot
  L : 4 cm

Nombreux tentacules sur la tête, poche à encre : CÉPHALOPODES
- Pieuvre
  L : 1 m

Squelette extérieur, pattes articulées : ARTHROPODES

2 paires d'antennes : CRUSTACÉS
- Homard
  L : 25 cm

3 paires de pattes, 1 paire d'antennes : INSECTES
- Sauterelle
  L : 3,5 cm

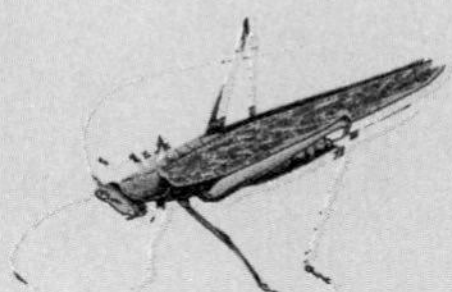

Nombreuses paires de pattes : MYRIAPODES
- Iule
  L : 8 cm

4 paires de pattes : ARACHNIDES
- Épeire
  L : 2,5 cm

Squelette dans la peau : ÉCHINODERMES
- Étoile de mer
  L : 30 cm

Corps avec des anneaux : ANNÉLIDÉS
- LOMBRIC
  L : 6 cm

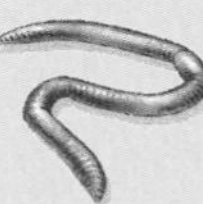

Harpons urticants : CNIDAIRES
- Méduse
  L : 15 cm

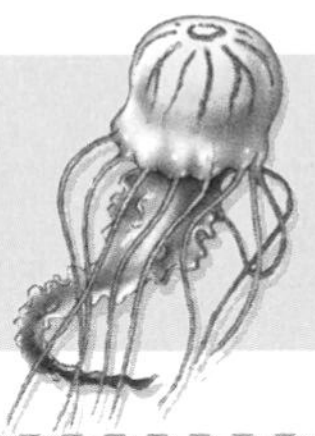

Squelette interne, crâne : VERTÉBRÉS

Squelette de cartilage : POISSONS À SQUELETTE CARTILAGINEUX

► Requin
L : 6 m

Squelette d'os

Nageoires avec des rayons : POISSONS À NAGEOIRES RAYONNÉES

► Carpe
L : 25 cm

4 membres (les ailes sont des membres antérieurs)

Gésier

Plumes : OISEAUX

► Pigeon
L : 35 cm

Trou en forme de triangle dans la tempe : CROCODILIENS

► Crocodile
L : 4,80 m

Mâchoire à large ouverture : LÉZARDS ET SERPENTS

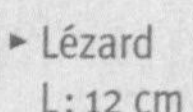

► Lézard
L : 12 cm

Carapace dorsale et ventrale : TORTUES

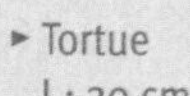

► Tortue
L : 20 cm

Poils, mamelles : MAMMIFÈRES

► Chat
L : 70 cm

4 doigts à la main : AMPHIBIENS

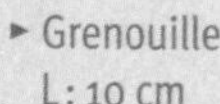

► Grenouille
L : 10 cm

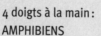

• Les tableaux pp. 16 à 23 sont destinés à faciliter l'**évaluation** du niveau de maîtrise des compétences du socle commun en **fin de cycle 3**. Ils indiquent, pour chaque chapitre, le ou les domaines du socle qui sont travaillés dans chaque unité et chaque exercice.

Matière, mouvement, énergie, information

Domaines du socle	Chapitre 1 **La matière**	Chapitre 2 **Matière et mélang**
· [D1.1] **Les langages pour penser et communiquer** *Utiliser le français*	• unité 1 p. 14 • unité 2 p. 16	• unité 1 p. 28 • exercice 5 p. 36
· [D1.3] **Les langages pour penser et communiquer** *Utiliser le langage scientifique*	• unité 2 p. 16 • unité 3 p. 18	• unité 1 p. 28 • unité 3 p. 32 • exercice 9 p. 37 • exercice 10 p. 38
· [D2] **Les méthodes et outils pour apprendre**	• unité 1 p. 14 • exercice 8 p. 23	• unité 2 p. 30 • exercice 7 p. 37
· [D4] **Les systèmes naturels et les systèmes techniques**	• unité 3 p. 18 • exercice 5 p. 22 • exercice 6 p. 23 • exercice 7 p. 23 • exercice 9 p. 24	• unité 2 p. 30 • unité 3 p. 30 • exercice 8 p. 33

du socle commun

• Le détail des compétences à l'intérieur de chaque domaine est précisé dans le manuel, à la page indiquée dans les tableaux.

Chapitre 3 **Les mouvements**	Chapitre 4 **Les formes et les sources d'énergie**	Chapitre 5 **Les besoins en énergie**	Chapitre 6 **Signaux et information**
• unité 1 p. 42	• unité 2 p. 58 • exercice 5 p. 65	• unité 1 p. 70	
• exercice 4 p. 50	• unité 1 p. 56 • unité 3 p. 60 • exercice 7 p. 65 • exercice 8 p. 65	• exercice 4 p. 76 • exercice 8 p. 78 • exercice 9 p. 78	• unité 1 p. 82 • exercice 4 p. 88 • unité 2 p. 84 • exercice 5 p. 89
• exercice 6 p. 51	• exercice 4 p. 64	• unité 1 p. 70	
• unité 1 p. 42 • unité 2 p. 44 • unité 3 p. 46 • exercice 5 p. 51 • exercice 7 p. 51	• unité 1 p. 56 • unité 2 p. 58 • unité 3 p. 60	• unité 3 p. 72 • exercice 5 p. 77 • exercice 6 p. 77 • exercice 7 p. 77 • exercice 8 p. 78	• unité 1 p. 82 • unité 2 p. 84 • exercice 6 p. 89 • exercice 7 p. 89

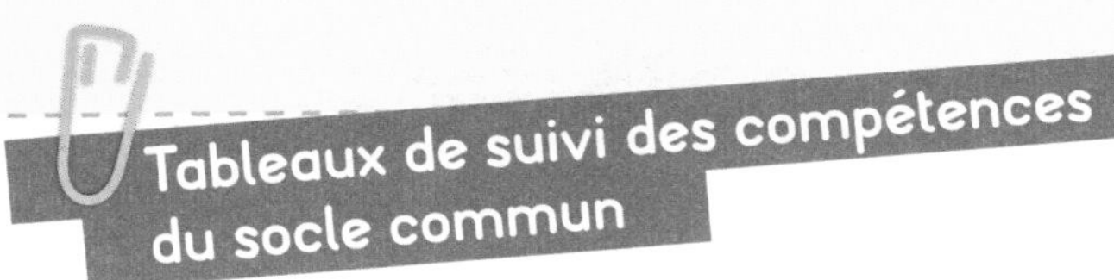

Partie 2

Le vivant, sa diversité et les fonctions qui le caractérisent

Domaines du socle	Chapitre 7 **Diversité et unité des êtres vivants**	Chapitre 8 **Histoire de la vie et évolution**	Chapitre 9 **Le développeme des êtres vivant**
· [D1.1] **Les langages pour penser et communiquer** *Utiliser le français*		• unité 1 p. 114 • unité 3 p. 118 • exercice 6 p. 124	
· [D1.3] **Les langages pour penser et communiquer** *Utiliser le langage scientifique*	• unité 1 p. 100 • exercice 7 p. 24 • exercice ex. 8 p. 24	• unité 2 p. 116	• unité 3 p. 132 • unité 4 p. 134
· [D2] **Les méthodes et outils pour apprendre**	• unité 1 p. 100 • unité 2 p. 102		
· [D4] **Les systèmes naturels et les systèmes techniques**	• unité 2 p. 102 • unité 3 p. 104 • exercice 4 p. 22 • exercice 6 p. 23 • exercice 5 p. 23	• unité 1 p. 114 • unité 2 p. 116 • unité 3 p. 118 • exercice 3 p. 122 • exercice 4 p. 123 • exercice 5 p. 124	• unité 1 p. 128 • unité 2 p. 130 • unité 3 p. 132 • exercice 4 p. 138 • exercice 5 p. 139 • exercice 6 p. 139 • exercice 7 p. 140 • exercice 8 p. 140

Chapitre 10 **Les besoins nutritifs des animaux et des plantes vertes**	Chapitre 11 **Les fonctions de nutrition**	Chapitre 12 **L'origine des aliments**	Chapitre 13 **Les micro-organismes et nos aliments**	Chapitre 14 **Le devenir de la matière organique**
	• unité 2 p. 160		• unité 1 p. 180 • exercice 7 p. 188	• exercice 7 p. 204
• unité 1, p. 144 • exercice 6 p. 153 • exercice 7 p. 154	• unité 1 p. 158 • exercice 4 p. 164	• exercice. 5 p. 177 • exercice 7 p. 177	• exercice 8 p. 189	• unité 2 p. 196 • unité 3 p. 198 • exercice 4 p. 202
• unité 2, p. 146	• exercice 5 p. 165	• unité 1 p. 168 • unité 2 p. 170		• unité 1 p. 194
• unité 1, p. 144 • unité 2, p. 146 • unité 3, p. 148 • unité 3, p. 148 • exercice 4 p. 152 • exercice 5 p. 153 • exercice 7 p. 154	• unité 1 p. 158 • unité 2 p. 160 • exercice 6 p. 165 • exercice 7 p. 165	• unité 1 p. 168 • unité 2 p. 170 • exercice 4 p. 176 • exercice 6 p. 177	• unité 1 p. 180 • unité 2 p. 182 • unité 3 p. 184 • exercice. 4 p. 188 • exercice 5 p. 189 • exercice 6 p. 188 • exercice 9 p. 189	• unité 1 p. 194 • unité 2 p. 196 • unité 3 p. 198 • exercice. 6 p. 203 • exercice 8 p. 204 • exercice 9 p. 204

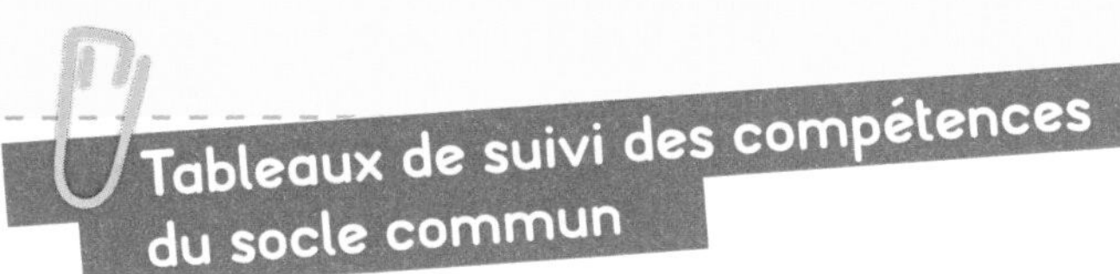

Partie 3

Matériaux et objets techniques

Domaines du socle	Chapitre 15 L'évolution technologique	Chapitre 16 Objets techniques : fonction, constitution, fonctionnement
· [D1.1] **Les langages pour penser et communiquer** *Utiliser le français*	• unité 1 p. 214 • unité 2 p. 216	• exercice 3 p. 229
· [D1.3] **Les langages pour penser et communiquer** *Utiliser le langage scientifique*		• unité 3 p. 226
· [D2] **Les méthodes et outils pour apprendre**		• unité 1 p. 222 • unité 2 p. 224
· [D4] **Les systèmes naturels et les systèmes techniques**	• unité 2 p. 216 • exercice 4 p. 219	• unité 1 p. 222 • unité 2 p. 224 • unité 3 p. 226 • exercice 4 p. 229
· [D5] **Les représentations du monde et l'activité humaine**	• unité 1 p. 214 • exercice 3 p. 219	

Chapitre 17 **Les principales familles de matériaux**	Chapitre 18 **Objets techniques : des contraintes à la solution**	Chapitre 19 **Réaliser une solution technique**	Chapitre 20 **Communication et gestion de l'information**
• unité 1 p. 232 • unité 3 p. 236 • exercice 3 p. 239	• unité 1 p. 242	• unité 1 p. 254	• unité 2 p. 268 • unité 4 p. 272
	• exercice 7 p. 251	• exercice 3 p. 263	• unité 3 p. 270 • unité 4 p. 272
• unité 2 p. 234	• exercice 6 p. 250		• unité 1 p. 266 • exercice 5 p. 277
• unité 2 p. 234 • unité 3 p. 236 • exercice 4 p. 239	• unité 1 p. 242 • unité 2 p. 244 • exercice 3 p. 249 • exercice 4 p. 250 • exercice 5 p. 250 • exercice 8 p. 251	• unité 1 p. 254 • unité 2 p. 256 • unité 3 p. 258 • unité 4 p. 260 • exercice 4 p. 263	• unité 1 p. 266 • exercice 4 p. 276 • exercice 6 p. 277 • exercice 7 p. 277
	• unité 3 p. 246		• unité 2 p. 268

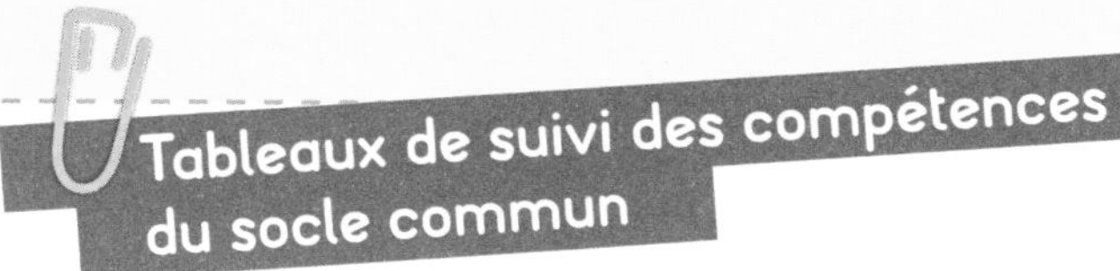

Partie 4

La planète Terre. Les êtres vivants dans leur environnement

Domaines du socle	Chap. 21 La Terre et le système solaire	Chap. 22 Les mouvements de la Terre	Chap. 23 La Terre, planète active
· [D1.1] **Les langages pour penser et communiquer** *Utiliser le français*	• exercice 6 p. 293	• unité 3 p. 302 • exercice 4 p. 306 • exercice 5 p. 307	• unité 1 p. 312
· [D1.3] **Les langages pour penser et communiquer** *Utiliser le langage scientifique*	• unité 1 p. 286	• unité 2 p. 300 • exercice 7 p. 307	• unité 2 p. 314 • exercice 6 p. 323 • exercice 7 p. 323 • exercice 8 p. 323
· [D1.2] **Les méthodes et outils pour apprendre**	• unité 2 p. 288 • exercice 5 p. 293		
· [D1.3] **La formation de la personne et du citoyen**			• unité 4 p. 318
· [D1.4] **Les systèmes naturels et les systèmes techniques**	• unité 2 p. 288 • exercice 7 p. 293 • exercice 8 p. 293	• unité 1 p. 298 • exercice 6 p. 307 • exercice 8 p. 308	• unité 1 p. 312 • unité 2 p. 314 • unité 3 p. 316 • exercice 5 p. 322
· [D1.5] **Les représentations du monde et l'activité humaine**	• unité 1 p. 286 • exercice 4 p. 292	• unité 2 p. 300 • unité 3 p. 302	• unité 1 p. 312 • unité 2 p. 314 • unité 3 p. 316 • exercice 5 p. 322

Chap. 24 **À la découverte d'un paysage**	Chap. 25 **À la découverte d'un écosystème**	Chap. 26 **Quelques impacts de l'Homme sur l'environnement**	Chap. 27 **L'exploitation des ressources naturelles et son impact**
	• unité 1 p. 338		• exercice 6 p. 373
• unité 2 p. 330 • exercice 6 p. 335	• unité 3 p. 342 • exercice 4 p. 348 • exercice 8 p. 350	• unité 2 p. 356 • exercice 4 p. 360	• unité 1 p. 364 • unité 3 p. 368 • exercice 5 p. 373 • exercice 7 p. 374
• unité 2 p. 330			
		• unité 1 p. 354	
• unité 1 p. 328 • exercice 5 p. 334	• unité 1 p. 338 • unité 2 p. 340 • unité 3 p. 342 • unité 4 p. 344 • exercice 6 p. 349 • exercice 7 p. 349 • exercice 9 p. 350	• unité 1 p. 354 • unité 2 p. 356 • exercice 3 p. 360 • exercice 5 p. 361 • exercice 6 p. 361	• unité 1 p. 364 • unité 2 p. 366 • exercice 4 p. 372 • exercice 8 p. 374 • exercice 9 p. 374
• unité 1 p. 328 • exercice 7 p. 335 • exercice 8 p. 335	• unité 2 p. 340 • unité 4 p. 344		• unité 3 p. 368

Crédits

Couverture : © Ferrantraite/Getty

Photos : Christophe Michel/Paxal Images

Illustrations : Laurent Blondel/Corédoc, Thomas Haessig, Amélie Veaux

Découvrez le manuel papier augmenté !

mode d'emploi

- Intégrez facilement le numérique dans vos pratiques
- Proposez des contenus plus complets à vos élèves
- Guidez, animez, approfondissez des points clés

Des bilans animés, des vidéos, des documents et exercices complémentaires sont accessibles depuis une tablette ou un smartphone.

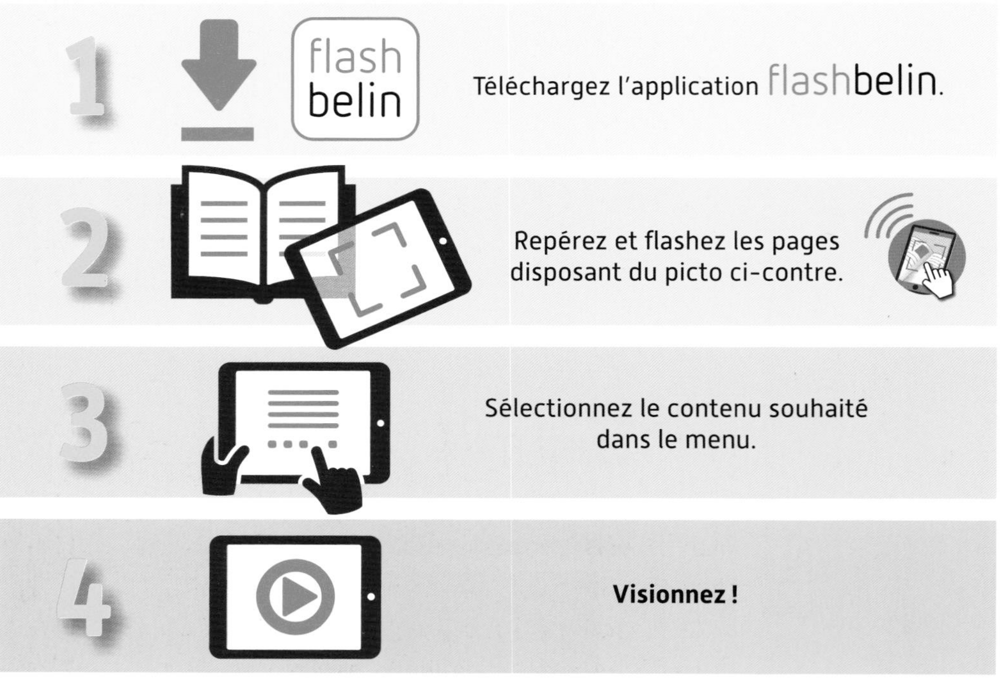
1
flash belin
Téléchargez l'application flashbelin.
2
Repérez et flashez les pages disposant du picto ci-contre.
3
Sélectionnez le contenu souhaité dans le menu.
4
Visionnez !

Facile, fiable et instantané : flasher l'image et découvrir immédiatement le contenu associé !

- Application flashbelin gratuite sur :  
ANDROID APP ON Google play
Available on the App Store

Le bilan

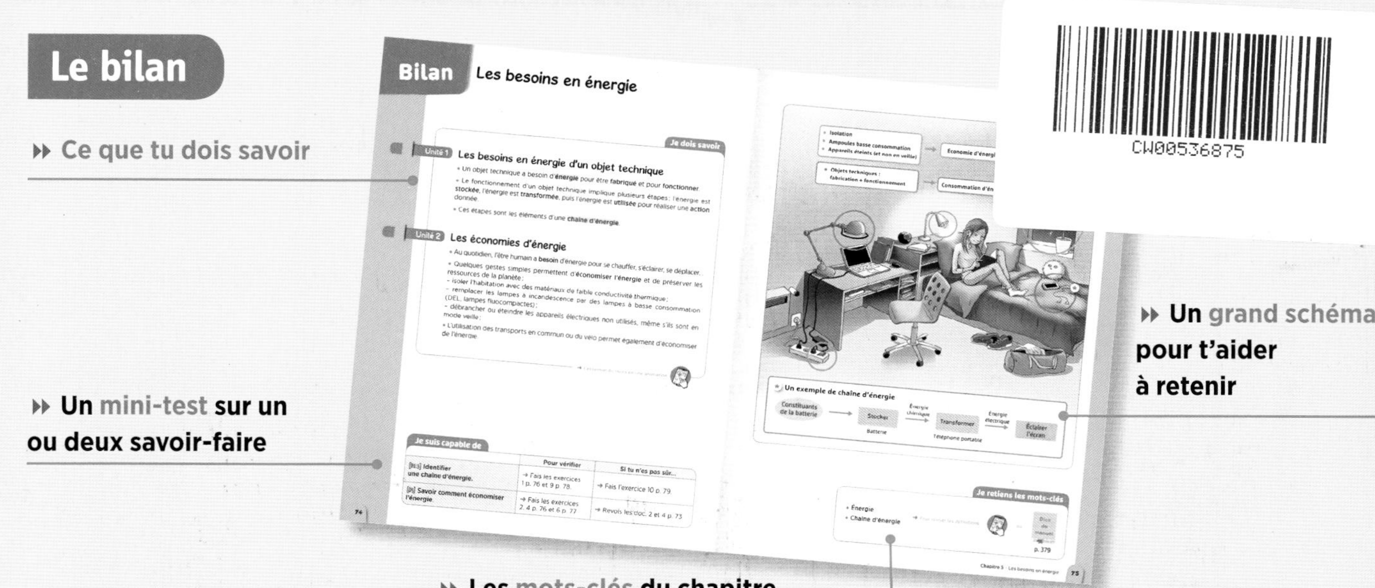

▸▸ Ce que tu dois savoir

▸▸ Un mini-test sur un ou deux savoir-faire

▸▸ Un grand schéma pour t'aider à retenir

▸▸ Les mots-clés du chapitre

Les exercices

▸▸ Des exercices pour vérifier tes connaissances.
La correction est à la fin du manuel

▸▸ Des exercices d'accompagnement personnalisé pour s'entraîner sur un savoir-faire

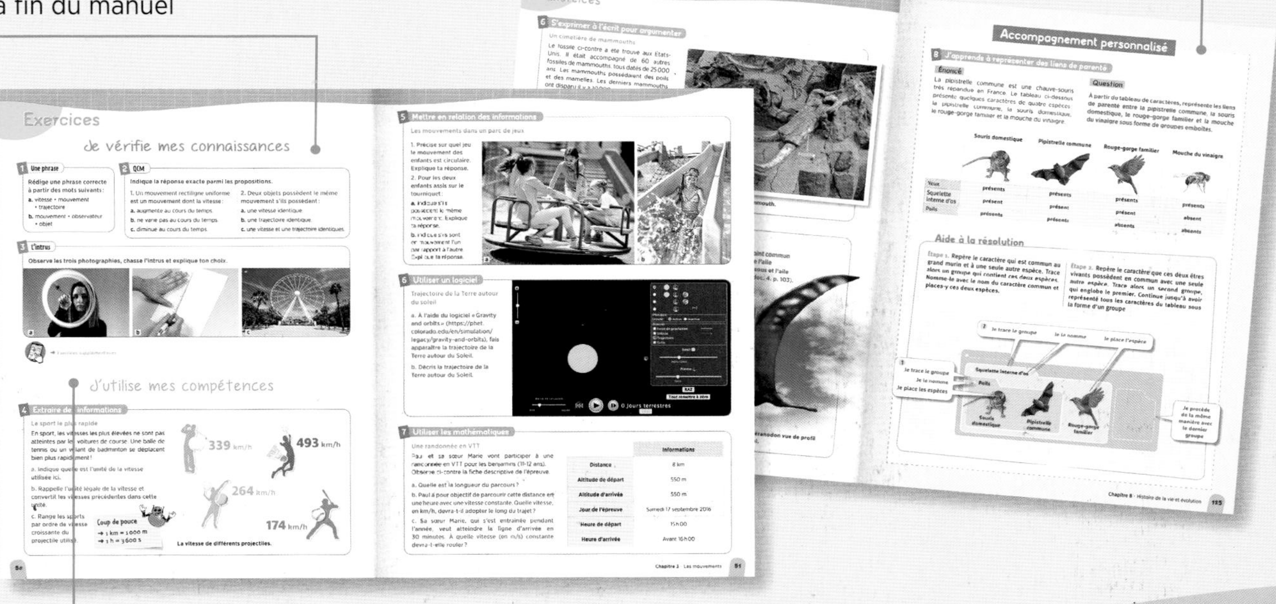

▸▸ Des exercices pour utiliser tes compétences

Et aussi...

Un livret encarté au début du manuel avec des fiches méthodes, des fiches repères et un tableau de suivi des compétences

Sciences et Technologie

6e CYCLE 3

Nouveau programme 2016

Directeurs d'ouvrage
Éric Donadéi, Thierry Levêque,
Alain Pothet, Samuel Rebulard, Éric Seuillot

Directeur adjoint
David Boutigny

Auteurs
Sylvaine Arnould Drouilly
Michaël Auroy
Olivier Bernussou
David Boutigny
Carine Delabre
Éric Donadéi
Fabienne Foltrauer
Renaud François
Virginie Guilbert
Frédéric Mariucci
Nordine Matmat
Catherine Montesinos
Doriane Parmentier
Fabrice Pernet
Arnaud Pétry
Samuel Rebulard
Romina Seyed
Laurence Tisseron
Antoine Werthe
Maxime Zampieri

8, RUE FÉROU 75278 PARIS CEDEX 06
WWW.EDITIONS-BELIN.COM

Sommaire

Partie 1

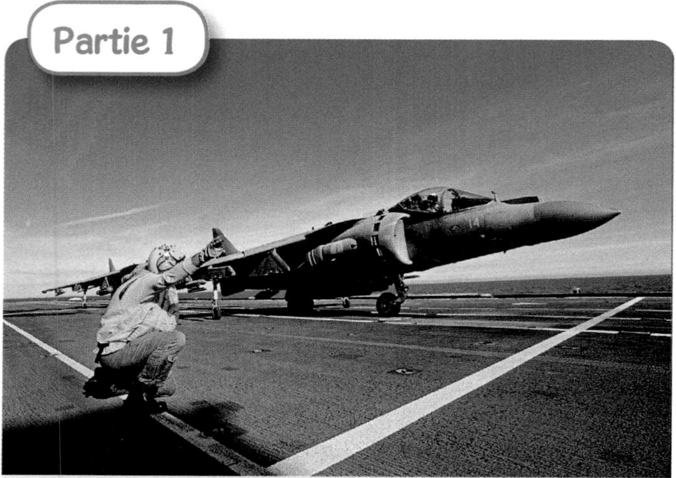

Matière, mouvement, énergie, information 8

Partie 2

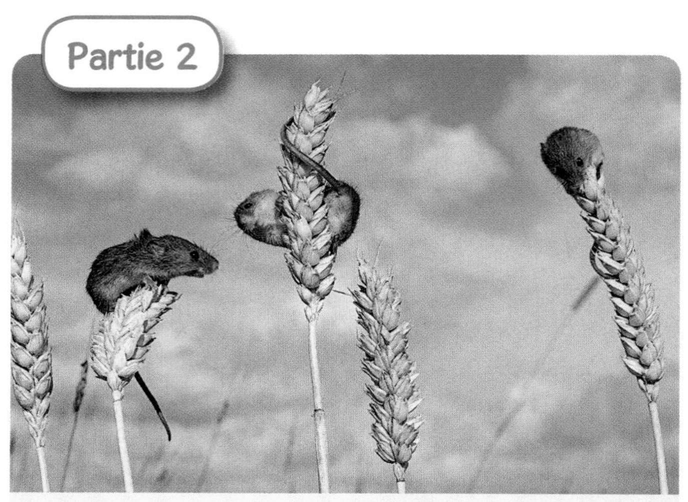

Le vivant, sa diversité et les fonctions qui le caractérisent 94

ISBN : 978-2-7011-9708-1

Partie 3

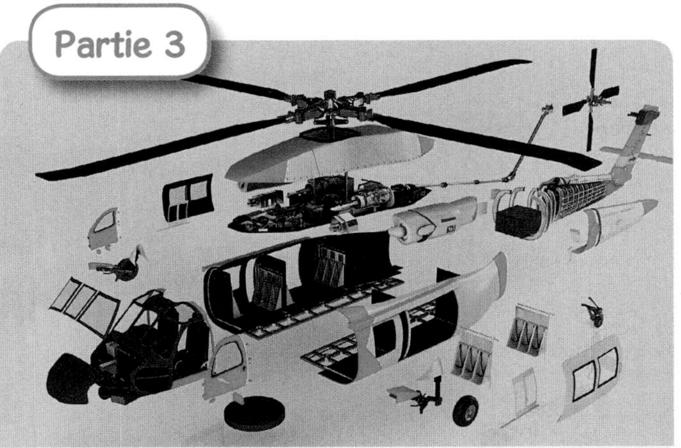

Matériaux et objets techniques

Partie 4

La planète Terre. Les êtres vivants dans leur environnement

Des exercices guidés d'accompagnement personnalisés

Le manuel Sciences et Technologie en cinq mots

Stimulant

Un manuel pour donner le goût des sciences

- **70** documents **déclenchants** (une page par chapitre)
- **40 expériences** ou **objets techniques** à réaliser
- Des documents **motivants** et **proches** des élèves :
  - → Tout savoir (ou presque) sur :
    - son Smartphone
    - sa tablette de chocolat
  - → Faire une expédition naturaliste dans sa cuisine
  - → Utiliser une station météorologique
  - → Réaliser une alarme anti-intrusion
  - → Améliorer les déplacements des personnes à mobilité réduite

Et d'autres thématiques encore...

Rassurant

Un manuel pour faire ses premiers pas au collège

- Des exercices guidés **d'accompagnement personnalisé**
  - → Mesurer une masse
  - → Choisir le matériel adapté pour une expérience
  - → Construire un schéma (conversion énergétique, chaîne d'énergie, explication des saisons, développement d'un être vivant, classification en ensembles emboîtés)
  - → Réaliser un tableau
  - → Calculer une vitesse
  - → Utiliser un microscope
  - → Réaliser un dessin d'observation
  - → Construire une courbe à partir d'un tableau
  - → Extraire des informations d'un texte, déterminer le type de question posée
  - → Lire et exploiter un graphique
  - → Écrire un texte avec un langage scientifique
- **Des fiches méthode**
  Voir le livret en début de manuel

Innovant

Un manuel au service de la démarche d'investigation et du travail par compétences

- Une mise en œuvre du **socle commun** : les principales compétences travaillées sont indiquées pour chaque unité et chaque exercice
- Des **missions** à réaliser (réaliser une affiche, une recherche documentaire, un travail en groupe, etc.)
- **9 tâches complexes** fondées sur des situations-problème motivantes :
  - → Attention aux mélanges
  - → Des solutions pour économiser l'énergie à la maison
  - → Le mouvement d'un skateboard
  - → Le « septième continent » de plastiques
  - → Comment faire des pommes de terre
  - → La conservation des aliments à la maison
  - → Les chasseurs du Paléolithique
  - → Les Smartphones et la planète
  - → La fabrication d'un dragster

Complet

Un manuel de fin de cycle 3

- La **totalité du programme de cycle 3** est traitée pour permettre l'évaluation de la maîtrise des attendus de fin de cycle.
- Deux **programmations** sont proposées pour une progression coordonnée des trois composantes des Sciences et Technologie (SVT, physique-chimie, technologie).
  Voir pages 6 et 7
- Un **tableau de bord des compétences** facilite leur validation.
  Voir le livret en début de manuel

Augmenté

Un manuel à l'heure du numérique

- L'**application** flashbelin donne accès gratuitement et facilement à des **compléments numériques** en flashant simplement une page avec un Smartphone ou une tablette (voir page de garde).
  Une sélection de vidéos en lien avec l'actualité et le programme sont notamment proposées, en partenariat avec Euronews.

- Les activités et les expériences mobilisent pleinement les **TICE** : logiciels de bureautique, modeleurs numériques, etc.

Deux pistes pour une programmation annuelle

• Le sommaire du manuel suit l'écriture du Bulletin officiel*, mais d'autres progressions sont envisageables. Le choix est à l'initiative des enseignants et dépend, entre autres, de l'organisation mise en place pour l'enseignement de sciences et technologie. Nous fournissons ici, à titre indicatif, **deux propositions de programmation**. Les chapitres du

Proposition n° 1

Le programme est déroulé en quatre enquêtes. La dernière enquête conclut l'année avec quatre chapitres qui peuvent être traités indifféremment par les sciences de la vie et de la Terre (SVT), la physique-chimie (PC) ou la technologie (Tech.).

Enquête 1 Je découvre ma planète	Enquête 2 Je découvre les habitants de ma planète	Enquête 3 J'innove	Enquête 4 Citoyen de la planète !
La matière Chap. 1 (PC)	Diversité et unité des êtres vivants Chap. 7 (SVT)	L'évolution technologique Chap. 15 (Tech.)	Les besoins en énergie Chap. 5 (PC ou SVT ou Tech.)
La Terre et le système solaire Chap. 21 (PC ou SVT)	À la découverte d'un écosystème Chap. 25 (SVT)	Les objets techniques : fonction, nature et fonctionnement Chap. 16 (Tech.)	L'utilisation de la matière organique Chap. 14 (PC ou SVT ou Tech.)
Les mouvements Chap. 3 (PC)	Histoire de la vie et évolution Chap. 8 (SVT)	Les familles de matériaux Chap. 17 (Tech.)	Quelques impacts de l'Homme sur l'environnement Chap. 26 (PC ou SVT ou Tech.)
Les mouvements de la Terre Chap. 22 (PC ou SVT)	Le développement des êtres vivants Chap. 9 (SVT)	Les objets techniques : de la contrainte à la solution Chap. 18 (Tech.)	L'exploitation des ressources naturelles et son impact Chap. 27 (PC ou SVT ou Tech.)
Formes et sources d'énergie Chap. 4 (PC ou SVT)	Les besoins nutritifs des animaux et des plantes vertes Chap. 10 (SVT)	Les objets techniques : la réalisation Chap. 19 (Tech.)	
La Terre, planète active Chap. 23 (PC ou SVT)	Alimentation et digestion chez l'Homme Chap. 11 (SVT)	Signaux et information Chap. 6 (PC)	
Matières et mélanges Chap. 2 (PC)	L'origine des aliments Chap. 12 (SVT)	Communication et gestion de l'information Chap. 20 (Tech.)	
Comprendre un paysage Chap. 24 (SVT)	Les micro-organismes et nos aliments Chap. 13 (SVT ou Tech.)		

manuels sont répartis dans **plusieurs enquêtes** que l'on peut dérouler en parallèle.
• Les enquêtes sont **multidisciplinaires** et permettent une **progression cohérente pour chacune des trois composantes** de l'enseignement de sciences et technologie (SVT, physique-chimie, technologie).

**Bulletin officiel spécial,* n° 11, 26 novembre 2015

Proposition n° 2

Le programme est déroulé en cinq enquêtes qui permettent de décrire le monde présent (A), de le comprendre (B) et d'anticiper le monde à venir (C).

<table>
<tr><th>Enquête 1
J'enquête sur le vivant</th><th>Enquête 2
J'enquête sur la matière</th><th>Enquête 3
J'enquête sur l'énergie</th><th>Enquête 4
J'enquête sur notre planète</th><th>Enquête 5
J'enquête sur les besoins de l'Homme</th><th></th></tr>
<tr><td>À la découverte d'un écosystème
Chap. 25 (SVT)</td><td>La matière
Chap. 1 (PC)</td><td>Formes et sources d'énergie
Chap. 4 (PC ou SVT)</td><td>La Terre et le système solaire
Chap. 21 (PC ou SVT)</td><td>Les objets techniques : fonction, nature et fonctionnement
Chap. 16 (Tech.)</td><td rowspan="2">A</td></tr>
<tr><td rowspan="2">Le développement des êtres vivants
Chap. 9 (SVT)</td><td>Matière et mélanges
Chap. 2 (PC)</td><td rowspan="2">Les mouvements
Chap. 3 (PC)</td><td rowspan="2">Les mouvements de la Terre
Chap. (22 PC ou SVT)</td><td>Les objets techniques : de la contrainte à la solution
Chap. 18 (Tech.)</td></tr>
<tr><td>Les familles de matériaux
Chap. 17 (Tech.)</td><td>Les objets techniques : la réalisation
Chap. 19 (Tech.)</td><td rowspan="4">B</td></tr>
<tr><td>Diversité et unité des êtres vivants
Chap. 7 (SVT)</td><td>L'origine des aliments
Chap. 12 (SVT)</td><td>Les besoins nutritifs des animaux et des plantes vertes
Chap. 10 (SVT)</td><td>La Terre, planète active
Chap. 23 (PC ou SVT)</td><td>L'évolution technologique
Chap. 15 (Tech.)</td></tr>
<tr><td rowspan="2">Histoire de la vie et évolution
Chap. 8 (SVT)</td><td rowspan="2">Les micro-organismes et nos aliments
Chap. 13 (SVT ou Tech.)</td><td rowspan="2">Alimentation et digestion chez l'Homme
Chap. 11 (SVT)</td><td rowspan="2">Comprendre un paysage
Chap. 24 (SVT)</td><td>Signaux et information
Chap. 6 (PC)</td></tr>
<tr><td>Communication et gestion de l'information
Chap. 20 (Tech.)</td></tr>
<tr><td></td><td>L'utilisation de la matière organique
Chap. 14 (SVT ou Tech. ou PC)</td><td>Les besoins en énergie
Chap. 5 (SVT, Tech. ou PC)</td><td>L'exploitation des ressources naturelles et son impact
Chap. 27 (SVT, Tech. ou PC)</td><td>Quelques impacts de l'Homme sur l'environnement
Chap. 26 (SVT, Tech. ou PC)</td><td>C</td></tr>
</table>

Partie 1

Matière, mouvement, énergie, information

▲ Avion de chasse prêt à décoller.

Attendus de fin de cycle*

Décrire la matière

Observer et décrire des mouvements

Identifier des sources et des conversions d'énergie

Identifier un signal et une information

Bulletin officiel spécial, n° 11, 26 novembre 2015.

Cycle 3 De l'école au collège

Pour chaque question, choisis la bonne réponse à l'aide de tes connaissances

1 Décrire la matière

Une voiture recouverte de givre.

1 La matière :

a. toujours d'origine naturelle.
b. est variée.
c. est toujours fabriquée par l'Homme.

2 La photographie montre de l'eau dans l'état :

a. solide et liquide.
b. liquide et gazeux.
c. gazeux.

3 Parmi les matières suivantes, celle qui n'est pas un mélange est :

a. l'acier d'une carrosserie de voiture.
b. l'air que l'on respire.
c. le givre.

4 L'acier d'une carrosserie de voiture :

a. est conducteur du courant électrique.
b. n'est pas conducteur du courant électrique.
c. est soluble dans l'eau.

2 Observer et décrire des mouvements

Usain Bolt, recordman du 100 m en 9,58 s.

5 Un coureur du 100 m a un mouvement :

a. rectiligne.
b. circulaire.
c. curviligne.

6 Usain Bolt a couru à une vitesse moyenne de :

a. 100 m.
b. 9,58 s.
c. 37,6 km/h.

7 10,4 m/s, c'est la vitesse moyenne d'Usain Bolt par rapport :

a. à lui-même.
b. à la piste.
c. aux autres coureurs.

3 Identifier des sources et des conversions d'énergie

8 L'Homme a besoin d'énergie :

a. toujours.
b. parfois.
c. jamais.

9 Le Soleil est une source d'énergie :

a. écologique.
b. non renouvelable.
c. fossile.

10 Un panneau photovoltaïque sert à convertir :

a. de l'énergie électrique en énergie lumineuse.
b. de l'énergie lumineuse en énergie thermique.
c. de l'énergie lumineuse en énergie électrique.

Des panneaux photovoltaïque pour produire du courant électrique.

4 Identifier un signal et une information

Titeuf et Nadia, deux personnages de la bande dessinée *Titeuf*.

11 Sur cette image :

a. seul Titeuf envoie un signal à Nadia.
b. seule Nadia envoie un signal à Titeuf.
c. Titeuf et Nadia s'envoient tous les deux des signaux.

12 Le signal envoyé par Titeuf est un signal :

a. d'amour.
b. de haine.
c. d'amitié.

Chapitre 1

Pour commencer...

Des images

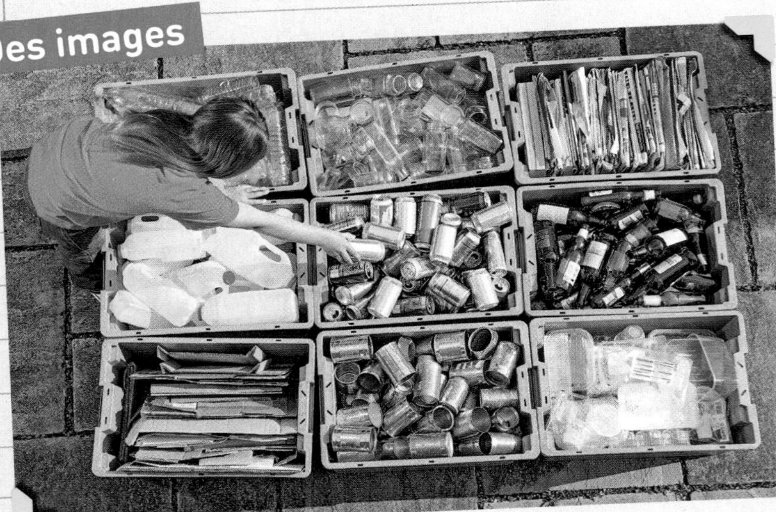

Nos déchets sont faits de matière très diverse.

>> Comment trier la matière ?

>> Tous les échantillons de matière se comportent-ils de la même façon ?

Un nombre

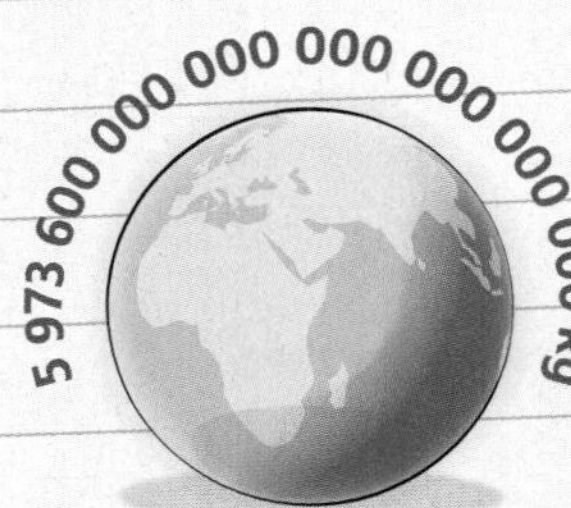

>> Que signifie 5 973 600 000 000 000 000 000 000 kg ?

La matière

Quelles sont les principales caractéristiques de la matière ?

Unité 1

Observer la diversité de la matière

Compétences
- [D1.1] Rendre compte en utilisant un vocabulaire précis.
- [D2] Mettre en relation des documents.

La matière est ce qui constitue les solides, les liquides et les gaz. Elle est très diverse. C'est pour cette raison que, dans une déchetterie, on doit trier les déchets avant d'en recycler certains.

→ En quoi peut-on dire que la matière est très diverse ?

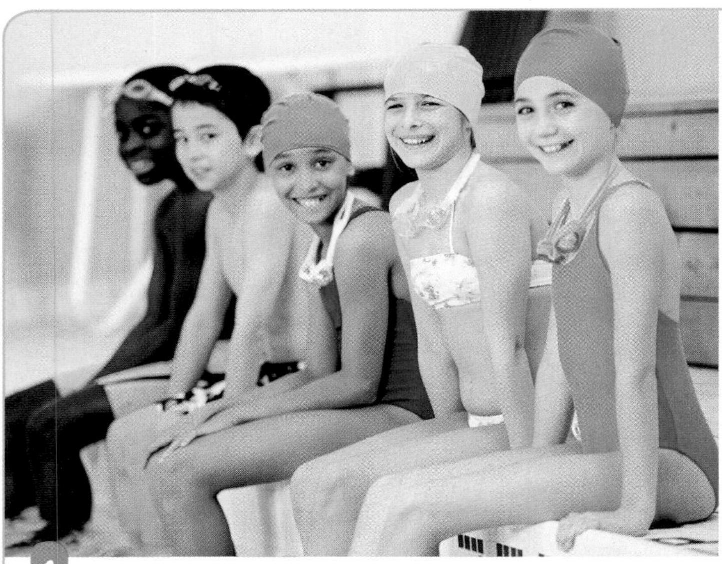

1 **Enfants portant des vêtements en polyester.** Le polyester est une matière plastique fabriquée par l'Homme. Elle passe à l'**état** liquide vers 260 °C.

2 **Coulée d'aluminium liquide.** L'aluminium passe à l'état liquide à 660 °C.

3 **Un bateau pouvant transporter des véhicules (« car ferry »).** Sa coque contient un métal fabriqué par l'Homme à partir de l'aluminium. Un métal est une **matière** qui laisse bien passer la chaleur et l'électricité.

Ta mission

1 Doc. 1 à 5 Établis une liste des différentes sortes de matière présentes dans les documents.

2 Doc. 1 à 5 Pour chaque sorte de matière, indique :
- s'il s'agit d'une matière **naturelle** ou non ;
- s'il s'agit d'un métal, d'un plastique, d'une matière organique ou d'une matière minérale ;
- la façon dont les êtres vivants peuvent s'en servir.

3 Doc. 1 et 2 À une température de 330 °C, détermine dans quel état se trouve l'aluminium et le polyester.

4 Conclusion Rédige un court texte expliquant en quoi on peut dire que la matière est diverse.

Vocabulaire

État physique (un) : la matière peut être à l'état solide, liquide ou gazeux.

Matière naturelle (une) : matière qui n'a pas été fabriquée grâce à l'intervention d'un être humain.

4 **Fourmis sur une branche transportant des morceaux de feuilles.** La matière qui constitue les être vivants est appelée matière organique.

a

b

5 **Une statue égyptienne en basalte (a).** Une roche comme le basalte (b) (roche volcanique), l'eau, les sels minéraux ou bien encore l'air qui nous entoure sont des exemples de matière minérale.

La matière à grande échelle

Compétences
- [D1.1] Rendre compte en utilisant un vocabulaire précis.
- [D1.3] Exploiter un document.

La matière est très diverse. Elle est partout dans l'Univers... et donc sur notre planète.

→ **Quelle est la matière qui compose la Terre ?**

La matière des planètes et de l'Univers

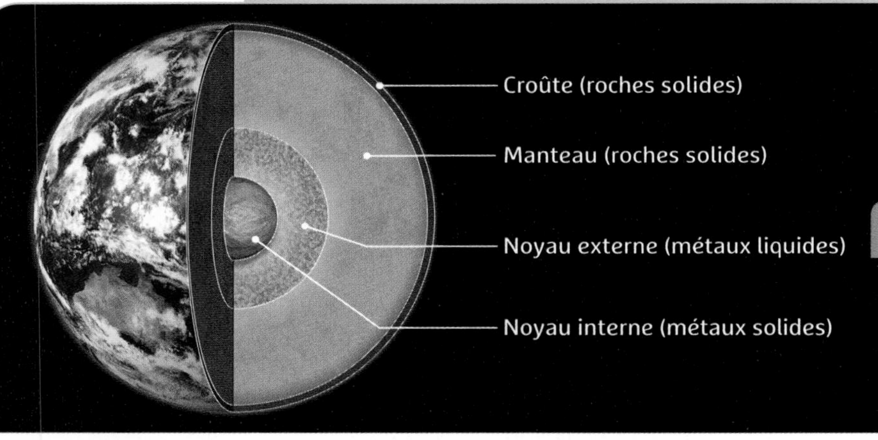

1 **La planète Terre vue en coupe.** Elle est constituée de 4 couches différentes. La **masse** de la Terre peut-être calculée. Elle est de 5 973 600 milliards de milliards de kilogrammes.

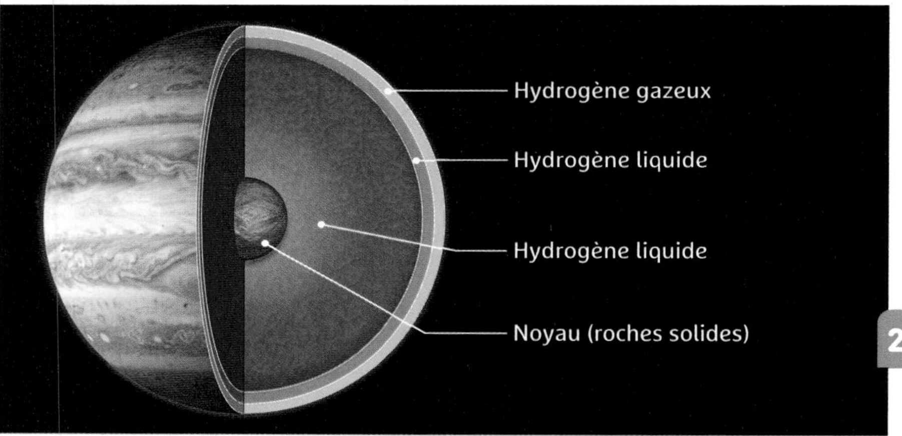

2 **La planète Jupiter vue en coupe.** Jupiter est une des planètes du système solaire (voir p. 286-287).

3 **Notre galaxie, la Voie lactée.** Une galaxie est un ensemble d'étoiles. La nôtre en contient environ 200 milliards. Parmi toutes ces étoiles, il y en a une que tu connais bien : le Soleil. L'Univers contient environ 100 milliards de galaxies. La matière de l'Univers est constituée principalement par l'hydrogène.

La matière d'une roche

4 **Une roche formée par un volcan.** La partie noire est du basalte (voir doc. 5 p. 15). La partie verte est un fragment de la roche qui constitue le manteau de la Terre : la péridotite.

Le verre est aussi une matière fabriquée par les humains à partir de sable. Il ne contient pas de cristaux. Il devient liquide à partir de 1300 °C.

5 **Une péridotite observée au microscope.** Elle est faite d'un assemblage de formes géométriques : ce sont des cristaux. Certaines roches ne contiennent pas de cristaux : ce sont des verres.

Vocabulaire

Masse (une) : caractérise un échantillon de matière. Elle se mesure avec une balance (unité légale : le kilogramme, kg).

Ta mission

1. Doc. 1 Indique le nom des quatre couches qui constituent la Terre.
2. Doc. 1 et 2 Trouve au moins deux différences entre la matière de la Terre et la matière de Jupiter.
3. Doc. 3 Calcule combien de milliards d'étoiles contient l'Univers.
4. Doc. 4 et 5 Donne le nom d'une roche très abondante sur Terre.
5. En conclusion Rédige un court texte dans lequel tu décriras la matière qui constitue la Terre.

Caractériser un échantillon de matière

Compétences
- [D1.3] Présenter avec un tableau.
- [D4] Expérimenter.

Pour caractériser un échantillon de matière, il peut-être utile d'étudier certaines de ses propriétés : flotte-t-il sur l'eau ? Se déforme-t-il facilement ? Laisse-t-il passer le courant électrique ?

→ Comment caractériser un échantillon de matière ?

Densité et conductivité électrique

- Un échantillon de matière possède différentes propriétés : conductivité électrique, densité, solubilité, élasticité, etc. Chaque propriété peut être mesurée ou évaluée par une expérience précise : ces expériences permettent de caractériser un échantillon de matière et de le comparer à d'autres échantillons.

1 Quelques propriétés de la matière.

J'expérimente

Pour quelques objets de ta trousse :

1. Détermine si leur densité est supérieure ou inférieure à 1.
2. Teste leur conductivité électrique.
3. Rassemble les résultats dans un tableau.

2 Un test de densité. Par convention, la densité de l'eau liquide est égale à 1. Si un échantillon de matière immergé dans l'eau liquide coule, alors sa densité est supérieure à 1. Si un échantillon de matière immergé dans l'eau liquide remonte en surface, alors sa densité est inférieure à 1.

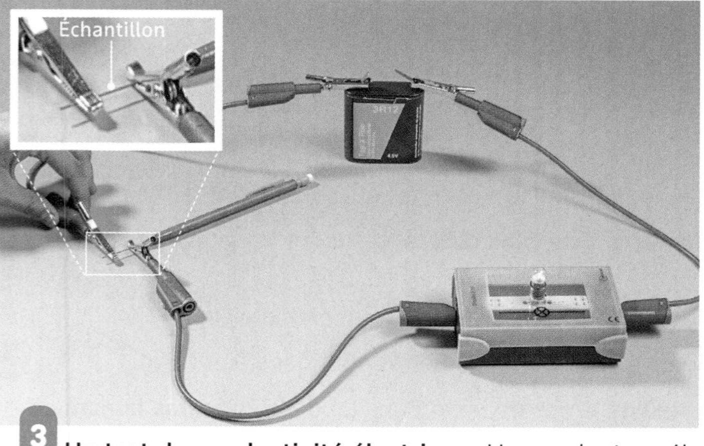

Échantillon testé	Taille-crayon en aluminium	Capuchon de tube de colle en plastique	Morceau de papier
État de la lampe	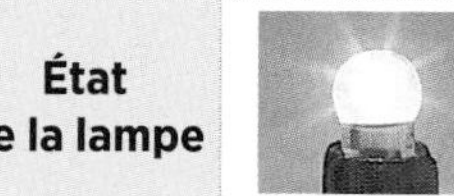		

3 Un test de conductivité électrique. Un conducteur électrique laisse circuler l'électricité.

Solubilité et élasticité

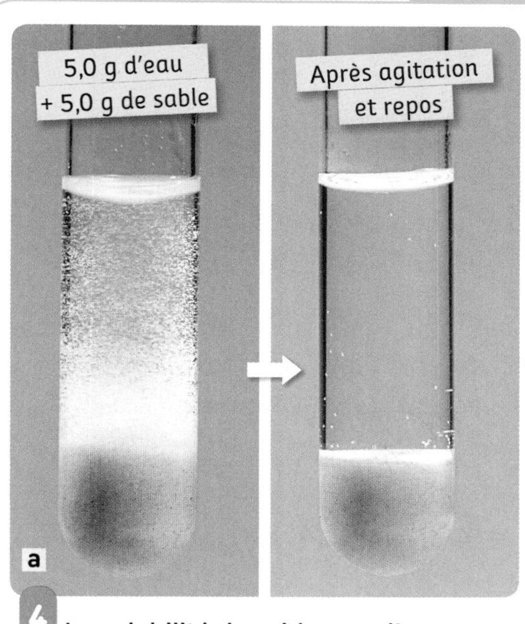

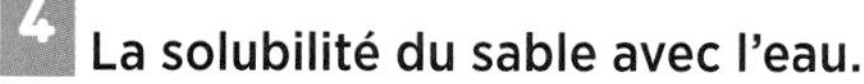

4 La solubilité du sable avec l'eau.

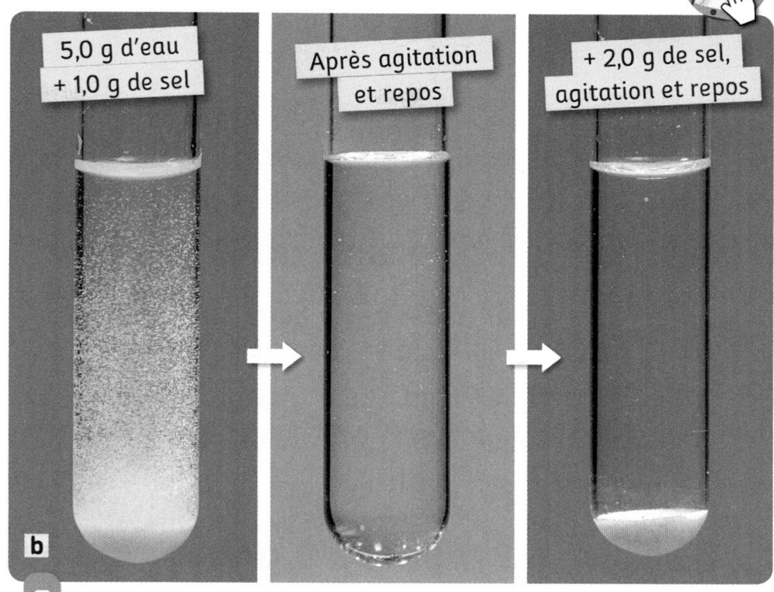

5 La solubilité du sel avec l'eau.

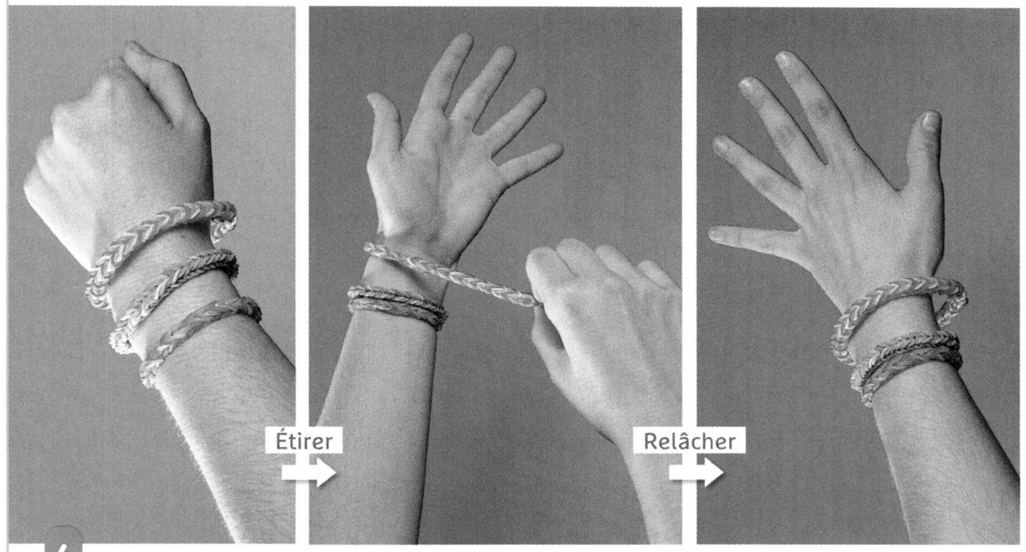

6 L'élasticité d'un bracelet en caoutchouc artificiel.

Je conçois une expérience

1. Propose une expérience pour montrer que le sucre est plus soluble que le sel dans l'eau.

2. Propose une expérience pour montrer que la pâte à modeler n'est pas élastique, contrairement au caoutchouc.

Ta mission

1 Doc. 2 et 3 Détermine si tous les plastiques ont la même densité. Compare ensuite la conductivité de l'aluminium, du polypropylène et du papier.

2 Doc. 4 et 5 Détermine la solubilité du sable et la solubilité du sel dans l'eau.

3 Doc. 5 Une substance soluble dans l'eau peut-elle toujours y être dissoute ? Justifie ta réponse

4 Doc. 6 Décris en quelques phrases l'expérience présentée.

5 Conclusion. Explique en un court texte comment caractériser un échantillon de matière.

Vocabulaire

Élasticité (une) : propriété de reprendre sa forme d'origine après une déformation.

Soluble (avec l'eau) : solide qui peut se dissoudre dans l'eau liquide.

Bilan La matière

Je dois savoir

Unité 1 La diversité de la matière

◆ La **matière** qui nous entoure est diverse : métaux, minéraux, verres, plastiques, matière organique sous différentes formes et différents **états physiques**.

◆ L'état physique (liquide, solide ou gazeux) d'un échantillon de matière dépend notamment de la température.

Unité 2 La matière à grande échelle

◆ La matière est partout présente dans l'Univers. La Terre est surtout constituée de métaux et de minéraux. D'autres planètes, comme Jupiter, sont constituées de gaz en surface.

◆ La **masse** caractérise un échantillon de matière. Elle se mesure avec une balance et l'unité légale de la masse est le kilogramme (symbole kg).

◆ La masse des planètes est très grande par rapport à la masse d'un échantillon de matière de la vie courante.

Unité 3 Caractériser un échantillon de matière

◆ Un échantillon de matière peut être caractérisé par des **propriétés** : densité, solubilité, conductivité électrique, élasticité, etc.

◆ Les échantillons de matière n'ont pas tous les mêmes caractéristiques.

➜ L'essentiel du cours en une animation

Je suis capable de

	Pour vérifier	Si tu n'es pas sûr…
[D4] **Observer un échantillon de matière.**	➜ Fais les exercices 1 p. 22 et 8 p. 23.	➜ Revois les doc. 1 à 5 unité 1 pp. 14-15.
[D4] **Caractériser un échantillon de matière.**	➜ Fais les exercices 3 p. 22 et 7 p. 23.	➜ Revois les doc. 1 à 5 unité 3 pp. 18-19 et fais l'exercice 11 p. 25.

Je retiens par l'image

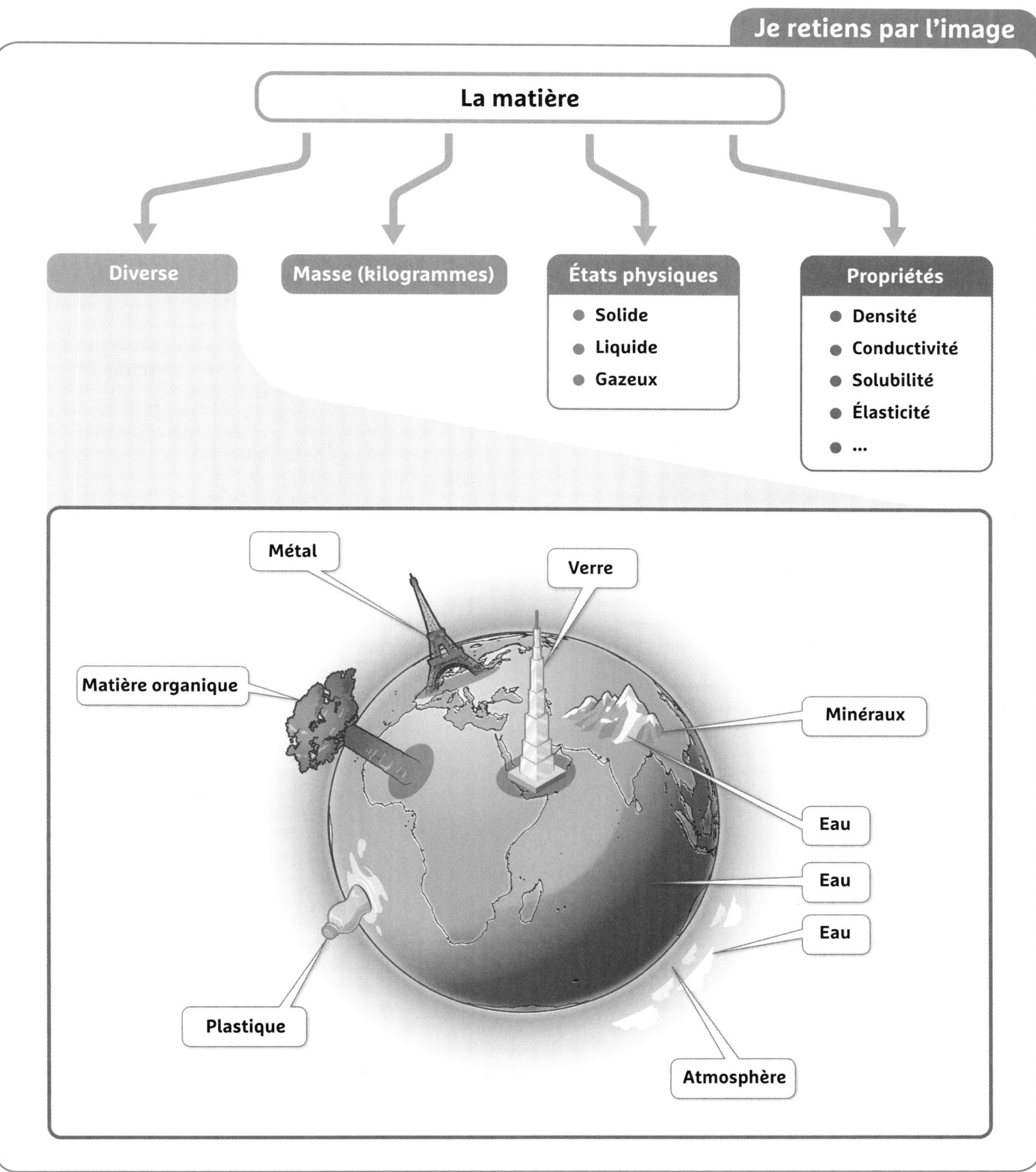

Je retiens les mots-clés

- État physique
- Masse
- Matière
- Propriétés

→ Pour réviser les définitions ou Dico du manuel p. 379

Exercices

Je vérifie mes connaissances

1 Légender un dessin

Associe chaque numéro à l'un des mots suivants : métal, minéral, verre, plastique, matière organique.

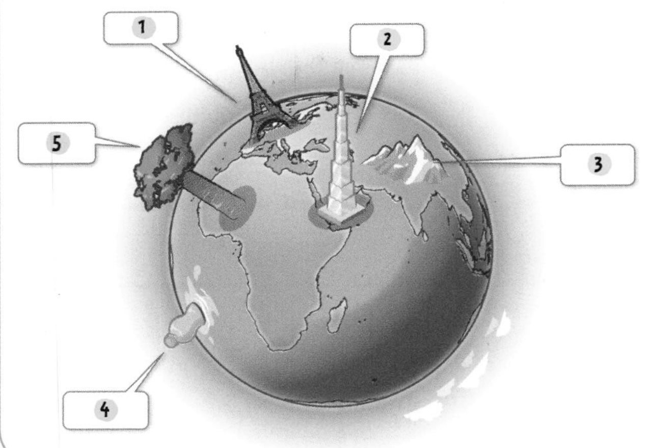

2 Qui suis-je ?

L'état solide, liquide ou gazeux d'un échantillon de matière dépend de moi.

3 Associations

Associe chaque phrase à la propriété qu'elle décrit.

Un taille-crayon en métal conduit très bien l'électricité •	• Solubilité
Une gomme en PVC coule dans l'eau •	• Conductivité électrique
Un peu de sel disparaît quand on le mélange avec de l'eau •	• Densité
Quand on déforme de la pâte à modeler, elle ne reprend pas sa forme initiale •	• Élasticité

4 Mur de mots

Construis une phrase correcte avec les mots ci-contre. N'oublie pas la majuscule et le point final.

échantillon
caractérise
masse
matière

→ Exercices supplémentaires

J'utilise mes compétences

5 Respecter l'environnement

Le tri sélectif

Chez Laeticia, pour respecter l'environnement, on trie les déchets dans trois poubelles.

a. Quelles sont les différentes sortes de matière dans chaque poubelle ?

b. Que doit-on faire des déchets qui ne se mettent pas dans une des trois poubelles de la maison ?

c. Recherche sur Internet quelle est la poubelle dont le contenu n'est pas recyclé.

Coup de pouce

→ Sur un moteur de recherche, tape les mots-clés « tri sélectif » et choisis le site de la SYCTOM.

6 Formuler une hypothèse

Comprendre une œuvre d'art

Cette peinture de Salvador Dali lui a été inspirée par du camembert mou.

Les montres sont faites en verre et en métal. À l'aide des doc. 2 p. 14 et doc. 5 p. 17, propose une hypothèse pour expliquer la forme des montres sur cette peinture. Utilise le mot « température ».

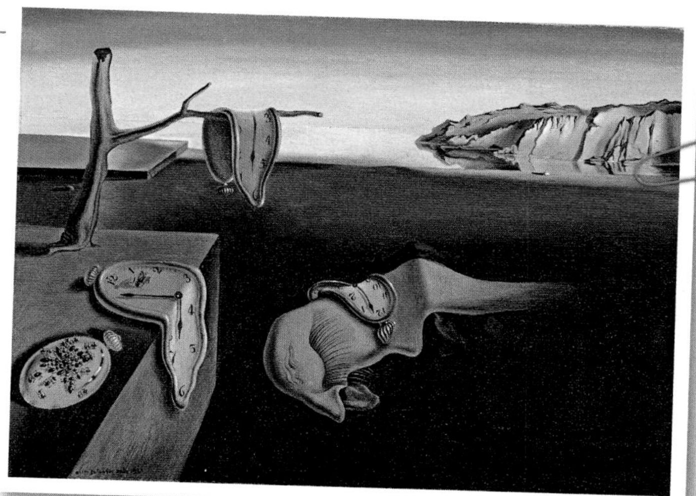

La persistance de la mémoire (Montres molles), **peinture de Salvador Dali (1904-1989), 1931.**

7 Proposer une expérience

Quelques propriétés de la matière

La conductivité thermique et la miscibilité sont des propriétés de la matière.
Si tu as une sensation de chaud ou de froid en touchant un échantillon de matière, alors cette matière est un bon conducteur de chaleur (doc. 1).
Deux liquides sont dits miscibles s'ils forment un mélange où on ne peut plus les distinguer à l'œil nu (doc. 2).

a. Propose une expérience pour distinguer les métaux des plastiques.

b. L'eau et le vinaigre sont-ils miscibles ?

c. Propose une expérience pour distinguer le vinaigre de l'huile.

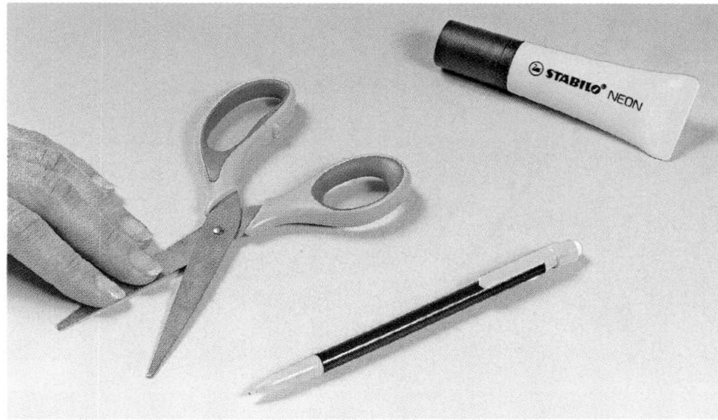

1 Test de conductivité thermique.

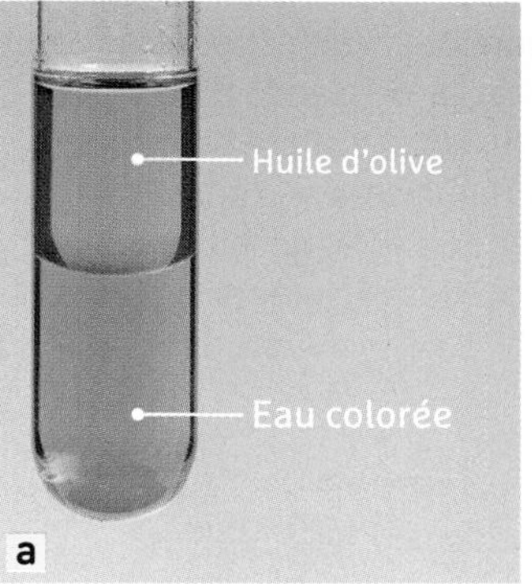

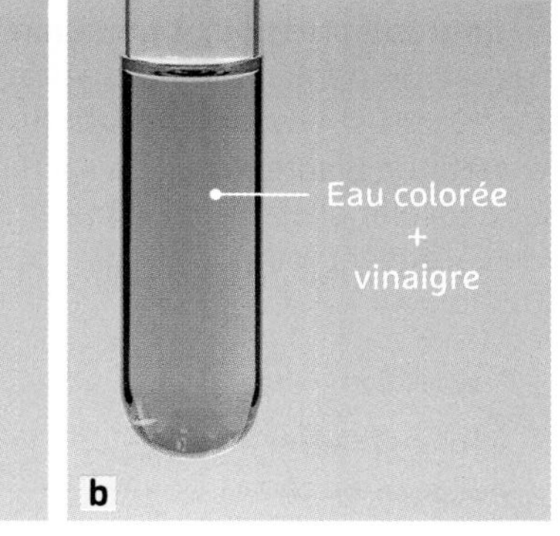

2 Test de miscibilité.

8 Savoir utiliser du matériel

La matière lointaine vue de près

a. À quoi correspond l'indication « 8 579 g » ? Convertis cette valeur en kg.

b. En utilisant les doc. 4 et 5 p. 17, trouve un point commun entre cette météorite et des roches de la planète Terre.

Observation microscopique d'une météorite provenant de Mars.

Je m'entraîne pour l'évaluation

9 La glace au chocolat

Énoncé

Nicolas est apprenti dans la cuisine d'un restaurant. Sa cheffe lui a donné la responsabilité de réaliser de la glace au chocolat pour 4 personnes.

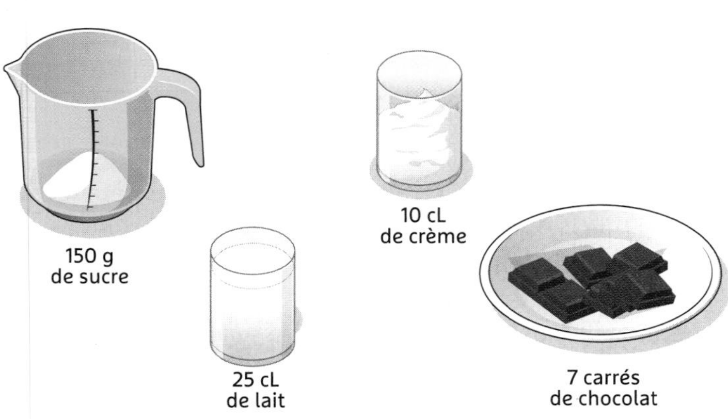

1 Ingrédients (pour 4 personnes). Le lait est produit par les vaches pendant 10 mois après la naissance d'un veau. La crème est produite à partir du lait. Le sucre est produit à partir de plantes (canne à sucre, betterave à sucre). Le chocolat est fabriqué à partir de sucre, de lait et du fruit du cacaoyer (voir p. 172-173). Tous les récipients sont en plastique.

Préparation

- Faire chauffer le lait dans une casserole.
- Placer les carrés de chocolat dans le lait chaud et mélanger avec la spatule.
- Ajouter les autres ingrédients, bien mélanger au fouet.
- Verser le mélange dans des coupes.
- Placer les coupes au congélateur et laisser jusqu'à ce que le mélange devienne solide.

2 Recette de la glace au chocolat (pour 4 personnes).

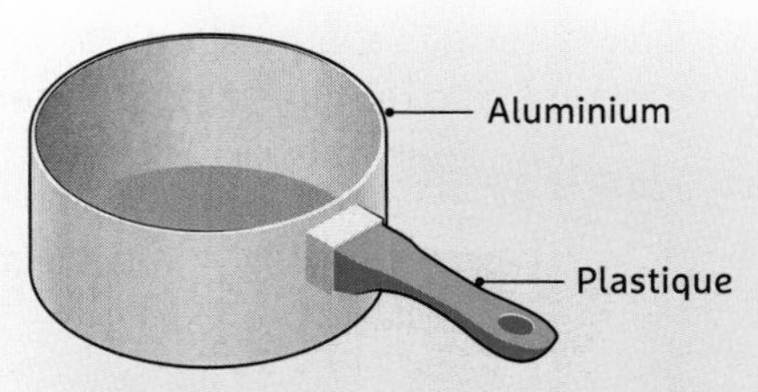

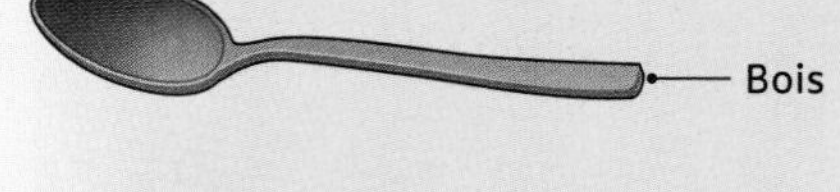

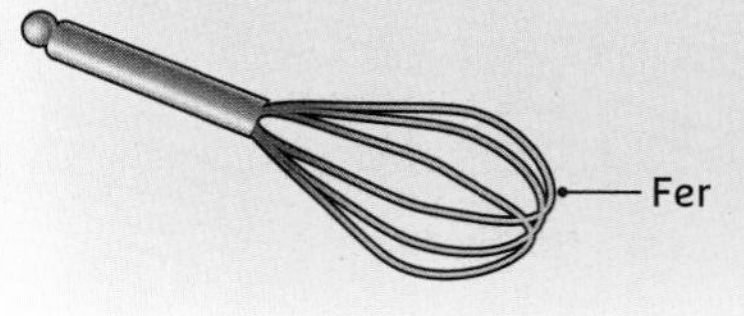

3 Les ustensiles.

Questions

1. La diversité de la matière

a. Trouve un point commun à la matière de tous les ingrédients.

b. Parmi les ustensiles, indique lequel est en matière naturelle.

c. À quel moment le chocolat change-t-il d'état physique durant la préparation ? Indique le facteur est à l'origine de ce changement d'état.

2. Caractériser un échantillon de matière

a. Avec quel instrument pourrais-tu mesurer la masse des carrés de chocolat ?

b. Propose une expérience pour déterminer si la densité des matériaux dont sont faits les ustensiles est supérieure ou inférieure à 1.

c. Propose une expérience pour déterminer la conductivité électrique du bois et du plastique.

Accompagnement personnalisé

10 J'apprends à mesurer une masse

Énoncé

Thomas veut faire le « plein d'énergie » avec un bon chocolat chaud. La dose idéale est de deux cuillerées à soupe de cacao pour un bol de lait.

Questions

Quelle est la masse, dans l'unité légale, d'une cuillerée à soupe de cacao ?

Aide à la résolution

Pour mesurer une masse...

1. Mets la balance en marche. Attends que l'afficheur indique **0.0**
2. Pose délicatement le récipient vide sur un plateau. Appuie ensuite sur le bouton TARE.
3. Retire le récipient de la balance et verse une cuillerée de cacao dans le récipient.
4. Repose le récipient sur le plateau de la balance.

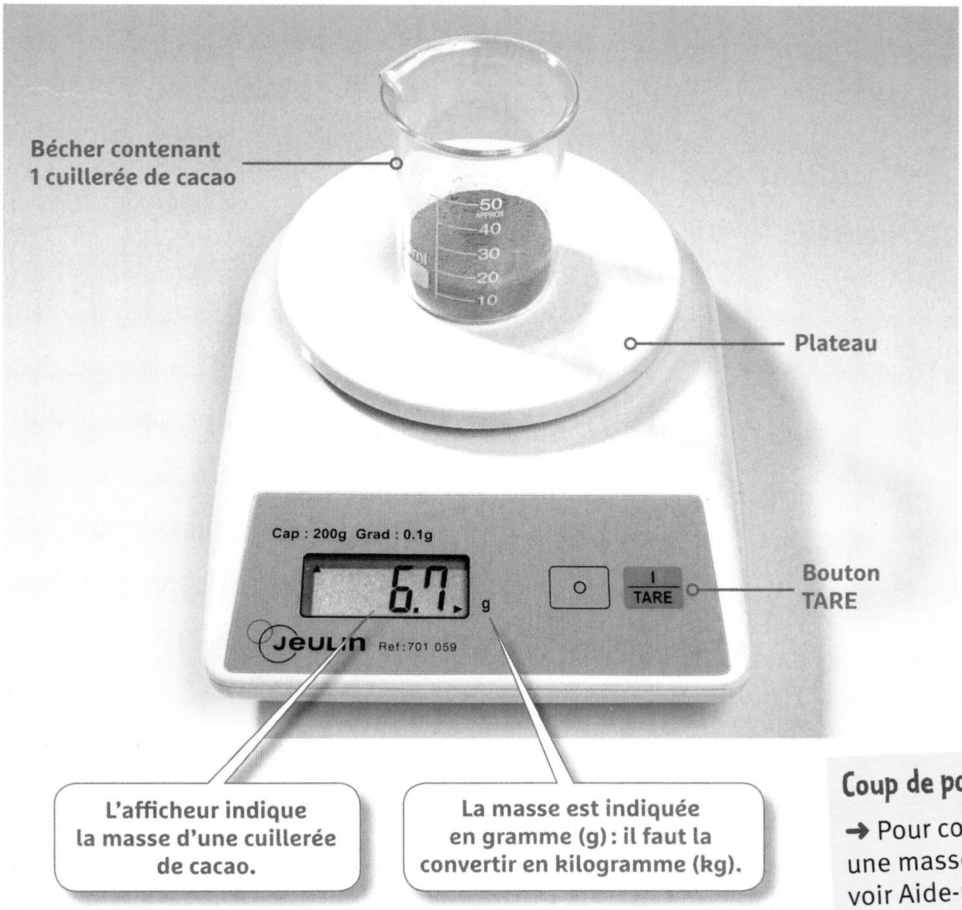

Bécher contenant 1 cuillerée de cacao

Plateau

Bouton TARE

Cap : 200g Grad : 0.1g

6.7 g

JEULIN Ref : 701 059

L'afficheur indique la masse d'une cuillerée de cacao.

La masse est indiquée en gramme (g) : il faut la convertir en kilogramme (kg).

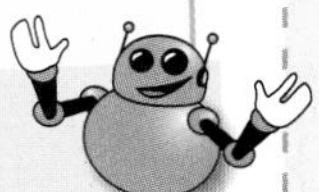

Coup de pouce

➜ Pour convertir une masse : voir Aide-mémoire p. 10.

Chapitre 2

Pour commencer...

Une image

>> Pourquoi faut-il secouer cette boisson avant de la boire ?

Des mots

Une violente explosion est survenue le 13 juin dans une vieille maison en Haute-Loire. Elle a coûté la vie à trois jeunes de 14 à 16 ans et très gravement blessé un quatrième. Dans les débris de l'explosion, des traces de substances ont été retrouvées : ces substances peuvent être mélangées pour fabriquer des fumigènes.

D'après www.lemonde.fr

>> Pourquoi certains mélanges sont-ils dangereux ?

Matière et mélanges

Qu'est-ce qu'un mélange et comment le caractériser ?

Identifier les constituants d'un mélange

Compétences
- [D1.1] Rédiger une conclusion.
- [D1.3] Exploiter un document.

Un cake aux raisins, un jus de fruits ou encore l'air sont des mélanges.

→ Comment identifier les constituants d'un mélange ?

S'informer sur la composition d'un mélange

1 **La Géode (parc de la Villette, Paris)** est recouverte de plaques d'acier. Le métal fer est un **corps pur**, peu utilisé seul. Mélangé à du carbone (environ 2 %), il forme l'acier, un **alliage** très utilisé pour les constructions métalliques.

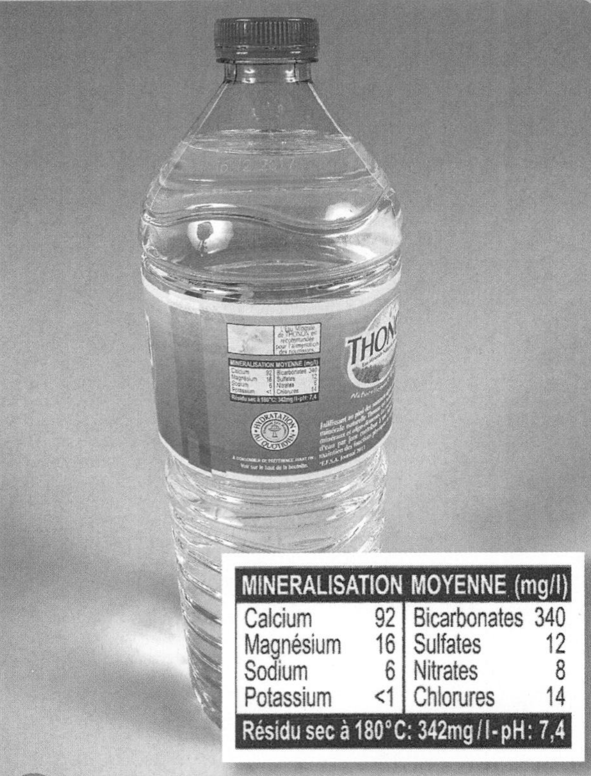

MINERALISATION MOYENNE (mg/l)			
Calcium	92	Bicarbonates	340
Magnésium	16	Sulfates	12
Sodium	6	Nitrates	8
Potassium	<1	Chlorures	14
Résidu sec à 180 °C : 342mg/l - pH : 7,4			

2 **Une étiquette d'eau minérale.** Les sels minéraux, **constituants** de l'eau minérale, sont essentiels à notre santé. Ils permettent à notre organisme de bien fonctionner.

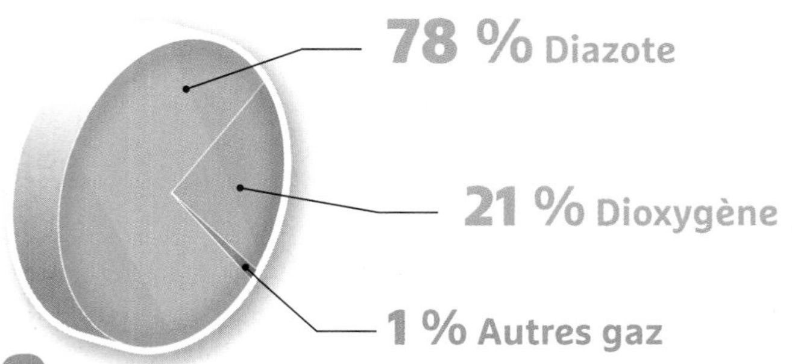

3 **Composition de l'air sec qui nous entoure** (proportions en volume).

On distingue différents types de mélanges.

- Dans un mélange **homogène**, on ne peut pas distinguer à l'œil nu les différents constituants (exemple : l'eau minérale).
- Dans un mélange **hétérogène**, on peut distinguer à l'œil nu les différents constituants (exemple : un jus de fruits avec pulpe).

4 **Différents mélanges.**

Réaliser des tests pour identifier des constituants

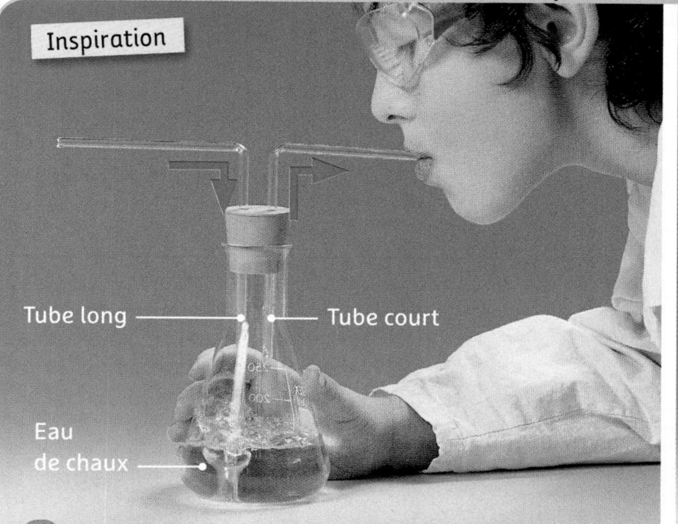

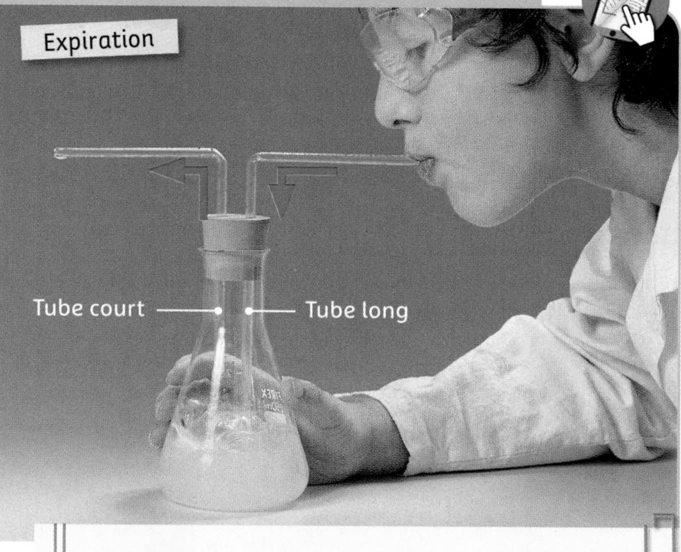

5 Les résultats d'une expérience sur la respiration. Comme tous les animaux et les plantes vertes, nous respirons. Lors d'une inspiration, nos poumons se remplissent d'air. Lors d'une expiration, nous rejetons le gaz contenu dans nos poumons.

J'expérimente

1. Inspire 10 fois de suite par le tube qui ne plonge pas dans le liquide, puis observe l'eau de chaux.
2. Expire 10 fois de suite par le tube qui plonge dans le liquide, puis observe l'eau de chaux.

>> **Pour interpréter les résultats :** l'eau de chaux limpide se trouble en présence d'un gaz, le dioxyde de carbone.

Il ne faut pas avaler l'eau de chaux.

Ne pas toucher, avaler ou inhaler le sulfate de cuivre anhydre. En utiliser de faibles quantités, porter des gants et des lunettes de protection.

6 Résultat du test au sulfate de cuivre anhydre. L'huile est un liquide qui ne contient pas d'eau.

Ta mission

1. **Doc. 1 à 4** Précise si l'acier, l'eau minérale et l'air sont des corps purs ou des mélanges. Justifie tes réponses.
2. **Doc. 1 à 4** Donne un exemple de mélange homogène et un exemple de mélange hétérogène.
3. **Doc. 5** Montre que l'air inspiré et l'air expiré n'ont pas la même composition et précise le constituant de l'air expiré mis en évidence par cette expérience.
4. **Doc 6** Propose un test pour montrer la présence d'eau dans une boisson.
5. **Conclusion** Explique comment identifier les constituants d'un mélange.

Vocabulaire

Alliage (un) : mélange d'un métal et d'autres constituants.

Corps pur (un) : contient un seul constituant.

Mélange (un) : matière qui contient plusieurs constituants.

Séparer les constituants d'un mélange

Compétences
- [D2] Garder une trace numérique.
- [D4] Proposer une expérience.

Un jus de fruits avec pulpe est un mélange hétérogène et l'eau minérale est un mélange homogène.

→ Comment séparer les constituants d'un mélange ?

Séparer les constituants d'un mélange hétérogène

1 Des bulles dans l'eau. Les bulles contiennent un gaz : le dioxyde de carbone. Ce gaz était dissous dans l'eau pétillante contenue dans la bouteille fermée.

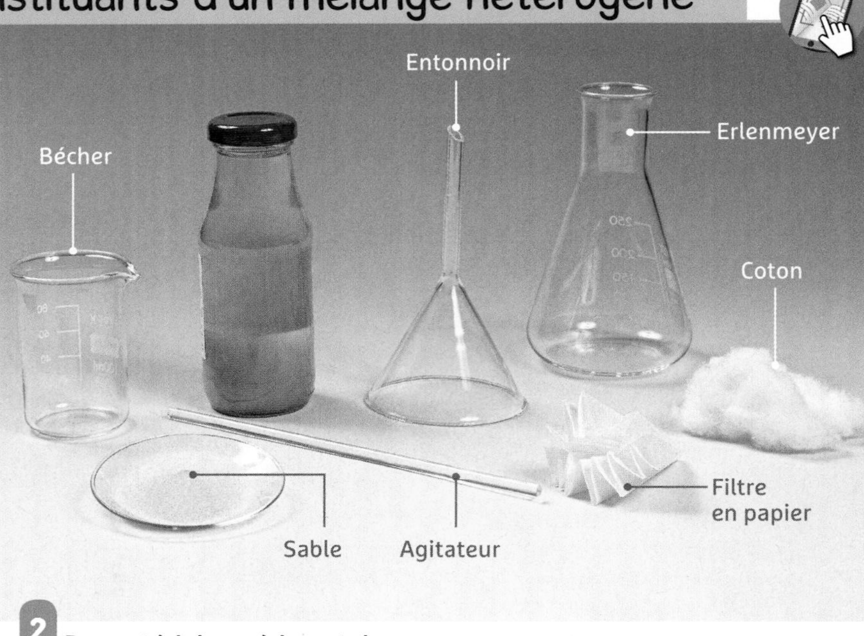

2 Du matériel expérimental.

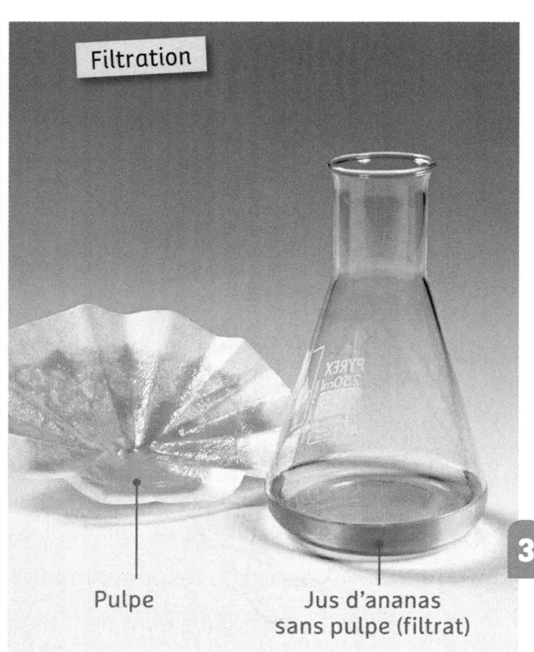

3 Résultats d'une décantation et d'une filtration d'un jus d'ananas.

J'expérimente

>> Propose une expérience pour séparer la pulpe du jus de fruits avec le matériel du doc. 2 (tu n'es pas obligé de tout utiliser).

>> Fais valider ta proposition par ton professeur et réalise-la.

>> Photographie le résultat de ton expérience.

Séparer les constituants d'un mélange homogène

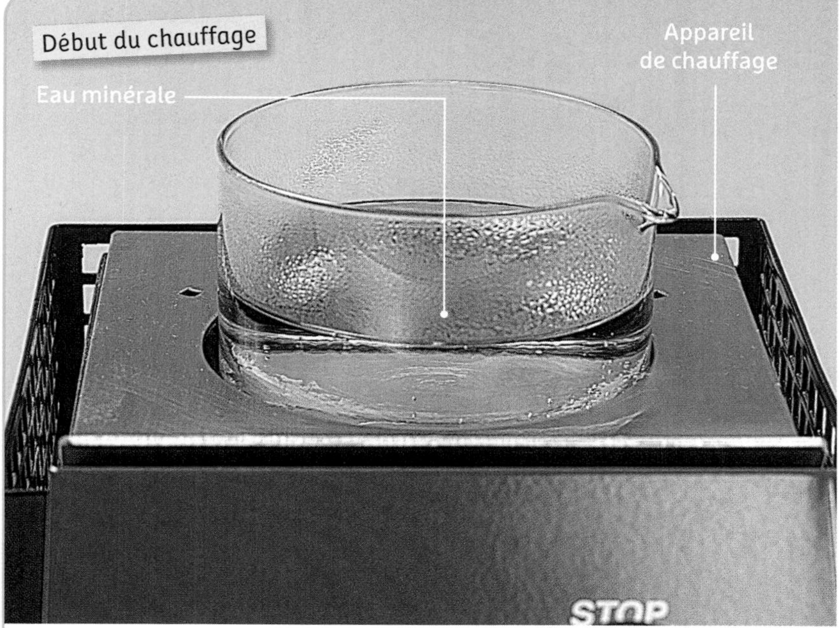

J'expérimente

1. Verse un peu d'eau minérale dans un cristallisoir.
2. Chauffe jusqu'à ce qu'il ne reste plus d'eau dans le cristallisoir.
3. Observe le dépôt au fond du cristallisoir.

⚠ Il faut toujours porter des lunettes de protection quand on chauffe un liquide, même s'il s'agit d'eau.

4 **Évaporation d'une eau minérale.**

Vocabulaire

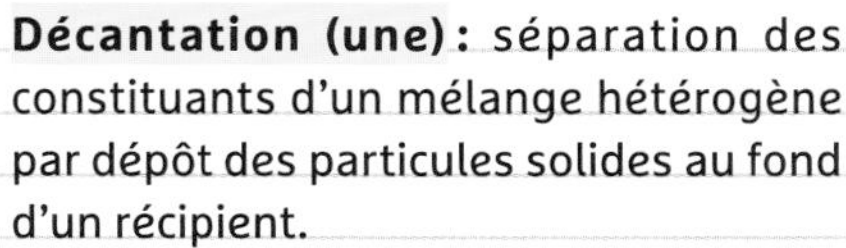

- **Décantation (une) :** séparation des constituants d'un mélange hétérogène par dépôt des particules solides au fond d'un récipient.
- **Évaporation (une) :** passage de l'état liquide à l'état gazeux au niveau de la surface d'un liquide.
- **Filtration (une) :** séparation des constituants d'un mélange hétérogène par passage à travers un filtre.

Ta mission

Travail en groupe

Chaque groupe séparera les constituants du jus d'ananas ou ceux de l'eau minérale. Les résultats seront ensuite présentés à la classe.

1. Doc. 1 Indique comment séparer le gaz dissous d'une eau pétillante.
2. Doc. 2 et 3 Compare les avantages et les inconvénients de la décantation et de la filtration.
3. Doc. 3 Indique quels constituants sont séparés lors de la vaporisation de l'eau minérale. Aide-toi du doc. 2 p. 28.
4. En conclusion Indique comment séparer les constituants d'un mélange.

Tâche complexe

Réaliser des mélanges

Compétences
- [D1.3] Exploiter des documents.
- [D4] Expérimenter.

Une situation-problème

Produits ménagers : utiles mais pas anodins

Les produits ménagers contiennent des substances chimiques qui peuvent présenter des risques :
- **Pour la santé : intoxication, allergies, brûlures, gêne respiratoire, etc.**
- **Pour l'environnement : pollution.**

Le respect des précautions d'emploi évite ces dangers.

Javel
Lessives
Produits vaisselle
Dégraissants
Détachants
Détartrants
Nettoyants WC

Désinfectants
Décapants
Désodorisants
Cires et lustrants
Détergents
Déboucheurs
etc.

Les pictogrammes de sécurité

Corrosif

Toxique

Dangereux pour l'environnement

En cas d'accident, appeler le

15 SAMU

112 Toutes urgences

1 **Une affiche de prévention.** Chaque année, les accidents domestiques font 20 000 victimes en France. Certains impliquent des produits ménagers : ils sont avalés accidentellement, surtout par des enfants, et provoquent des vomissements et des brûlures.
De plus, il ne faut jamais mélanger des produits ménagers, cela ne les rend pas plus efficaces et peut être dangereux. Attention aussi aux mélanges involontaires : il ne faut pas verser d'eau de Javel dans la cuvette des WC si on vient d'y mettre du détartrant…

→ **Pourquoi certains mélanges sont-ils dangereux ?**

La consigne

**Pour répondre au problème, réalise les manipulations présentées en page de droite. Tu expliqueras pourquoi il ne faut pas mélanger, par exemple, de l'eau de Javel avec un détartrant pour WC.
Ta réponse prendra la forme d'une affiche.**

Des documents pour comprendre

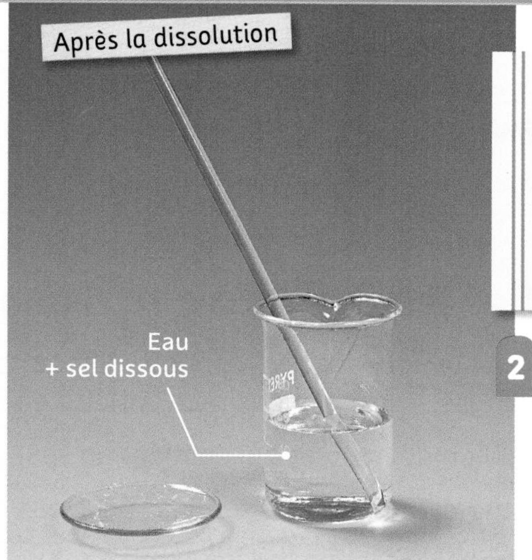

J'expérimente

>> Mélange 5,0 g de sel avec 50,0 g d'eau, puis agite.

>> Note si le mélange obtenu est homogène ou hétérogène.

2 Mélange de sel et d'eau. Lorsqu'on mélange un solide dans un liquide, si le mélange obtenu est homogène, on dit qu'il y a **dissolution** totale du solide dans l'eau.

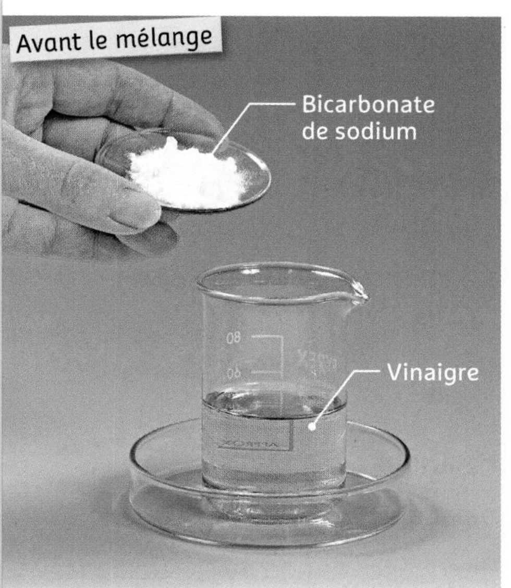

J'expérimente

>> Verse 5,0 g de bicarbonate de sodium dans 50,0 g de vinaigre.

>> Note tes observations.

3 Mélange de bicarbonate de sodium et de vinaigre. Le dioxyde de carbone est une substance chimique absente dans le vinaigre et dans le bicarbonate de sodium.

⚠ Le mélange de certaines substances chimiques peut provoquer une transformation de la matière. Au cours de cette transformation de nouvelles substances chimiques se forment : on parle de **transformation chimique**. Certaines sont dangereuses car elles provoquent des explosions, des incendies, des projections ou des émissions de gaz toxiques. Par exemple, le mélange d'eau de Javel et de détartrant provoque la libération de vapeurs de chlore. Ces vapeurs irritent les voies respiratoires.

4 Les conséquences de certains mélanges.

J'ai réussi si...

- ☐ J'ai expliqué que certains mélanges sont dangereux.
- ☐ J'ai proposé une interprétation aux deux expériences.
- ☐ J'ai fait le lien entre le mélange eau de Javel + détartrant pour WC et l'une des deux expériences.

? BESOIN D'UN COUP DE POUCE ?

→ Rends-toi sur :
http://sciences6e.editions-belin.com

→ Ou

Bilan Matière et mélanges

Je dois savoir

Unité 1 Identifier les constituants d'un mélange

- La **matière** qui nous entoure contient différents constituants. Elle est donc le résultat de mélanges. Ces mélanges peuvent être à l'état **solide**, **liquide** ou **gazeux**.
- Un échantillon de matière qui contient un seul constituant est un **corps pur**.
- Un **mélange** est **homogène** si on ne peut pas distinguer à l'œil nu plusieurs constituants. Un mélange est **hétérogène** si on peut distinguer à l'œil nu plusieurs constituants.
- Il existe des **tests** pour identifier certains constituants d'un mélange.

Unité 2 Séparer les constituants d'un mélange

- La **décantation** et la **filtration** permettent de séparer les constituants d'un mélange hétérogène.
- L'**évaporation** permet de séparer les constituants d'un mélange homogène.

Unité 3 Réaliser des mélanges

- Réaliser un mélange peut provoquer des **transformations** de la matière.
- La transformation est une **dissolution** quand le mélange obtenu est homogène.
- La transformation est une **transformation chimique** quand de nouvelles substances chimiques se forment.
- Les transformations chimiques peuvent être **dangereuses**. Il faut bien s'informer avant de réaliser un mélange de substances chimiques.

→ L'essentiel du cours en une animation

Je suis capable de

	Pour vérifier	Si tu n'es pas sûr...
[D1.1] **Identifier les constituants d'un mélange**	→ Fais les exercices 1 et 6 p. 36.	→ Revois les doc. 5 et 6 p. 29.
[D4] **Séparer les constituants d'un mélange**	→ Fais les exercices 2 p. 36 et 7 p. 37.	→ Fais l'exercice 11 p. 39.

Je retiens par l'image

Séparer les constituants d'un mélange

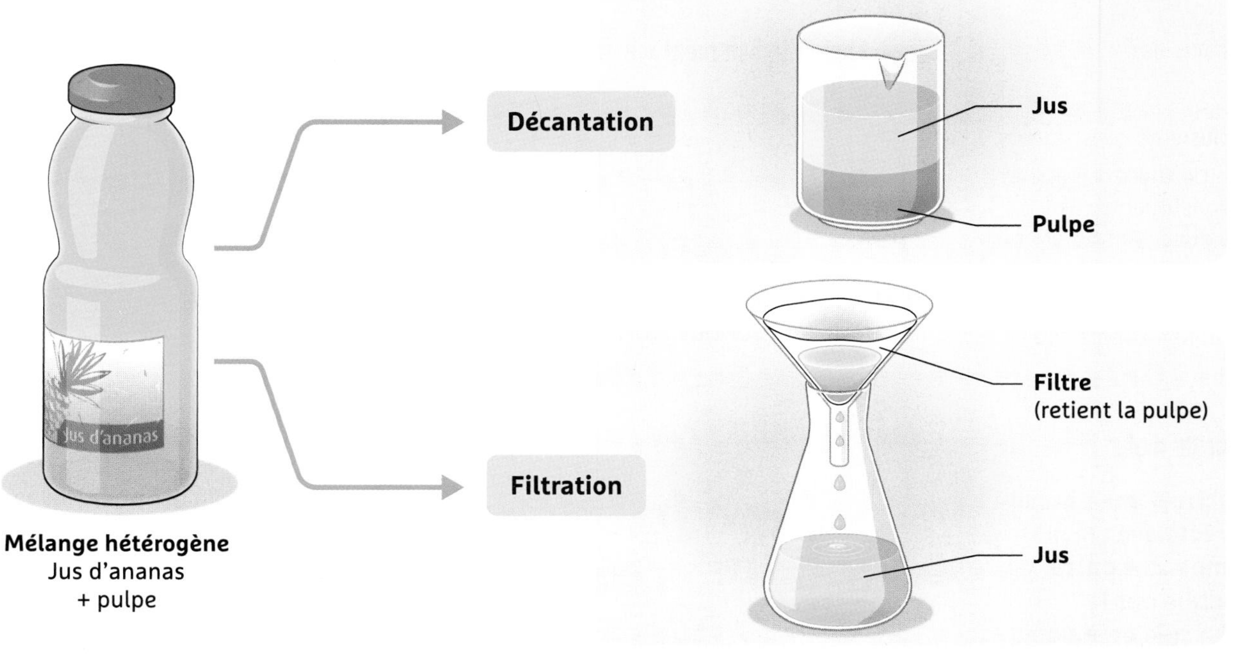

Mélange hétérogène
Jus d'ananas
+ pulpe

Réaliser des mélanges

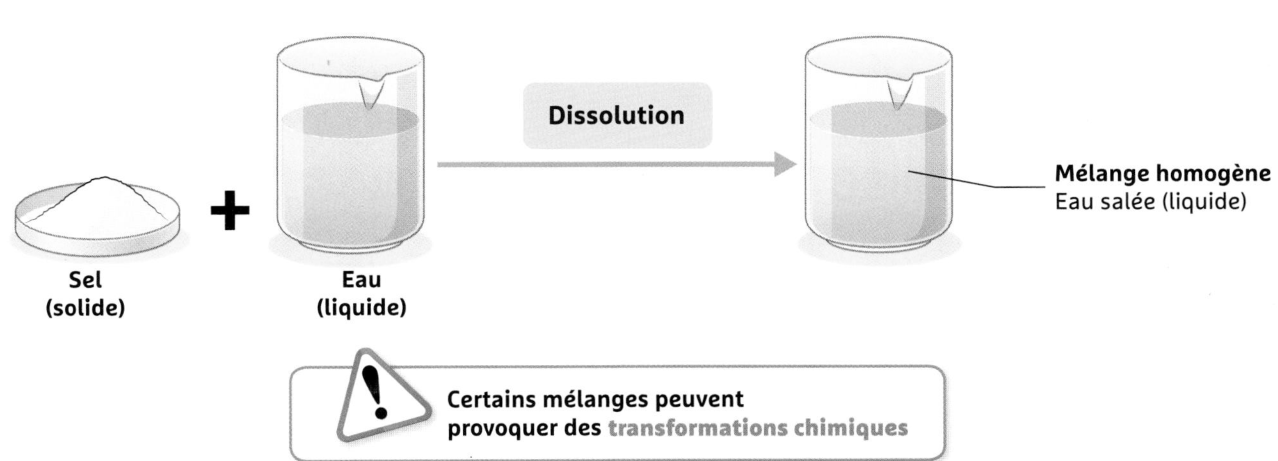

Certains mélanges peuvent provoquer des transformations chimiques

Je retiens les mots-clés

- Corps pur
- Décantation
- Dissolution
- Évaporation
- Filtration
- Mélange
- Matière
- Transformation chimique

→ Pour réviser les définitions  ou Dico du manuel p. 379

Exercices

Je vérifie mes connaissances

1 Qui suis-je ?

a. Je suis formé de plusieurs constituants.

b. Je permets de séparer les constituants d'un mélange homogène.

c. Lorsque je me produis, de nouvelles substances chimiques apparaissent.

2 Choisir le bon montage

Identifie le bon montage pour réaliser une filtration.

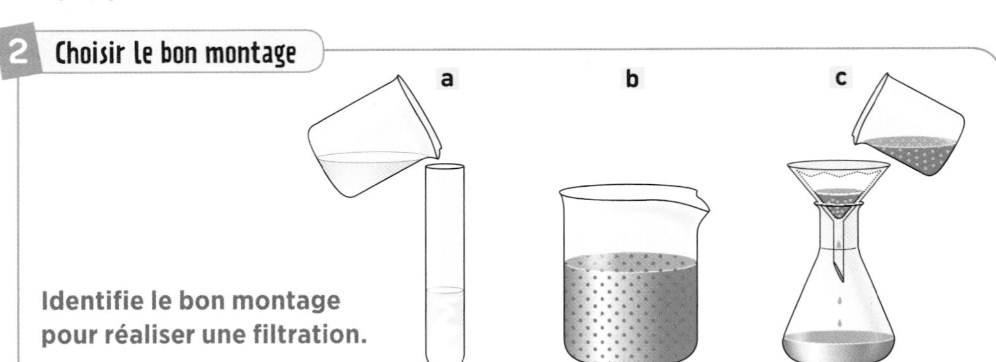

3 Mur de mots

Construis une phrase correcte avec le mur de mots ci-contre. N'oublie pas la majuscule et le point final.

produits
dangereux chimiques
mélange

4 QCM

Choisis la proposition correcte.

Réaliser des mélanges :

a. provoque toujours une transformation chimique.

b. peut provoquer une dissolution.

c. ne présente jamais de danger.

→ Exercices supplémentaires

J'utilise mes compétences

5 Décrire une observation

La vinaigrette

a. Mélange du vinaigre avec de l'huile, puis agite fortement. Décris ce que tu observes.

b. Recherche la définition du mot « émulsion » dans un dictionnaire.

c. Détermine alors si le mélange d'huile et de vinaigre est une émulsion.

Un mélange vinaigre + huile

6 Rechercher une information

Les canettes

Les canettes de boissons sont faites soit en acier (un mélange), soit en aluminium (un corps pur). Sur certaines canettes figure l'un des logos ci-contre.

a. Identifie le point commun de l'acier et de l'aluminium. Quelle est leur différence ?

b. Quelle propriété de l'acier est mise en évidence par le logo ?

c. Recherche sur Internet le constituant de l'acier qui pourrait être responsable de cette propriété.

7 Garder une trace numérique

Des eaux sucrées

Rachid verse en quantités égales la même eau minérale dans deux verres. Il introduit un morceau de sucre dans un verre et quatre dans l'autre verre.
Il agite les mélanges à l'aide d'une cuillère, puis laisse évaporer les mélanges homogènes d'eau sucrée ainsi obtenus.
Observe ci-contre ce qu'il obtient au bout de quelques jours.

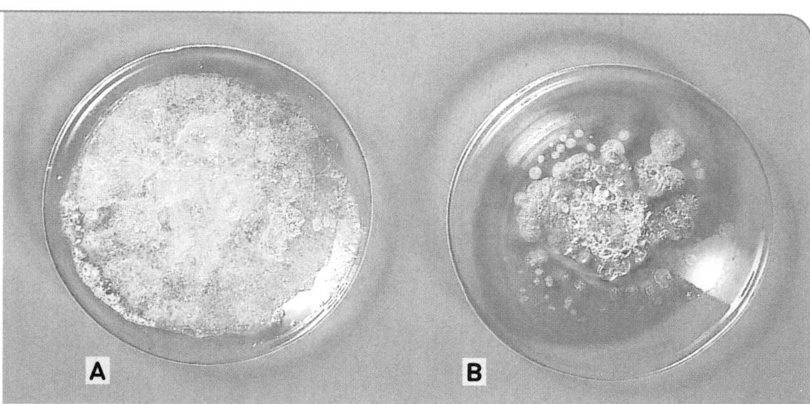

a. L'eau sucrée est-elle le résultat d'une dissolution ? Justifie ta réponse.

b. Laquelle des deux photos (**A** ou **B**) correspond au résultat de l'évaporation de l'eau la plus sucrée ?

c. Les dépôts blancs observés ne contiennent-ils que du sucre ? Argumente ta réponse.

d. Recherche sur Internet les risques liés à une consommation de sucre trop importante.

8 Interpréter une expérience

Fabriquer un plastique

- Chauffer un demi-litre de lait entier dans une casserole sans le faire bouillir.
- Ajouter deux cuillères à café de vinaigre et mélanger.
- Laisser refroidir le mélange et le filtrer avec un papier-filtre de cafetière.
- Récupérer le dépôt et le laver à l'eau.
- Avec le dépôt, modeler un objet et le laisser sécher. Faire chauffer l'objet modelé 15 minutes au four à 60 °C.

1 Une recette pour fabriquer un plastique.

a. Nomme les constituants du mélange à réaliser.

b. Indique si le plastique obtenu a le même aspect que l'un des constituants utilisés.

c. Déduis-en si une transformation chimique a lieu lors de ce mélange.

2 Un exemple d'objet modelé après chauffage.

9 Exploiter un document

Préparer des pâtes

Julia utilise une passoire pour égoutter ses pâtes.

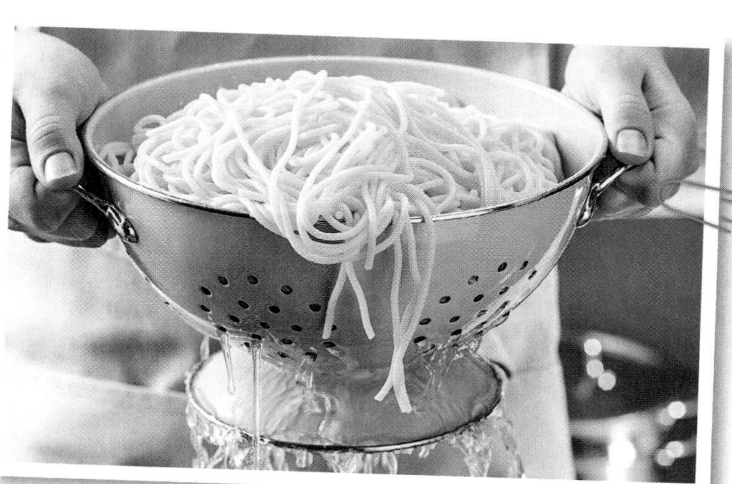

a. Quel autre nom plus scientifique peut-on donner à une passoire ?

b. Indique le nom de la technique utilisée ici pour égoutter les pâtes.

c. Cite le matériel de laboratoire à utiliser pour réaliser cette technique.

Je m'entraîne pour l'évaluation

10 L'eau de chaux

Énoncé

Le professeur Foudlachimy veut préparer de l'eau de chaux. Ce liquide limpide se trouble en présence de dioxyde de carbone. L'eau de chaux possède donc des propriétés différentes de celles de l'eau et de la chaux, qui est une poudre blanche.

La préparation comprend deux étapes :

- **Étape 1 :** il verse de la chaux dans l'eau et il agite. Il obtient le lait de chaux (**doc. 1**).
- **Étape 2 :** il laisse ce lait de chaux au repos quelques minutes. Un dépôt de chaux se forme. Au-dessus du dépôt, il obtient un liquide limpide : c'est l'eau de chaux (**doc. 2**).

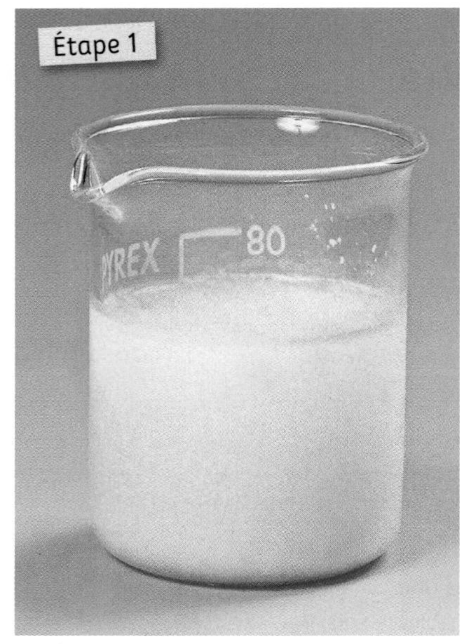

1 Mélange de chaux et d'eau : le lait de chaux.

2 Le mélange après quelques minutes au repos.

3 Les propriétés du sulfate de cuivre anhydre.

Questions

1. Identifier les constituants d'un mélange

a. Le lait de chaux est-il un mélange homogène ou hétérogène ? Justifie ta réponse.

b. À l'aide du doc. 3, propose une expérience pour montrer que l'un des constituants du lait de chaux est l'eau.

2. Séparer les constituants d'un mélange

a. Précise la technique de séparation utilisée à l'étape 2.

b. Au lieu de laisser au repos le lait de chaux, on peut le filtrer. Réalise le schéma de cette filtration.
Tu annoteras ton schéma avec les mots : chaux, eau de chaux, lait de chaux.

3. Réaliser des mélanges

a. Rappelle quelles sont les substances mélangées par le professeur Foudlachimy à l'étape 1.

b. À ton avis, ce mélange a-t-il provoqué une dissolution ou une transformation chimique ?
Justifie ta réponse.

Accompagnement personnalisé

11 J'apprends à choisir le matériel adapté pour réaliser une expérience

Énoncé

Pour préparer une tisane, Jasmine mélange des plantes sèches dans de l'eau chaude. Elle laisse les plantes infuser quelques minutes : cela permet à certaines substances contenues dans les plantes de se dissoudre dans l'eau. Elle doit ensuite récupérer uniquement la partie liquide du mélange avant de pouvoir boire la tisane. Jasmine dispose du matériel ci-contre.

Questions

Comment Jasmine doit-elle faire pour obtenir de la tisane avec le matériel disponible ?

Aide à la résolution

Pour choisir le matériel adapté, tu dois te souvenir du rôle de chaque ustensile de la photo ci-dessous.

Pour répondre à la question...

- Le mélange d'eau et de plantes sèches est hétérogène.
- Une filtration permet de séparer des constituants solides d'un mélange hétérogène.

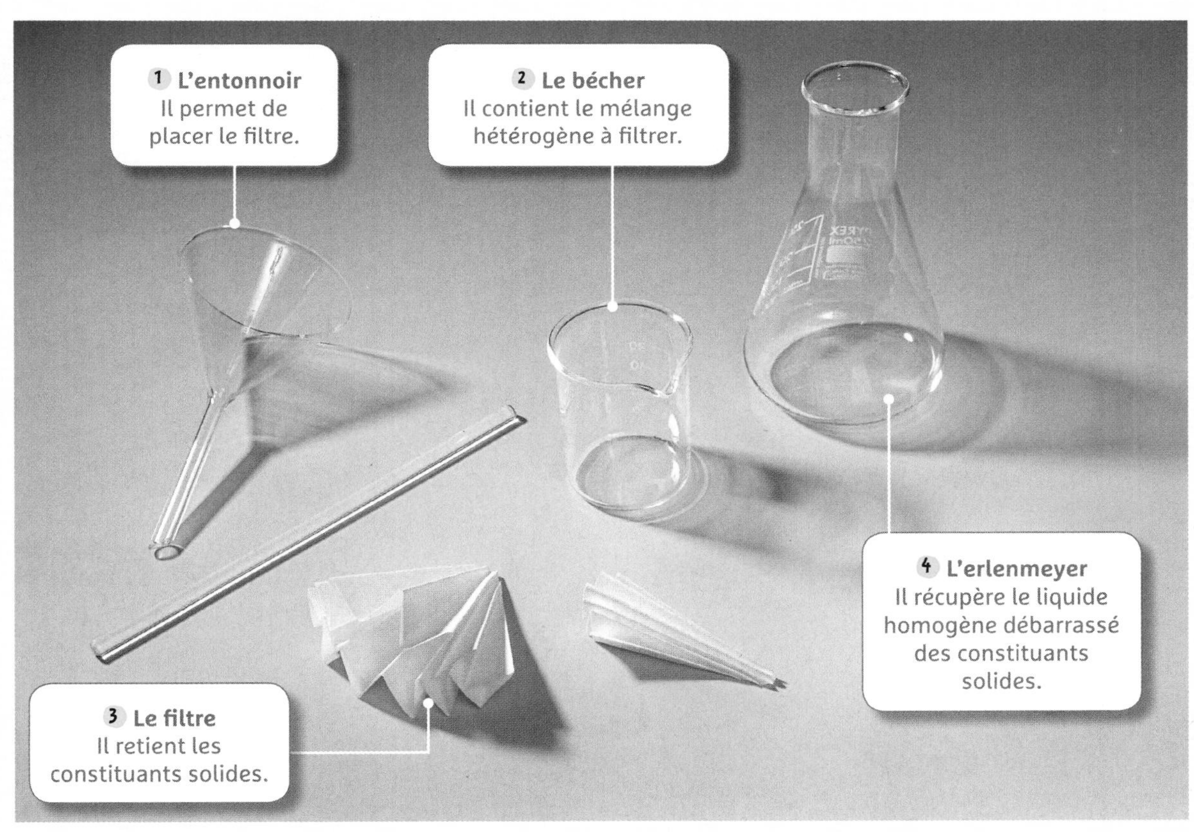
1 L'entonnoir
Il permet de placer le filtre.
2 Le bécher
Il contient le mélange hétérogène à filtrer.
3 Le filtre
Il retient les constituants solides.
4 L'erlenmeyer
Il récupère le liquide homogène débarrassé des constituants solides.

Chapitre 3

Pour commencer...

Une image

>> Que visualises-tu sur cette image ?

Des nombres

Voici quelques records de vitesse d'êtres vivants.

- Sur terre

Guépard **110 km/h**

Usain Bolt **44 km/h**

- Dans l'eau

Makaire bleu **110 km/h**

Florent Manaudou **8,9 km/h**

- Dans l'air

Faucon pèlerin **389 km/h**

>> Comment détermine-t-on une vitesse ?

Les mouvements

Comment étudier un mouvement ?

Décrire et observer un mouvement

Compétences
- [D1.1] Rendre compte des informations.
- [D1.3] Exploiter un document.

Du matin au soir, nous voyons le Soleil en mouvement dans le ciel. Mais il s'agit d'un mouvement apparent : c'est la Terre qui est en mouvement autour du Soleil (voir chap. 22).

→ Comment décrire le mouvement d'un objet ?

Décrire un mouvement

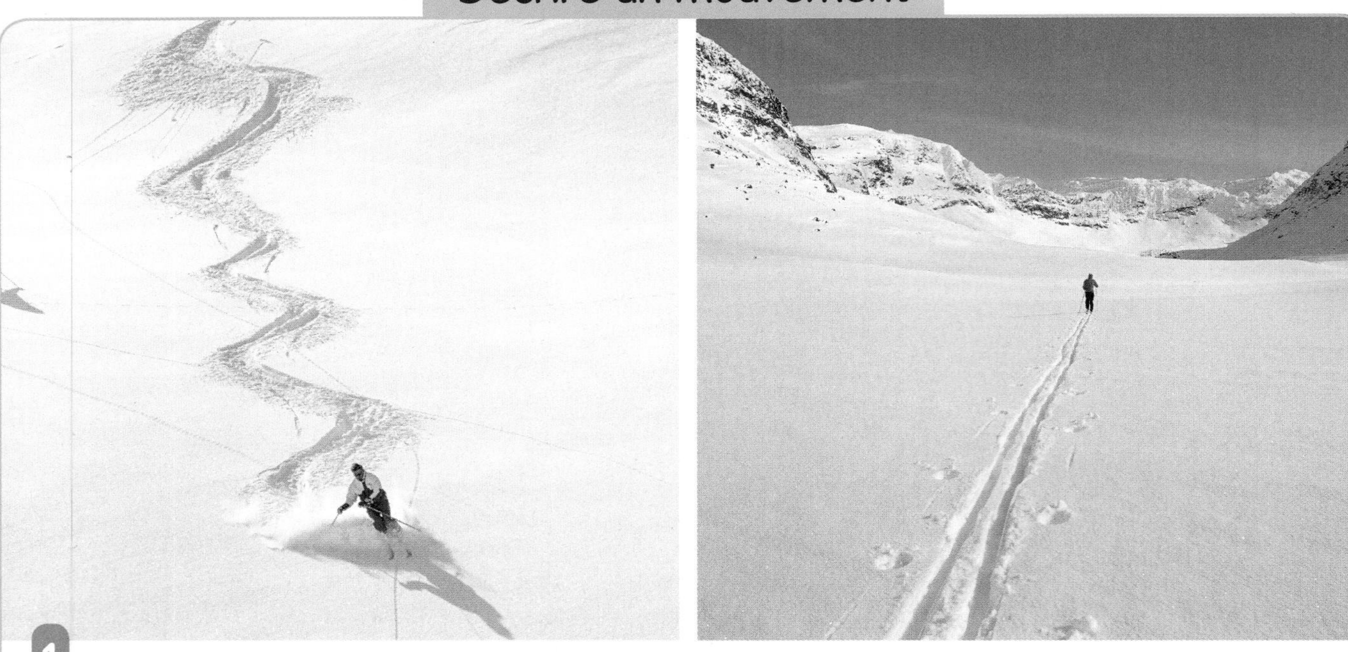

1 **Deux skieurs en mouvement.** L'empreinte laissée par leurs skis dans la neige donne une image de la **trajectoire** suivie.

2 **Deux trains en mouvement sur une ligne droite.** Ils ont une trajectoire identique, mais roulent à des **vitesses** différentes.

Étudier le rôle de la position de l'observateur

3 **Des observateurs dans un train en mouvement ou sur le quai.** Les passagers assis dans le train en marche voient le paysage en mouvement. Le contrôleur immobile sur le quai voit le paysage immobile.

J'expérimente

>> **Expérience A :** Place une figurine et une petite caméra sur le plan de travail. Filme alors un objet immobile sur le plan de travail.

>> **Expérience B :** Place la figurine et la caméra dans une voiture. Mets la voiture en mouvement et filme alors le même objet immobile sur le plan de travail.

A

B

4 **Mobile ou immobile ?**

Vocabulaire

Mouvement (un) : déplacement d'un objet par rapport à un objet de référence. Le mouvement d'un objet est caractérisé par la trajectoire et la vitesse de cet objet.

Trajectoire (une) : ensemble de positions occupées au cours du temps par un objet qui se déplace.

Vitesse (une) : quotient de la distance parcourue par la durée du parcours. L'unité légale de la vitesse est le mètre par seconde (m/s). On utilise souvent le kilomètre par heure (km/h).

Ta mission

1. **Doc. 1** Indique si les trajectoires des deux skieurs sont identiques. Explique ta réponse.
2. **Doc. 2** Explique pourquoi le mouvement de ces deux trains est différent.
3. **Doc. 3 et 4** Compare les deux documents et identifie le rôle de la caméra et de la figurine. Selon la position de la caméra, précise si le mouvement de l'objet immobile est le même ou non.
4. **Conclusion** Utilise le vocabulaire ci-contre pour expliquer comment décrire le mouvement d'un objet.

Compétences
- [D4] Utiliser les mathématiques.
- [D4] Manipuler.

Reconnaître des mouvements simples

Autour de nous, de nombreux objets sont en mouvement. Les trajectoires de certains objets en mouvement sont simples à décrire.

→ Quels sont les deux types de mouvements simples ?

Étudier un premier mouvement simple

1 **Trajectoire d'une boule de bowling.** La boule doit atteindre les quilles sans toucher les bords de la piste.

2 **Trajectoire d'un train sur des rails.**

Je manipule

>> Sur une feuille blanche, place deux points aux emplacements de la bille et de la cible.
>> Relie ces deux points à l'aide d'une règle.
>> Lance la bille afin qu'elle suive la ligne tracée et touche le dé.

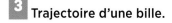

3 **Trajectoire d'une bille.**

Étudier un second mouvement simple

4 **Des enfants dans un manège.** Lorsque le manège tourne, un enfant reste toujours à la même distance du centre du manège.

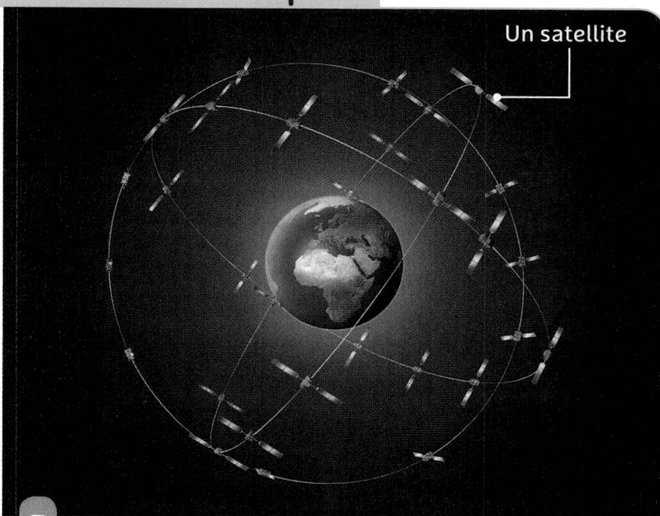

5 **Des satellites de télécommunication autour de la Terre.** Ils tournent autour de la Terre à une distance d'environ 23 600 km de la surface.

Je manipule

>> Trace un cercle de 20 cm de diamètre sur un transparent.

>> Attache une balle en caoutchouc légère à une ficelle de 20 cm de longueur.

>> Demande à un(e) camarade de tenir le transparent face à toi. Fais tourner la balle au bout de la ficelle : demande à ton (ta) camarade de faire coïncider le cercle tracé sur le transparent avec la trajectoire de la balle.

Attention : ne pas faire tourner la balle trop vite. Elle pourrait blesser quelqu'un si elle se détache.

6 **Jeu de balle.**

Ta mission

Préparer une affiche

1. Doc. 1 à 6 Indique la figure géométrique que tu reconnais pour la trajectoire de chaque objet.
2. Doc. 1 à 6 À l'aide du vocabulaire ci-contre, cite les objets qui ont un mouvement rectiligne et ceux qui ont un mouvement circulaire.
3. Conclusion Utilise des documents de la double page au choix pour réaliser une affiche présentant les deux types de mouvements simples.

Vocabulaire

Mouvement circulaire (un) : mouvement dont la trajectoire est un cercle.

Mouvement rectiligne (un) : mouvement dont la trajectoire est une droite.

Unité 3

Tâche complexe

Étudier des mouvements particuliers

Compétences
- [D4] Utiliser les mathématiques.
- [D4] Expérimenter.

Une situation-problème

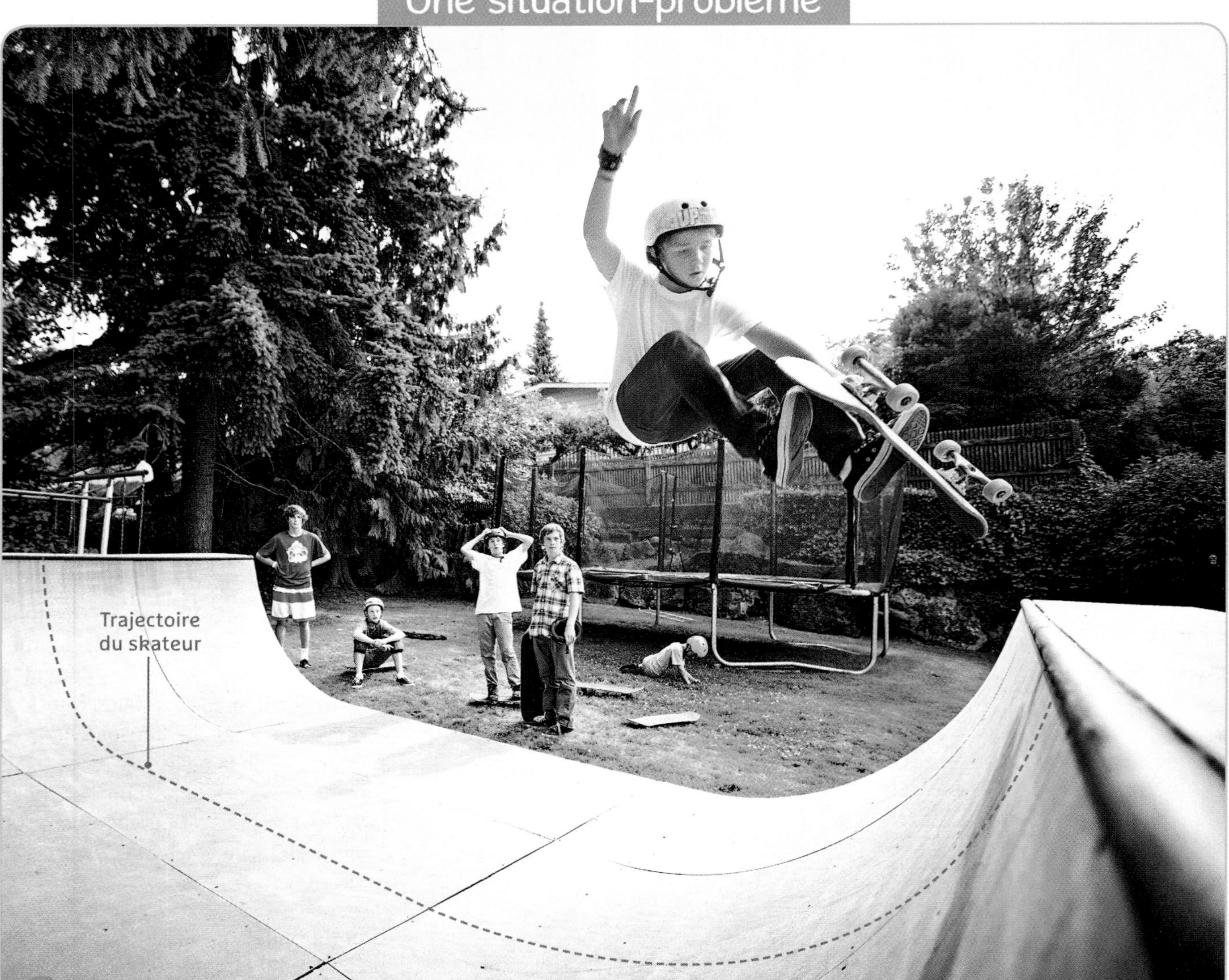

1 **Un skateur dans une rampe en U.** Il doit prendre de l'élan depuis le haut de la rampe, pour pouvoir remonter au plus haut de la pente en face. Sur la partie horizontale du U, la vitesse reste la même au cours du temps.

→ Quel type de mouvement le skateur possède-t-il sur les différentes parties de la rampe ?

La consigne

**Pour répondre, considère que le skateur a une trajectoire rectiligne et utilise les documents en page de droite ainsi que le matériel mis à ta disposition.
Tu proposeras une expérience permettant de réaliser les différents types de mouvements décrits dans le doc. 2. Dans le cas du mouvement uniforme, tu calculeras la vitesse de l'objet.**

Des documents pour comprendre

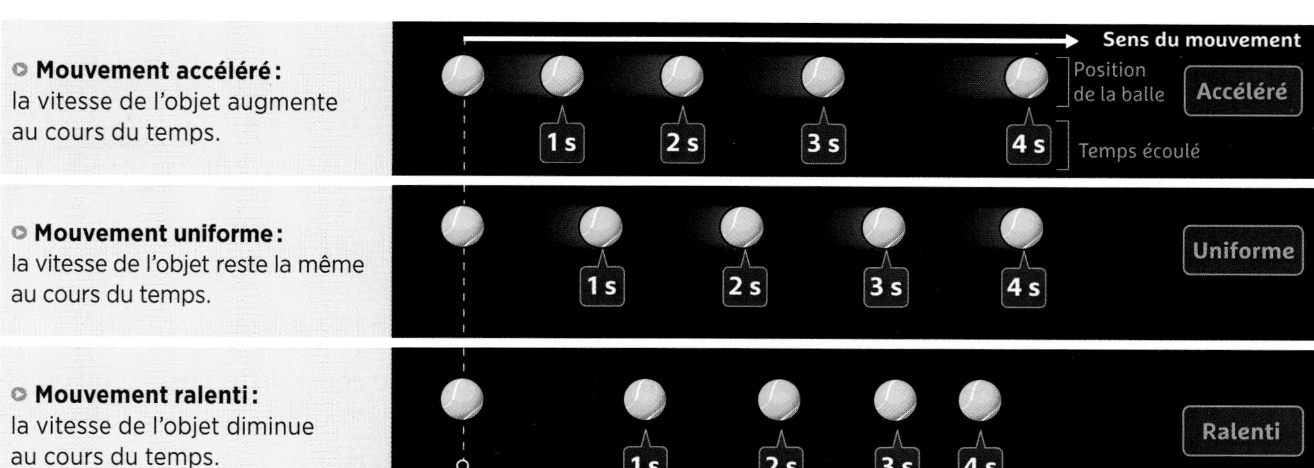

- **Mouvement accéléré :** la vitesse de l'objet augmente au cours du temps.
- **Mouvement uniforme :** la vitesse de l'objet reste la même au cours du temps.
- **Mouvement ralenti :** la vitesse de l'objet diminue au cours du temps.

2 Les différents types de mouvements rectilignes.
On a représenté la balle à différents moments de son déplacement.

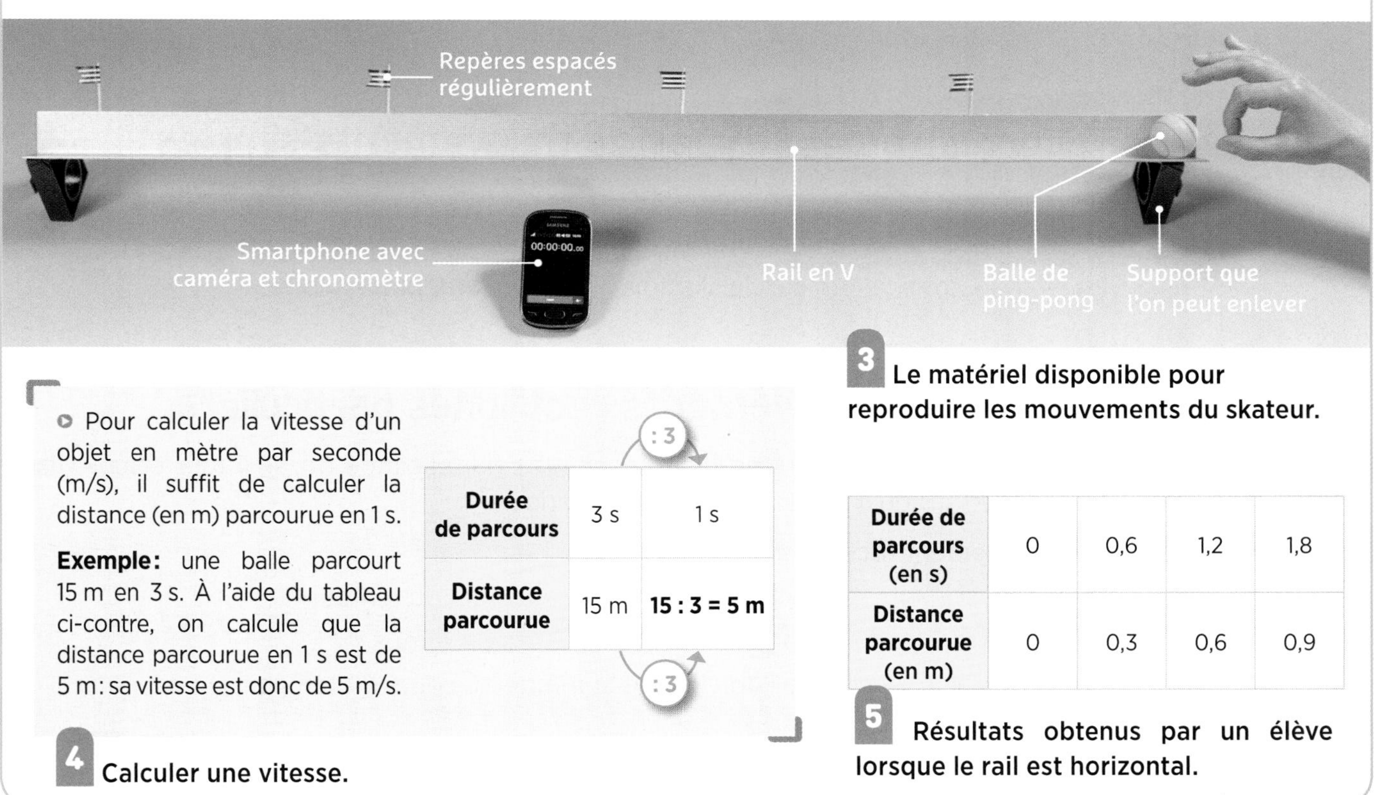

3 Le matériel disponible pour reproduire les mouvements du skateur.

- Pour calculer la vitesse d'un objet en mètre par seconde (m/s), il suffit de calculer la distance (en m) parcourue en 1 s.

Exemple : une balle parcourt 15 m en 3 s. À l'aide du tableau ci-contre, on calcule que la distance parcourue en 1 s est de 5 m : sa vitesse est donc de 5 m/s.

Durée de parcours	3 s	1 s
Distance parcourue	15 m	**15 : 3 = 5 m**

(: 3)

4 Calculer une vitesse.

Durée de parcours (en s)	0	0,6	1,2	1,8
Distance parcourue (en m)	0	0,3	0,6	0,9

5 Résultats obtenus par un élève lorsque le rail est horizontal.

BESOIN D'UN COUP DE POUCE ?

→ Rends-toi sur :
http://sciences6e.editions-belin.com

→ Ou

J'ai réussi si...

- ☐ J'ai proposé une expérience permettant de reproduire un mouvement rectiligne uniforme, accéléré ou ralenti.
- ☐ J'ai calculé la vitesse de la balle pour un mouvement rectiligne uniforme.

Bilan Les mouvements

Je dois savoir

Unité 1 Décrire et observer un mouvement

- Le **mouvement** d'un objet est défini par la **trajectoire** et la **vitesse** de l'objet.
- La **trajectoire** est l'ensemble de positions occupées au cours du temps par un objet qui se déplace.
- La **vitesse** est le quotient de la distance parcourue par la durée du parcours. L'unité légale de la vitesse est le mètre par seconde (m/s). Une unité usuelle est le kilomètre par heure (km/h).
- Le mouvement d'un objet dépend de la **position de l'observateur** par rapport à cet objet.

Unité 2 Reconnaître deux types de mouvements simples

- Lorsqu'un objet est en mouvement :

– si sa trajectoire est une **droite**, il s'agit d'un **mouvement rectiligne**.
– si sa trajectoire est un **cercle**, il s'agit d'un **mouvement circulaire**.

Unité 3 Étudier des mouvements rectilignes particuliers

- Pour calculer la vitesse d'un objet en mètres par seconde (m/s), il faut calculer la distance (en m) qu'il a parcourue en 1 seconde.
- Le mouvement rectiligne d'un objet est :

– **accéléré** si la vitesse de l'objet **augmente** au cours du temps ;
– **ralenti** si la vitesse de l'objet **diminue** au cours du temps ;
– **uniforme** si la vitesse de l'objet **reste la même** au cours du temps.

→ L'essentiel du cours en une animation 

Je suis capable de

	Pour vérifier	Si tu n'es pas sûr…
[D2] **Utiliser les mathématiques**	→ Fais les exercices 3 p. 50 et 7 p. 51.	→ Fais l'exercice 9 p. 53.
[D4] **Expérimenter pour décrire un mouvement**	→ Revois les documents de l'unité 3 pp. 46-47.	→ Revois les doc. 3 et 6 de l'unité 2 pp. 44-45.

Je retiens par l'image

Mouvement = trajectoire + vitesse

Trajectoire

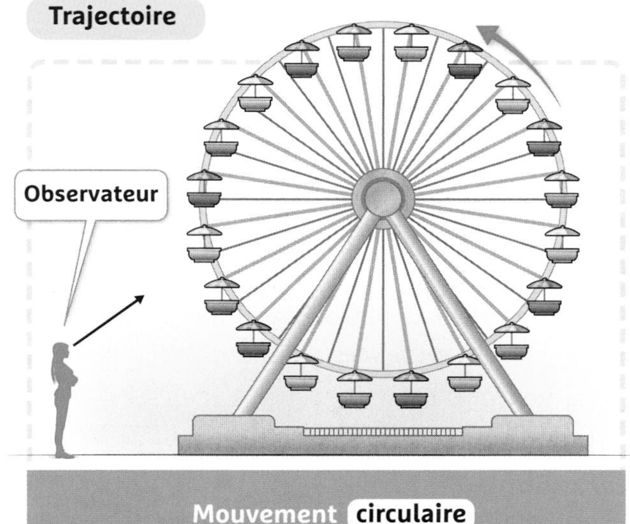

Mouvement **circulaire**

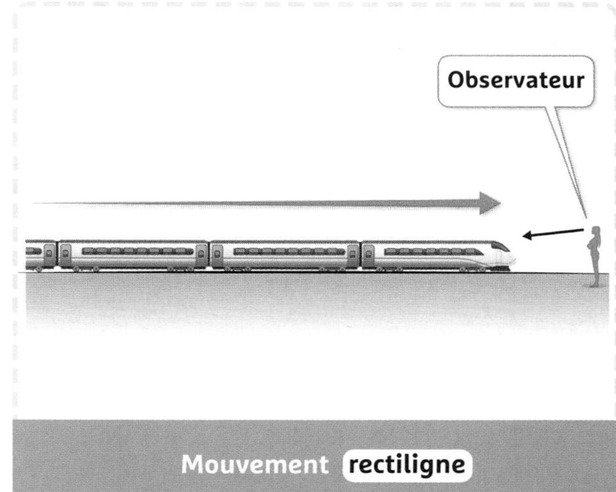

Mouvement **rectiligne**

Vitesse (en m/s) : distance (en mètres) parcourue en 1 seconde

Sens du mouvement

Des mouvements rectilignes particuliers

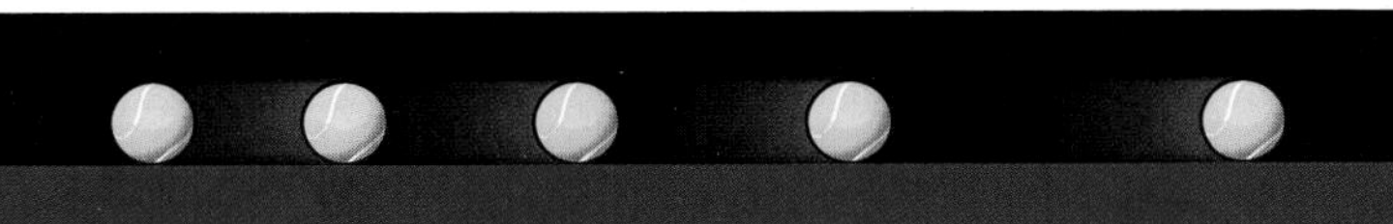

Vitesse constante
▶ Mouvement rectiligne **uniforme**

Vitesse qui diminue
▶ Mouvement rectiligne ralenti

Vitesse qui augmente
▶ Mouvement rectiligne accéléré

Je retiens les mots-clés

- Mouvement
- Trajectoire
- Vitesse
- Mouvement rectiligne
- Mouvement circulaire
- Mouvement rectiligne accéléré
- Mouvement rectiligne uniforme
- Mouvement rectiligne ralenti

→ Pour réviser les définitions ou Dico du manuel p. 379

Exercices

Je vérifie mes connaissances

1 Une phrase

Rédige une phrase correcte à partir des mots suivants :

a. vitesse • mouvement • trajectoire

b. mouvement • observateur • objet

2 QCM

Indique la réponse exacte parmi les propositions.

1. Un mouvement rectiligne uniforme est un mouvement dont la vitesse :

a. augmente au cours du temps.

b. ne varie pas au cours du temps.

c. diminue au cours du temps.

2. Deux objets possèdent le même mouvement s'ils possèdent :

a. une vitesse identique.

b. une trajectoire identique.

c. une vitesse et une trajectoire identiques.

3 L'intrus

Observe les trois photographies, chasse l'intrus et explique ton choix.

a

b

c

→ Exercices supplémentaires

J'utilise mes compétences

4 Extraire des informations

Le sport le plus rapide

En sport, les vitesses les plus élevées ne sont pas atteintes par les voitures de course. Une balle de tennis ou un volant de badminton se déplacent bien plus rapidement !

a. Indique quelle est l'unité de la vitesse utilisée ici.

b. Rappelle l'unité légale de la vitesse et convertit les vitesses précédentes dans cette unité.

c. Range les sports par ordre de vitesse croissante du projectile utilisé.

Coup de pouce

→ 1 km = 1000 m

→ 1 h = 3600 s

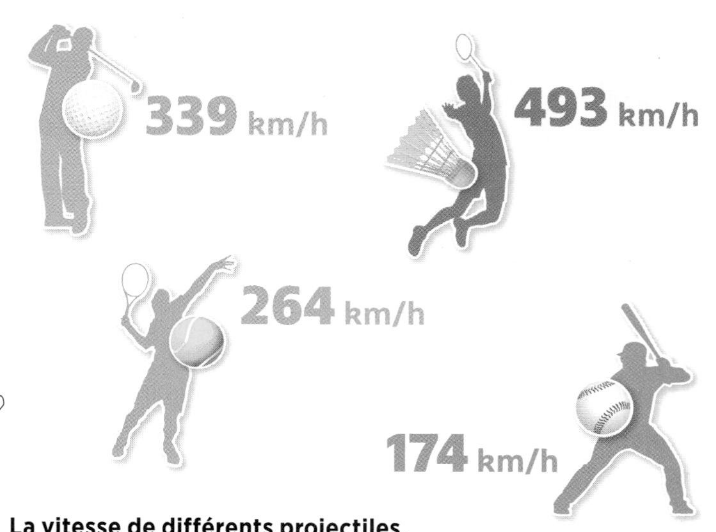

La vitesse de différents projectiles.

5 Utiliser un vocabulaire précis

Les mouvements dans un parc de jeux

1. Précise sur quel jeu le mouvement des enfants est circulaire. Explique ta réponse.

2. Pour les deux enfants assis sur le tourniquet :

a. indique s'ils possèdent le même mouvement. Explique ta réponse.

b. indique s'ils sont en mouvement l'un par rapport à l'autre. Explique ta réponse.

a

b

6 Utiliser un logiciel

Trajectoire de la Terre autour du soleil

a. À l'aide du logiciel « Gravity and orbits » (https://phet.colorado.edu/en/simulation/legacy/gravity-and-orbits), fais apparaître la trajectoire de la Terre autour du Soleil.

b. Décris la trajectoire de la Terre autour du Soleil.

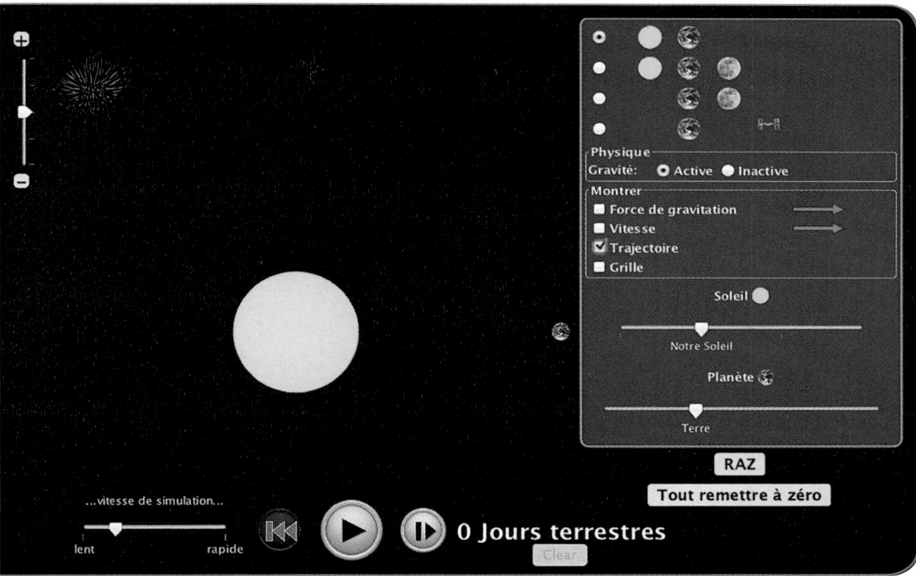

7 Utiliser les mathématiques

Une randonnée en VTT

Paul et sa sœur Marie vont participer à une randonnée en VTT pour les benjamins (11-12 ans). Observe ci-contre la fiche descriptive de l'épreuve.

a. Quelle est la longueur du parcours ?

b. Paul a pour objectif de parcourir cette distance en une heure avec une vitesse constante. Quelle vitesse, en km/h, devra-t-il adopter le long du trajet ?

c. Sa sœur Marie, qui s'est entraînée pendant l'année, veut atteindre la ligne d'arrivée en 30 minutes. À quelle vitesse (en m/s) constante devra-t-elle rouler ?

	Informations
Distance	8 km
Altitude de départ	550 m
Altitude d'arrivée	550 m
Jour de l'épreuve	Samedi 17 septembre 2016
Heure de départ	15 h 00
Heure d'arrivée	Avant 16 h 00

Je m'entraîne pour l'évaluation

8 Course de demi-fond

Énoncé

Jade et Alexandre sont en 6e. En EPS, ils débutent le cycle « demi-fond ».
Lors de la première séance, ils doivent déterminer leur VMA (vitesse maximale aérobie) : c'est, pour chaque élève, la vitesse de course à laquelle la consommation de dioxygène lors de la respiration est maximale.

- Les élèves doivent s'échauffer avant l'épreuve.
- L'objectif est de parcourir la plus grande distance possible en 6 minutes.
- Pour déterminer la VMA, en kilomètres par heure, il faut diviser la distance parcourue (exprimée en mètres) par 100.

1 Déroulement du test.

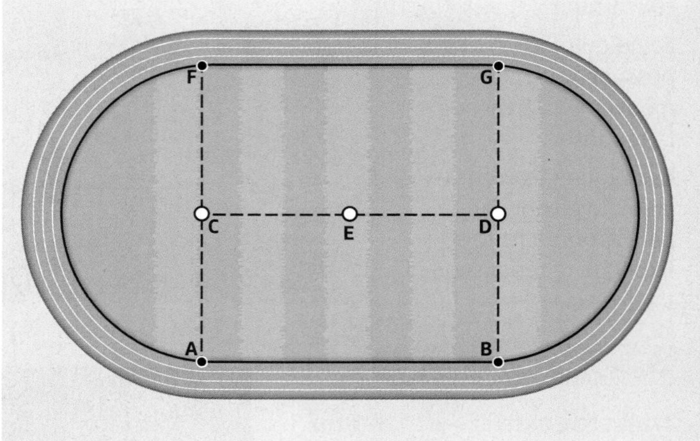

2 Schéma de la piste de course. Le professeur se positionne sur la ligne de départ (point A) et indique aux coureurs la fin de la course grâce à un signal sonore.

3 Chronophotographie de Jade entre les points A et B. Cette image montre la position de Jade à intervalles de temps réguliers entre les points A et B. Alexandre s'est placé au point E pour réaliser cette image à l'aide d'une application sur une tablette.

Questions

1. Mouvement, trajectoire et rôle de l'observateur

a. Alexandre est-il en mouvement par rapport à Jade ? Par rapport à la piste ?

b. Utilise ton compas et les points C et D pour dire sur quelle(s) partie(s) de la piste Jade a une trajectoire circulaire.

c. Sur quelle(s) partie(s) de la piste Jade a-t-elle une trajectoire rectiligne ?

2. Mouvement et vitesse

a. Jade a parcouru 1100 m en 6 minutes. Calcule sa VMA.

b. À la fin du cycle de demi-fond, lors de l'évaluation, Jade a parcouru 1320 mètres en 9 minutes : quelle est sa vitesse (en m/s) ?

c. Observe la chronophotographie réalisée par Alexandre et décris le mouvement de Jade entre les points A et B.

9 J'apprends à déterminer une vitesse

Énoncé

Le train électrique photographié ci-dessous possède un mouvement rectiligne uniforme sur l'ensemble du trajet.

Questions

1. Propose une expérience pour déterminer la vitesse du train, en mètres par seconde, à l'aide du matériel à ta disposition.

2. Nathan et Lola effectuent chacun un essai et obtiennent les mesures suivantes :
Nathan : distance = 1,2 m, durée = 6 s
Lola : distance = 1 m, durée = 5 s

Détermine la vitesse du train dans chaque cas.

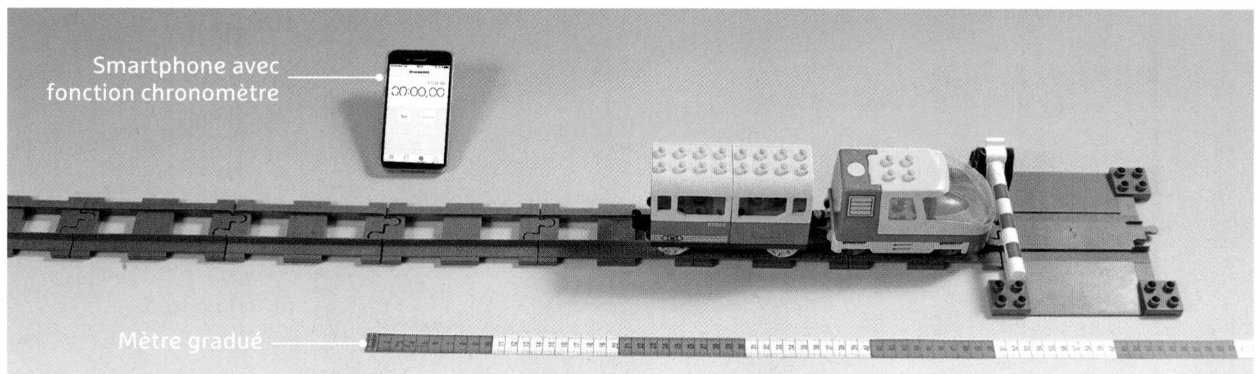
Smartphone avec
fonction chronomètre
Mètre gradué

Aide à la résolution

- Observe le matériel disponible : choisis les instruments adaptés à chaque mesure (distance, durée).
- Pour chaque grandeur mesurée, fais bien attention aux unités.

Pour déterminer une vitesse...

- Construis un tableau de proportionnalité pour déterminer la distance parcourue en 1 seconde.

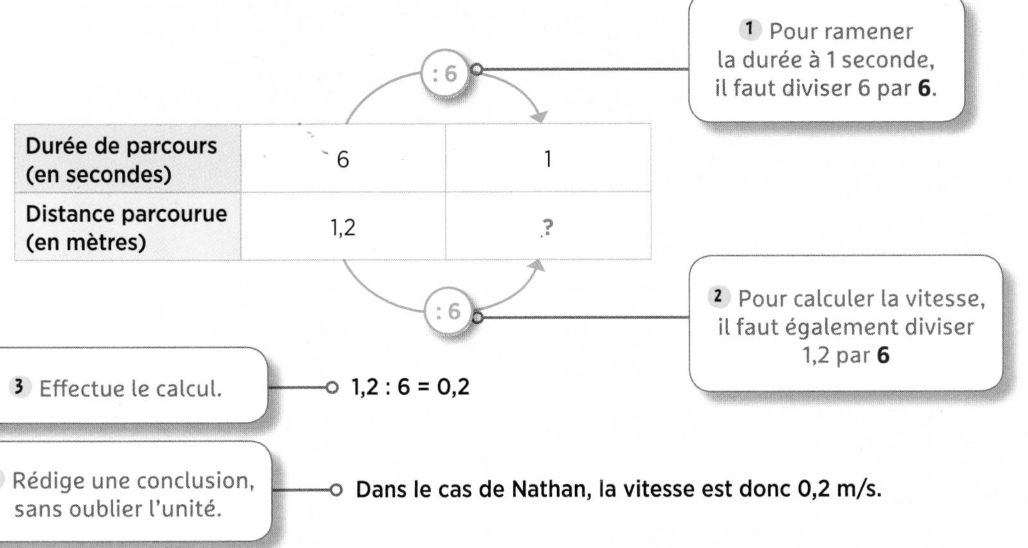
: 6
1 Pour ramener la durée à 1 seconde, il faut diviser 6 par **6**.
: 6
2 Pour calculer la vitesse, il faut également diviser 1,2 par **6**
3 Effectue le calcul.
1,2 : 6 = 0,2
4 Rédige une conclusion, sans oublier l'unité.
Dans le cas de Nathan, la vitesse est donc 0,2 m/s.

Durée de parcours (en secondes)	6	1
Distance parcourue (en mètres)	1,2	?

Chapitre 4

Pour commencer…

Une image

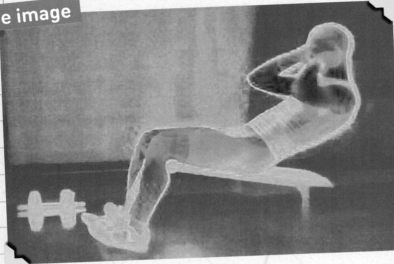

Les zones rouges sur cette image sont les plus chaudes.

>> Comment notre corps produit-il de la chaleur ?

Des nombres

>> Pourquoi les poids-lourds doivent-ils rouler moins vite que les voitures ?

Des mots

« En Islande, toute l'énergie électrique est produite à partir de sources d'énergie renouvelable. En Arabie Saoudite, toute l'énergie électrique est produite à partir de sources d'énergie fossile. »

D'après Observ'ER, *La production d'électricité d'origine renouvelable dans le monde*, Quinzième inventaire, 2013.

>> Pourquoi est-il important d'utiliser plus de sources d'énergie renouvelables ?

Les formes et les sources d'énergie

Quelles sont les différentes formes et sources d'énergie ?

Solar Impulse, un avion qui vole grâce à l'énergie solaire.

Unité 1

Les formes et les conversions de l'énergie

Compétences
- [D1.3] Schématiser une conversion d'énergie.
- [D4] Mettre en relation des documents.

Sans que nous y prêtions attention, l'énergie est partout et à chaque instant dans notre vie quotidienne.

→ Comment utilisons-nous l'énergie dans notre vie quotidienne ?

Identifier différentes formes d'énergie

- L'énergie **chimique** est libérée lors de certaines transformations chimiques (voir p. 33). L'énergie de **mouvement** est l'énergie d'un objet due à son mouvement. L'énergie **électrique** est liée à la circulation de l'électricité. L'énergie **lumineuse** est liée à la lumière. L'énergie **thermique** est liée à la chaleur.
- L'énergie peut passer d'une forme à une autre : on dit qu'une forme d'énergie est **convertie** en une autre.
- Par exemple, les nutriments issus des aliments (voir p. 160) subissent des transformations chimiques. L'énergie libérée est convertie en énergie thermique, de mouvement, etc.

1 Différentes formes d'énergie.

2 Enseignes lumineuses et circulation automobile à Times Square (New York, États-Unis).

3 Un TGV lancé à pleine vitesse (320 km/h).

4 Le joueur de tennis Rafael Nadal pendant une pause lors d'un match.

Convertir quelques formes de l'énergie

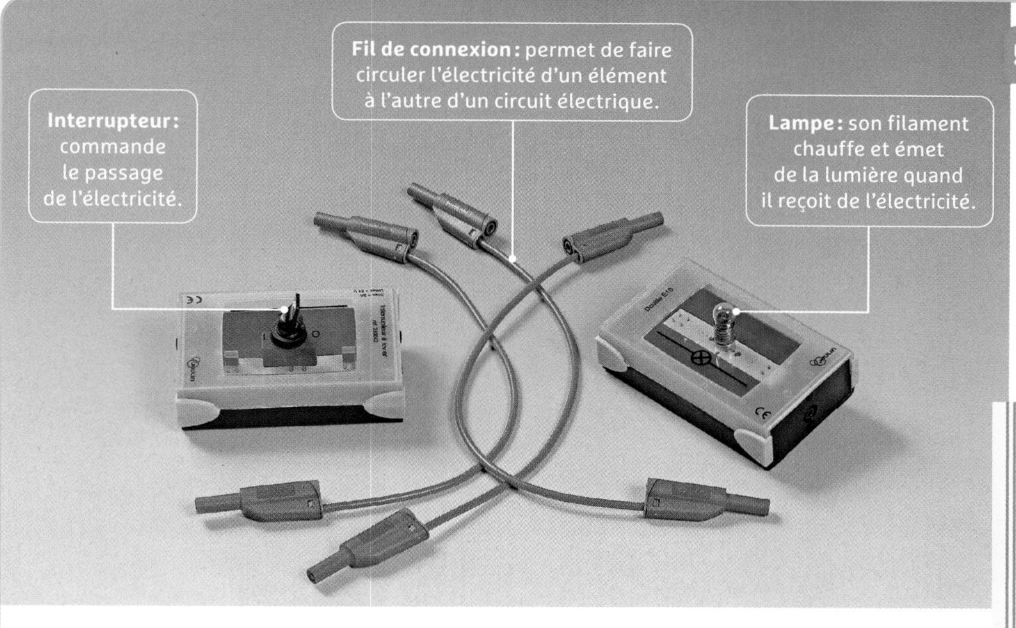

Interrupteur : commande le passage de l'électricité.
Fil de connexion : permet de faire circuler l'électricité d'un élément à l'autre d'un circuit électrique.
Lampe : son filament chauffe et émet de la lumière quand il reçoit de l'électricité.

5 **Trois récepteurs.** Ces objets techniques peuvent recevoir de l'électricité.

J'expérimente

Utilise le matériel des doc. 5 et 6 pour réaliser :

1. un montage permettant d'obtenir de l'énergie lumineuse et thermique à partir d'énergie chimique.
2. un montage permettant d'obtenir de l'énergie lumineuse et thermique à partir d'énergie de mouvement.

→ Aide-toi de la fiche méthode p. 5 de l'Aide-mémoire

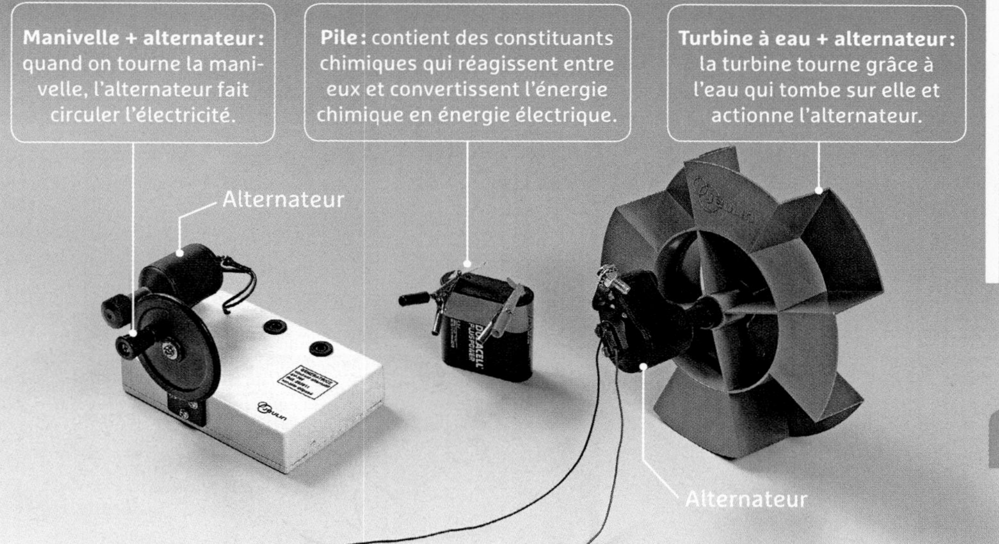

Manivelle + alternateur : quand on tourne la manivelle, l'alternateur fait circuler l'électricité.
Pile : contient des constituants chimiques qui réagissent entre eux et convertissent l'énergie chimique en énergie électrique.
Turbine à eau + alternateur : la turbine tourne grâce à l'eau qui tombe sur elle et actionne l'alternateur.
Alternateur
Alternateur

6 **Trois générateurs.** Ces objets techniques peuvent faire circuler l'électricité.

Ta mission

1. À l'aide du doc. 1, indique les formes d'énergie présentes dans chacun des doc. 2, 3 et 4.
2. Doc 5 et 6 Réalise un schéma de chaque montage réalisé.
3. Doc 5 et 6 Réalise un schéma de la conversion d'énergie correspondant à chaque montage. Aide-toi de l'exemple suivant :

   énergie chimique → [Pile] → énergie électrique

4. Conclusion À l'aide de quelques exemples, montre comment les humains utilisent l'énergie dans leur vie quotidienne.

Vocabulaire

Énergie (une) : un objet qui possède de l'énergie peut produire des actions (chauffer, éclairer, mettre en mouvement, etc.).

Énergie et mouvement

Compétences
- [D1.1] S'exprimer à l'oral.
- [D4] Interpréter des expériences.

L'énergie de mouvement d'un véhicule est un facteur de risque dans les accidents de la route.

→ De quoi dépend l'énergie associée à un objet en mouvement ?

Étudier le freinage d'une trottinette

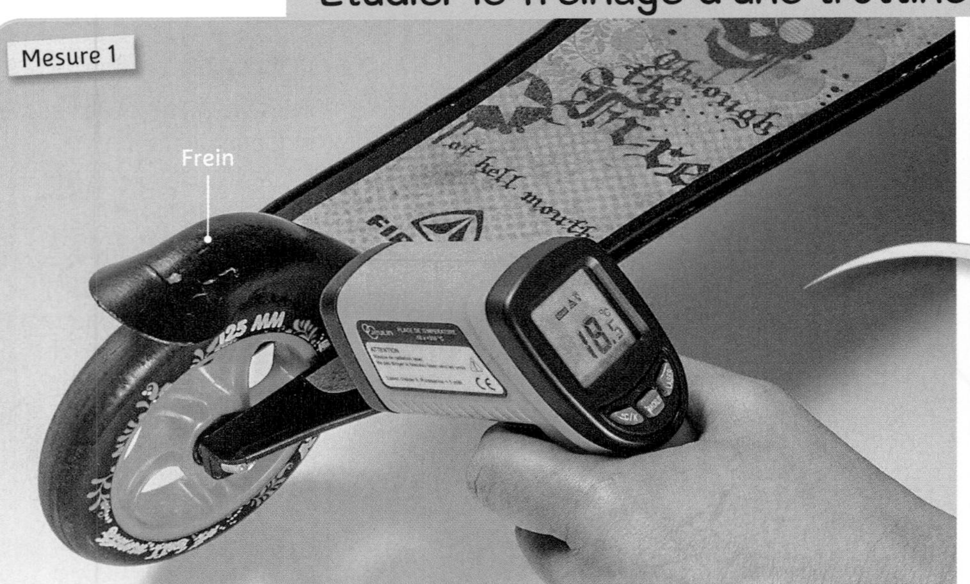

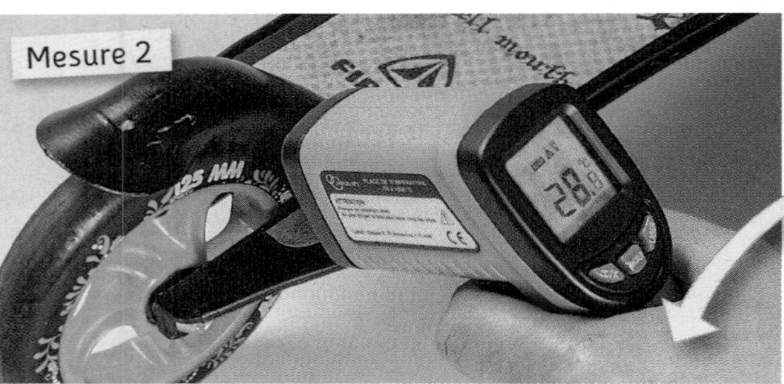

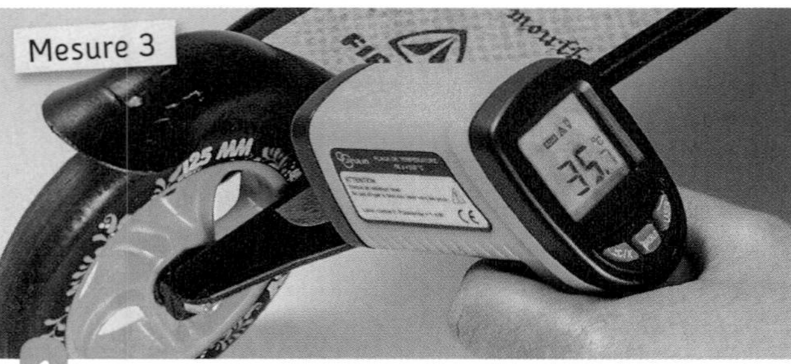

1 Une expérience pour étudier le lien entre énergie et mouvement. L'énergie provenant des muscles permet de mettre la trottinette en mouvement. Lorsque le pied appuie sur le frein arrière, le frein frotte sur la roue pour l'empêcher de tourner.

J'expérimente

>> Mesure la température du frein de la trottinette immobile avec un thermomètre infrarouge (**mesure 1**).

>> Mets la trottinette en mouvement, roule à allure modérée sur une distance de quelques mètres, puis actionne le frein.

>> Mesure à nouveau la température du frein juste après l'arrêt (**mesure 2**).

>> Laisse le frein refroidir puis recommence l'expérience en roulant plus vite (**mesure 3**).

Étudier l'énergie de mouvement d'un objet

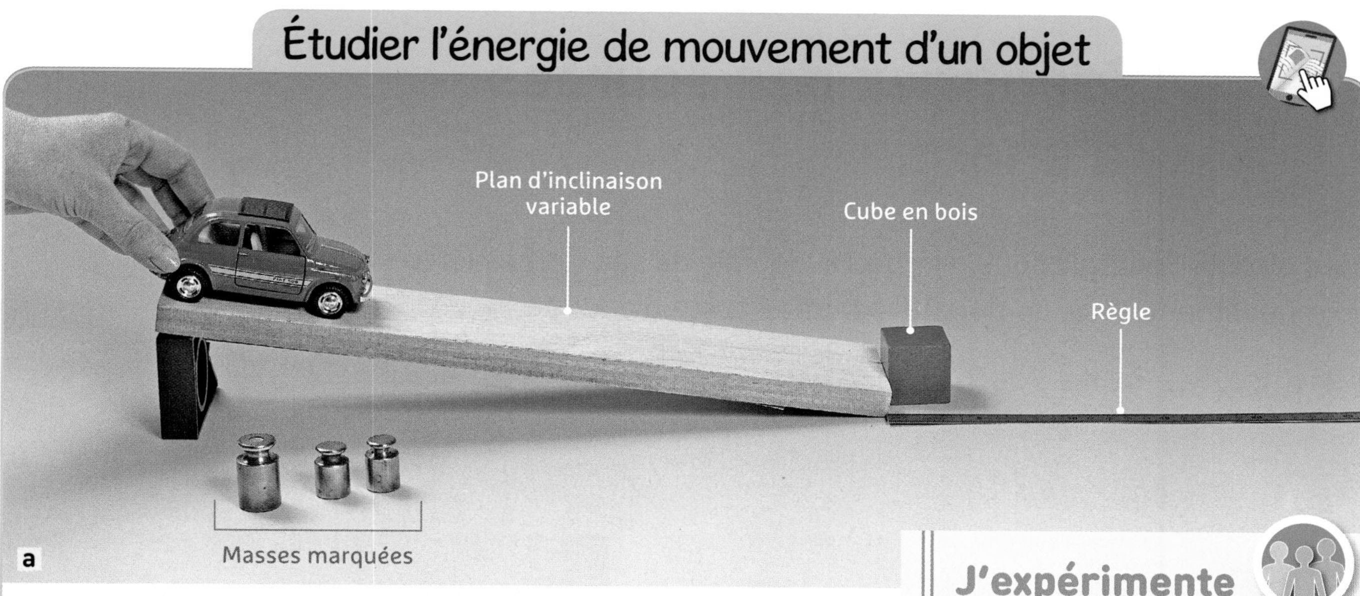

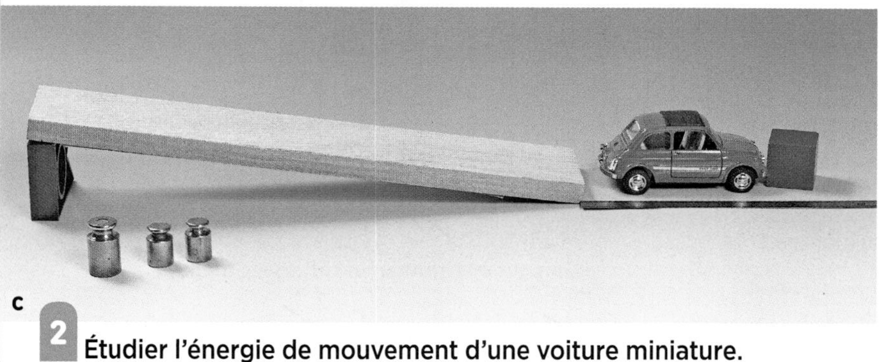

2 Étudier l'énergie de mouvement d'une voiture miniature.

J'expérimente

Groupe 1 : propose un protocole pour montrer que l'énergie de mouvement d'un objet dépend de sa **masse**.

Groupe 2 : propose un protocole pour montrer que l'énergie de mouvement d'un objet dépend de sa **vitesse**.

>> Après validation du protocole par ton professeur, réalise l'expérience et note tes résultats dans un tableau.

Voiture	Sans charge	Avec charge	Sans charge
Inclinaison du plan	Faible	Faible	Forte
Déplacement du bloc de bois (en cm)	3	20	10

3 **Résultats obtenus à l'aide du matériel présenté doc. 2.**

Ta mission

Travail en groupe

1 Doc. 1 Décris les résultats de l'expérience.

2 Doc. 1 Précise sous quelle forme d'énergie est convertie l'énergie de mouvement lors d'un freinage. Schématise la conversion d'énergie.

3 Doc 2 et 3 Précise l'influence de la masse ou de la vitesse sur l'énergie de mouvement de la voiture.

4 Doc. 1 à 3 D'après les réponses précédentes, interprète les résultats de l'expérience du doc. 1.

5 Conclusion Présente à la classe la description et les résultats des expériences de ton groupe. Précise notamment quels paramètres influencent l'énergie de mouvement.

Vocabulaire

Masse (une) : caractérise un échantillon de matière. Elle se mesure avec une balance.

Vitesse (une) : quotient de la distance parcourue par la durée du parcours (voir p. 47).

Unité 3 Identifier des sources d'énergie

Compétences
- [D1.3] Construire un tableau.
- [D4] Respecter l'environnement.

Pour obtenir l'énergie sous n'importe laquelle de ses formes (électrique, thermique, de mouvement, etc.), on doit utiliser une source d'énergie.

→ Quelles sont les différentes sources d'énergie ?

1 Puits de pétrole
- Le pétrole est un liquide formé en plusieurs millions d'années à partir de matière organique. C'est une source fossile.
- **Utilisations** : production d'énergie thermique permettant de se chauffer, de se déplacer, de produire du courant électrique, etc.
- **Réserves** : estimées à 40-50 ans.
- **Impact environnemental** : production de polluants et de gaz à effet de serre.

2 Panneaux solaires photovoltaïques
- Ils convertissent l'énergie provenant du Soleil en énergie électrique.
- **Utilisation** : production d'énergie électrique.
- **Réserves** : 5 milliards d'années (durée de vie estimée du Soleil).
- **Impact environnemental** : assez faible.

3 Champ d'éoliennes
- Le vent fait tourner les pales des éoliennes. Cette énergie de mouvement est convertie en énergie électrique.
- **Utilisation** : production d'énergie électrique.
- **Réserves** : sans limite, mais cette source est irrégulière.
- **Impact environnemental** : assez faible.

4 Bois
- Le bois produit de l'énergie thermique en brûlant.
- **Utilisations** : production d'énergie thermique permettant de se chauffer ou de produire du courant électrique.
- **Réserves** : importantes et renouvelables.
- **Impact environnemental** : assez faible si le bois est issu de forêts bien gérées (voir p. 368).

Ta mission

1 Doc. 1 à 8. Cite les sources d'énergie utilisées pour se chauffer. Parmi ces sources, précise celles qui sont des sources d'énergie fossile.

2 Doc. 1 à 8. Cite les sources d'énergie renouvelable utilisées pour produire de l'énergie électrique.

3 Doc. 1 à 8. Propose deux arguments pour expliquer qu'il est préférable d'utiliser des sources d'énergie renouvelable pour satisfaire les besoins de l'être humain.

4 Conclusion Dans un tableau, classe en deux catégories les huit sources d'énergie présentées.

Vocabulaire

Source d'énergie renouvelable : source d'énergie inépuisable à l'échelle de l'humanité.

Source d'énergie fossile : source d'énergie provenant de la décomposition de matière organique pendant des millions d'années.

5 Centrale hydroélectrique

- L'eau est retenue par le barrage. En chutant, elle met en mouvement des turbines et un alternateur qui permettent la production d'énergie électrique.
- **Utilisation** : production d'énergie électrique.
- **Réserves** : illimitées.
- **Impact environnemental** : assez faible.

6 Mine de charbon

- Le charbon est un solide formé en plusieurs millions d'années à partir de matière organique. En brûlant, il produit de l'énergie thermique. C'est une source fossile.
- **Utilisations** : production d'énergie thermique permettant de se chauffer ou de produire du courant électrique.
- **Réserves** : estimées entre 100 et 150 ans.
- **Impact environnemental** : production de gaz polluants et de gaz à effet de serre.

7 Mine d'uranium

- L'uranium est un minerai extrait du sous-sol.
- **Utilisations** : production d'énergie thermique, convertie en énergie électrique dans les centrales nucléaires.
- **Réserves** : estimées à 100 ans.
- **Impact environnemental** : contrasté (pas de gaz à effet de serre, mais des déchets radioactifs difficiles à gérer).

8 Gisement de lithium

- Le lithium est un constituant chimique extrait du sous-sol.
- **Utilisations** : production d'énergie électrique dans les piles et batteries.
- **Réserves** : estimées à 40-50 ans.
- **Impact environnemental** : important (pollution).

Bilan Les formes et les sources d'énergie

Je dois savoir

Unité 1 Les formes et les conversions de l'énergie

◆ L'Homme a besoin **d'énergie** pour se nourrir, se chauffer, se déplacer, s'éclairer et communiquer.

◆ Il existe différentes formes d'énergie : thermique, lumineuse, musculaire, électrique, chimique, de mouvement, etc.

◆ Les êtres vivants et les objets techniques peuvent convertir l'énergie d'une forme à l'autre. Par exemple, l'Homme convertit l'énergie chimique contenue dans les aliments en énergie thermique ou en énergie de mouvement (voir aussi chap. 10 pp. 160-161).

Unité 2 Énergie et mouvement

◆ Un objet en mouvement possède une énergie : l'énergie de mouvement. Elle peut être convertie en énergie thermique ou en d'autres formes d'énergie.

◆ L'énergie de mouvement dépend de la **masse** et de la **vitesse** de l'objet : plus il est lourd, plus son énergie de mouvement est importante ; plus son déplacement est rapide, plus son énergie de mouvement est importante.

Unité 3 Identifier des sources d'énergie

◆ Les humains utilisent différentes **sources d'énergie** afin de satisfaire leurs besoins.

◆ Certaines sources d'énergie sont **renouvelables** : elles sont inépuisables à l'échelle de l'humanité (Soleil, vent, etc.).

◆ Les sources d'énergie **fossiles** (pétrole et charbon) ne sont, elles, pas renouvelables.

◆ Pour préserver l'environnement et éviter l'épuisement des sources extraites de notre planète, il est nécessaire d'utiliser davantage de sources d'énergie renouvelables.

→ L'essentiel du cours en une animation

Je suis capable de

	Pour vérifier	Si tu n'es pas sûr...
[D1.3] **Identifier des sources et des formes d'énergie**	→ Fais les exercices 2 p. 64 et 9 p. 65.	→ Revois les doc. 1 à 4 p. 56 et l'unité 3 pp. 60-61.
[D4] **Prendre conscience que l'être humain a besoin d'énergie**	→ Fais les exercices 3 p. 64 et 8 p. 65.	→ Fais l'exercice 10 p. 67.

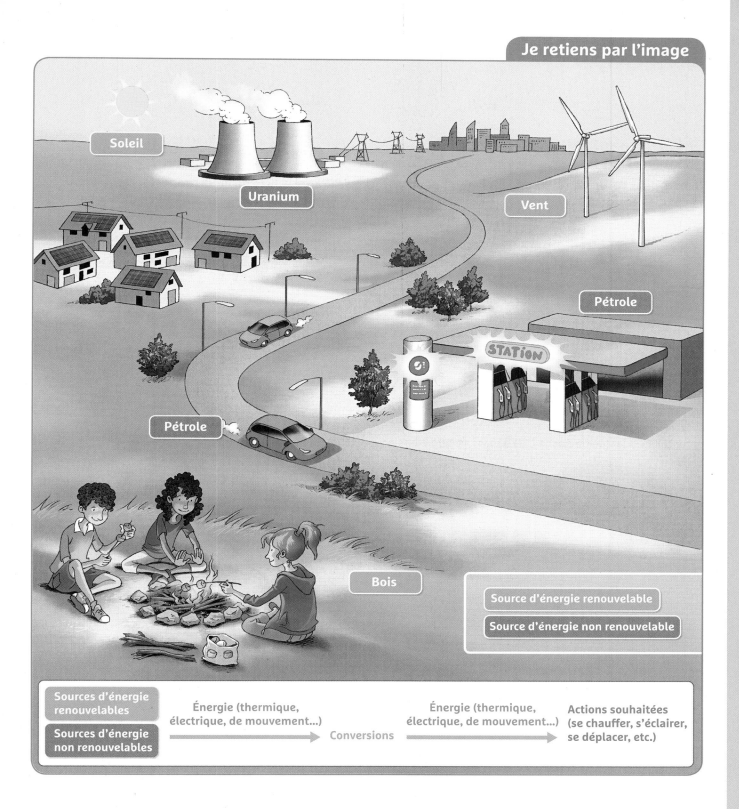

Je retiens par l'image

Soleil

Uranium

Vent

Pétrole

STATION

Pétrole

Bois

Source d'énergie renouvelable

Source d'énergie non renouvelable

Sources d'énergie renouvelables / Sources d'énergie non renouvelables → Énergie (thermique, électrique, de mouvement...) → Conversions → Énergie (thermique, électrique, de mouvement...) → Actions souhaitées (se chauffer, s'éclairer, se déplacer, etc.)

Je retiens les mots-clés

- Énergie
- Masse
- Source d'énergie fossile
- Source d'énergie renouvelable
- Vitesse

➜ Pour réviser les définitions

ou Dico du manuel p. 379

Exercices

Je vérifie mes connaissances

1 Une phrase

Remets dans l'ordre les étiquettes suivantes pour faire une phrase correcte.

de sa vitesse · Un objet · possède · une énergie · et · de sa masse. · en mouvement · qui dépend

2 Mur de mots

Parmi la liste de mots proposés, recopie ceux qui correspondent à une source d'énergie.

PLAQUE DE CUISSON · THERMIQUE · AVION · SOLEIL · VENT · GAZ · PÉTROLE · VITESSE

3 Compléter un schéma

Observe la photo ci-contre, puis recopie et complète le schéma ci-dessous avec les termes :

• musculaire • lampe de poche LED à main • énergie lumineuse • énergie thermique

Énergie .... → (........................) → [........................ + ...]

→ Exercices supplémentaires

J'utilise mes compétences

4 Utiliser des outils numériques

Deux utilisations de l'énergie solaire

a. En quelles formes d'énergie est convertie l'énergie provenant du Soleil dans les cas ci-contre ?

b. Recherche sur Internet un autre dispositif qui permet de convertir l'énergie solaire en une autre forme d'énergie.

c. Recherche sur Internet dans combien de temps le Soleil ne brillera plus.

d. Le Soleil peut-il être considéré comme une source d'énergie renouvelable ? Justifie ta réponse.

1 **Une centrale solaire** produit de l'énergie électrique.

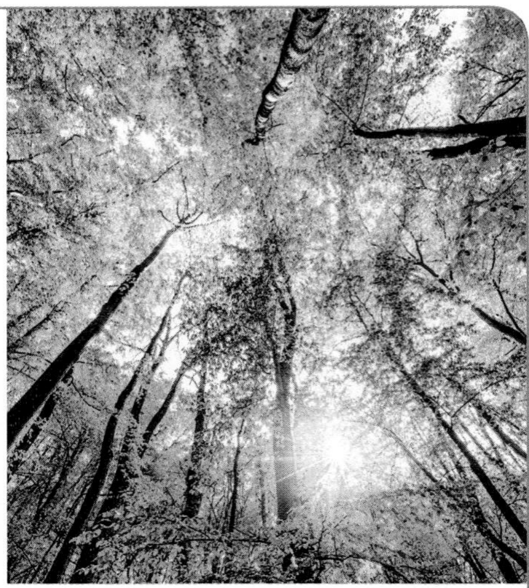

2 **Les feuilles des arbres** transforment l'énergie lumineuse en énergie chimique nécessaire à leur développement.

5 Communiquer à l'écrit

Freiner pour mieux avancer !

Le SREC (système de récupération de l'énergie cinétique) est utilisé dans certaines voitures de Formule 1 : il récupère l'énergie de mouvement lors d'un freinage pour la transformer en énergie électrique. Cette énergie, stockée dans des batteries, sera utilisée par des moteurs électriques pour donner plus de puissance à la voiture pendant quelques secondes par tour de circuit.

a. Recherche la définition de « cinétique ».

b. Rédige quelques phrases courtes et ponctuées qui expliquent comment est transformée l'énergie de mouvement d'une Formule 1 équipée d'un SREC lors d'un freinage.

6 Expliquer un phénomène

Vitesse et sécurité routière

Des essais de choc (*crash test*) sont réalisés en laboratoire pour étudier le comportement des véhicules en cas de choc ou de collision.

a. Explique les résultats de ce *crash test*.

b. Propose une hypothèse sur l'état de la voiture pour un *crash test* à 100 km/h.

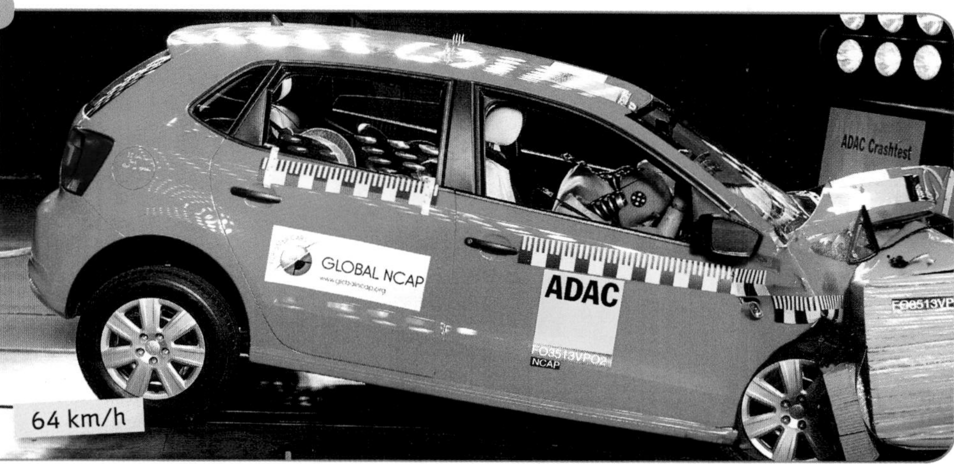

7 Respecter l'environnement

Différents types de chauffage

Voici différents appareils de chauffage utilisés dans les habitations.

a. Recopie ce tableau en ajoutant une ligne pour indiquer la ou les sources d'énergie utilisées par chacun de ces appareils de chauffage.

b. Ajoute encore une ligne à ton tableau, dans laquelle tu préciseras, lorsque cela est possible, si ces sources d'énergie sont renouvelables ou non.

Appareil	Poêle à pétrole	Cheminée	Chaudière à gaz	Chauffage solaire	Radiateur électrique

8 Lire un diagramme

L'électricité en France

Le diagramme ci-contre indique les différentes sources d'énergies utilisées en France pour produire du courant électrique.

a. Indique la principale source d'énergie permettant de produire de l'électricité en France.

b. Quelle est la part des sources d'énergies renouvelables dans la production de l'électricité en France ?

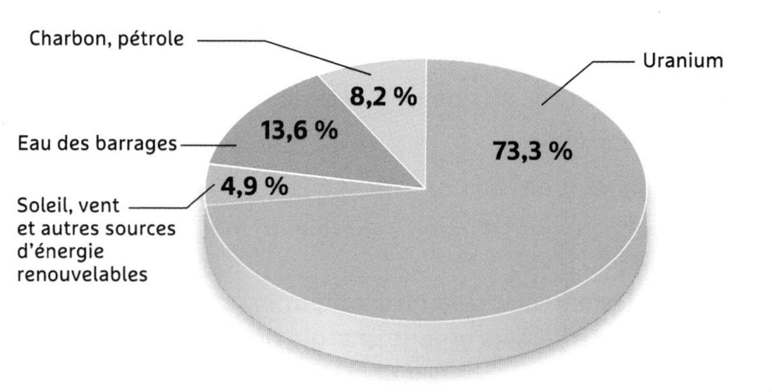

Je m'entraîne pour l'évaluation

9 Les voiliers du Vendée Globe

Énoncé

Les voiliers de course doivent produire de l'énergie électrique pour faire fonctionner les ordinateurs de bord, le pilote automatique, dessaler l'eau de mer, etc. En plus d'un groupe électrogène qui utilise le gasoil, les voiliers sont équipés de panneaux photovoltaïques, d'éoliennes ou d'hydrogénérateurs. Ces derniers sont constitués d'une hélice plongée dans l'eau. Lorsque le bateau avance, l'hélice tourne et son mouvement est utilisé pour produire de l'énergie électrique.

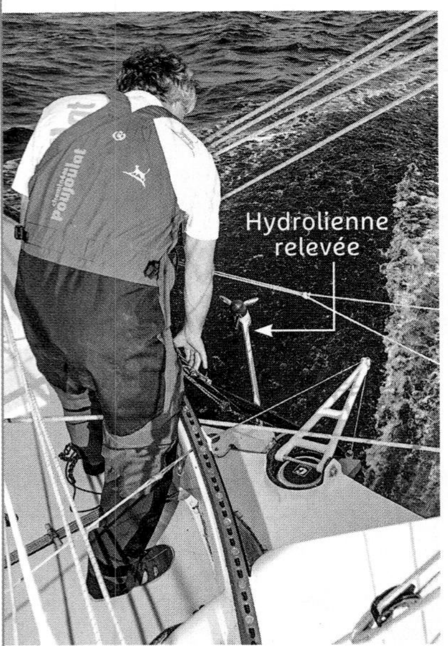

Questions

1. Les formes et les conversions d'énergie

a. Recherche dans le texte quels sont les besoins en énergie à bord d'un voilier.
b. Explique pourquoi il est important de pouvoir dessaler l'eau de mer.
c. D'où provient l'énergie électrique produite par un hydrogénérateur ?
d. Construis le schéma de la conversion d'énergie de l'hydrogénérateur.

2. Énergie et mouvement

a. Rappelle de quoi dépend l'énergie de mouvement d'un objet.
b. Parmi les bateaux ci-contre, détermine celui qui peut posséder la plus grande énergie de mouvement. Justifie ta réponse en utilisant la conjonction « donc ».

Bateau	Voilier IMOCA	Voilier IMOCA	Multicoque
Vitesse (en nœuds*)	18	30	30
Masse (en tonnes)	8	8	16,5

* Le nœud est une unité de mesure de la vitesse utilisée par les marins.
1 nœud = 1,852 km/h.

3. Les sources d'énergie

a. Fais une liste des sources d'énergie utilisées sur un voilier de course pour produire de l'énergie électrique.
b. Rappelle ce qu'est une source d'énergie renouvelable.
c. Détermine les sources d'énergie renouvelable utilisées sur le voilier pour produire de l'énergie électrique.

Accompagnement personnalisé

10 J'apprends à construire un schéma de conversion d'énergie

Énoncé

Pour préparer une compétition, les sportifs doivent prendre la veille un repas à base de pâtes et de riz, riches en glucides. Ces constituants chimiques sont utilisés par les muscles pendant l'effort pour réaliser des mouvements.

Questions

a. D'après le texte et tes connaissances, explique pourquoi on peut dire que les muscles réalisent une conversion d'énergie.

b. Réalise un schéma traduisant cette conversion d'énergie.

Aide à la résolution

Pour construire un diagramme énergétique :

1. Souligne dans l'énoncé les mots importants.
2. Détermine les différentes formes d'énergie utilisées par le sportif.

Pour préparer une compétition, un sportif doit prendre la veille un repas à base de pâtes et de riz, riches en glucides. Ces **constituants chimiques** sont **utilisés par les muscles** pendant l'effort pour réaliser des **mouvements**.

Énergie de mouvement — Énergie chimique — Conversion d'énergie

3. Réalise un schéma.

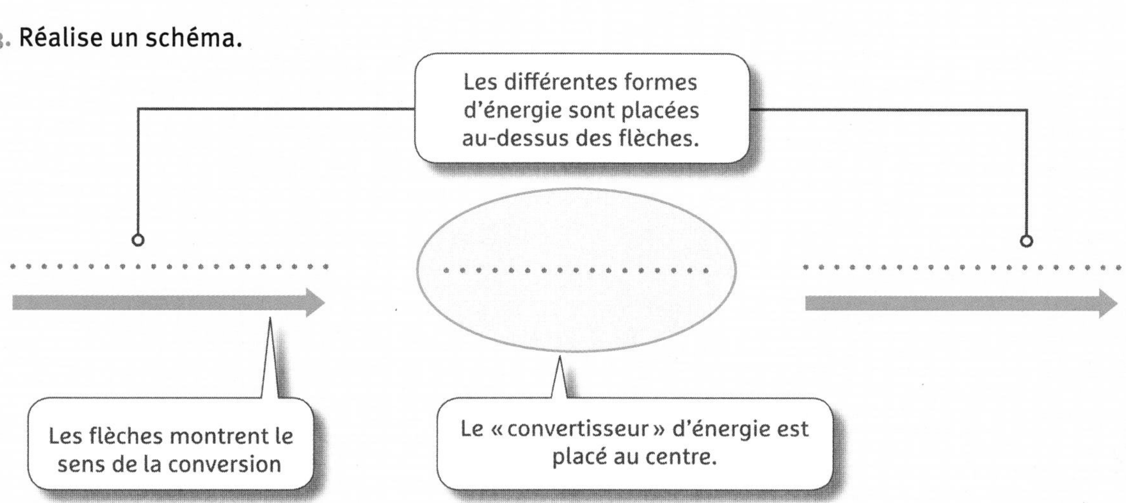
Les différentes formes d'énergie sont placées au-dessus des flèches.
Les flèches montrent le sens de la conversion
Le « convertisseur » d'énergie est placé au centre.

Chapitre 5

Pour commencer...

Une image

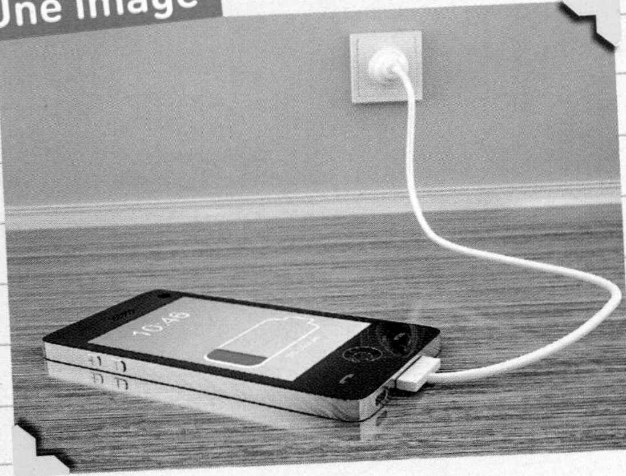

>> Pourquoi un smartphone a-t-il besoin d'énergie ?

Un nombre

En 2013, la France a consommé autant d'énergie qu'une voiture qui aurait fait... **18 500 fois** le voyage Terre-Soleil (150 millions de kilomètres) !

>> Comment expliquer notre consommation d'énergie ?

Des mots

« 8 000 familles ont participé en 2015 au défi "Familles à Énergie Positive". L'objectif : diminuer de 8 % leur consommation d'énergie par rapport à l'hiver précédent. Avec une moyenne d'économies de 12 %, l'objectif est largement atteint ! »

D'après www.familles-a-energie-positive.fr

>> Pourquoi et comment économiser l'énergie ?

Les besoins en énergie

L'Europe vue du ciel pendant la nuit.

Comment l'énergie est-elle utilisée ? Comment l'économiser ?

Les besoins en énergie d'un objet technique

Compétences
- [D1.3] Schématiser une chaîne d'énergie.
- [D2] Utiliser des outils numériques.

Même s'il n'a pas de pile, même s'il n'a pas de moteur, un objet technique consomme de l'énergie.

→ Comment expliquer qu'un objet technique ait besoin d'énergie ?

La fabrication des objets techniques

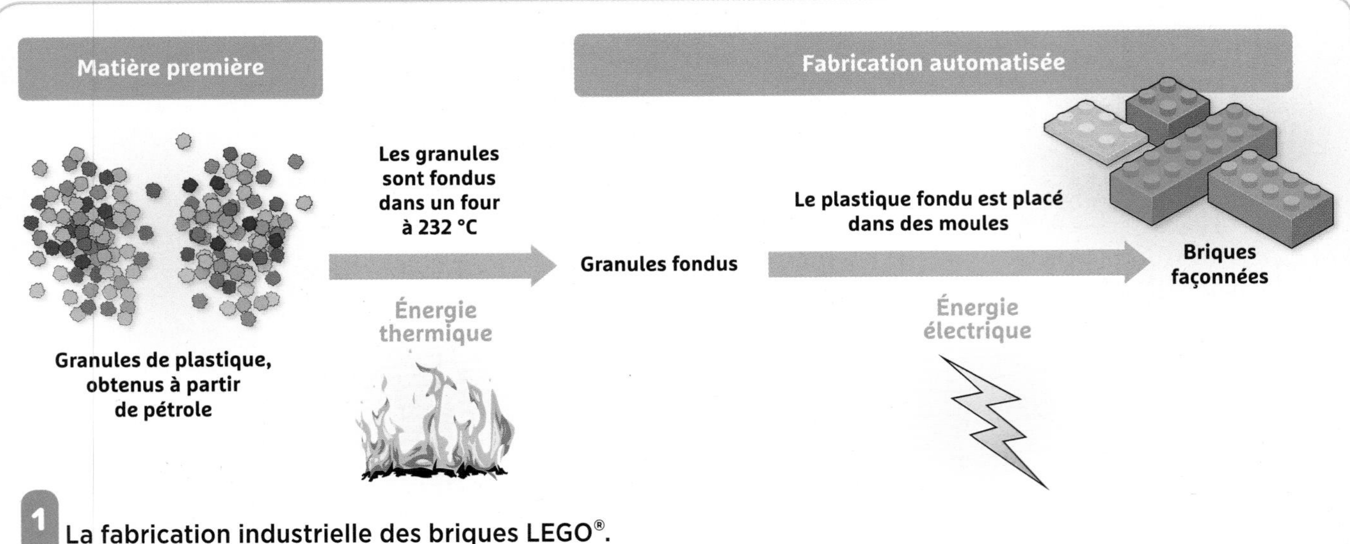

1 La fabrication industrielle des briques LEGO®.

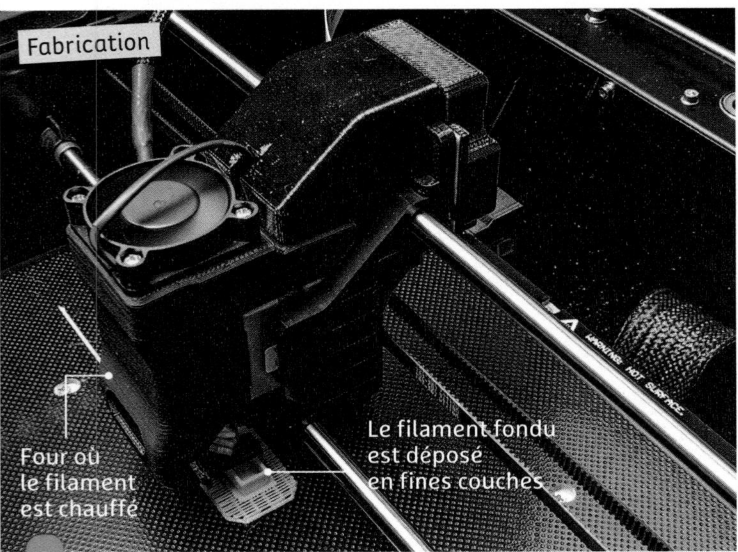

2 **La fabrication d'une brique par une imprimante 3D.** Un filament de matière fondue est déposé couche par couche. L'imprimante est branchée à une prise de courant électrique. La fabrication d'une seule brique demande autant d'**énergie** électrique que pour utiliser un smartphone pendant environ 50 heures.

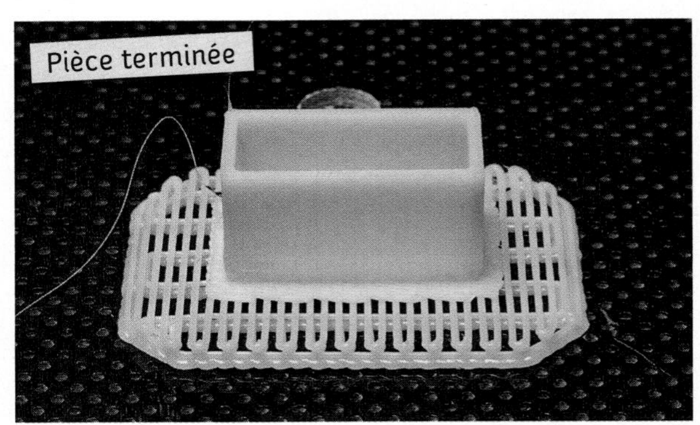

Je manipule

Pour réaliser une brique :

>> Ouvre le fichier de format « sol* » de fabrication de la brique avec le logiciel qui pilote l'imprimante 3D.

>> Avec l'aide de ton professeur, paramètre et lance l'impression.

➜ Pour télécharger ce fichier, rends-toi sur http://sciences6e.editions-belin.com

Le fonctionnement des objets techniques

3 Une voiture à moteur thermique fait « le plein » d'énergie.

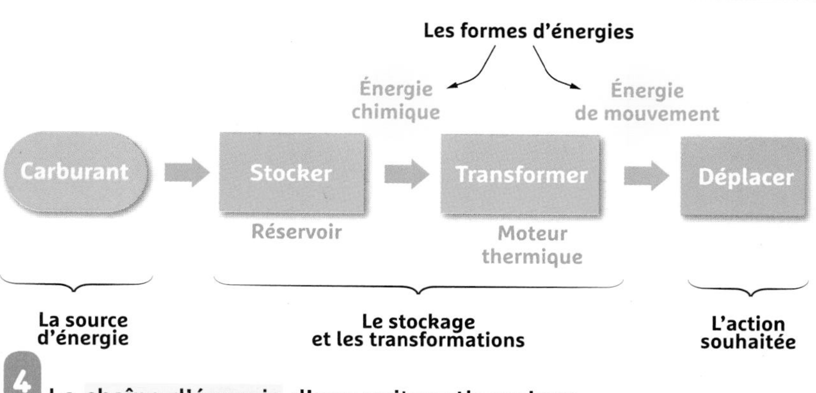

4 La chaîne d'énergie d'une voiture thermique.

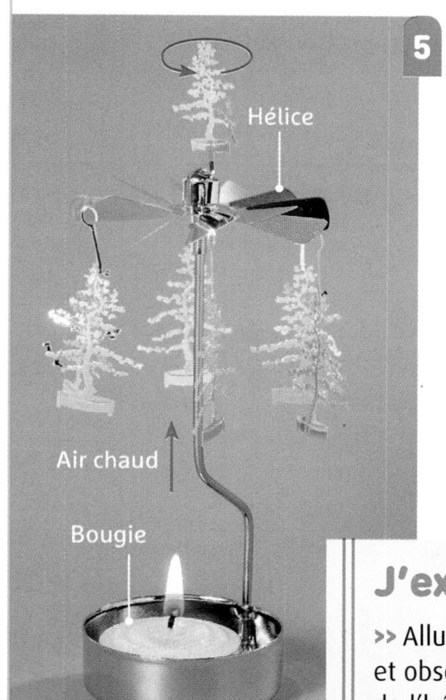

5 **Un carrousel thermique.** La flamme est le résultat d'une transformation chimique entre l'air et les constituants de la bougie. L'air est mis en mouvement par la différence de température entre la zone proche de la flamme et la zone proche de l'hélice.

J'expérimente

>> Allume la bougie et observe le mouvement de l'hélice.

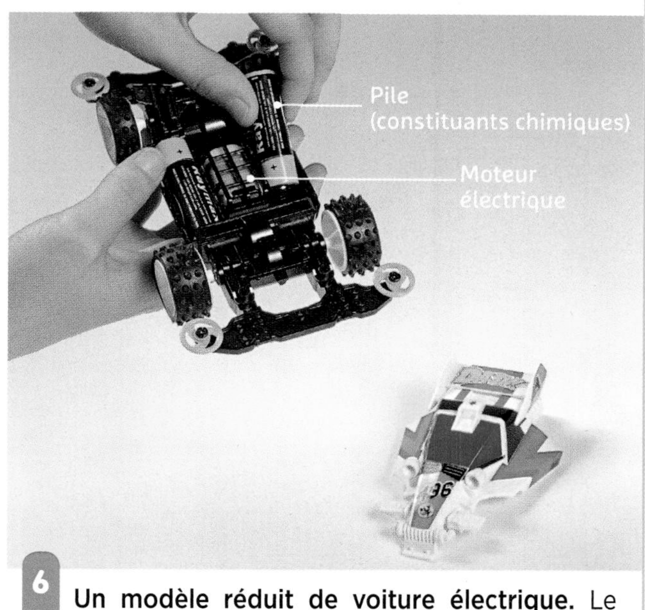

6 **Un modèle réduit de voiture électrique.** Le moteur électrique convertit l'énergie électrique produite par la pile en énergie de mouvement pour faire avancer la voiture.

Vocabulaire

Chaîne d'énergie (une) : suite des conversions d'énergie qui ont lieu lors du fonctionnement d'un objet technique, en partant de la source d'énergie pour aller vers l'action réalisée.

Énergie (une) : un objet qui possède de l'énergie peut produire des actions (chauffer, éclairer, mettre en mouvement, etc.).

Ta mission

1. Doc. 1 et 2 Indique les formes d'énergie utilisées pour obtenir des briques en plastique.
2. Doc. 3 et 4 Explique en quelques phrases la chaîne d'énergie permettant le déplacement d'une voiture thermique.
3. Doc. 5 Indique sous quelle forme l'énergie est stockée dans la bougie. Rédige alors une phrase expliquant le fonctionnement du carrousel thermique.
4. Doc. 6 Sur le modèle du doc. 4, construis la chaîne d'énergie d'une voiture électrique.
5. Conclusion Rédige un court texte pour expliquer pourquoi un objet technique a besoin d'énergie.

Unité 2

Tâche complexe

Compétences
- [D4] Expérimenter.
- [D4] Respecter l'environnement.

Trouver des solutions pour économiser l'énergie

Une situation-problème

1 **Thermographie d'une maison.** Sophie habite dans une maison mal isolée : une grande partie de l'énergie thermique produite par les radiateurs électriques s'échappe vers l'extérieur (doc. 1). De plus, les pièces sont éclairées par des lampes à incandescence très gourmandes en énergie. La télévision et l'ordinateur sont laissés en mode « veille » lorsqu'ils ne sont pas utilisés.

→ **Comment Sophie peut-elle économiser l'énergie chez elle ?**

La consigne

À l'aide de tes connaissances, rappelle pourquoi il est nécessaire d'économiser l'énergie.

Puis, pour répondre au problème, utilise les documents de la page ci-contre et donne des conseils à Sophie pour qu'elle économise de l'énergie lorsqu'elle s'éclaire, se chauffe ou utilise son ordinateur.

Des documents pour comprendre

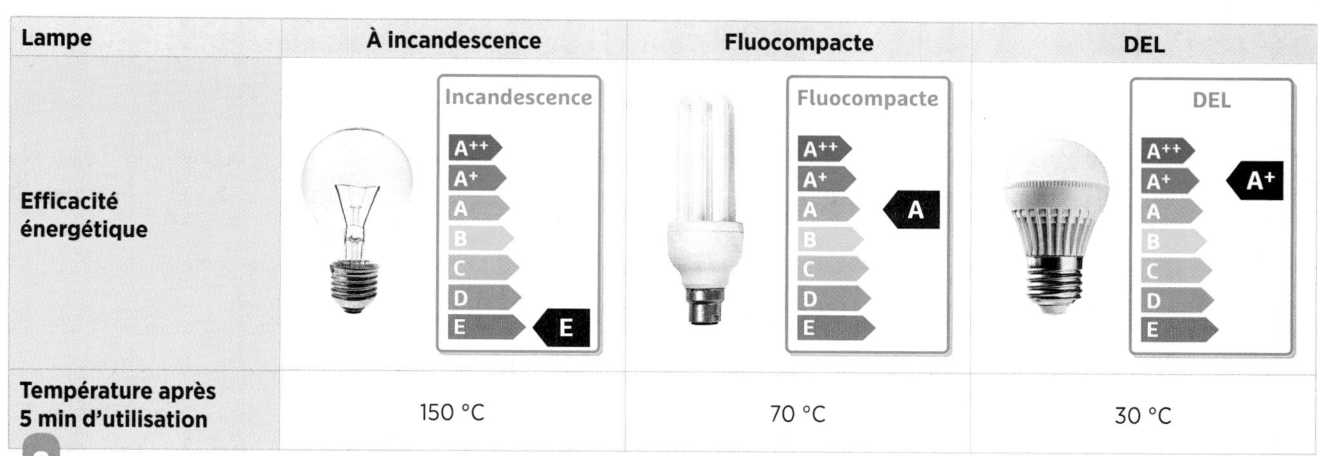

Lampe	À incandescence	Fluocompacte	DEL
Efficacité énergétique	E	A	A+
Température après 5 min d'utilisation	150 °C	70 °C	30 °C

2 **L'étiquette énergie des lampes.** Certaines lampes convertissent une grande partie de l'énergie électrique en énergie thermique : on dit que ces lampes ne sont pas efficaces. L'efficacité énergétique est indiquée sur une étiquette énergie à l'aide d'une lettre : de A++ (très bonne efficacité) à E (mauvaise efficacité).

J'expérimente

» Mesure la température de chaque type de lampe au bout de 5 minutes de fonctionnement.

» Indique si les valeurs obtenues correspondent à l'efficacité énergétique indiquée sur l'étiquette.

3 **Mesurer la température d'une lampe.**

En veille, un appareil continue de recevoir de l'électricité, donc il consomme de l'énergie.

4 **Une multiprise.** L'interrupteur permet de couper l'apport en énergie électrique aux appareils branchés sur la multiprise.

Matériau	Faible — **Conductivité thermique** — Forte
Matériaux isolants	
Simple vitrage	
Double vitrage	
Mur creux non isolé	
Mur creux isolé	

5 **Conductivité thermique de quelques matériaux.** Plus la conductivité thermique est élevée, plus le matériau ou la structure laisse passer l'énergie thermique rapidement.

? BESOIN D'UN COUP DE POUCE ?

→ Rends-toi sur :
http://sciences6e.editions-belin.com

→ Ou 

J'ai réussi si...

☐ J'ai exploité les documents pour pouvoir conseiller Sophie sur la manière d'économiser l'énergie.

☐ Je sais pourquoi il est nécessaire d'économiser l'énergie.

Bilan Les besoins en énergie

Je dois savoir

Unité 1 Les besoins en énergie d'un objet technique

◆ Un objet technique a besoin d'**énergie** pour être **fabriqué** et pour **fonctionner**.

◆ Le fonctionnement d'un objet technique implique plusieurs étapes : l'énergie est **stockée**, l'énergie est **transformée**, puis l'énergie est **utilisée** pour réaliser une **action** donnée.

◆ Ces étapes sont les éléments d'une **chaîne d'énergie**.

Unité 2 Les économies d'énergie

◆ Au quotidien, l'être humain a **besoin** d'énergie pour se chauffer, s'éclairer, se déplacer…

◆ Quelques gestes simples permettent d'**économiser l'énergie** et de préserver les ressources de la planète :
- isoler l'habitation avec des matériaux de faible conductivité thermique ;
- remplacer les lampes à incandescence par des lampes à basse consommation (DEL, lampes fluocompactes) ;
- débrancher ou éteindre les appareils électriques non utilisés, même s'ils sont en mode veille ;

◆ L'utilisation des transports en commun ou du vélo permet également d'économiser de l'énergie.

➜ L'essentiel du cours en une animation

Je suis capable de

	Pour vérifier	Si tu n'es pas sûr…
[D1.3] **Identifier une chaîne d'énergie.**	➜ Fais les exercices 1 p. 76 et 9 p. 78.	➜ Fais l'exercice 10 p. 79.
[D4] **Savoir comment économiser l'énergie.**	➜ Fais les exercices 2, 4 p. 76 et 6 p. 77.	➜ Revois les doc. 2 et 4 p. 73

Je retiens par l'image

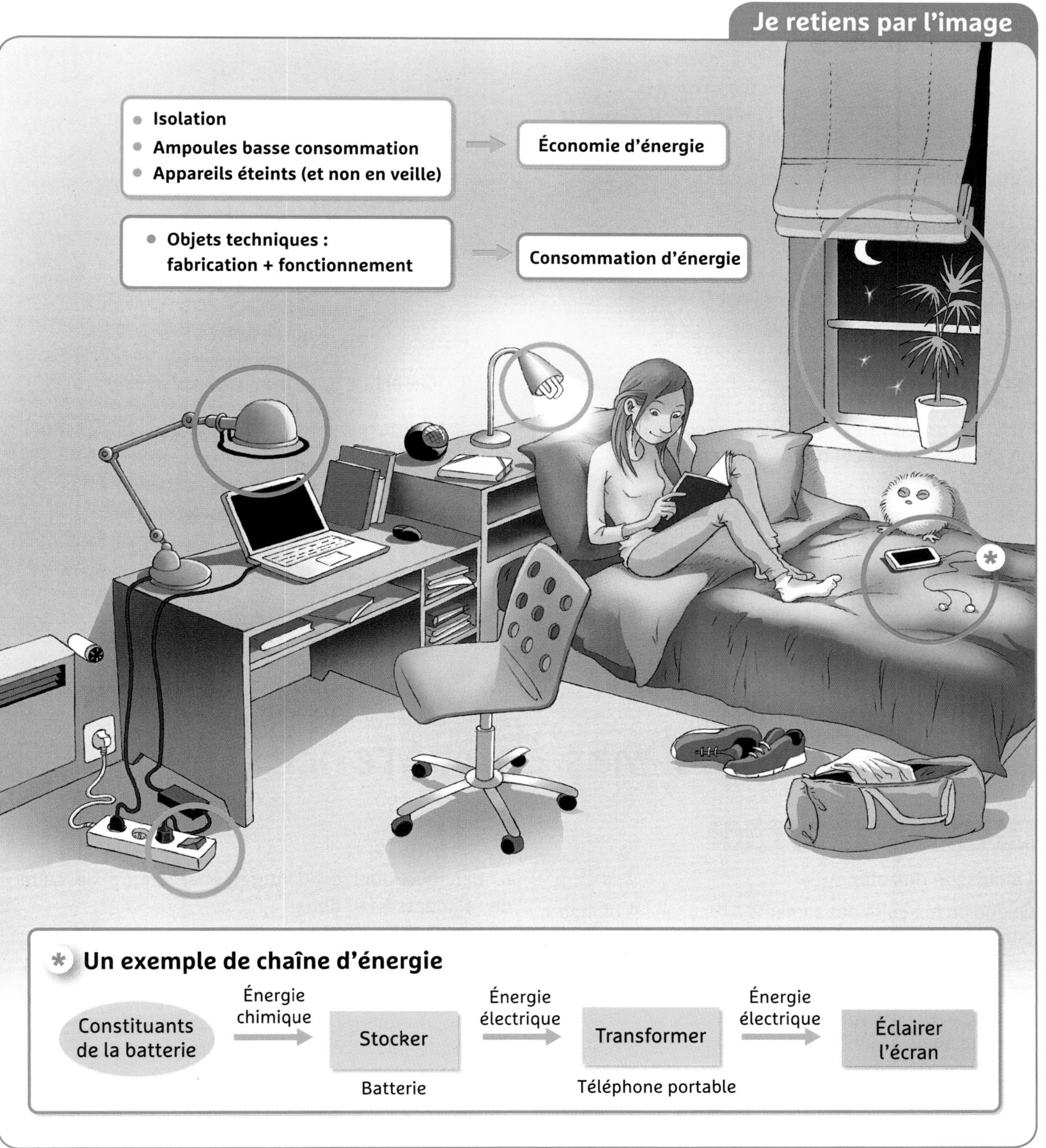

• Isolation
• Ampoules basse consommation
• Appareils éteints (et non en veille)
Économie d'énergie
• Objets techniques : fabrication + fonctionnement
Consommation d'énergie

* Un exemple de chaîne d'énergie

Constituants de la batterie → Énergie chimique → Stocker (Batterie) → Énergie électrique → Transformer (Téléphone portable) → Énergie électrique → Éclairer l'écran

Je retiens les mots-clés

- Énergie
- Chaîne d'énergie

→ Pour réviser les définitions ou Dico du manuel p. 379

Exercices

Je vérifie mes connaissances

1 Faire un schéma

Voici la chaîne d'énergie incomplète d'un ordinateur.

Recopie et complète cette chaîne d'énergie.

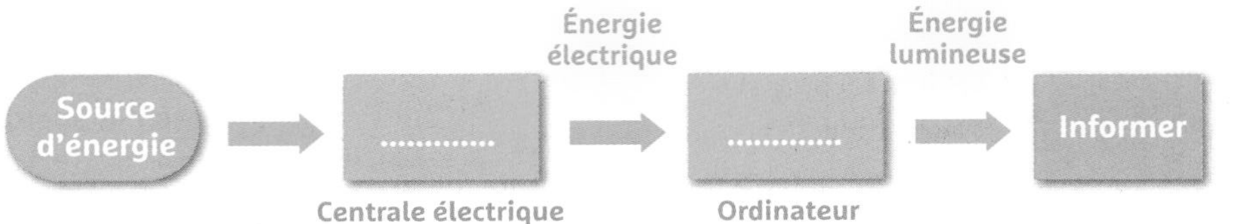

2 Les bons gestes

Parmi les propositions suivantes, recopie celles qui permettent d'économiser de l'énergie.

a. Isoler son habitation.

b. Utiliser des lampes basse consommation.

c. Laisser les appareils électriques en veille lorsqu'on ne les utilise pas.

3 Une phrase correcte

Rédige une phrase correcte à partir des mots suivants.

a. fabriqué • énergie • objet technique • besoin

b. besoin • objet technique • fonctionner • énergie

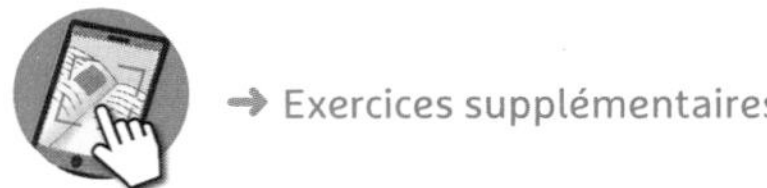

→ Exercices supplémentaires

J'utilise mes compétences

4 Extraire l'information utile

La cuisson des aliments

Quand on fait cuire des aliments à l'eau, on les plonge dans l'eau bouillante, qui se trouve à une température de 100 °C. Si on chauffe l'eau bouillante à feu vif, on lui apporte plus d'énergie et les bulles deviennent plus grosses, mais la température de l'eau restera toujours égale à 100 °C. Les aliments ne cuisent donc pas plus efficacement.

a. Explique quel est l'intérêt énergétique de cuire des aliments à feu doux.

b. Le métier de conseiller(ère) espace info-énergie consiste à informer le public pour l'aider à économiser l'énergie. Mets-toi dans la peau d'un(e) conseiller(ère) espace info-énergie et propose d'autres gestes faciles pour économiser l'énergie à la maison.

Feu vif

Feu doux

5 Interpréter un résultat expérimental

Expérience à la maison

Matériel
- Une ficelle de 20 cm de longueur
- Un sac en plastique noir (sac poubelle), sans déchirure
- 1L d'eau

Réalisation
- Place de l'eau du robinet dans le sac après avoir mesuré sa température.
- Ferme le sac à l'aide de la ficelle.
- Suspends le sac au soleil.
- Au bout de 40 minutes, mesure la température de l'eau.

1 Matériel nécessaire et réalisation de l'expérience.

	Début d'expérience	Fin d'expérience
Température de l'eau (en °C)	20	38

2 Les résultats de l'expérience.

a. Nomme la forme d'énergie qui a permis la variation de température observée.

b. Précise la source d'énergie qui est intervenue.

c. Imagine des situations dans lesquelles ce système pourrait être utilisé.

6 Respecter l'environnement

La chasse aux fuites thermiques

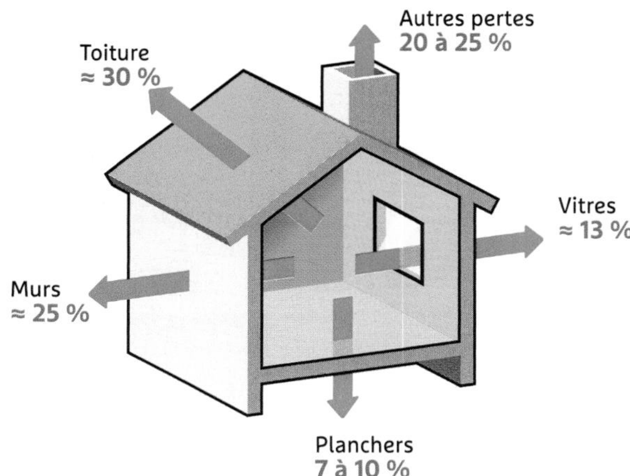

1 Pertes d'énergie thermique d'une maison non isolée.

2 Un super-isolant thermique, meilleur isolant que l'air : l'aérogel de silice

a. Précise la forme d'énergie perdue lorsqu'une maison est mal isolée.

b. Indique la partie de la maison dans laquelle on doit placer du super-isolant en priorité. Justifie ta réponse en utilisant la conjonction « donc ».

7 Utiliser les mathématiques

Énergie et transport

Le schéma ci-contre donne des informations pour des déplacements en ville.

a. Pour un même déplacement de 10 km, calcule la consommation par passager pour le bus, puis pour une voiture particulière.

b. Selon les valeurs calculées, indique quel est le moyen de transport qui permet d'économiser le plus d'énergie.

Bus urbain

- 40 litres de carburant pour 100 km
- 40 passagers

Voiture particulière

- 6 litres de carburant pour 100 km
- 2 passagers

8 Proposer une expérience

Une pile qui dure, dure, dure...

L'argument de vente d'un fabricant de pile est:
« Nos piles durent plus longtemps que les piles classiques! »

a. Propose une hypothèse en lien avec l'énergie pour expliquer ce slogan publicitaire.

b. Propose une expérience pour vérifier l'argument du fabricant.

Je m'entraîne pour l'évaluation

9 Le tour de France

Énoncé

Le Tour de France est une compétition cycliste par étapes qui a lieu en France chaque année. Christopher Froome est un des cyclistes les plus connus participant à cette compétition.

« Pour Chris Froome, le Tour de France aurait pu virer à la catastrophe [...]. Victime d'une légère hypoglycémie [manque de sucre dans l'organisme] dans la deuxième ascension de l'Alpe d'Huez, le Britannique a dû se faire ravitailler par son coéquipier Richie Porte avec un gel énergisant [...]. »

D'après *Les dernières nouvelles d'Alsace*, « La fringale de Froome », 19/07/2013

1 Christopher Froome lors du Tour de France.

2 Chaîne d'énergie du vélo de Christopher Froome.

Questions

1. Les besoins en énergie d'un objet technique

a. Le vélo de Christopher Froome a-t-il eu besoin d'énergie pour être fabriqué? Justifie.

b. Fais une hypothèse sur ce que peut contenir le gel énergisant.

c. Quelle est la source d'énergie utilisée par le vélo pour avancer?

d. Quelle forme d'énergie un vélo qui roule possède-t-il?

2. Les économies d'énergie

a. Recopie et complète la chaîne d'énergie du doc. 2.

b. Pour gaspiller le moins d'énergie possible, faut-il un vélo dans lequel il y a beaucoup de frottements ou très peu de frottements?

c. Explique en quoi le vélo est un moyen de transport respectueux de l'environnement.

Coup de pouce

→ Quand il y a beaucoup de frottements, il y a beaucoup d'énergie de mouvement convertie en énergie thermique.

Accompagnement personnalisé

10 J'apprends à schématiser une chaîne d'énergie

Énoncé

Une centrale hydroélectrique utilise l'énergie de mouvement de l'eau qui se déplace d'un point haut vers un point bas pour produire de l'énergie électrique qui alimente un réseau électrique.

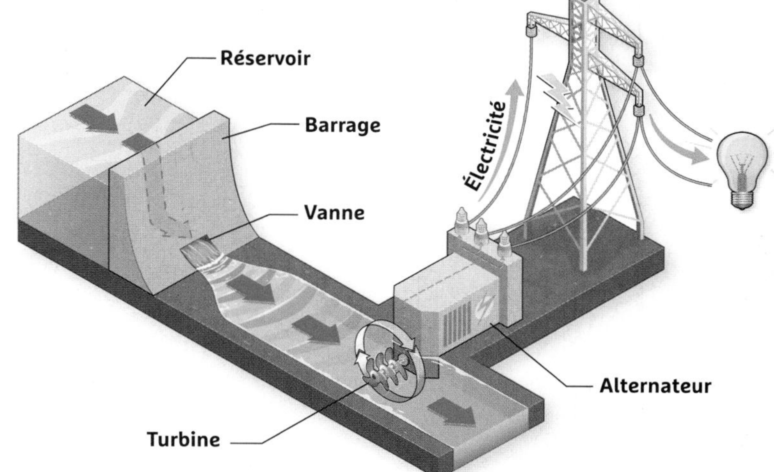

▲ **Principe de fonctionnement d'une centrale hydroélectrique.**

Questions

a. Indique la fonction d'une centrale hydroélectrique.

b. Schématise la chaîne d'énergie d'une centrale hydroélectrique.

Aide à la résolution

Pour schématiser une chaîne d'énergie...

- Identifie dans l'énoncé et les documents tous les éléments de la chaîne : source, stockage, transformation, utilisation.
- Schématise la chaîne d'énergie en respectant les codes comme indiqué ci-dessous.

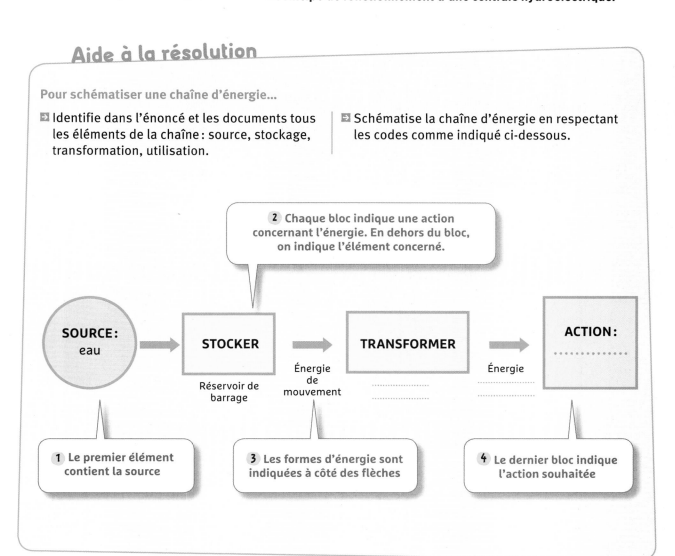

2 Chaque bloc indique une action concernant l'énergie. En dehors du bloc, on indique l'élément concerné.

SOURCE : eau → **STOCKER** (Réservoir de barrage) → Énergie de mouvement → **TRANSFORMER** (..................) → Énergie .... → **ACTION :** ....

1 Le premier élément contient la source

3 Les formes d'énergie sont indiquées à côté des flèches

4 Le dernier bloc indique l'action souhaitée

Chapitre 6

Pour commencer...

Des images

Des Indiens en Amérique du Nord au xixᵉ siècle.

>> Que font ces Indiens ?

>> Comment un SMS est-il transmis d'un smartphone à un autre ?

Signaux et information

Comment transmettre une information ?

Identifier la nature d'un signal

Compétences
- [D1.3] Présenter à l'aide d'un tableau.
- [D4] Mettre en relation des informations.

Tous les êtres vivants utilisent des signaux afin de communiquer entre eux, c'est-à-dire échanger des informations.

→ Quels sont les principaux signaux utilisés pour communiquer ?

Découvrir différents types de signaux

- Un **signal** transporte une **information** depuis un **émetteur** jusqu'à un **récepteur** (voir doc. 2).

- Pour communiquer, l'être humain a recours à des signaux. Il a utilisé tambour, trompette ou sirène pour avertir d'un danger. Il a accompagné ces **signaux sonores** (que l'on peut entendre) de **signaux lumineux** (que l'on peut voir), tels que la fumée ou des feux allumés de colline en colline.

- Les progrès scientifiques et technologiques lui ont permis de transmettre des informations plus vite et plus loin grâce aux **signaux électriques** ou aux **signaux radio** (provenant d'une antenne) qui ont maintenant envahi notre quotidien.

1 Différents types de signaux.

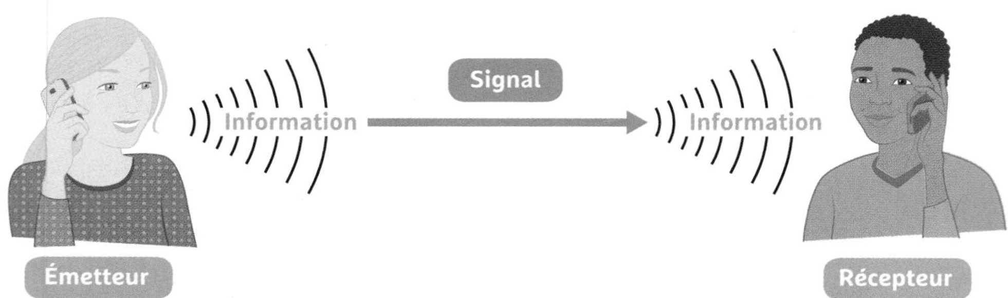

2 La chaîne de transmission d'une information.

3 Quelques signaux de communication chez le loup.

Quelques signaux utilisés par l'Homme

4 **Des feux de circulation.** Ils émettent un signal lumineux qui informe le piéton de la possibilité ou non de traverser le passage.

5 **Un détecteur de fumée.** Il émet un signal sonore qui informe les occupants d'un bâtiment de la présence de fumée.

Ordinateur de bureau

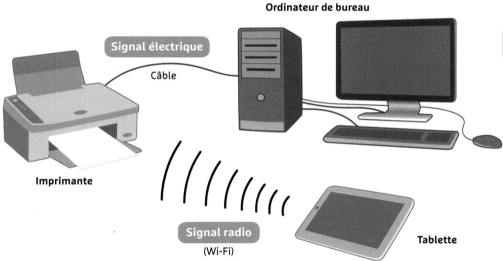

Signal électrique

Câble

Imprimante

Signal radio

(Wi-Fi)

Tablette

6 **Ordinateur, tablette et imprimante.** Pour communiquer avec l'imprimante, cet ordinateur utilise un signal électrique par l'intermédiaire d'un câble. La tablette utilise un signal radio *via* le Wi-Fi, ce qui ne nécessite pas de câble.

Ta mission

1 Doc. 1 et 3 Précise le type de signal utilisé par les loups pour communiquer entre eux.

2 Doc. 2 Rédige une phrase pour décrire la chaîne de transmission d'une information.

3 Doc. 3 Décris le signal « agressivité » et le signal « soumission » chez le loup.

4 Doc. 1, 4, 5 et 6 Construis un tableau dans lequel tu feras apparaître les différents types de signaux utilisés par l'Homme et, pour chacun d'eux, des exemples précis.

5 Conclusion Fais une liste des principaux signaux utilisés pour communiquer.

Vocabulaire

Information (une) : renseignement qu'un émetteur porte à la connaissance d'un récepteur.

Signal (un) : un signal permet de transporter de l'information d'un émetteur jusqu'à un récepteur.

Identifier la nature d'une information

Compétences
- [D1.3] Représenter un organigramme.
- [D4] Expérimenter.

Pour être transmise de l'émetteur au récepteur, l'information doit parfois être codée. Le signal qui transmet cette information doit pouvoir être interprété par le récepteur.

→ Comment coder simplement une information ?

Comprendre le codage binaire

Algorithme

Si les coureurs entendent un signal sonore :
- **alors** ils démarrent,
- **sinon** ils attendent.

- Dans les courses d'athlétisme de haut niveau, le signal du départ est donné par un pistolet de starter. Le fonctionnement de ce signal sonore est expliqué par l'**algorithme** ci-contre.
- Ce signal sonore ne peut avoir que deux valeurs que l'on représente numériquement par **0** (non, je n'entends pas le son) ou **1** (oui, j'entends le son). Il s'agit de l'élément minimum d'information : c'est ce qu'on appelle un **codage binaire**.

1 L'algorithme du pistolet de starter.

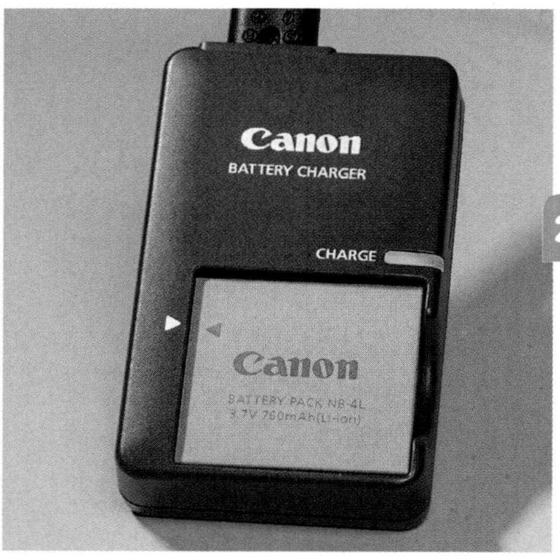

2 **Ce chargeur de batterie d'appareil photographique** dispose d'un témoin de charge lumineux. Ce signal lumineux ne peut avoir que deux valeurs : soit la lumière est verte, soit elle est rouge.

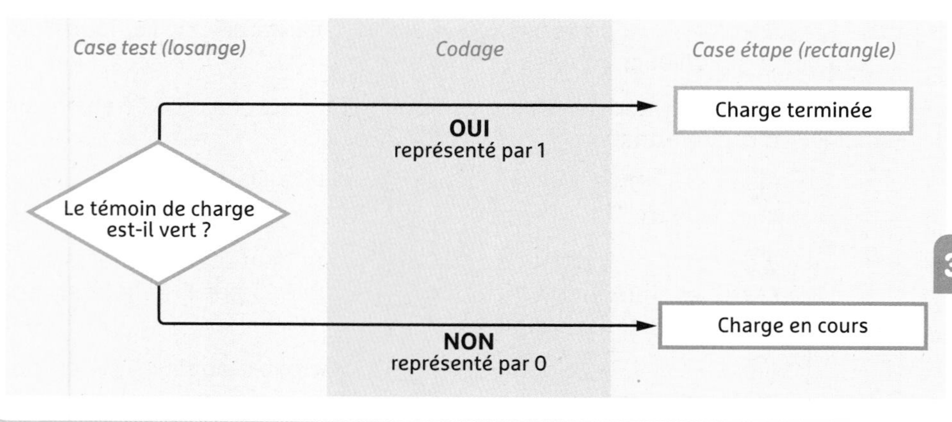

3 **Organigramme représentant l'algorithme du fonctionnement du témoin de charge lumineux.**

Réaliser une alarme

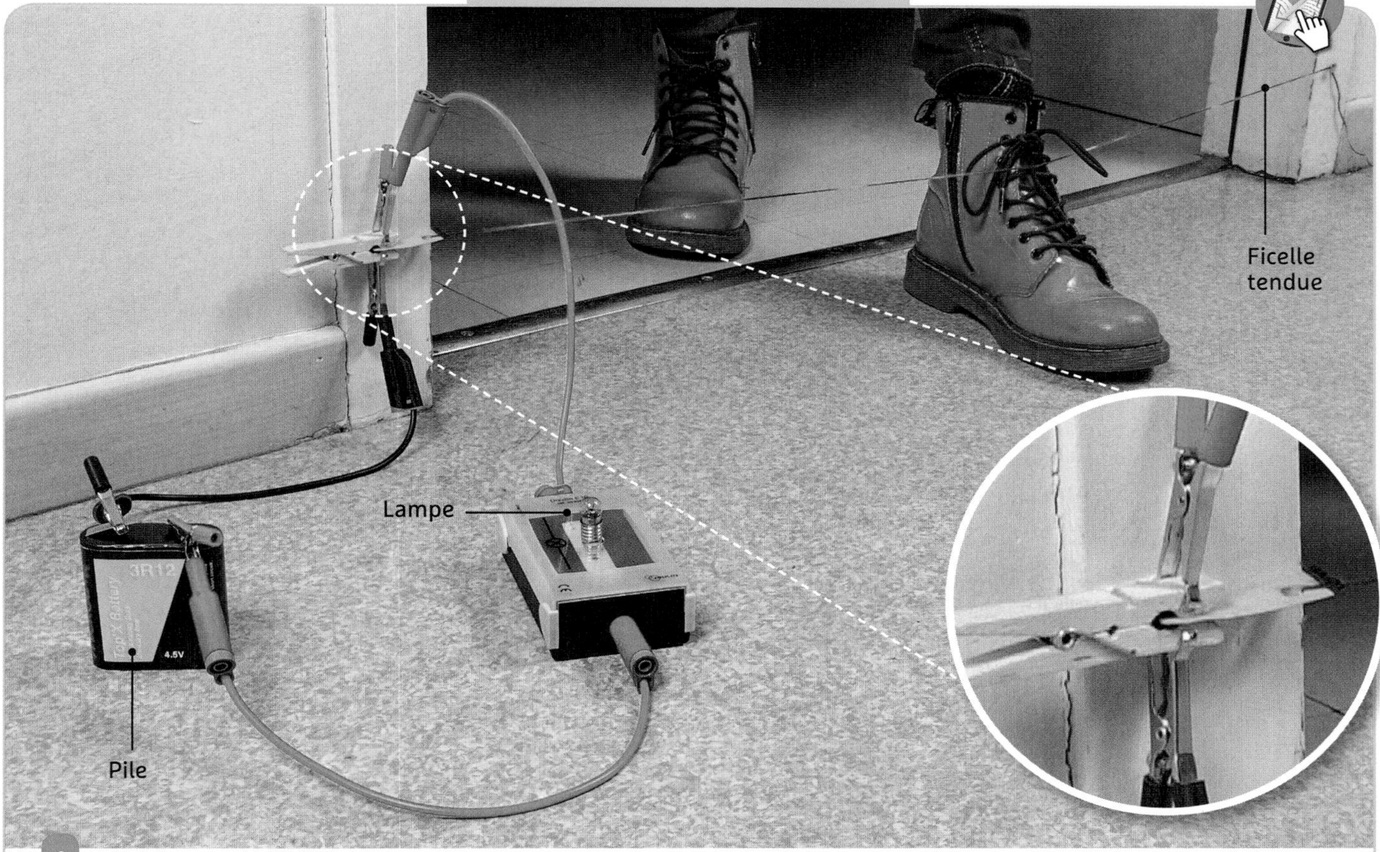

4 **Montage inachevé d'une alarme.** Cette alarme doit avertir lorsqu'un intrus franchit le seuil de la porte.

- Papier
- Fil de fer
- Papier d'aluminium
- Tissu
- Buzzer

5 **Matériel disponible pour modifier le montage.**

J'expérimente

>> En modifiant le montage du doc. 4 et en utilisant le matériel du doc. 5, propose un montage pour réaliser une alarme qui te réveillera la nuit si quelqu'un pénètre dans ta chambre.

>> Fais valider ta proposition par ton professeur et réalise le montage.

Ta mission

Concevoir un objet technique

1. Doc. 1 à 3 À la manière du doc. 1, traduis par des phrases l'algorithme expliquant le fonctionnement du témoin de charge (doc. 3).
2. Doc. 1 et 3 Traduis par un organigramme l'algorithme du pistolet de starter.
3. Doc. 4 et 5 Explique pourquoi, dans le montage modifié, la lampe brille lorsqu'un intrus retire le carton de la pince à linge en franchissant le seuil de la porte.
4. Doc. 5 Représente un organigramme expliquant comment l'information est codée dans l'exemple de l'alarme que tu as réalisée.
5. Conclusion Décris la façon la plus simple pour coder une information.

Vocabulaire

Algorithme (un) : description écrite d'une suite d'actions aboutissant à un résultat.

Organigramme (un) : représentation graphique d'un algorithme.

Codage binaire (un) : conversion d'une information qui consiste à n'utiliser que deux valeurs, comme oui/non, vrai/faux, niveau haut/niveau bas. Ces deux valeurs sont représentées numériquement par 0 ou 1.

Bilan Signaux et information

Je dois savoir

Unité 1 Identifier la nature d'un signal

◆ Pour communiquer, les êtres vivants utilisent des **signaux**.

◆ Un signal transporte de l'**information** d'un émetteur jusqu'à un récepteur.

◆ Les signaux sont de différentes natures. Le tableau ci-dessous en donne quelques exemples :

Signal	Ce qui transporte l'information
Sonore	Son
Lumineux	Lumière
Électrique	Courant électrique
Radio	Signal provenant d'une antenne

Unité 2 Identifier la nature d'une information

◆ Pour être transmise de l'émetteur au récepteur, l'information doit parfois être **codée**.

◆ La façon la plus simple de coder une information est de donner deux valeurs au signal qui transmet cette information : la valeur 1 et la valeur 0. C'est ce qu'on appelle un **codage binaire**. Par exemple, « 0 » peut signifier « faux » ou « non », et « 1 » signifier « vrai » ou « oui ».

◆ La suite d'actions aboutissant à un résultat est expliquée par un **algorithme**.

◆ L'algorithme est représenté graphiquement par un **organigramme**.

➔ L'essentiel du cours en une animation

Je suis capable de

	Pour vérifier	Si tu n'es pas sûr...
[D1.3] **Lire un algorithme lié à un signal**	➔ Fais l'exercice 5 p. 89.	➔ Revois le doc. 1 de l'unité 2 p. 84
[D1.3] **Identifier un signal**	➔ Fais les exercices 1 et 4 p. 88.	➔ Revois le doc. 1 de l'unité 1 p. 82

Je retiens par l'image

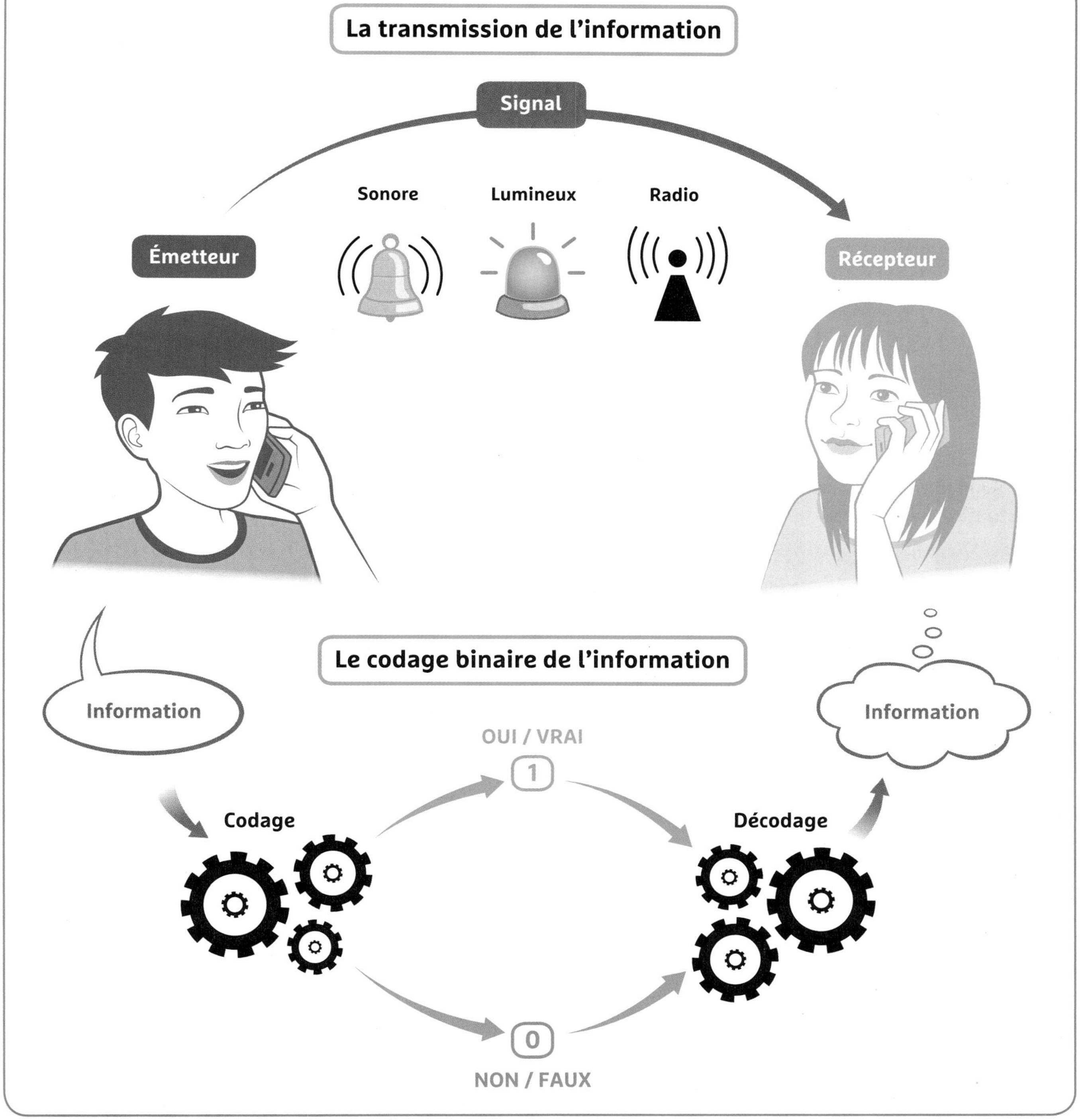

La transmission de l'information

Signal

Sonore

Lumineux

Radio

Émetteur

Récepteur

Le codage binaire de l'information

Information

Information

OUI / VRAI

1

Codage

Décodage

0

NON / FAUX

Je retiens les mots-clés

- Algorithme
- Codage binaire
- Information
- Organigramme
- Signal

→ Pour réviser les définitions

ou

Dico du manuel

p. 379

Exercices

Je vérifie mes connaissances

1 Le bon mot

Recopie le texte suivant en choisissant le mot qui convient parmi : sonore, lumineux ou radio.

« Lorsqu'un smartphone reçoit un signal .... provenant d'une antenne, il avertit son propriétaire de l'appel par une sonnerie. Ce signal .... s'accompagne d'un signal .... puisque l'écran du téléphone s'éclaire simultanément. »

2 Puzzle de mots

Remets les étiquettes suivantes dans le bon ordre et recopie la phrase ainsi formée en ajoutant la ponctuation nécessaire.

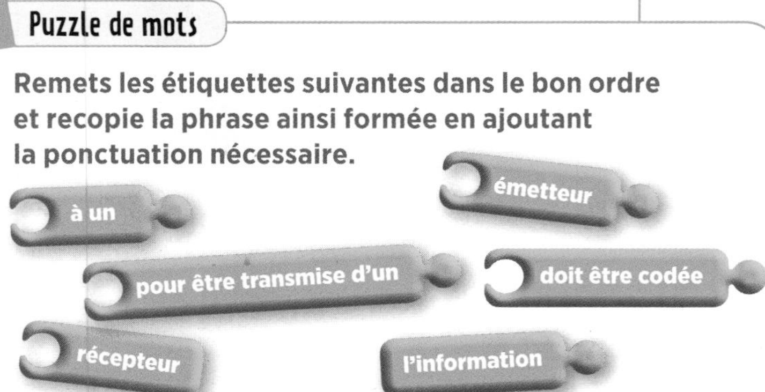

→ Exercices supplémentaires

3 Mots croisés

Recopie la grille ci-contre et complète-la à l'aide des définitions.

1. Il représente graphiquement le mot défini en **2**.

2. Description écrite d'une suite d'actions aboutissant à un résultat.

3. Adjectif qualifiant la façon la plus simple de coder une information.

4. Elle est traduite par un signal pour être transmise.

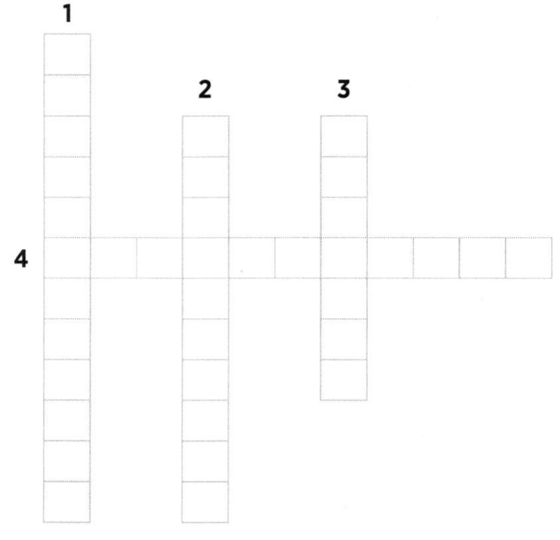

J'utilise mes compétences

4 Exploiter un document

Signaux et sécurité routière

Le port de la ceinture de sécurité par un conducteur et tous les passagers d'une automobile ou d'un car est obligatoire. Même à faible vitesse, un accident sans ceinture peut être mortel.

a. Observe la photo ci-contre et précise quel(s) type(s) de signal indique(nt) au conducteur que sa ceinture n'est pas bouclée.

b. Recherche d'autres exemples de signaux émis par une voiture pour alerter d'une anomalie ou d'un danger.

c. Construis un tableau dans lequel tu feras apparaître ces exemples.

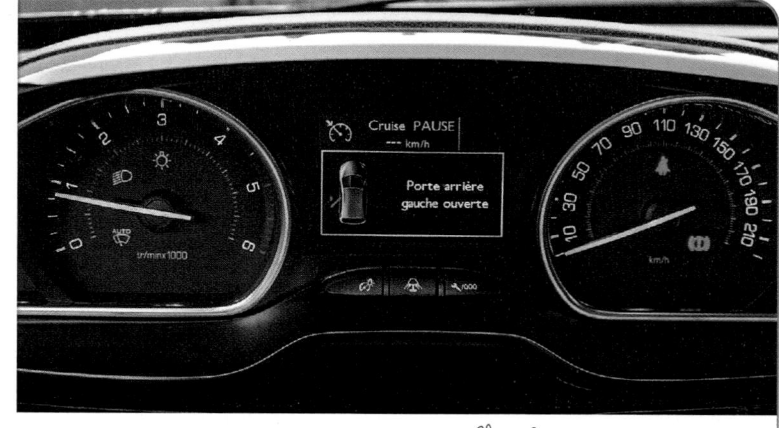

Coup de pouce

→ Fais une colonne pour les signaux sonores et une pour les signaux lumineux.

5 Représenter un organigramme

Communiquer avec de la fumée

Les Indiens d'Amérique du Nord utilisaient des signaux de fumée pour communiquer (voir p. 80). De nos jours, ce mode de communication est encore utilisé lors de l'élection d'un nouveau pape par les cardinaux dans la Chapelle Sixtine, au Vatican, comme le montrent les photos ci-dessous.

Le vote des cardinaux n'a pas abouti.

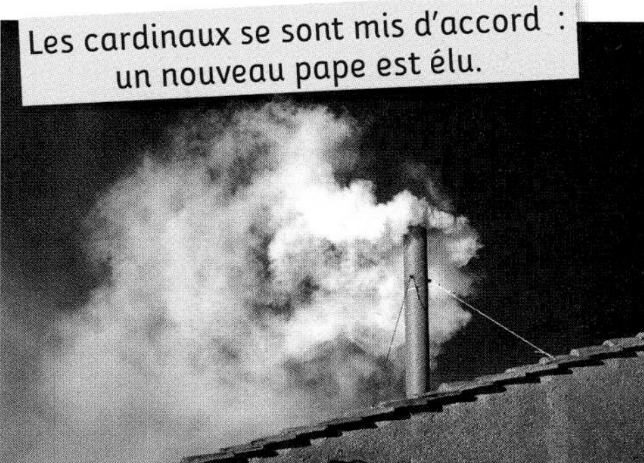

Les cardinaux se sont mis d'accord : un nouveau pape est élu.

a. Indique le type de signal utilisé lors de l'élection d'un nouveau pape.

b. Écris l'algorithme expliquant la signification de ces signaux de fumée.

c. Représente l'algorithme par un organigramme.

6 Exploiter des documents

Du télégraphe au téléphone mobile

Lis les documents 1 et 2 p. 216 et observe le document ci-dessous puis indique quel type de signal utilisent les objets techniques suivants.

a. Télégraphe de Chappe.

b. Télégraphe de Morse.

c. Téléphone de Bell.

d. Téléphone mobile.

e. « Yaourtophone ».

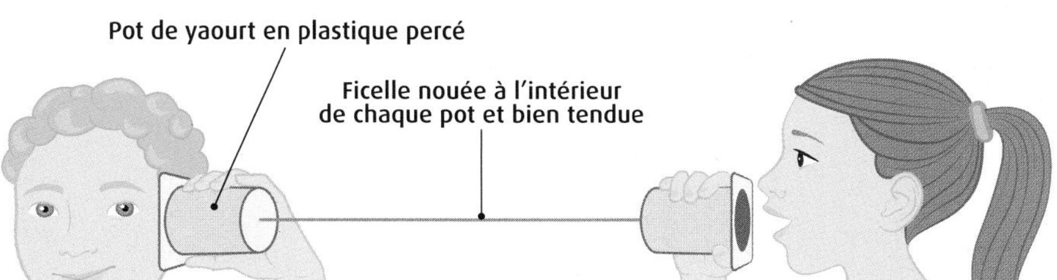

Un « yaourtophone »

7 Pratiquer une démarche scientifique et technologique

Fabriquer un détecteur de niveau d'eau

Théo remplit sa piscine gonflable. Pour éviter qu'elle déborde sans devoir la surveiller, il voudrait être averti par un signal sonore quand l'eau aura atteint le niveau souhaité. Il dispose du matériel ci-contre.

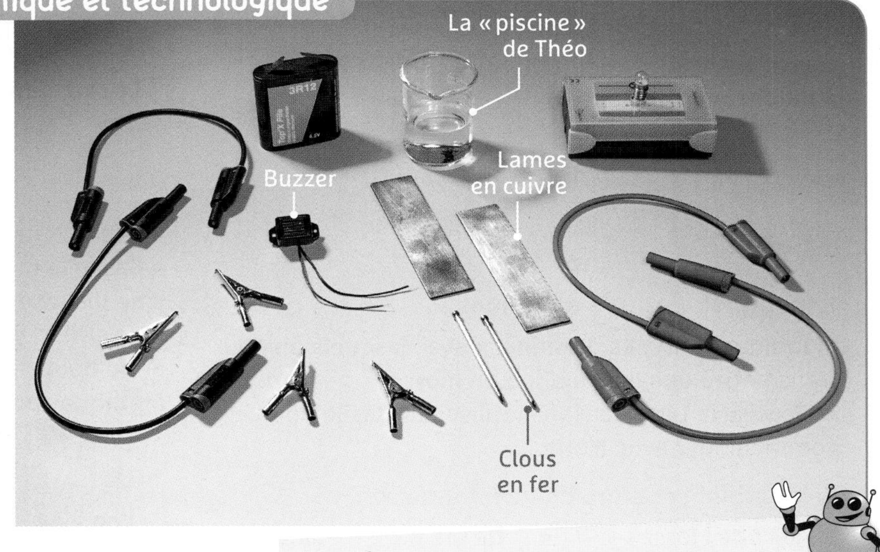

a. Dessine un circuit électrique qui alertera Théo lorsque l'eau aura atteint le niveau souhaité.

b. Dessine l'organigramme qui décrit le fonctionnement de ce détecteur.

c. Comment qualifie-t-on le codage de l'information ainsi réalisé ?

Coup de pouce

→ L'eau utilisée conduit le courant électrique.

Je m'entraîne pour l'évaluation

8 Communiquer en morse

Énoncé

Le code Morse permet de transmettre une information à l'aide de deux types d'impulsions : « brèves » ou « longues ». Ces impulsions peuvent être produites par un courant électrique, un son, une lumière… Elles sont représentées à l'écrit par des points (•) ou des traits (–).

De nos jours, le morse est essentiellement utilisé par la marine militaire durant les périodes de silence radio ou en cas de panne radio. Il reste cependant toujours un bon moyen pour lancer un SOS : •••–––•••
Basile et Marin décident de communiquer entre eux à l'aide de ce code.

A •–
B –•••
C –•–•
D –••
E •
F ••–•
G ––•
H ••••
I ••
J •–––
K –•–
L •–••
M ––
N –•
O –––
P •––•
Q ––•–
R •–•
S •••
T –
U ••–
V •••–
W •––
X –••–
Y –•––
Z ––••

1 •––––
2 ••–––
3 •••––
4 ••••–
5 •••••
6 –••••
7 ––•••
8 –––••
9 ––––•
0 –––––

1 L'alphabet morse.

2 La carte envoyée par Basile à Marin.

Questions

1. Identifier la nature d'un signal

a. Indique les types de signaux avec lesquels on peut transmettre une information en morse.
b. Précise le type de signal utilisé par Basile pour communiquer avec Marin.

2. Identifier la nature d'une information

a. Le code Morse est-il un code binaire ? Explique ta réponse.
b. Décode le message envoyé par Basile à Marin.
c. À son tour, Marin souhaiterait envoyer à Basile le message « merci » en morse. Pour cela, il ne dispose que d'une lampe de poche, d'un sifflet, d'une bougie, d'une feuille de carton et de deux morceaux de bois. Propose-lui plusieurs méthodes pour y parvenir.

Une idée

→ Teste tes propositions en envoyant le message à un camarade ou à une personne de ton entourage et assure-toi qu'elle l'a bien compris !

Accompagnement personnalisé

9 J'apprends à réaliser un tableau à simple entrée

Énoncé

Lors de leur parade nuptiale, les insectes communiquent de différentes manières.

Ils peuvent utiliser des substances chimiques appelées « phéromones », sortes d'« odeurs » captées par leurs antennes.

Les mâles cigales, grillons ou criquets, chantent pour se faire remarquer par les femelles.

Chez les lucioles, c'est « madame » qui émet une série de flashs lumineux (photo ci-contre) pour attirer « monsieur ».

Les mâles mouches, quant à eux, effectuent une véritable danse en plein vol pour séduire leur partenaire.

Questions

a. Relève dans le texte les différents types de signaux utilisés par les insectes pour communiquer entre eux.

b. Construis un tableau dans lequel tu feras apparaître les différents types de signaux utilisés par les insectes et, pour chacun d'eux, des exemples précis.

Aide à la résolution

Un tableau est un outil qui permet de ranger des informations qui se répètent, ou de mettre en relations plusieurs informations.

Pour réaliser un tableau à simple entrée en ligne...

- Compte le nombre d'informations à placer dans les colonnes.
- Trace, à l'aide d'une règle, autant de colonnes que d'informations plus une.

Voici un exemple de tableau possible : tu peux le compléter ou t'en inspirer pour réaliser le tien.

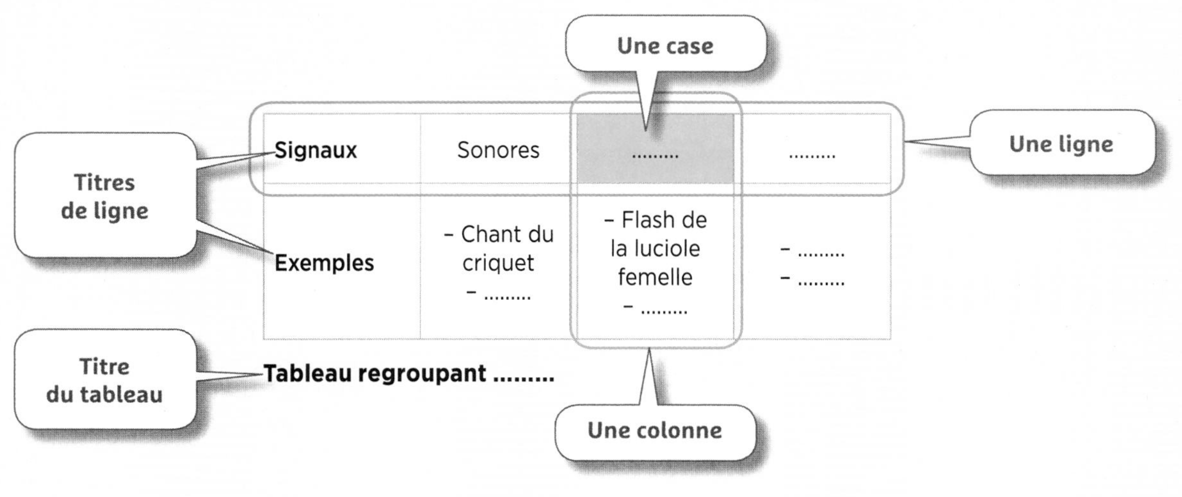

Signaux	Sonores	....	....
Exemples	- Chant du criquet -	- Flash de la luciole femelle -	- .... - ....

Tableau regroupant ....

Exercices Tâche complexe

Compétences
- [D4] Prendre conscience de l'impact de l'activité humaine sur l'environnement.
- [D4] Connaître l'importance d'un comportement responsable.

Le « septième continent » de plastiques

Une situation-problème

1 Une accumulation de déchets en plastique dans l'océan Pacifique. Les bouchons en plastique rejetés par les États-Unis ou le Japon sont emportés, puis emprisonnés par les courants dans une zone située dans le Pacifique Nord, où nichent de nombreux albatros. Près de 280 millions de tonnes de plastiques ont été produites dans le monde en 2012. Seuls environ 5 % de ces plastiques ont été recyclés.

→ **Comment réduire la pollution des océans par nos déchets en plastique ?**

La consigne

Après avoir identifié les conséquences de la consommation excessive des plastiques, tu expliqueras comment tu peux agir, en tant que citoyen, pour réduire la pollution des océans par nos déchets en plastique. Tu prendras l'exemple d'un sac plastique.

Des documents pour répondre

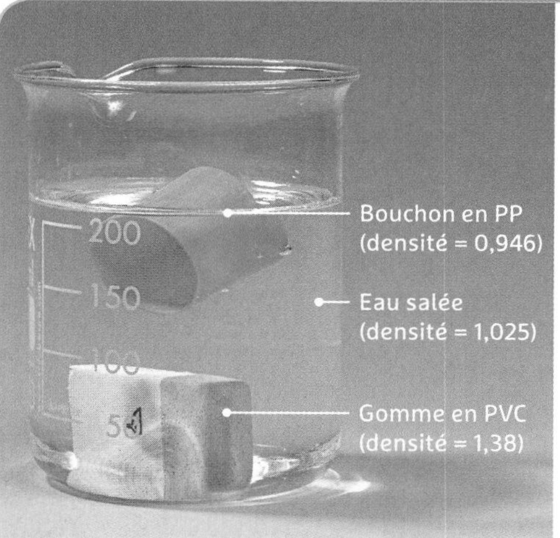

2 Les plastiques et l'eau de mer. Il existe différents plastiques. Par exemple, le polypropylène (PP) est le plastique des bouchons et de sacs de supermarché. Le polychlorure de vinyle (PVC) est le plastique des tuyaux de canalisations.

3 Le contenu de l'estomac d'un albatros décédé. Les albatros adultes confondent les bouchons avec de la nourriture qui flotte à la surface de l'océan et en nourrissent leurs poussins, ce qui conduit à la mort de centaines de milliers d'entre eux.

	Quelques propriétés					
	Matière première		Durée d'utilisation	Capacité (en L)	Masse (en g)	Temps de dégradation dans la nature
Objet technique	**Nature**	**Type**				
Panier en osier	Tiges de saule (arbre)	Renouvelable	Jusqu'à 10 ans	35	1000	10 ans
Sac en plastique	Pétrole	Non renouvelable	20 minutes (utilisation unique)	14	5	100 à 400 ans
Sac en amidon	Maïs	Renouvelable	20 minutes (utilisation unique)	20	25	3 semaines à 2 mois

4 Quelques objets techniques répondant à la fonction d'usage « transporter ses courses ».

? BESOIN D'UN COUP DE POUCE ?

- La matière, les matériaux
→ Voir chapitre 1 pp. 14-21 et chapitre 17 pp. 232-237.
- L'Homme et l'environnement
→ Voir chapitre 26 pp. 354-359 et chapitre 27 pp. 364-371.

J'ai réussi si...

- ☐ J'ai expliqué pourquoi certains plastiques flottent sur la mer et d'autres coulent.
- ☐ J'ai identifié au moins deux conséquences de la consommation excessive de plastique sur l'environnement ou les êtres vivants.
- ☐ J'ai comparé différents objets techniques permettant de transporter les courses.
- ☐ J'ai proposé au moins deux solutions que je peux mettre facilement en pratique au quotidien pour limiter ces conséquences.

Le vivant, sa diversité et les fonctions qui le caractérisent

Des rats des moissons sur des épis de blé.

Attendus de fin de cycle*

▶ Classer les organismes, exploiter les liens de parenté pour comprendre et expliquer l'évolution des organismes

▶ Décrire comment les êtres vivants se développent et deviennent aptes à se reproduire

▶ Expliquer les besoins variables en aliments de l'être humain ; l'origine et les techniques mises en œuvre pour transformer et conserver les aliments

▶ Expliquer l'origine de la matière organique des êtres vivants et son devenir

Bulletin officiel spécial, n° 11, 26 novembre 2015.

De l'école au collège

Pour chaque question, choisis la bonne réponse à l'aide de tes connaissances

1 Le système digestif

1 Ces deux dessins d'élèves représentent :

a. l'appareil respiratoire humain.
b. l'appareil circulatoire humain.
c. l'appareil digestif humain.

2 Le dessin qui te semble le plus proche de la réalité est :

a. le dessin de Pierre.
b. le dessin de Marie.
c. aucun des deux.

3 Le rôle de l'estomac est de :

a. stocker les aliments.
b. transformer les aliments en éléments plus petits.
c. trier les éléments solides et les éléments liquides du repas.

Deux dessins d'élèves d'une classe de CM2

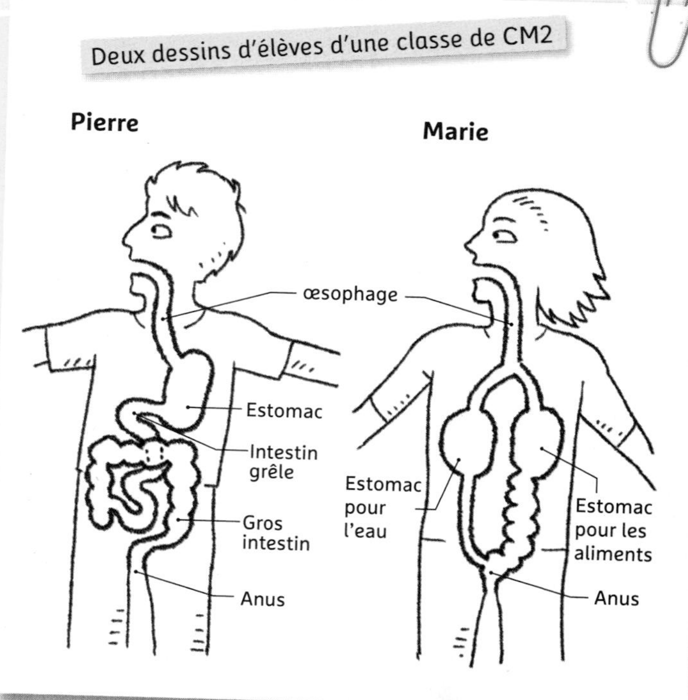

2 Aliments et nutriments

4 L'ingrédient de ce sandwich qui n'est pas issu de la transformation d'une matière animale est :

a. le pain.
b. le beurre.
c. le jambon.

5 L'élément de ce sandwich ayant subi une fermentation est :

a. le pain.
b. le beurre.
c. le jambon.

Un sandwich parisien se compose d'une baguette, d'un peu de beurre et d'une tranche de jambon.

6 Le beurre est un aliment qui contient principalement :

a. de la matière grasse.
b. des glucides.
c. des protéines.

7 Le jambon et le beurre ont été conservés au réfrigérateur avant d'être consommés :

a. parce qu'ils sont meilleurs quand ils sont froids.
b. pour qu'ils conservent leurs vitamines.
c. pour éviter la multiplication de microbes dangereux.

3 La reproduction

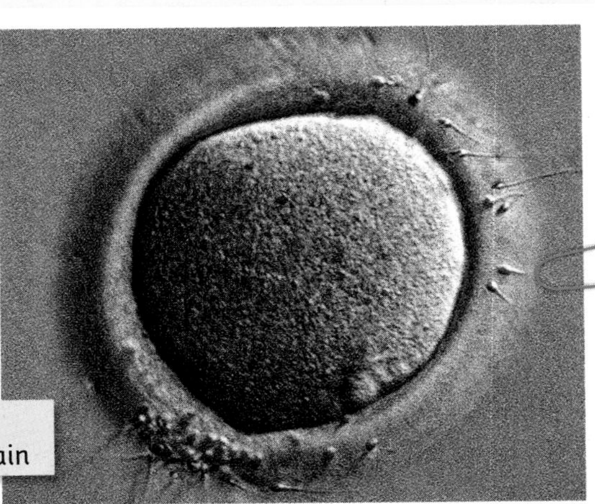

La rencontre d'un ovule et des spermatozoïdes chez l'être humain

8 Tous les éléments présents sur cette image sont :

a. des cellules.
b. des organes.
c. des molécules.

9 L'instant où un spermatozoïde pénètre dans l'ovule se nomme :

a. l'ovaire.
b. l'ovulation.
c. la fécondation.

4 Le devenir de la matière organique

Un procédé pour valoriser des déchets.

10 Ces déchets végétaux se composent principalement de :

a. matière organique.
b. matière artificielle.
c. matière minérale.

11 Quand les végétaux se transforment en terreau, ils :

a. se déshydratent.
b. se décomposent.
c. se fertilisent.

12 La disparition progressive des déchets végétaux est causée par :

a. leur consommation par des petits animaux du sol.
b. l'érosion des déchets de végétaux.
c. l'absence d'animaux consommateurs de végétaux.

5 Le développement des êtres vivants

Les principaux personnages du film d'animation *1001 pattes*.

13 Les chenilles trouvent les éléments indispensables pour assurer leur développement en consommant :

a. des végétaux.
b. d'autres animaux.
c. les déchets d'autres êtres vivants.

14 Le bon ordre pour ces étapes de développement est :

a. œuf / adulte / larve.
b. larve / œuf / adulte.
c. œuf / larve / adulte.

15 Le stade auquel un insecte acquiert la capacité de se reproduire est :

a. le stade adulte.
b. le stade de larve.
c. le stade adulte et le stade de larve.

Chapitre 7

Pour commencer...

Un nombre

1,8 million c'est le nombre d'espèces actuelles d'êtres vivants connu aujourd'hui.

>> Combien pourrais-tu dénombrer d'espèces d'êtres vivants chez toi?

Une image

La comparaiſon du ſuſdit portraict des os humains monſtre combien ceſtuy cy qui eſt d'vn oyſeau,en eſt prochain.

Portraict des os de l'oyſeau.

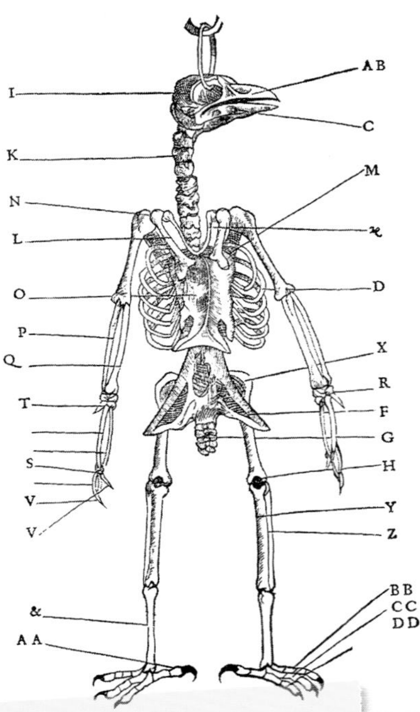

Portraict de l'amas des os humains, mis en comparaiſon de l'anatomie de ceux des oyſeaux, faiſant que les lettres d'icelle ſe rapporteront à ceſte cy,pour faire apparoiſtre combien l'affinité eſt grande des vns aux autres.

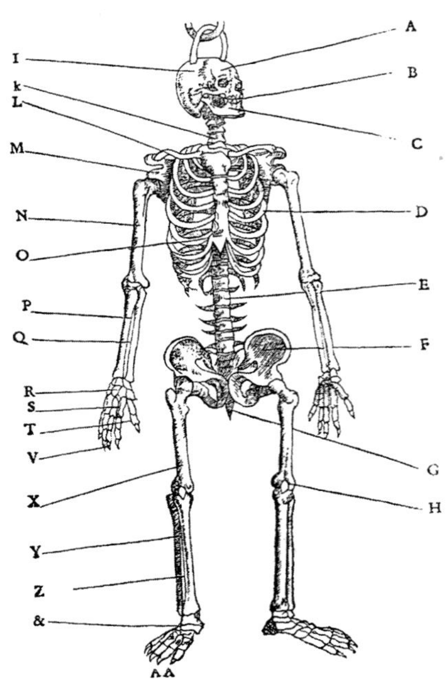

En 1555, Pierre Belon compare un squelette d'oiseau disséqué à celui d'un humain. Il est l'un des premiers biologistes à rechercher des ressemblances entre les espèces.

>> Comment expliquer des ressemblances entre des êtres vivants aussi différents qu'un oiseau et un être humain?

Diversité et unité des êtres vivants

Que révèle la diversité des êtres vivants qui nous entourent ?

La diversité des espèces autour de nous

Compétences
- [D1.3] Produire et utiliser des tableaux.
- [D2] Utiliser de façon réfléchie des outils de recherche.

Nul besoin de s'immerger en pleine nature pour observer la diversité des êtres vivants (biodiversité). Nous côtoyons de nombreuses espèces au quotidien.

→ **As-tu une idée de la biodiversité qu'il y a dans un appartement ?**

Dans le salon

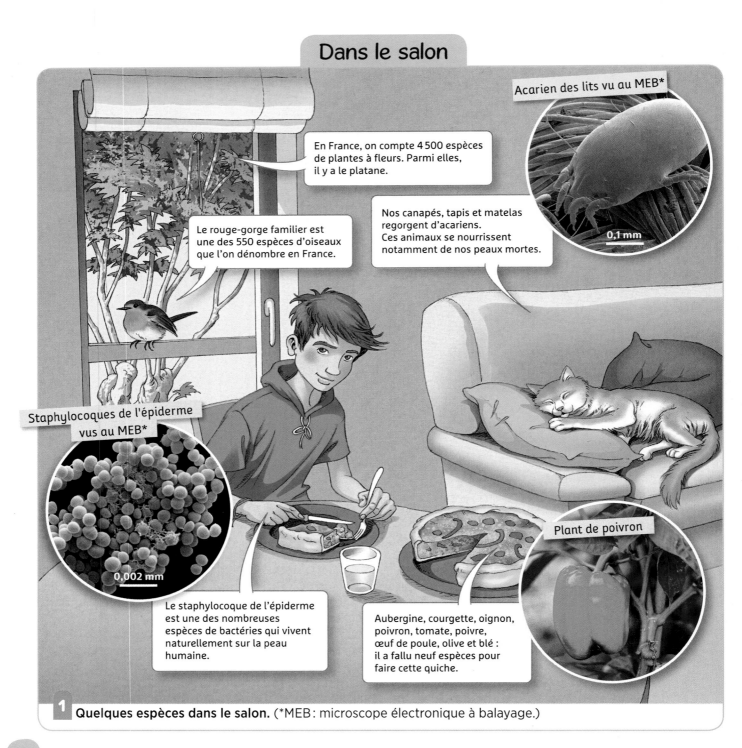

Acarien des lits vu au MEB*

0,1 mm

En France, on compte 4 500 espèces de plantes à fleurs. Parmi elles, il y a le platane.

Nos canapés, tapis et matelas regorgent d'acariens. Ces animaux se nourrissent notamment de nos peaux mortes.

Le rouge-gorge familier est une des 550 espèces d'oiseaux que l'on dénombre en France.

Staphylocoques de l'épiderme vus au MEB*

0,002 mm

Plant de poivron

Le staphylocoque de l'épiderme est une des nombreuses espèces de bactéries qui vivent naturellement sur la peau humaine.

Aubergine, courgette, oignon, poivron, tomate, poivre, œuf de poule, olive et blé : il a fallu neuf espèces pour faire cette quiche.

1 Quelques espèces dans le salon. (*MEB : microscope électronique à balayage.)

Dans la cuisine

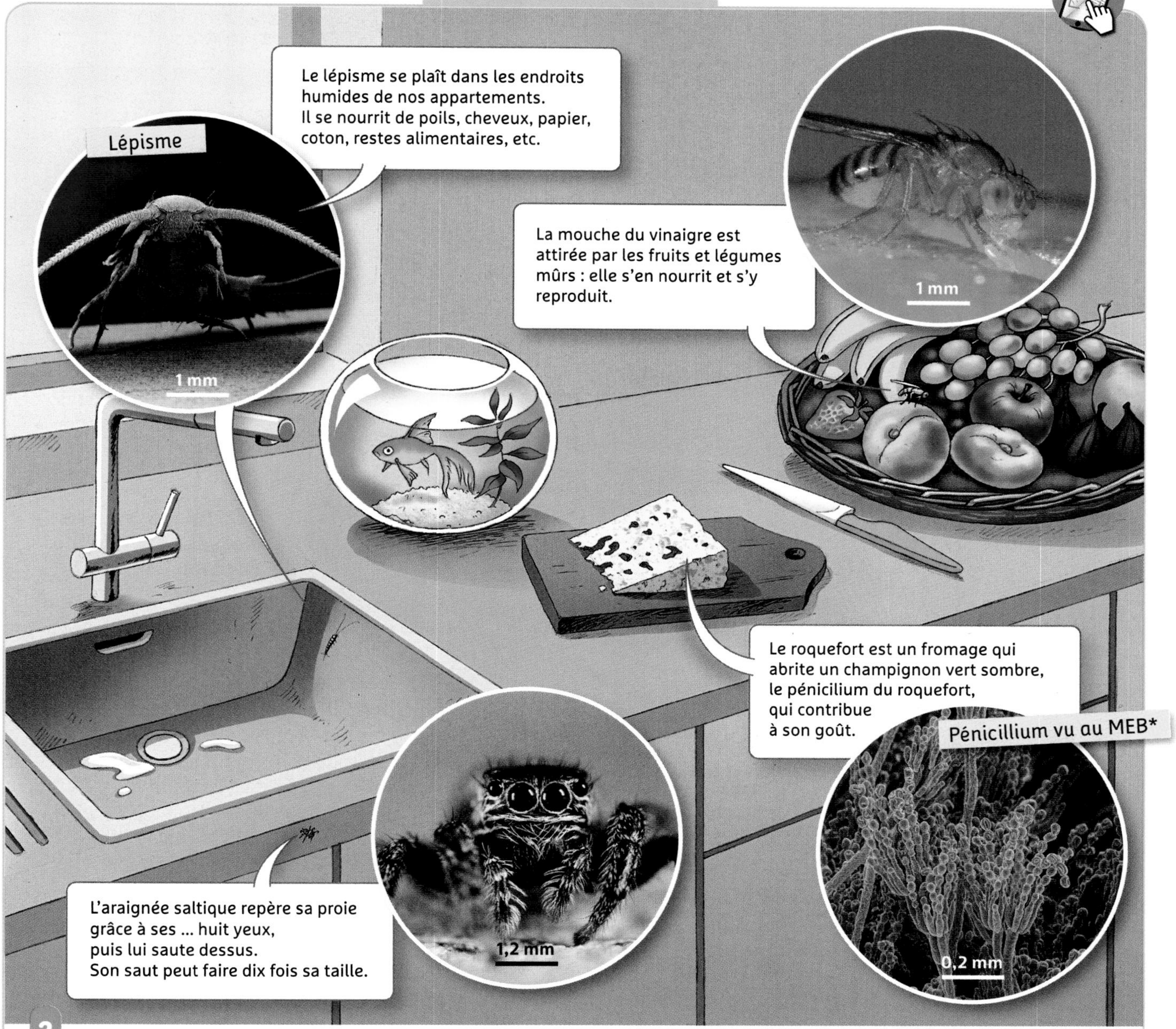

Lépisme

Le lépisme se plaît dans les endroits humides de nos appartements.
Il se nourrit de poils, cheveux, papier, coton, restes alimentaires, etc.

1 mm

La mouche du vinaigre est attirée par les fruits et légumes mûrs : elle s'en nourrit et s'y reproduit.

1 mm

Le roquefort est un fromage qui abrite un champignon vert sombre, le pénicilium du roquefort, qui contribue à son goût.

0,2 mm

L'araignée saltique repère sa proie grâce à ses ... huit yeux, puis lui saute dessus.
Son saut peut faire dix fois sa taille.

1,2 mm

2 **Quelques espèces dans la cuisine.** (*MEB : microscope électronique à balayage.)

Ta mission

Recherche documentaire

1 Afin d'organiser la biodiversité qui t'entoure, rassemble dans un unique tableau toutes les espèces présentes dans ces documents. Dans ton tableau, distingue les végétaux, les animaux, les champignons et les bactéries.

2 Recherche, à partir de diverses ressources (CDI, Internet, etc.), d'autres espèces que l'on peut trouver dans une maison ou un appartement.

3 **Conclusion** Rédige un court texte décrivant la biodiversité que l'on peut observer chez soi.

Vocabulaire

Bactérie (une) : être vivant microscopique.

Biodiversité (une) : ensemble des espèces d'êtres vivants en un lieu donné.

Espèce (une) : ensemble des individus capables de se reproduire entre eux et dont les descendants peuvent aussi se reproduire entre eux.

De la diversité… et des ressemblances

Compétences

- [D4] Extraire l'information de documents et les mettre en relation.
- [D4] Décrire et questionner ses observations.

Au moins 5 millions d'espèces vivent sur notre planète. Elles nous semblent souvent très différentes les unes des autres. On peut pourtant trouver des ressemblances entre elles.

→ Quelles ressemblances peut-on trouver entre des espèces différentes et que nous révèlent-elles ?

Rechercher des ressemblances

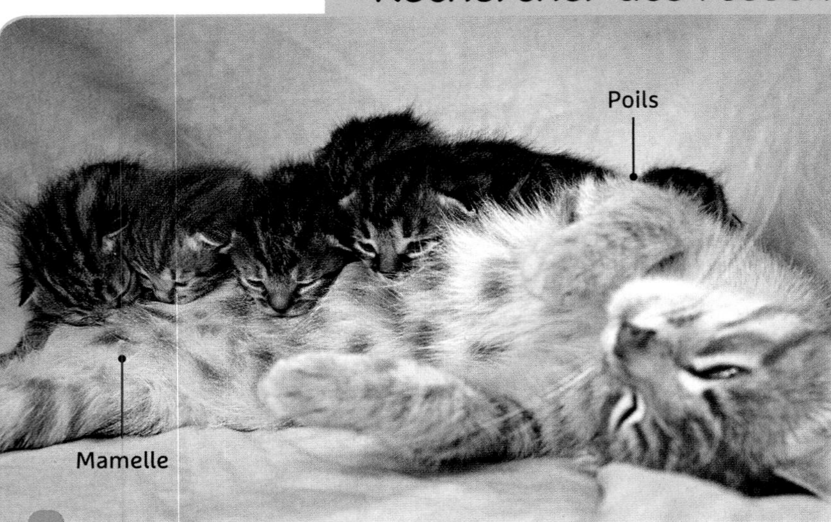

1 **Chatte allaitant ses petits.** La chatte possède un squelette interne.

2 **Femme allaitant son bébé.** L'être humain possède un squelette interne.

Guillaume Lecointre, biologiste spécialiste de l'évolution.

Certaines ressemblances entre les êtres vivants sont liées à l'histoire de la vie. Prenons le squelette interne. Le chat et l'humain en ont un tous les deux. Est-ce parce qu'ils font des petits ensemble ? Non bien sûr. En fait, si le chat et l'humain ont un squelette interne, c'est parce que, à une lointaine époque, ils ont eu des ancêtres communs qui avaient un squelette interne et qui, eux, faisaient des petits ensemble. La possession du squelette interne traduit ce **lien de parenté** entre humains et chats.
Attention, toutes les ressemblances ne sont pas la conséquence de liens de parenté. Seuls les scientifiques peuvent déterminer celles qui traduisent des liens de parenté entre êtres vivants.

3 **Comment expliquer les ressemblances entre les espèces ?**

Établir des liens de parenté

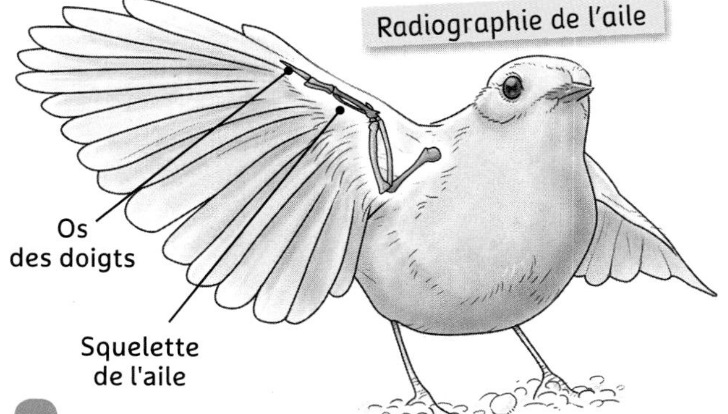

4 **L'aile d'un rouge-gorge familier.**

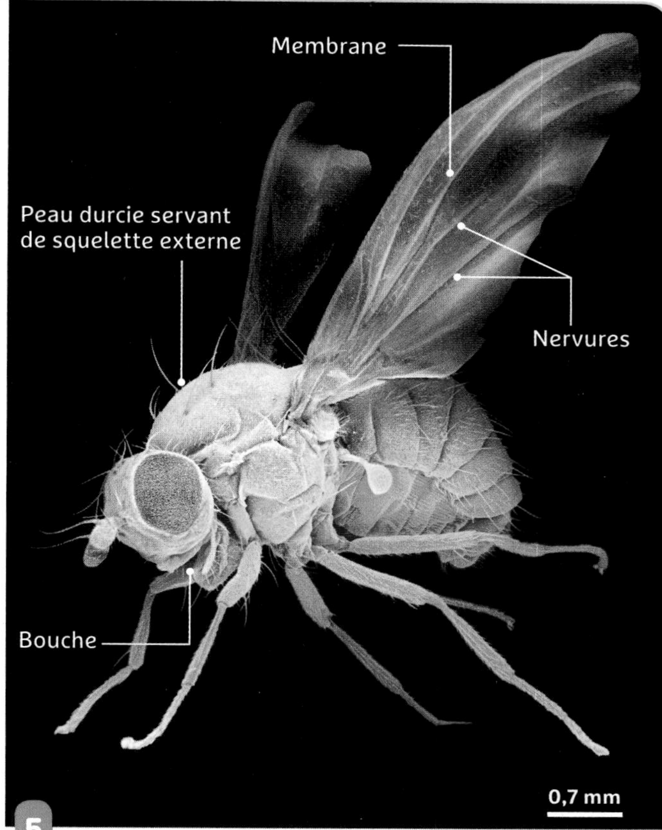

5 **L'aile d'une mouche du vinaigre.**

	Squelette interne	Poils	Mamelles	Plumes	Peau durcie servant de squelette externe
Chat domestique	Présent	Présents	Présentes	Absentes	Absente
Gorille des montagnes	Présent	Présents	Présentes	Absentes	Absente
Moineau	Présent	Absents	Absentes	Présentes	Absente
Abeille domestique	Absent	Absents	Absentes	Absentes	Présente

6 **Tableau de caractères de quatre êtres vivants.** Pour établir des liens de parenté entre des êtres vivants, il faut trouver le nombre de caractères qu'ils ont en commun à partir d'une liste de caractères définie par les scientifiques. Plus les êtres vivants ont de caractères communs, plus ils sont proches parents entre eux.

Vocabulaire

Lien de parenté (un) : des êtres vivants ont un lien de parenté étroits entre eux s'ils partagent une histoire commune (ils ont des ancêtres qu'ils sont les seuls à partager).

Ta mission

1. Sur le modèle du doc. 6, réalise un tableau avec les espèces des doc. 1, 2, 4 et 5. Déduis-en l'espèce qui est la plus proche parente de l'Homme.
2. Doc. 4 et 5 Compare l'organisation des deux ailes, puis trouve des arguments suggérant que le fait de posséder une aile ne traduit pas une parenté entre le rouge-gorge familier et la mouche du vinaigre.
3. En conclusion Explique ce que peuvent révéler des ressemblances entre des espèces différentes.

Un caractère commun à tous les êtres vivants

Compétences
- [D1.3] Produire et utiliser des schémas.
- [D4] Maîtriser les notions d'échelle.

Champignons, animaux, plantes, bactéries : ces êtres vivants sont très divers. Trouver un caractère commun à tous ne semble pas évident. Pourtant, il existe. Il faut un microscope pour l'observer.

→ Quel est le caractère commun à tous les êtres vivants ?

Observer un humain et un oignon au microscope

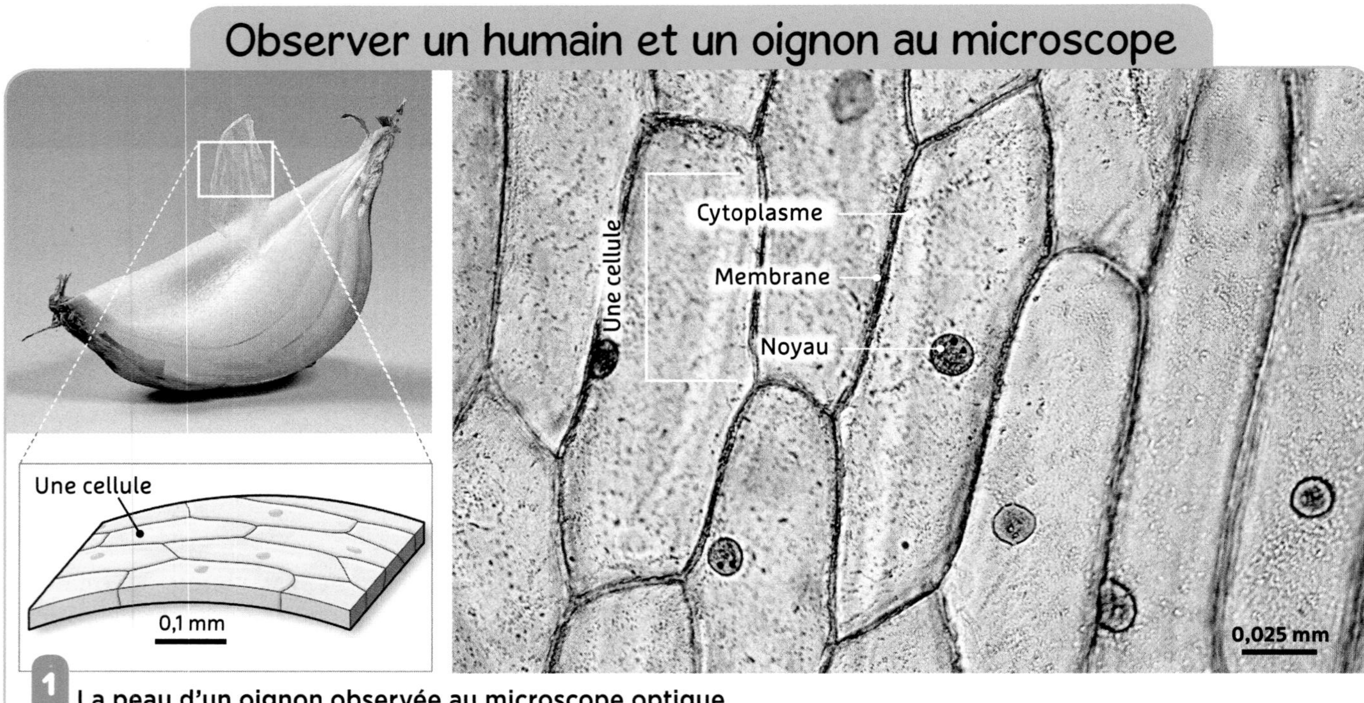

1 La peau d'un oignon observée au microscope optique.

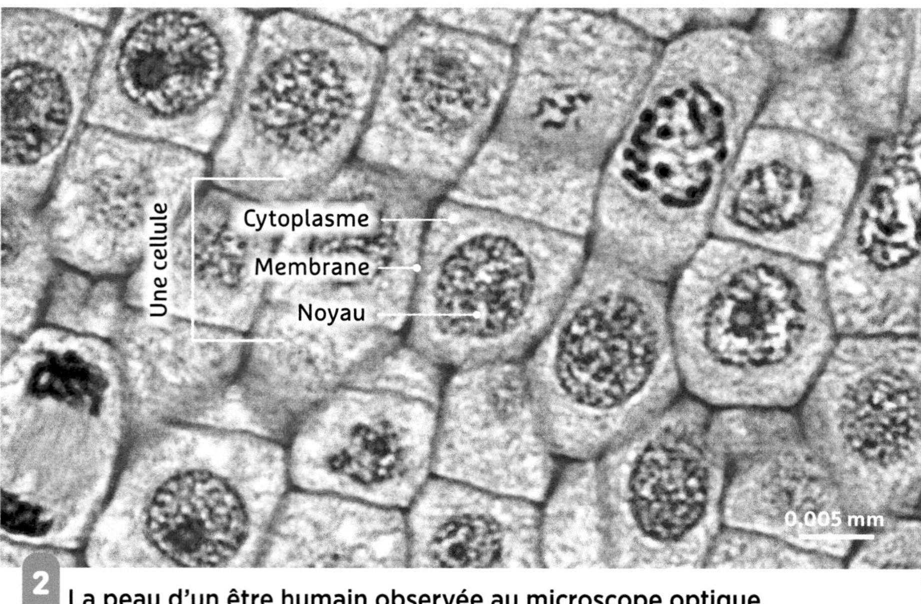

2 La peau d'un être humain observée au microscope optique.

Comparer des êtres vivants divers au microscope

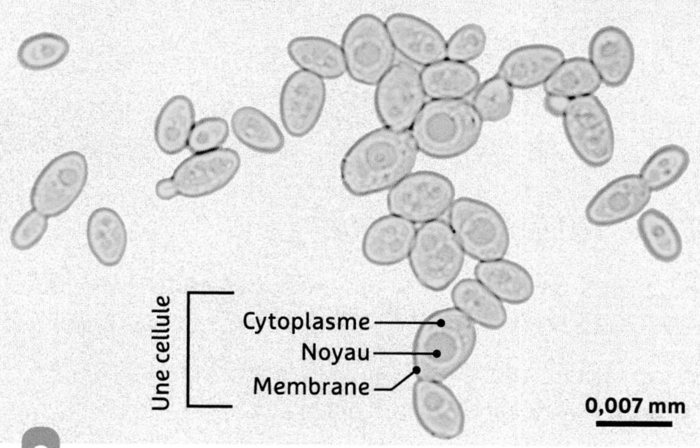

3 **Des levures du boulanger (champignon)** observées au microscope optique. Chaque levure est composée d'une unique cellule.

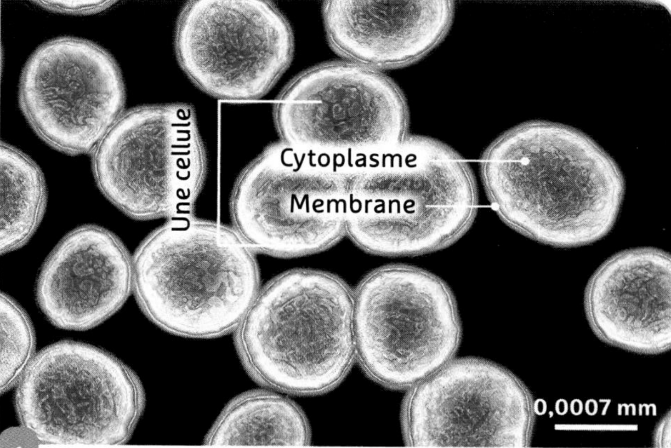

4 **Bactéries sur la peau humaine** observées au microscope optique. Les cellules des bactéries ne possèdent pas de noyau. Ici, chaque bactérie est composée d'une unique cellule.

5 **Estimation du nombre de cellules chez quelques êtres vivants.**

Guillaume Lecointre, biologiste spécialiste de l'évolution.

Une cellule est délimitée par une membrane et contient un liquide visqueux nommé cytoplasme. Selon les espèces, elle peut contenir un noyau ou non. Tous les êtres vivants sont constitués de cellules. Ce caractère commun est hérité des premiers êtres vivants sur Terre, qui ont vécu il y a probablement 3,5 milliards d'années environ. Il montre l'origine commune des êtres vivants.

6 **Qu'est-ce qu'une cellule ?**

Ta mission

1. **Doc. 1 à 4** Afin de trouver des points communs entre les différentes cellules, réalise un schéma d'une bactérie et un schéma d'une autre cellule. Souligne les points communs dans les légendes.
2. **Doc. 6** Indique quelle preuve permet d'affirmer que tous les êtres vivants ont un lien de parenté entre eux.
3. **Conclusion** Indique quel est le caractère commun à tous les êtres vivants et décris-le.

Vocabulaire

Cellule (une) : structure commune à tous les êtres vivants. Elle est délimitée par une membrane et contient du cytoplasme et selon les espèces, un noyau ou non.

Bilan

Diversité et unité des êtres vivants

Je dois savoir

Unité 1

La diversité des espèces autour de nous

◆ Il existe une grande diversité d'êtres vivants sur Terre : c'est la **biodiversité**. Elle peut s'observer autour de nous, même dans notre logement et dans notre alimentation.

◆ Les êtres vivants capables de se reproduire entre eux, ainsi que leurs descendants, font partie de la même **espèce**. Ils ont en commun de nombreux caractères et se ressemblent souvent.

Unité 2

De la diversité… et des ressemblances

◆ Des espèces différentes peuvent partager des **caractères** communs. Certains caractères communs à plusieurs espèces traduisent des **liens de parenté** entre ces espèces.

◆ Certaines espèces ont un lien de parenté plus fort entre elles qu'avec d'autres espèces. Par exemple, l'Homme est plus proche parent du chat domestique que du rouge-gorge familier, car il possède plus de caractères communs avec le chat domestique qu'avec le rouge-gorge familier.

◆ Certaines ressemblances entre espèces différentes ne traduisent pas un lien de parenté entre elles.

Unité 3

Un caractère commun à tous les êtres vivants

◆ L'observation au **microscope optique** d'êtres vivants montre qu'ils sont tous constitués d'une ou de plusieurs **cellules**.

◆ Une cellule est délimitée par une membrane et contient un liquide nommé cytoplasme. Selon les espèces, les cellules peuvent contenir ou non un noyau.

◆ La présence de cellules chez tous les êtres vivants montre que tous les êtres vivants ont des liens de parenté entre eux : on dit qu'ils ont une origine commune.

→ L'essentiel du cours en une animation

Je suis capable de

	Pour vérifier	Si tu n'es pas sûr…
[D4] **Utiliser un microscope optique**	→ Revois l'unité 3 p. 105.	→ Fais l'exercice guidé p. 111.

Je retiens par l'image

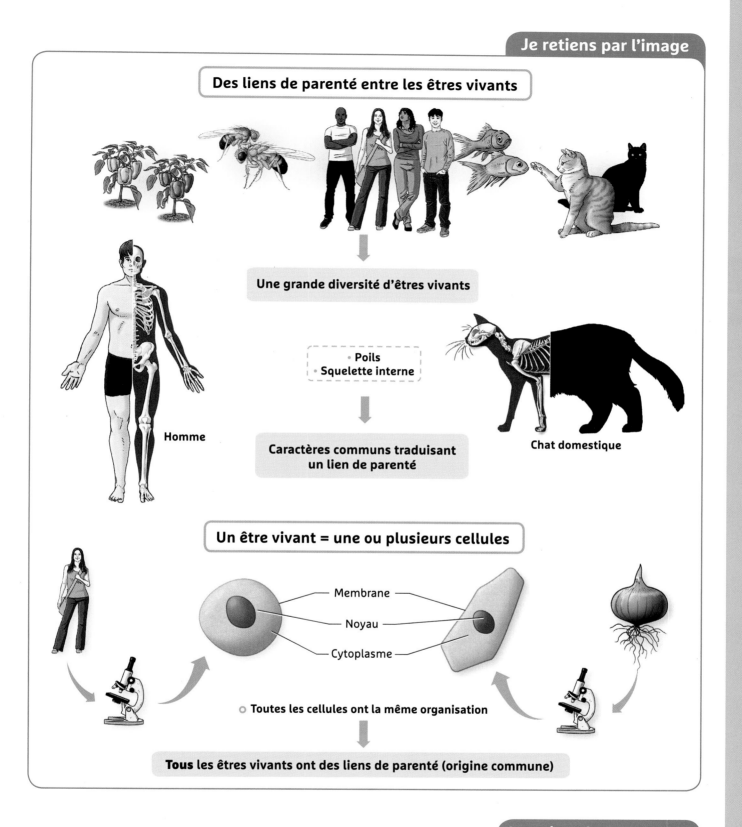

Des liens de parenté entre les êtres vivants

Une grande diversité d'êtres vivants

Homme

- Poils
- Squelette interne

Caractères communs traduisant un lien de parenté

Chat domestique

Un être vivant = une ou plusieurs cellules

Membrane

Noyau

Cytoplasme

- Toutes les cellules ont la même organisation

Tous les êtres vivants ont des liens de parenté (origine commune)

Je retiens les mots-clés

- Biodiversité
- Cellule
- Caractère
- Espèce
- Lien de parenté
- Microscope optique

→ Pour réviser les définitions

ou Dico du manuel p. 379

Exercices

Je vérifie mes connaissances

1 Le mot caché

Recopie et complète la grille à l'aide des définitions. Donne la définition du mot caché.

1. Il se récolte en forêt, mais certaines espèces sont toxiques.
2. Délimite une cellule.
3. Partie du corps permettant aux animaux de voler.
4. Elles protègent les oiseaux du froid.
5. Toutes les cellules n'en ont pas.
6. Toutes les cellules en ont un.
7. Ensemble d'individus qui se reproduisent entre eux.

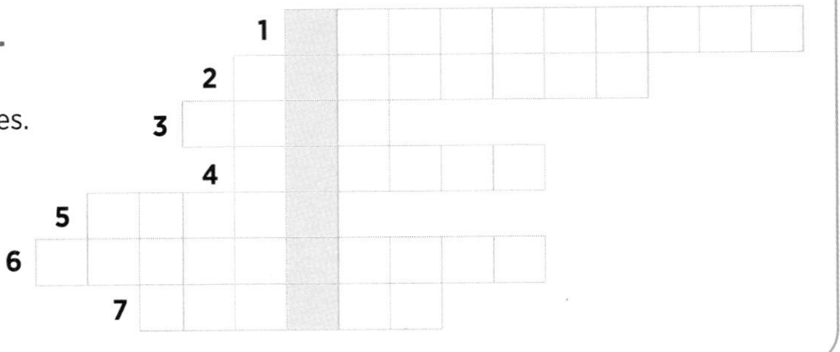

2 Vrai ou faux

Retrouve les propositions exactes et recopie celles qui sont fausses en les corrigeant.

a. Le pigeon domestique et la chouette effraie ont des plumes : ils appartiennent donc à la même espèce.

b. Tous les êtres vivants ont des liens de parenté entre eux.

c. Certains êtres vivants sont constitués d'une seule cellule.

3 Une photo à légender

Donne le mot qui correspond à chaque numéro sur la photo.

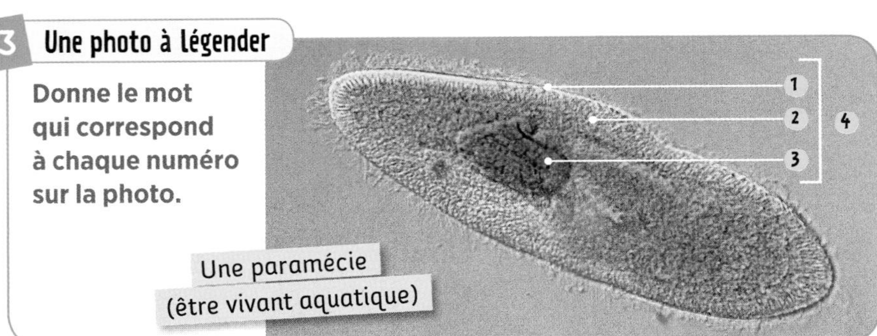

Une paramécie (être vivant aquatique)

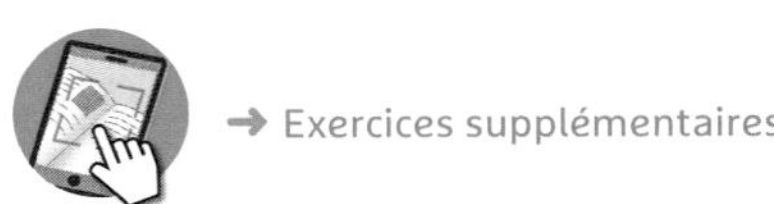

→ Exercices supplémentaires

J'utilise mes compétences

4 Extraire les informations utiles

L'âne, la jument et le mulet

Le mulet est le petit de l'âne et de la jument.
Il n'est pas capable de se reproduire. On dit qu'il est stérile.

Pour chaque phrase, trouve la bonne réponse :

a. L'âne et la jument ont en commun :
1. des yeux et des plumes.
2. des yeux, une bouche, des poils et quatre pattes.
3. uniquement de grandes oreilles.

b. L'âne et la jument appartiennent à :
1. deux espèces différentes car ils ne se reproduisent jamais entre eux.
2. la même espèce car ils peuvent se reproduire entre eux et leurs descendants aussi.
3. deux espèces différentes car leurs descendants ne peuvent pas se reproduire entre eux.

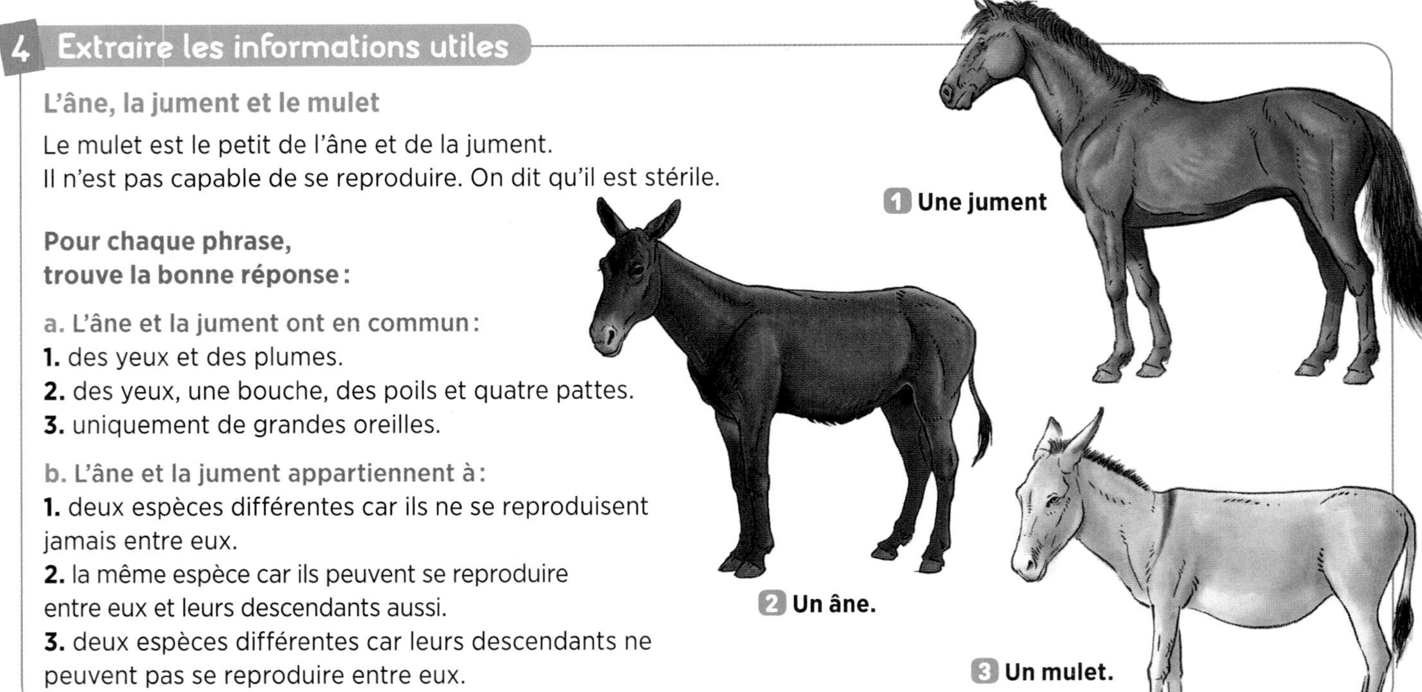

1 Une jument

2 Un âne.

3 Un mulet.

5 Questionner ses observations

Des punaises rouge et noir

On peut trouver de nombreuses punaises près de chez soi. Certaines se ressemblent plus que d'autres.

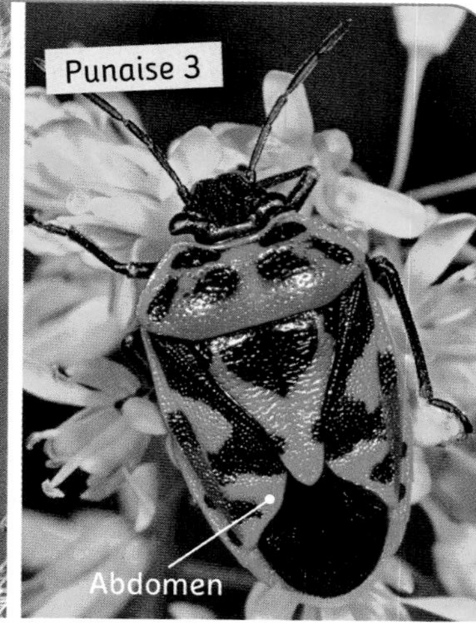

1 Trois punaises (insectes).

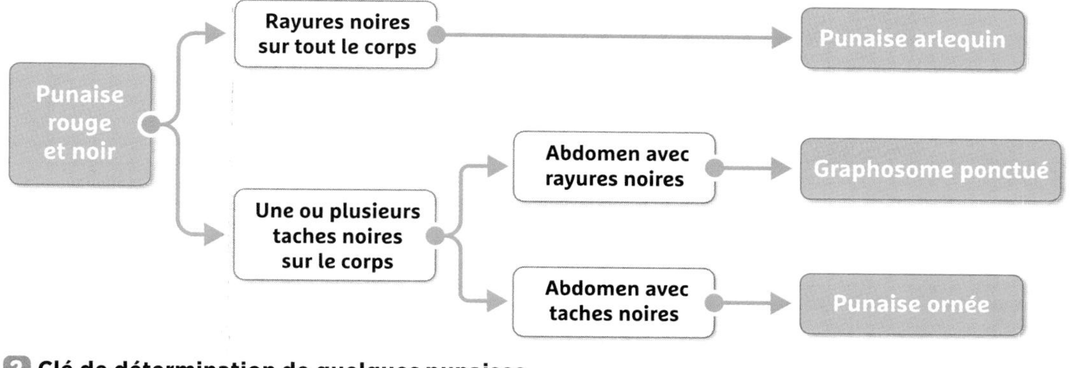

2 Clé de détermination de quelques punaises.

Détermine à quelle espèce appartient chaque punaise du doc. 1.

6 Extraire les informations utiles

Une espèce ou des espèces ?

Les coccinelles ci-contre sont originaires d'Asie. Elles se plaisent bien en Europe. Elles se reproduisent toutes fort bien entre elles, ainsi que leurs descendants. Elles se nourrissent entre autres de coccinelles européennes, si bien que dans certaines régions, celles-ci pourraient disparaître.

Coup de pouce

→ Rappelle-toi la définition d'une espèce.

→ Trouve dans le texte une information permettant de savoir si ces coccinelles appartiennent à la même espèce.

Indique si ces coccinelles d'Asie appartiennent ou non à la même espèce. Justifie ta réponse.

7 Exploiter un tableau

Des liens de parenté entre des végétaux

	Pin sylvestre	Fougère aigle	Marronnier commun
Cônes («pommes de pin»)	présents	absents	absents
Tige	présente	présente	présente
Graines	présentes	absentes	présentes

Le tableau ci-contre présente quelques caractères de trois végétaux.

Trouve de quel végétal le pin sylvestre est le plus proche parent. Justifie ta réponse.

8 Compléter un tableau

Comme un ver avec des pattes...

Chalcides minutus est un animal terrestre que l'on trouve uniquement au Maroc et en Algérie. On cherche à déterminer ses liens de parenté avec trois autres animaux.

a. Utilise les informations du doc. 1 pour compléter les cases du doc. 2 par «absent» ou «présent».

b. Compte le nombre de caractères communs que *Chalcides minutus* partage avec les autres êtres vivants du doc. 2.

c. Déduis-en de qui *Chalcides minutus* est le plus proche parent.

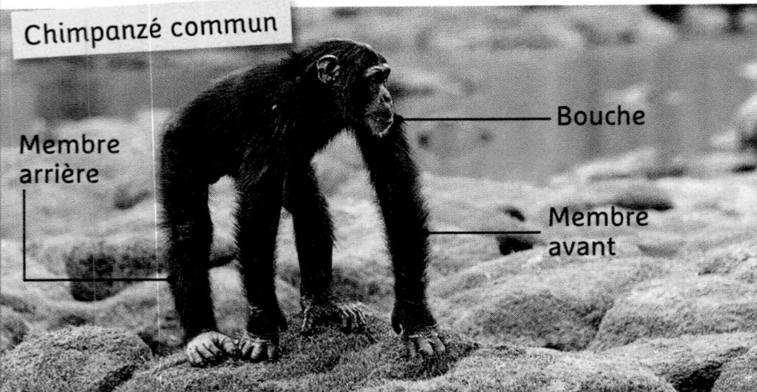

1 Quatre animaux. Chimpanzé commun, anguille commune et *Chalcides minutus* ont un squelette interne.

	Bouche	Squelette interne	Nageoires à rayons	4 membres
Anguille commune				
Lombric terrestre (ver de terre)				
Chimpanzé commun				
Chalcides minutus				

2 Tableau de caractères des quatre espèces du doc. 1.

Accompagnement personnalisé

9 J'apprends à... utiliser un microscope

Les poireaux et nous...

Énoncé

Tous les êtres vivants ont des liens de parenté entre eux. Difficile d'y croire quand on se compare à un poireau (ci-contre). Nous avons entre autres une tête, des jambes, des yeux, une bouche, tandis que le poireau a des racines, des tiges et des feuilles.

Questions

Trouve une preuve permettant d'affirmer que nous avons un lien de parenté avec les poireaux.

Aide à la résolution

Pour montrer que nous avons un lien de parenté avec les poireaux, tu dois rechercher un caractère que nous avons en commun. Utilise donc un microscope pour observer la peau du poireau et la comparer à la nôtre (voir doc. 2 p. 104).

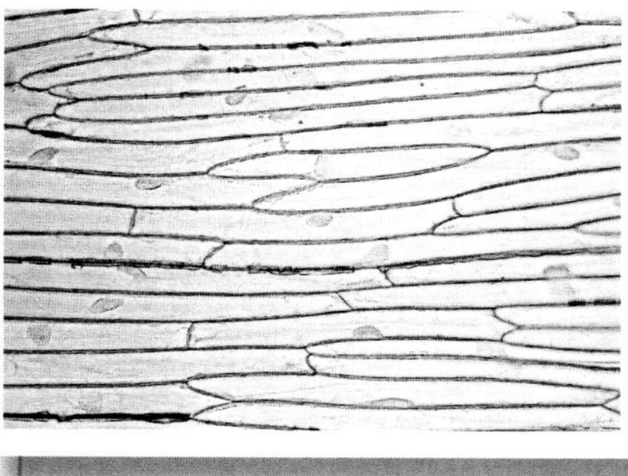

▲ **Peau de poireau observée au microscope optique.**

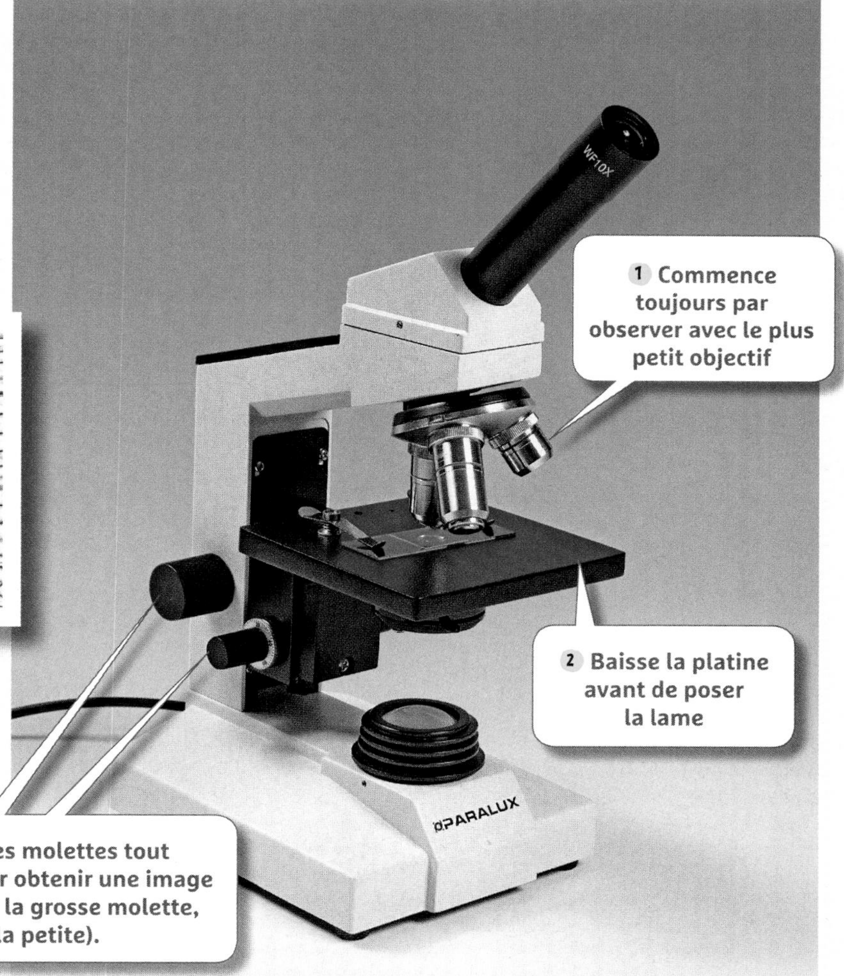

WF10X
PARALUX
1 Commence toujours par observer avec le plus petit objectif
2 Baisse la platine avant de poser la lame
3 Tourne les molettes tout doucement pour obtenir une image nette (d'abord la grosse molette, puis la petite).

Chapitre 8

Pour commencer...

Un nombre

35 000 ans C'est l'âge du célèbre crâne de l'homme de Cro-Magnon, découvert en France (Dordogne). Il appartenait à un individu de notre espèce.

>> Quand l'espèce humaine s'est-elle formée ?

Des images

Fossile du dinosaure archéoptéryx. Il a vécu il y a 150 millions d'années environ.

>> Que nous révèle l'étude des fossiles ?

Aujourd'hui, les scientifiques représentent l'histoire de la vie sous la forme d'un buisson comme celui-ci.

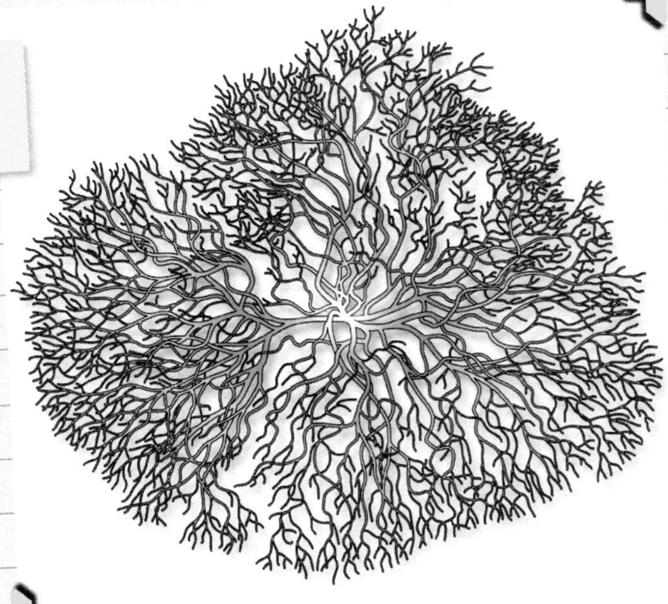

>> Comment un buisson peut-il raconter l'histoire de la vie ?

Histoire de la vie et évolution

Que nous apprend l'étude de la biodiversité passée ?

Compétences
- [D1.1] S'exprimer à l'écrit pour argumenter.
- [D4] Questionner ses observations.

Des espèces actuelles et des espèces passées

Jusqu'au xixe siècle, la plupart des personnes, y compris les scientifiques, pensaient que toutes les espèces peuplant la Terre avaient toujours été les mêmes.

→ Retrouve-t-on les mêmes espèces aujourd'hui et dans le passé ?

Au bord d'un lac il y a 130 millions d'années

Sihetun
France
Chine
Boreopterus
Confuciusornis
Confuciusornis
Jeholodens
Sinocalliopteryx
Fossile de Sinocalliopteryx

1 Reconstitution d'une scène de vie dans le lac de Sihetun en Chine, il y a 130 millions d'années. Des **fossiles** d'êtres vivants ont été découverts à Sihetun. Les connaissances scientifiques permettent de faire des hypothèses sur l'aspect et le mode de vie de ces êtres vivants, aujourd'hui disparus. Les roches contenant ces fossiles datent de 130 millions d'années. D'après leurs caractéristiques, on en a déduit que Sihetun était alors un lac.

Au bord d'un lac aujourd'hui

2 **Le lac de Remoray (massif du Jura, France) et quelques-unes des espèces qu'on y trouve.** Ce lac présente des conditions de vie assez proches du lac de Sihetun, il y a 130 millions d'années. Dans les roches datant de 130 millions d'années trouvées à Sihetun, il n'y a aucun fossile de ces quatre espèces. On pense donc qu'elles n'existaient pas à cette époque.

Ta mission

1. **Doc. 1** Indique grâce à quels indices on peut connaître l'existence d'espèces disparues.
2. **Doc. 1** Trouve au moins un indice expliquant que le dessinateur a représenté Sinocalliopteryx sur terre au bord d'un lac et non en mer.
3. **Doc. 1 et 2** Construis un tableau présentant les espèces disparues retrouvées à Sihetun et les espèces actuelles à Remoray.
4. **Conclusion** Rédige un court dialogue où tu expliqueras à un scientifique d'avant le xviiie siècle qu'il a tort de penser que les espèces ont toujours été les mêmes sur Terre.

Vocabulaire

Fossile (un) : restes d'être vivant trouvés dans une roche. Le plus souvent, ces restes sont certains os du squelette qui se sont transformés en roches.

Unité 2

Compétences
- [D1.3] Produire des diagrammes
- [D4] Mener une démarche d'investigation.

Des parentés entre les espèces disparues et actuelles

Les espèces actuelles partagent des caractères communs.
Cela montre qu'elles ont des liens de parenté entre elles.

→ Les espèces actuelles ont-elles aussi des liens de parenté avec les espèces disparues ?

Rechercher des caractères communs

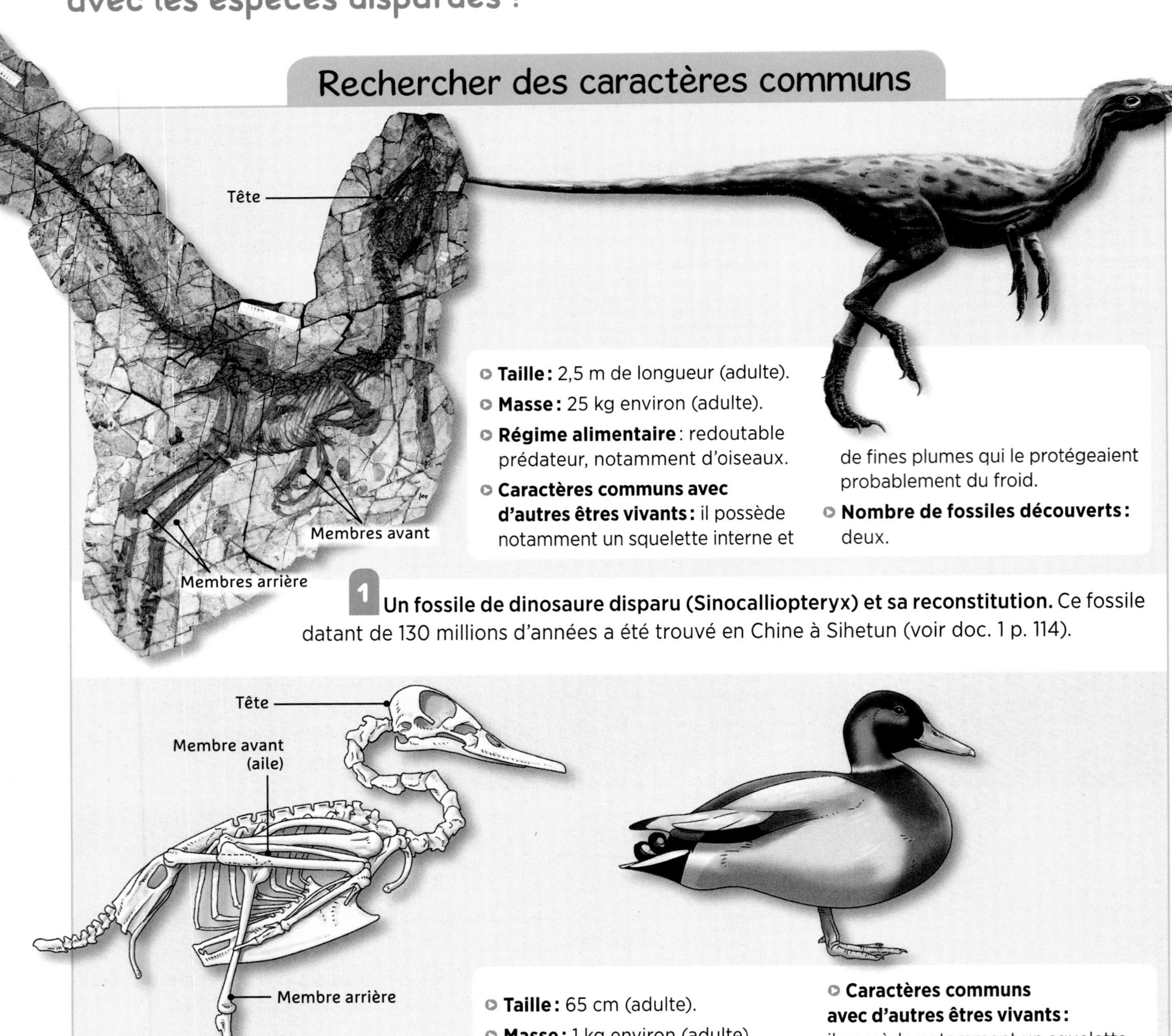

- **Taille :** 2,5 m de longueur (adulte).
- **Masse :** 25 kg environ (adulte).
- **Régime alimentaire** : redoutable prédateur, notamment d'oiseaux.
- **Caractères communs avec d'autres êtres vivants :** il possède notamment un squelette interne et de fines plumes qui le protégeaient probablement du froid.
- **Nombre de fossiles découverts :** deux.

1 Un fossile de dinosaure disparu (Sinocalliopteryx) et sa reconstitution. Ce fossile datant de 130 millions d'années a été trouvé en Chine à Sihetun (voir doc. 1 p. 114).

- **Taille :** 65 cm (adulte).
- **Masse :** 1 kg environ (adulte).
- **Régime alimentaire :** végétarien principalement.
- **Caractères communs avec d'autres êtres vivants :** il possède notamment un squelette interne et des plumes qui lui permettent de voler.

2 Le squelette du canard colvert, une espèce actuelle.

Classer des êtres vivants

	Canard colvert	Milan royal	Lynx commun	Hérisson commun	*Sinocalliopteryx*
Squelette interne	....	Présent	Présent	Présent	....
Plumes	....	Présentes	Absentes	Absentes	....
Poils et mamelles	....	Absents	Présents	Présents	....

3 **Tableau de caractères de cinq espèces.** Ces caractères permettent d'établir des liens de parenté entre elles.

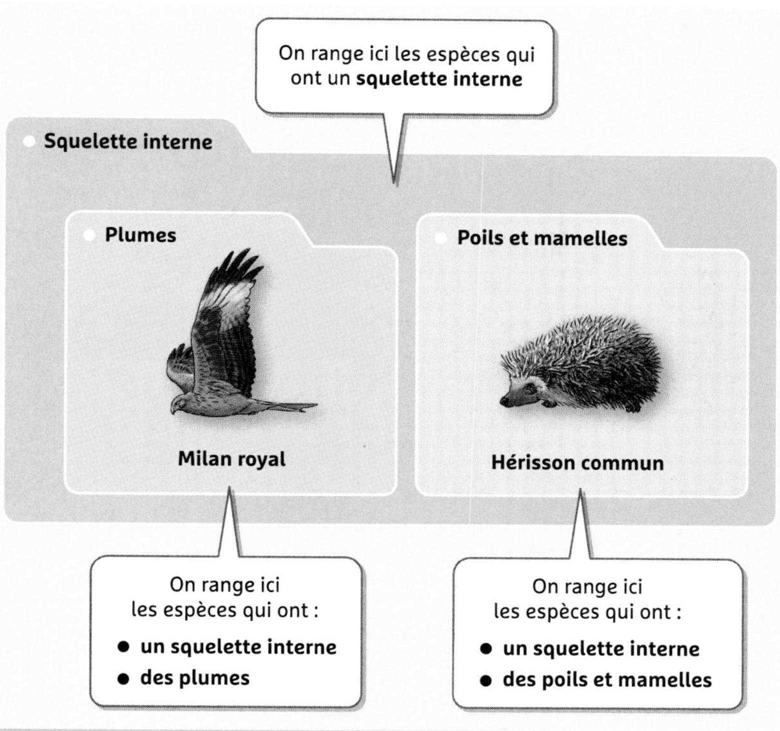

On range ici les espèces qui ont un **squelette interne**
Squelette interne
Plumes
Milan royal
Poils et mamelles
Hérisson commun
On range ici les espèces qui ont :
• un squelette interne
• des plumes
On range ici les espèces qui ont :
• un squelette interne
• des poils et mamelles

Pour représenter des liens de parenté entre les espèces, on peut rassembler dans un même groupe des espèces qui possèdent un ou plusieurs caractères en commun. On appelle cela classer les êtres vivants. Deux espèces d'un même groupe sont plus proches parentes entre elles qu'avec une espèce d'un autre groupe. Cette représentation en ensembles emboîtés est une classification.

4 **Une représentation des liens de parenté sous forme de groupes emboîtés.**

Ta mission

1 Doc. 1 et 2 Indique les caractères que possède Sinocalliopteryx et ceux que possède le canard colvert. Recopie alors le doc. 3 et complète-le.

2 Doc. 3 et 4 Recopie les trois groupes du doc. 4 et range dans le bon ensemble Sinocalliopteryx, le canard colvert et le lynx commun. Déduis-en de quelles espèces Sinocalliopteryx est le plus proche parent, en justifiant ta réponse.

3 Conclusion Explique pourquoi on peut dire que les espèces actuelles ont des liens de parenté avec les espèces disparues.

Vocabulaire

Classer : regrouper des espèces à partir de caractères (définis par les scientifiques) qu'elles ont en commun.

Lien de parenté (un) : voir p. 103.

L'histoire de la vie

Compétences
- [D1.1] S'exprimer à l'écrit.
- [D4] Prélever les informations utiles.

Depuis le début de la vie, il y a au moins 3,5 milliards d'années, des espèces se sont formées, tandis que d'autres ont disparu. Ainsi, au bord d'un lac aujourd'hui, on ne trouve plus Sinocalliopteryx, mais on peut croiser des humains.

→ Comment représenter l'histoire de la vie ?

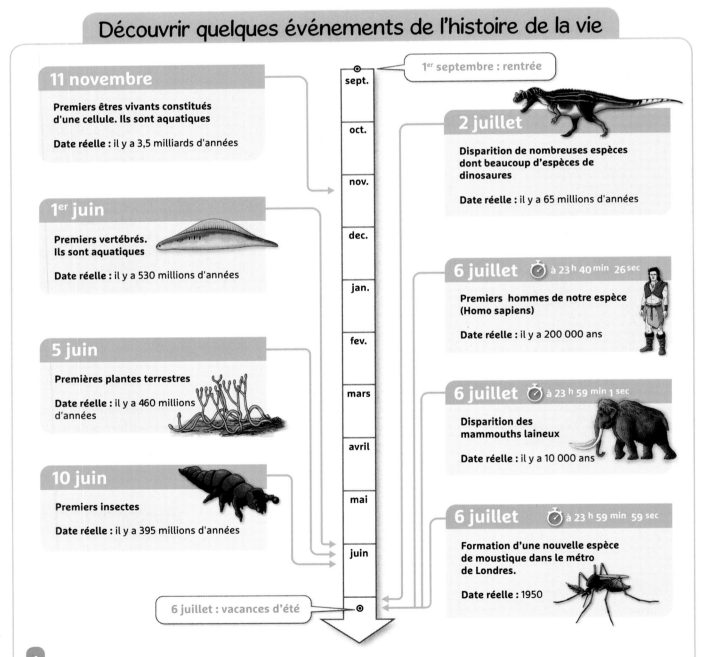

Découvrir quelques événements de l'histoire de la vie

1er septembre : rentrée

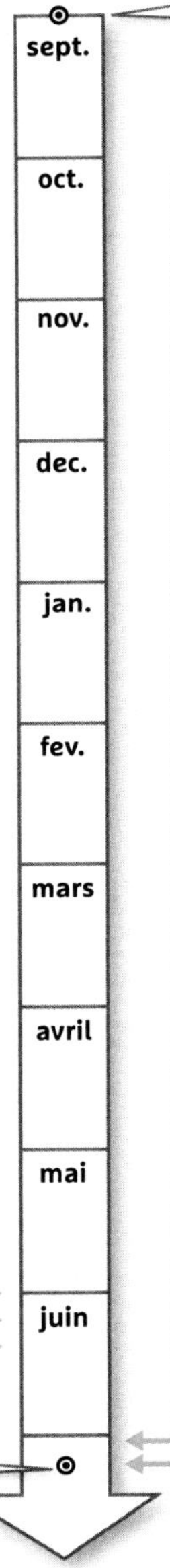

sept. / oct. / nov. / dec. / jan. / fev. / mars / avril / mai / juin

6 juillet : vacances d'été

11 novembre
Premiers êtres vivants constitués d'une cellule. Ils sont aquatiques
Date réelle : il y a 3,5 milliards d'années

1er juin
Premiers vertébrés. Ils sont aquatiques 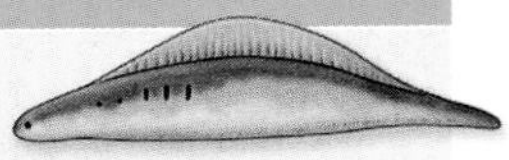
Date réelle : il y a 530 millions d'années

5 juin
Premières plantes terrestres 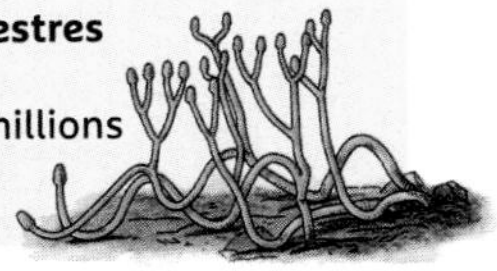
Date réelle : il y a 460 millions d'années

10 juin 
Premiers insectes
Date réelle : il y a 395 millions d'années

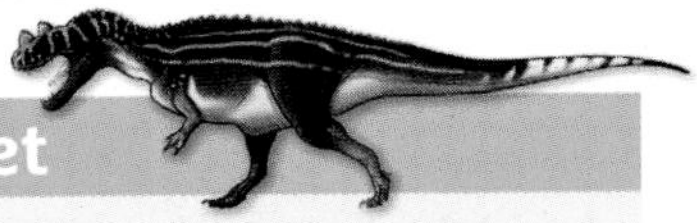

2 juillet
Disparition de nombreuses espèces dont beaucoup d'espèces de dinosaures
Date réelle : il y a 65 millions d'années

6 juillet à 23 h 40 min 26 sec
Premiers hommes de notre espèce (Homo sapiens) 
Date réelle : il y a 200 000 ans

6 juillet à 23 h 59 min 1 sec
Disparition des mammouths laineux 
Date réelle : il y a 10 000 ans

6 juillet à 23 h 59 min 59 sec
Formation d'une nouvelle espèce de moustique dans le métro de Londres. 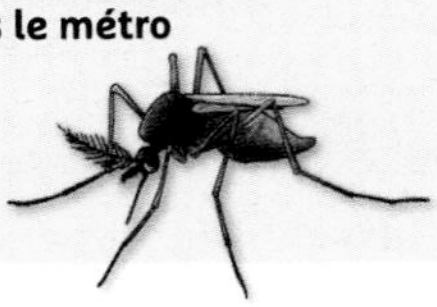
Date réelle : 1950

1 **Quelques événements de l'histoire de la vie rapportés à une année scolaire.** On imagine que la Terre s'est formée le 1er septembre à minuit et que tu observes ce schéma le 6 juillet à 23 h 59 min 59 s. En réalité, la Terre s'est formée il y a 4,5 milliards d'années. On a donc « transformé » 4,5 milliards d'années en 10 mois et 6 jours.

Comprendre une représentation de l'histoire de la vie

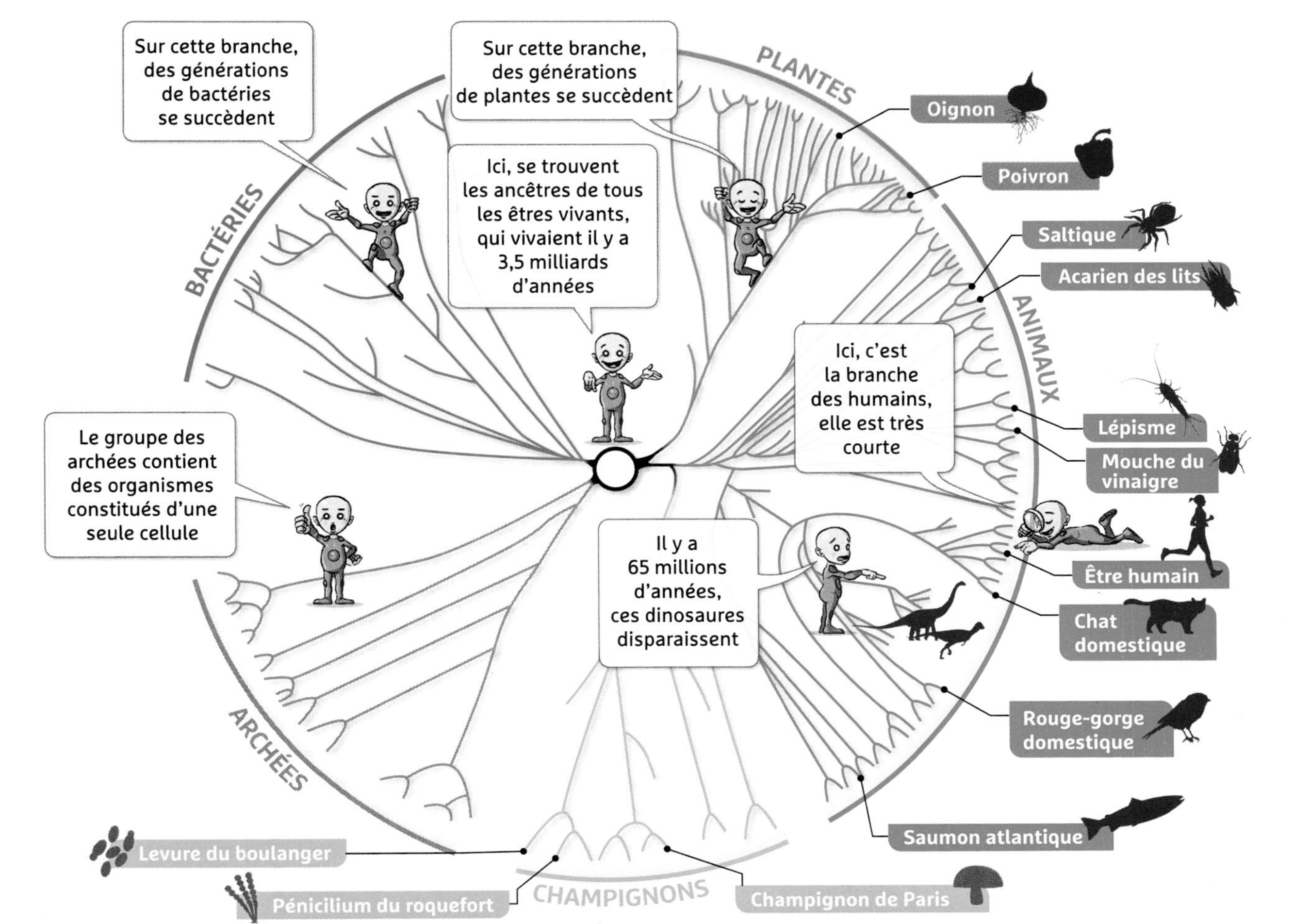

Sur cette branche, des générations de bactéries se succèdent
Sur cette branche, des générations de plantes se succèdent
Ici, se trouvent les ancêtres de tous les êtres vivants, qui vivaient il y a 3,5 milliards d'années
Ici, c'est la branche des humains, elle est très courte
Le groupe des archées contient des organismes constitués d'une seule cellule
Il y a 65 millions d'années, ces dinosaures disparaissent
PLANTES
BACTÉRIES
ANIMAUX
ARCHÉES
CHAMPIGNONS
Oignon
Poivron
Saltique
Acarien des lits
Lépisme
Mouche du vinaigre
Être humain
Chat domestique
Rouge-gorge domestique
Saumon atlantique
Champignon de Paris
Pénicilium du roquefort
Levure du boulanger

- Au centre du buisson, nous sommes il y a 3,5 milliards d'années. En surface, nous sommes aujourd'hui et nous trouvons les espèces actuelles. Une branche qui s'arrête avant la surface signifie que l'espèce a disparu.
- Le long d'une branche, depuis 3,5 milliards d'années, des êtres vivants se reproduisent : ils ont des enfants, leurs enfants font des enfants et ainsi de suite : on dit que des générations se succèdent.
- Durant ces milliards d'années, de très nombreux événements se sont produits qui expliquent que certaines branches se séparent en deux, ou d'autres s'arrêtent. C'est ce que l'on appelle l'évolution biologique. Tu l'étudieras au cycle 4.

2 L'histoire de la vie sous forme d'un buisson.

Ta mission

1. Doc. 1 Dans un tableau, range les événements selon qu'ils ont eu lieu au 1er trimestre, au 2e trimestre, au 3e trimestre de l'année scolaire.
2. Doc. 2 Recherche la branche représentant notre espèce. Déduis-en le groupe auquel nous appartenons (bactéries, archées, plantes ou animaux).
3. Doc. 1 et 2 Dans le buisson, la branche représentant notre espèce est très courte. Propose une explication.
4. Conclusion Rédige un texte à ta façon pour expliquer comment le buisson raconte l'histoire de la vie.

Bilan

Histoire de la vie et évolution

Je dois savoir

Unité 1 Des espèces actuelles et des espèces passées

◆ La découverte de **fossiles** d'êtres vivants dans les roches révèle que les espèces n'ont pas toujours été les mêmes sur Terre.

◆ Au cours de l'histoire de la vie, des espèces ont disparu et de nouvelles espèces se sont formées.

Unité 2 Des parentés entre les espèces disparues et actuelles

◆ L'étude des espèces disparues montre qu'elles ont des caractères en commun avec les espèces actuelles. Les espèces actuelles et les espèces disparues ont donc des liens de parenté entre elles.

◆ Pour représenter les liens de parenté entre plusieurs espèces, on peut les rassembler dans des groupes représentés sous forme d'ensembles. Dans un même groupe, on range les espèces qui ont un (ou plusieurs) caractère en commun. On appelle cela « **classer** » des êtres vivants. Les ensembles obtenus sont une **classification**.

◆ Deux espèces d'un même groupe sont plus proches parentes entre elles qu'avec une espèce d'un autre groupe.

Unité 3 L'histoire de la vie

◆ La vie a débuté il y a au moins 3,5 milliards d'années. L'espèce humaine s'est formée il y a 200 000 ans, c'est-à-dire très récemment comparé à la longue histoire de la vie.

◆ On peut représenter l'histoire de la vie sous la forme d'un buisson où chaque branche porte une espèce. Durant cette histoire, de nombreux événements se sont produits qui expliquent que certaines branches se séparent en deux, ou d'autres s'arrêtent. C'est ce que l'on appelle l'**évolution** biologique.

→ L'essentiel du cours en une animation

Je suis capable de

	Pour vérifier	Si tu n'es pas sûr...
[D4] **Représenter des liens de parenté sous forme de groupes emboîtés**	→ Fais la question 2 de l'unité 2 p. 117.	→ Fais l'exercice guidé p. 125.
[D4] **Prélever les informations utiles dans le texte.**	→ Fais la question 3 de l'unité 3 p. 119.	→ Fais l'exercice guidé p. 211.

L'histoire de la vie

Des espèces disparaissent

Sinocalliopteryx, disparu il y a **65 millions d'années**

Mammouth laineux, disparu il y a **10 000 ans**

Des espèces se forment

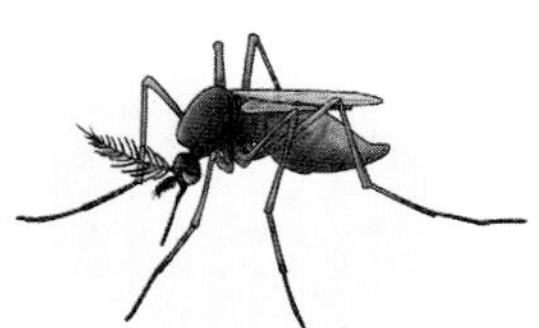

Moustique de Londres, espèce formée **il y a 60 ans**

Espèce humaine, formée **il y a 200 000 ans**

Une histoire marquée par de nombreux événements

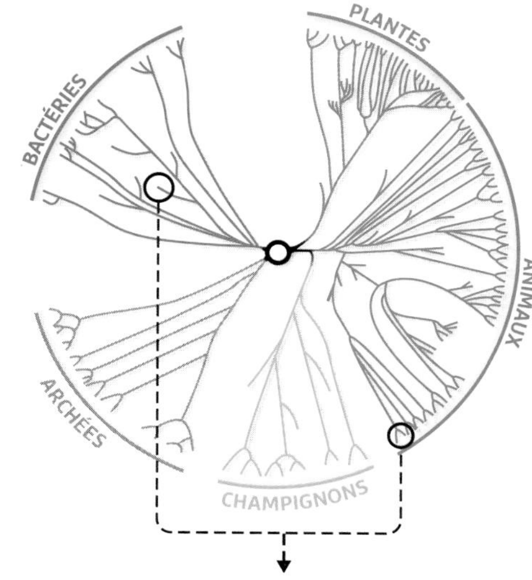

Une branche s'arrête, une autre se sépare en deux : c'est **l'évolution biologique**

Des liens de parenté entre espèces actuelles et espèces disparues

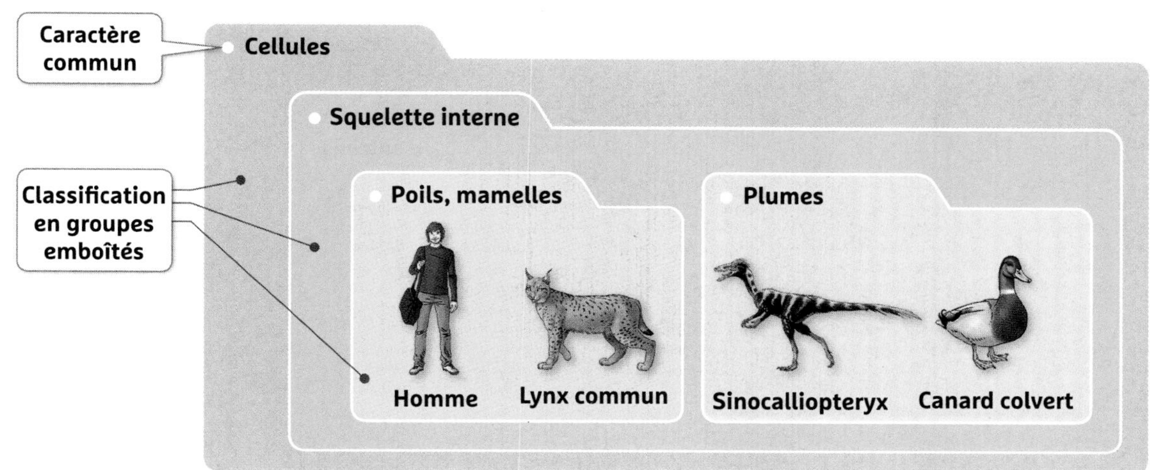

Je retiens les mots-clés

- Classer
- Classification
- Espèce
- Évolution
- Fossile
- Lien de parenté

➜ Pour réviser les définitions  ou Dico du manuel p. 379

Exercices

Je vérifie mes connaissances

1 Questions à réponses courtes

a. Qu'est-ce qu'un fossile ?

b. Les espèces actuelles ont-elles toujours existé ?

c. Que signifie « classer des êtres vivants » ?

d. Comment peut-on représenter les liens de parenté entre plusieurs espèces ?

2 Vrai ou faux

Retrouve les propositions exactes et recopie celles qui sont fausses en les corrigeant.

a. Classer les espèces, c'est les regrouper en fonction de leur mode de vie.

b. L'Homme est un animal.

c. L'espèce humaine s'est formée peu de temps après que la vie soit apparue sur Terre.

d. Les espèces disparues n'ont pas de lien de parenté avec les espèces actuelles.

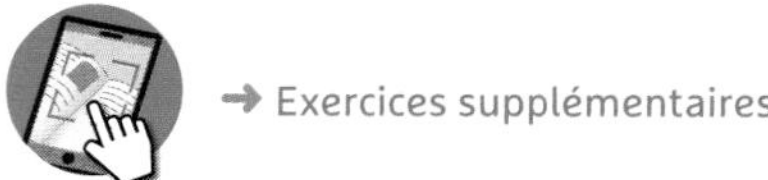
→ Exercices supplémentaires

J'utilise mes compétences

3 Extraire les informations utiles

Tous en boîte !

Quatre espèces sont classées dans les groupes emboîtés ci-contre : la pie bavarde, le crabe vert, l'être humain et la guêpe commune.

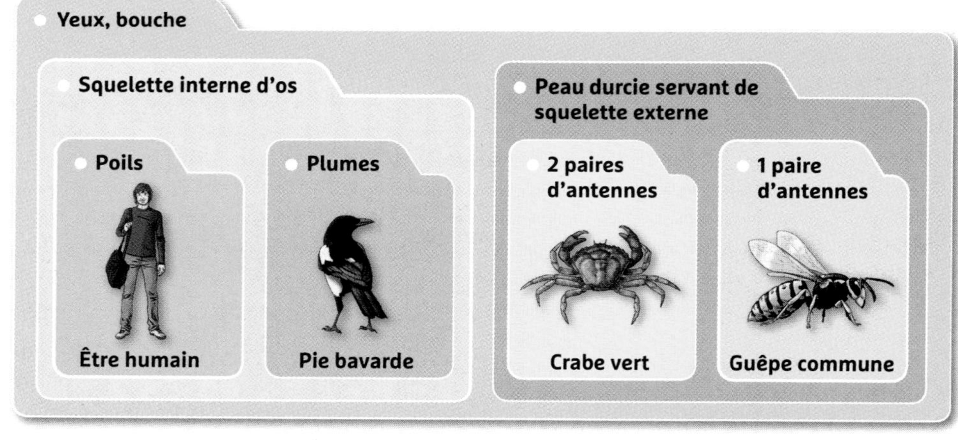

Pour chaque phrase, trouve la bonne proposition.

a. La guêpe commune et la pie bavarde ont en commun :

1. des yeux et une bouche.

2. un squelette interne d'os.

3. des plumes.

b. La guêpe commune et le crabe vert ont en commun :

1. un squelette interne d'os.

2. des yeux, une bouche et un squelette interne d'os.

3. des yeux, une bouche et une peau durcie servant de squelette externe.

c. La guêpe commune est plus proche parente :

1. de la pie bavarde que du crabe vert car ils volent tous les deux.

2. du crabe vert que de la pie bavarde car ils ont plus de points communs entre eux que la guêpe commune avec la pie bavarde.

3. de l'Homme que du crabe vert car ils vivent tous les deux sur la terre ferme.

4 Extraire des informations utiles

Je complète une classification

Le grand murin est une chauve-souris que l'on trouve partout en France, dans les bois, les grottes et parfois les caves.

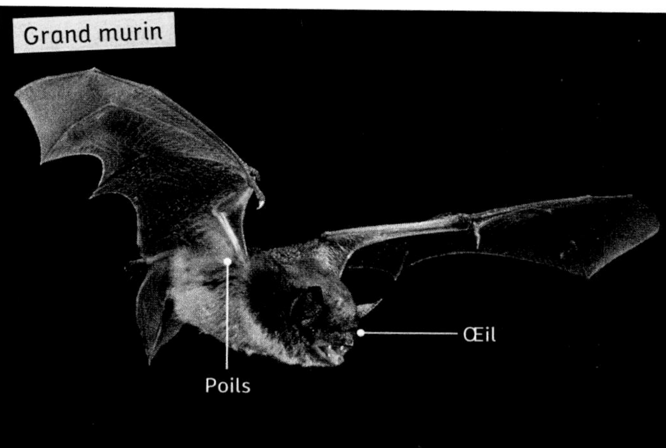

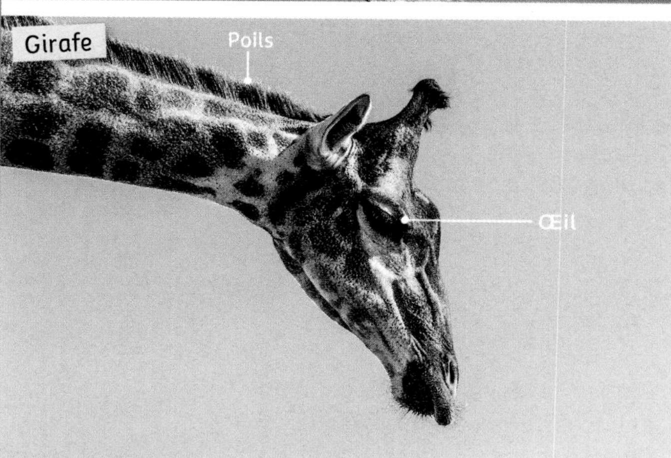

1 Les caractères définis par les scientifiques pour quatre animaux. Le moineau domestique, la girafe et le grand murin ont un squelette interne.

2 Une représentation des liens de parenté.

a. Recopie le doc. 2 et place les quatre espèces du doc. 1 dans le bon groupe.

b. Déduis-en de quelle espèce le grand murin est le plus proche parent.

5 Je combine les informations que j'ai lues

Du plus vieux au plus jeune...

Le plus vieux fossile connu de crustacé est plus ancien que le plus vieux fossile connu de Primate. Le plus vieux fossile de tortue a le même âge que le plus vieux fossile de mammifère. Le plus vieux fossile de primate est plus récent que le plus vieux fossile de mammifère. Le plus vieux fossile de tortue est plus récent que le plus vieux fossile de crustacé.

Range les quatre fossiles cités dans le texte par ordre croissant d'âge.

Exercices

6 S'exprimer à l'écrit pour argumenter

Un cimetière de mammouths

Le fossile ci-contre a été trouvé aux États-Unis. Il était accompagné de 60 autres fossiles de mammouths, tous datés de 25 000 ans. Les mammouths possédaient des poils et des mamelles. Les derniers mammouths ont disparu il y a 10 000 ans.

a. Cherche dans le document et l'énoncé deux indices qui suggèrent que le mammouth a des liens de parenté avec l'être humain.

b. Indique si des humains ont pu croiser cet animal. Justifie ta réponse.

Coup de pouce

→ Retrouve quelques caractères de l'être humain p. 102.

→ Les plus anciens êtres humains connus datent de 200 000 ans.

Fragments d'un fossile de mammouth.

7 Questionner ses observations

Le vol des ptérosaures

Les ptérosaures sont des animaux qui ont aujourd'hui disparu. Ils comportaient de nombreuses espèces. Ce sont les plus vieux animaux connus qui ont volé en battant des ailes. Les ptérosaures ne sont pourtant pas des oiseaux.

Trouve au moins un point commun et une différence entre l'aile du ptérosoaure ci-dessous et l'aile du rouge-gorge familier (voir doc. 4. p. 103).

Membrane ne comportant pas de plume

Squelette interne soutenant la membrane

Squelette du ptérosaure ptéranodon vue de profil et reconstitution de l'animal.

Accompagnement personnalisé

8 J'apprends à représenter des liens de parenté

Énoncé

La pipistrelle commune est une chauve-souris très répandue en France. Le tableau ci-dessous présente quelques caractères de quatre espèces : la pipistrelle commune, la souris domestique, le rouge-gorge familier et la mouche du vinaigre.

Question

À partir du tableau de caractères, représente les liens de parenté entre la pipistrelle commune, la souris domestique, le rouge-gorge familier et la mouche du vinaigre sous forme de groupes emboîtés.

	Souris domestique	Pipistrelle commune	Rouge-gorge familier	Mouche du vinaigre
Yeux	**présents**	**présents**	**présents**	**présents**
Squelette interne d'os	**présent**	**présent**	**présent**	**absent**
Poils	**présents**	**présents**	**absents**	**absents**

Tableau de caractères comparant quatre espèces.

Aide à la résolution

Étape 1. **Repère le caractère qui est commun à la pipistrelle commune et à une seule autre espèce. Trace alors un groupe qui contient ces deux espèces. Nomme-le avec le nom du caractère commun et places-y ces deux espèces.**

Étape 2. **Repère le caractère que ces deux espèces vivants possèdent en commun avec une seule autre espèce. Trace alors un second groupe, qui englobe le premier. Continue jusqu'à avoir représenté tous les caractères du tableau sous la forme d'un groupe**

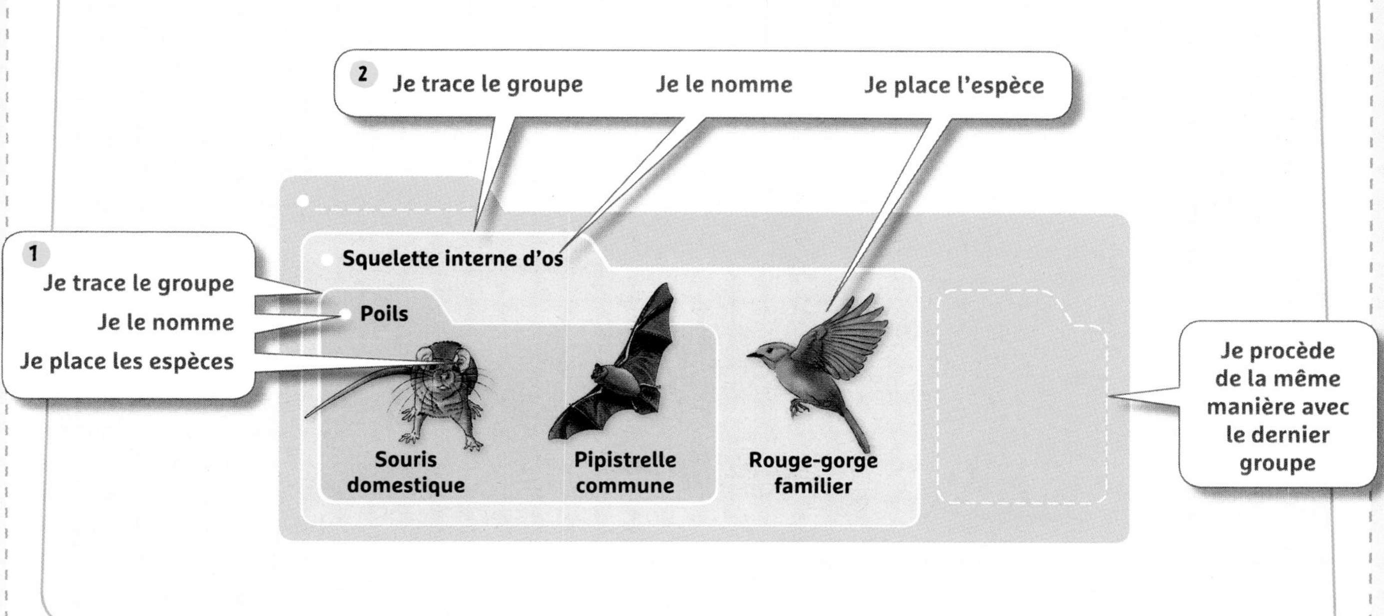

2 Je trace le groupe
Je le nomme
Je place l'espèce
1
Je trace le groupe
Je le nomme
Je place les espèces
Squelette interne d'os
Poils
Souris domestique
Pipistrelle commune
Rouge-gorge familier
Je procède de la même manière avec le dernier groupe

Chapitre 9

Pour commencer...

Un nombre

500 ... c'est le nombre moyen d'œufs que pond la femelle du ténébrion (un insecte) au cours de sa vie.

>> Comment un insecte se développe-t-il ?

Un dessin

LUI, IL AVAIT UN BONNET DE BAIN QUAND IL A ATTRAPÉ LA PUBERTÉ !
OUAF !

>> Est-ce que tout le monde attrape la puberté ?

Des photos

Avec des abeilles dans l'environnement

Si les abeilles avaient disparu

>> Comment les abeilles peuvent-elles faire varier notre petit-déjeuner ?

Le développement des êtres vivants

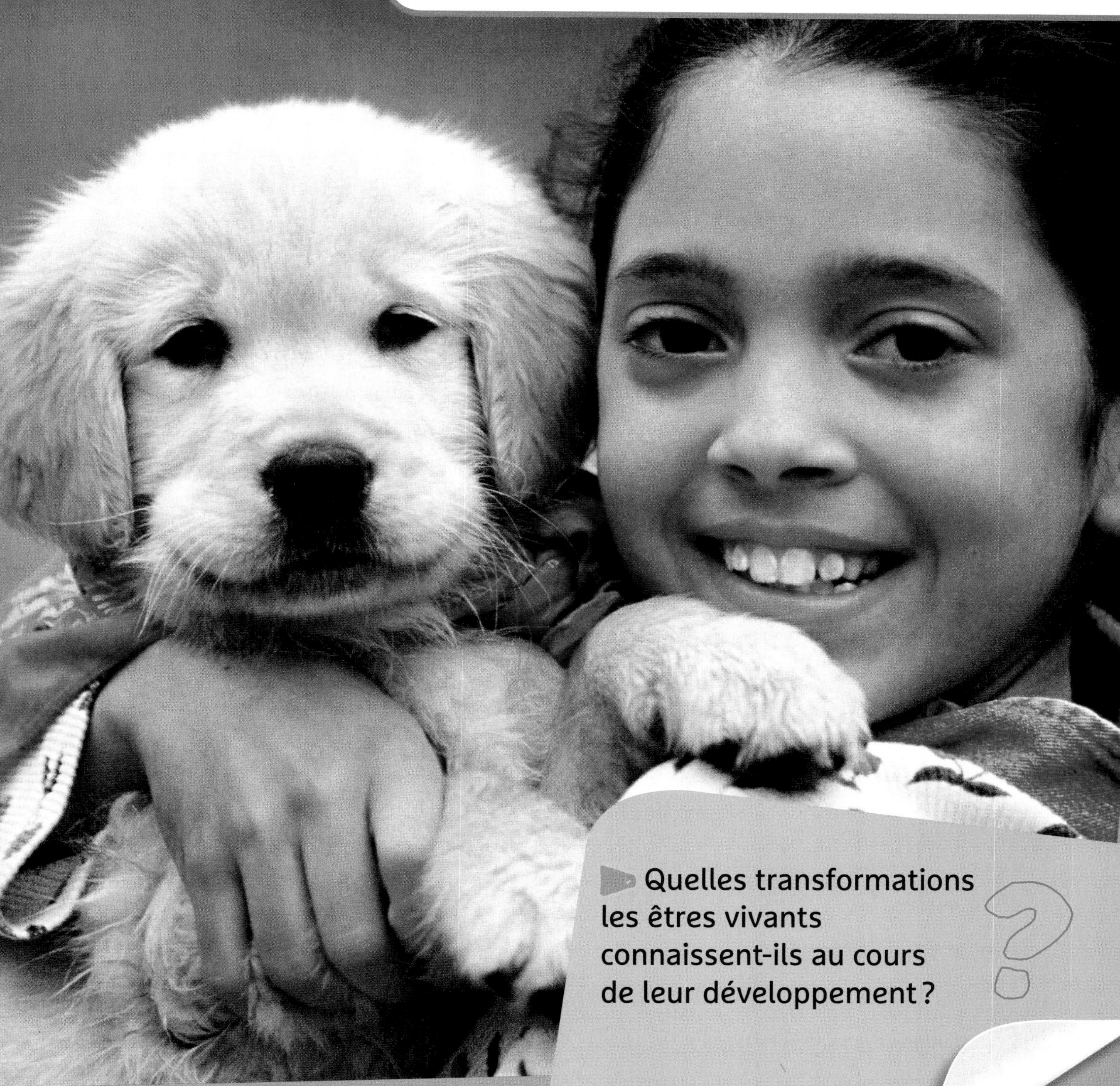

Quelles transformations les êtres vivants connaissent-ils au cours de leur développement ?

Le développement d'un insecte : le ténébrion

On compte un milliard de milliards d'insectes sur notre planète. Leur développement rapide leur permet de coloniser tous les milieux de vie.

→ Comment un insecte se développe-t-il ?

De l'œuf à la nymphe

2 Larves de ténébrion. La larve **mue** plusieurs fois pendant 10 à 15 semaines (voir doc. 5 page ci-contre).

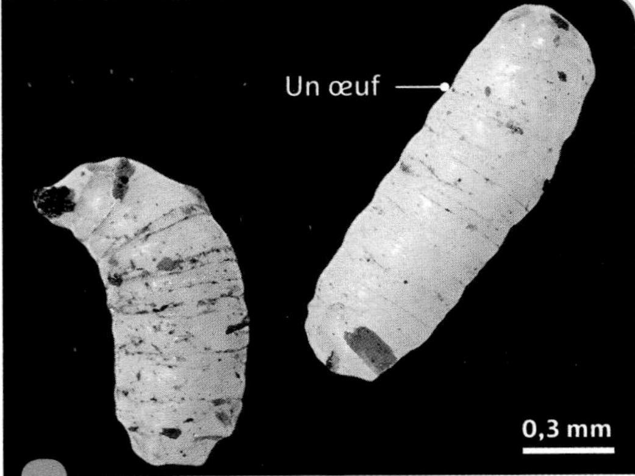

1 Œufs de ténébrion (ou « ver de farine »). Ils éclosent après 1 à 2 semaines et donnent naissance à des larves.

3 Une nymphe de ténébrion. Elle est issue de la dernière mue de la larve. Pendant 20 jours, elle reste immobile et ne se nourrit pas.

Temps après l'éclosion	1 mois	2 mois	3 mois	4 mois
Masse de 10 vers de farine (en g)	1,2	1,6	2,4	3,1
Taille (en cm)	0,7	1,2	1,8	3,0

4 Évolution de la taille et de la masse des larves de ténébrion lors d'un élevage en classe.

De la nymphe à l'adulte

- Lors de chaque mue, la larve perd sa « peau » rigide. Elle est remplacée par une peau plus souple et élastique. L'individu peut ainsi grandir et grossir juste après une mue. Au cours du temps, la peau se durcit et finit par bloquer la croissance jusqu'à la mue suivante.

- Il faut que la larve ait atteint une taille d'au moins 2,5 cm pour qu'elle se transforme en nymphe. Dans la nymphe, la larve se transforme en adulte et acquiert la capacité de se reproduire. C'est la **métamorphose**.

5 Croissance et métamorphose.

6 Jeune ténébrion. Il est issu de la nymphe. Sa carapace va se durcir et se colorer progressivement. L'adulte vit entre 1 et 6 mois.

7 L'accouplement d'un mâle et d'une femelle adultes. Il permet la rencontre des cellules reproductrices. L'union d'une **cellule reproductrice** mâle (spermatozoïde) et d'une cellule reproductrice femelle (ovule) permet la formation d'un œuf.

Vocabulaire

Cellule reproductrice (une) : cellule qui assure la reproduction d'un individu.

Métamorphose (une) : séries de transformations qui permettent le passage du stade larvaire au stade adulte.

Mue (une) : renouvellement de la peau de l'insecte.

Ta mission

1. Doc. 1, 2, 3 et 6 Indique les formes que prend le ténébrion au cours de son développement.
2. Doc. 4 Réalise deux graphiques. Le premier représente l'évolution de la taille de la larve en fonction du temps. Le second représente l'évolution de la masse de la larve en fonction du temps. Décris l'évolution de la taille et de la masse d'une larve au cours du temps.
3. Doc. 5 Explique en quoi les mues sont nécessaires à la croissance de la larve.
4. Doc. 5 et 7 Indique à quel stade le ténébrion acquiert la capacité à se reproduire.
5. Conclusion Représente sur une ligne de temps les étapes du développement du ténébrion.

Le développement d'une plante à fleurs : le pois

Compétences
- [D4] Réaliser une culture et des mesures.
- [D4] Formuler des hypothèses et les éprouver.

La plupart des arbres, des plantes alimentaires, des plantes d'appartement et de jardins sont des plantes à fleurs. Ces plantes peuplent aussi des environnements variés, des océans aux déserts.

→ Comment une plante à fleurs se développe-t-elle ?

La germination et la croissance

Réserves nutritives
Future feuille
Future racine et future tige
Embryon
2 mm

1 **Une graine de pois ouverte en deux.** La graine contient l'embryon, qui est une plante miniature. Lors de la germination, l'embryon se développe.

Feuille
Tige
Graine
Racine
0,5 cm
Jour 1 Jour 2 Jour 3 Jour 4 Jour 5 Jour 6 Jour 7 Jour 8 Jour 9

2 Le développement d'une graine de pois.

Jour	1 (graine)	2 (germination)	4	6	9	12	17
Masse (en g)	0,06	0,12	0,17	0,25	0,38	0,65	0,94
Hauteur de la tige (en cm)	0	0,2	3,7	7,5	15,5	21,2	25,4

3 Évolution de la masse et de la taille du pois après la germination lors d'une culture en classe.

De la fleur au fruit

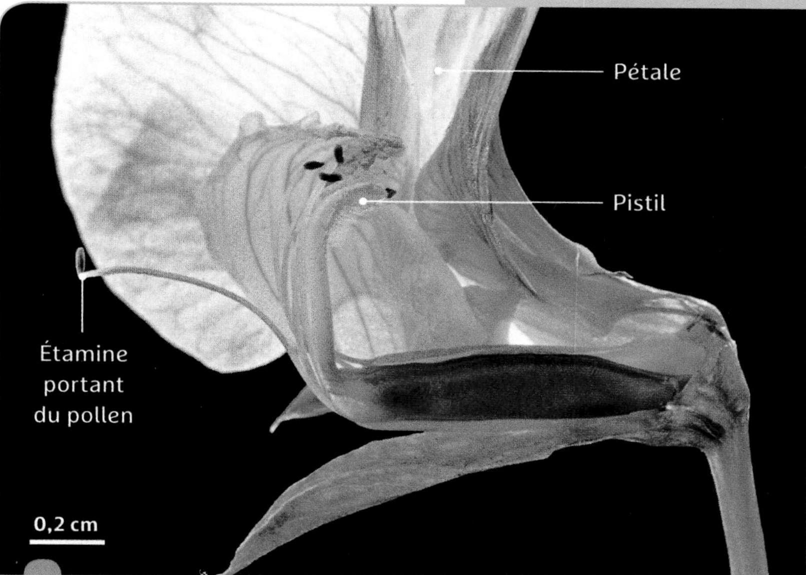

4 **Une fleur de pois vue de profil** (un pétale a été enlevé). Dans un champ, le pois fleurit environ 60 jours après la germination.

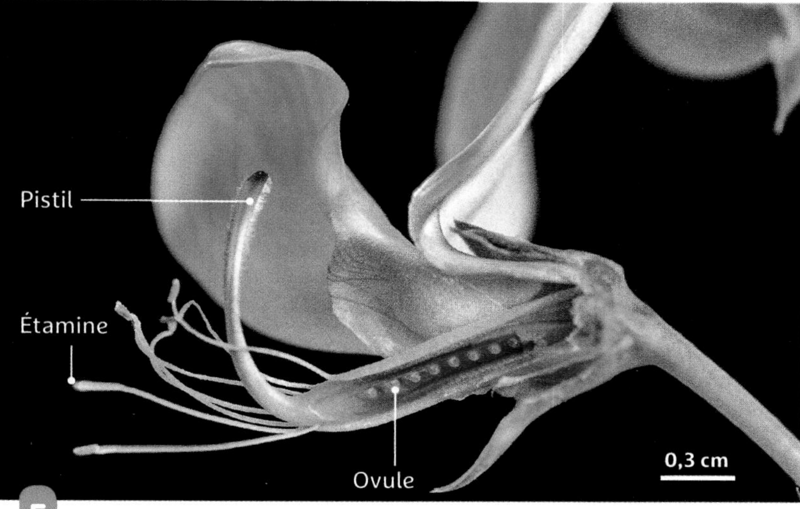

5 **Une fleur de pois vue en coupe.** Les **étamines** contiennent des grains de **pollen**. Un pétale a été enlevé.

Les fleurs du pois attirent les abeilles qui viennent les butiner. En visitant une fleur, elles se chargent involontairement de pollen. Lorsqu'elles vont visiter une autre fleur, elles déposent ce pollen sur le **pistil**. Les cellules reproductrices mâles contenues dans chaque grain de pollen rencontrent alors les cellules reproductrices femelles contenues dans les ovules : c'est la pollinisation, nécessaire à la formation des graines.

6 **La pollinisation.**

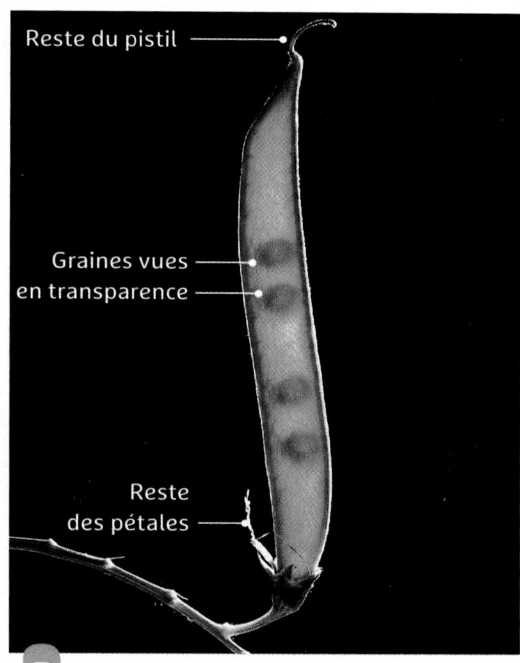

7 **Le fruit du pois.** Peu après la formation des fruits, le pois meurt. D'autres végétaux à fleurs peuvent vivre plusieurs années.

Vocabulaire

Étamine (une) : partie mâle de la fleur contenant les grains de pollen.

Pistil (un) : partie femelle de la fleur contenant les cellules reproductrices femelles (ovules).

Pollen (le) : élément contenant les cellules reproductrices mâles.

Pollinisation (la) : transport du pollen vers le pistil d'une fleur.

Ta mission

Observer et enquêter

1 Doc. 1 à 3 Résume les principales transformations qui permettent de passer d'une graine à un plant de pois.

2 Doc. 4, 5 et 7 Observe attentivement les documents, puis propose des hypothèses pour expliquer quelle partie de la fleur se transforme en graine et quelle partie de la fleur se transforme en fruit.

3 Doc. 6 Explique pourquoi les insectes sont indispensables à la formation des graines chez le pois.

4 Conclusion Résume les étapes de développement d'une plante à fleur.

Le développement d'un être humain

Compétences
- [D5] Situer dans le temps.
- [D4] Prélever et traiter l'information utile.

Parmi les 1,8 million d'espèces actuellement connues sur Terre, il y a l'espèce humaine. Au cours de sa vie, un être humain passe par plusieurs stades de développement.

→ Quelles sont les étapes du développement d'un être humain ?

De la conception à la naissance

1 **Une cellule-œuf humaine.** Elle est issue de la rencontre, dans le corps de la femme, de deux cellules reproductrices : l'ovule émis par la femme, le spermatozoïde émis par l'homme.

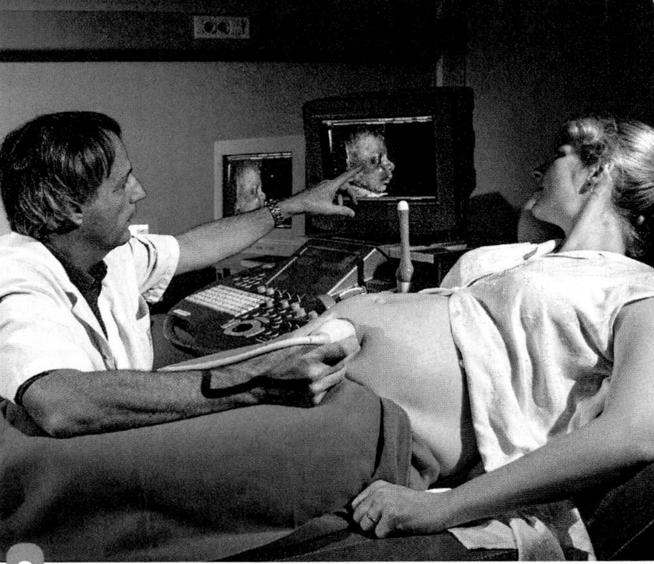

2 **Une femme enceinte passe une échographie** qui permet d'observer le **fœtus** dans son corps. On peut par exemple mesurer sa croissance et observer le bon fonctionnement de ses organes.

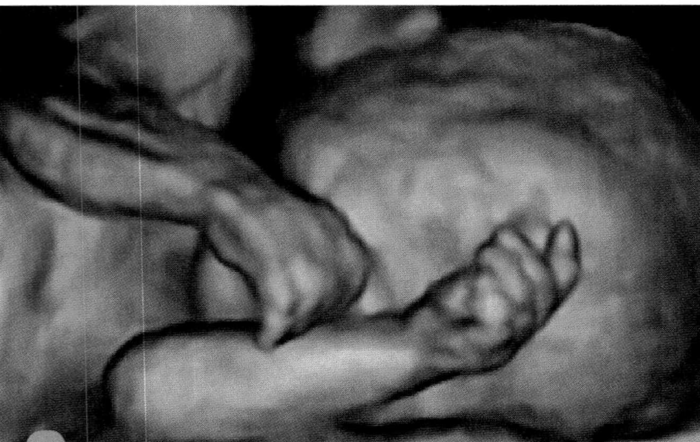

3 **Échographie 3D d'un fœtus à 5 mois de grossesse.** Le fœtus est formé de cellules provenant de la multiplication de la cellule-œuf. À 5 mois, il pèse en moyenne 500 à 600 g et mesure 25 à 30 cm.

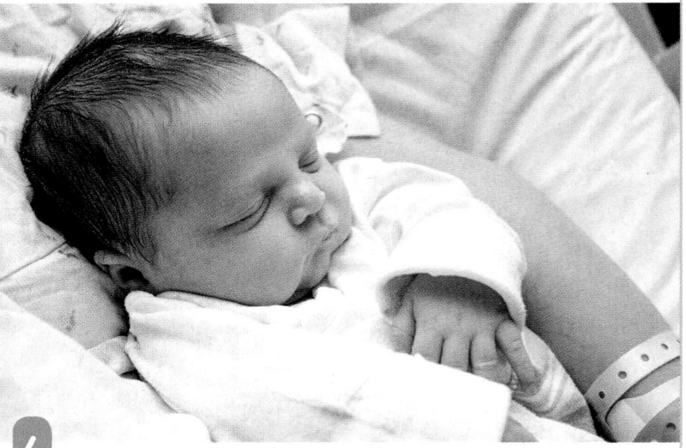

4 **Un nouveau-né.** À la naissance, tous les organes du bébé sont fonctionnels, mais il a besoin de nombreux soins parentaux. En moyenne, un nouveau-né pèse 3 kg à 3,5 kg et mesure 50 cm.

De la naissance à la mort

Entre la naissance et le début de l'âge adulte, un être humain grandit, grossit et acquiert la capacité de se reproduire : c'est la **puberté** (voir pp. 134-135). Il existe une très grande diversité de taille et de masse que ne reflètent ni les moyennes, ni les mannequins. Ainsi, en France, la taille de pantalon la plus vendue pour les femmes est le 40, alors que les mannequins font du 36, voire du 34.

5 De la naissance à l'âge adulte.

Taille et masse moyennes des adultes en France

1,63 m — 63 kg

1,75 m — 77 kg

Les collégiens et leur masse

23 % des collégiens et collégiennes qui ont une masse normale se trouvent trop gros

6 À propos de la masse...

Le vieillissement est un processus irréversible lié au temps qui passe. Il peut être observé sur le corps par exemple par l'apparition des rides, un blanchissement des cheveux, une perte de masse musculaire et une usure des articulations. Comme tout être vivant, l'être humain finit par mourir : son cœur ne bat plus ou son cerveau n'a plus d'activité.

Espérance de vie en France en 2015

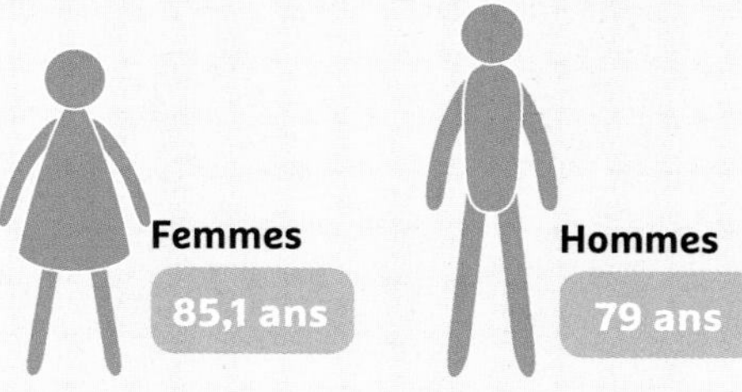

7 Vieillir puis mourir.

8 L'acteur Michel Bouquet sur scène en 2012. Il était alors âgé de 87 ans. L'évolution de l'état de santé d'une personne en fonction de son âge dépend de nombreux facteurs (mode de vie, histoire familiale, etc.).

Vocabulaire

Cellule-œuf (une) : première cellule de l'être humain. Elle est formée par la rencontre des cellules reproductrices de l'homme et de la femme.

Fœtus (un) : stade de développement de l'être humain qui succède au stade embryon et aboutit à la naissance. Il commence dès la 8e semaine de grossesse.

Ta mission

1. Doc. 1, unités 1 et 2 Trouve un point commun entre le développement d'un humain, d'un pois et d'un ténébrion.
2. Doc. 2 à 4 Montre que le bébé grandit et grossit au cours de son développement.
3. Doc. 5 et 6 De la naissance à l'âge adulte, indique les phénomènes communs à tous et ceux qui varient d'un individu à l'autre.
4. Doc. 7 et 8 Indique les signes du vieillissement et montre que tous les êtres humains ne vivent pas cette étape de la même manière.
5. Conclusion Représente, sur une ligne de temps, les étapes du développement d'un être humain de sa conception à sa mort.

Devenir un homme, devenir une femme : la puberté

Compétences
- [D1.3] Interpréter des graphiques.
- [D3] Mettre à distance préjugés et stéréotypes.

Le passage de l'enfant à l'adulte se fait au cours de la puberté. L'enfant devient alors un adolescent.

→ Comment se manifeste la puberté et quelles en sont les conséquences ?

Des transformations physiques à la puberté

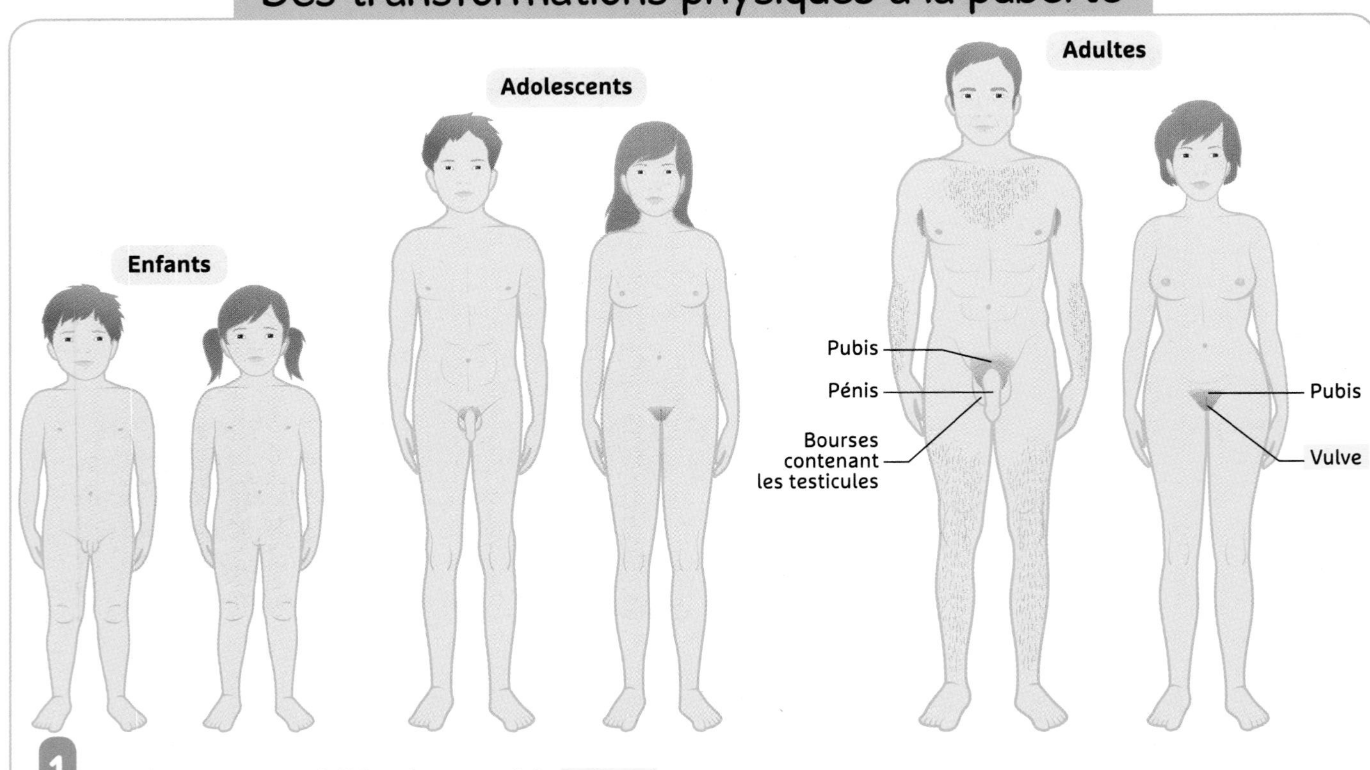

1 Des changements visibles du corps à la puberté.

2 **Footballeuse et danseur.** Les **stéréotypes** associés aux hommes et aux femmes n'ont pas de fondement biologique.

D'autres transformations liées à la puberté

3 **Scène de vie par le dessinateur Loup (1936-2015).**

- À partir de la puberté, une fille produit des cellules reproductrices (ovules). L'apparition des règles est une autre manifestation de la puberté chez la fille. Il s'agit d'écoulements de sang par la **vulve** pendant 3 à 6 jours. Ils se produisent à intervalles réguliers.
- Chez le garçon, le volume des testicules augmente lors de la puberté. Cela s'explique par le démarrage de la production des cellules reproductrices (spermatozoïdes).

4 **Le fonctionnement du corps change à la puberté.**

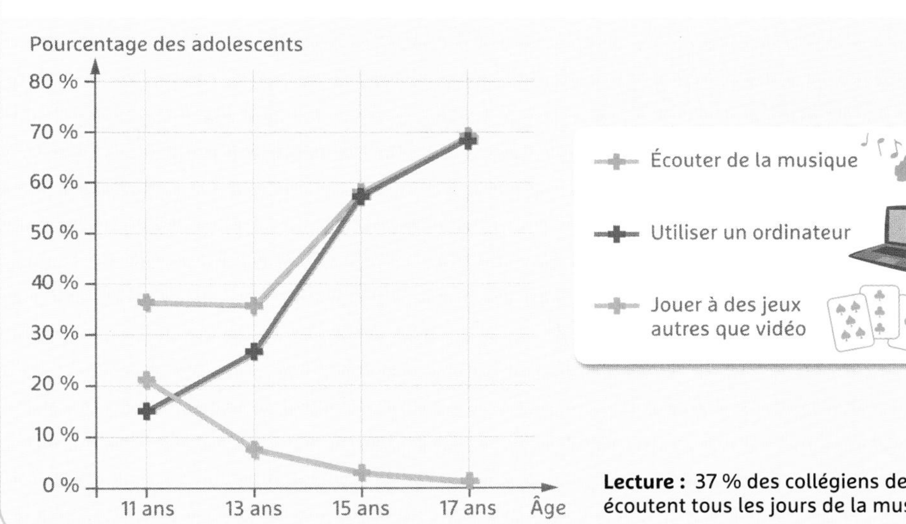

Lecture : 37 % des collégiens de 11 ans écoutent tous les jours de la musique.

5 **Évolution de quelques loisirs quotidiens entre 11 et 17 ans.** L'adolescent cherche souvent à affirmer sa personnalité dans sa famille, à l'école et avec ses amis. C'est aussi une période où les contacts avec les amis sont très importants.

Vocabulaire

Puberté (la) : période au cours de laquelle le corps et le comportement de l'individu se transforment ; l'individu devient capable de se reproduire.

Stéréotype (un) : idée toute faite, opinion commune.

Vulve (une) : ensemble des organes reproducteurs externes de la femme.

Ta mission

Préparer une affiche

1. Doc. 1 Décris les transformations visibles du corps à la puberté.
2. Doc. 2 Précise en quoi ces images vont à l'encontre des stéréotypes.
3. Doc. 4 Explique comment le garçon et la fille deviennent capables d'avoir des enfants.
4. Doc. 3 et 5 Indique les changements de comportement liés à la puberté.
5. Associe une image (photo, dessin, graphique) à chaque réponse
6. Conclus ton affiche par une phrase sur les conséquences liées à la puberté chez les filles et chez les garçons.

Bilan Le développement des êtres vivants

Je dois savoir

Unité 1 Le développement d'un insecte

- Le **développement** du ténébrion commence par l'éclosion d'un œuf. Elle donne naissance à une larve. Après une **croissance** importante, la **larve** subit la **métamorphose**. Elle se transforme en adulte capable de se reproduire.
- Lors de l'accouplement, l'union d'une **cellule reproductrice** mâle et d'une cellule reproductrice femelle donne naissance à un œuf.

Unité 2 Le développement d'une plante à fleurs

- Le développement du pois commence par la germination d'une **graine**, qui contient une plante miniature. Quand elle a atteint une certaine taille, la plante forme des **fleurs**, qui contiennent les cellules reproductrices.
- L'union d'une cellule reproductrice mâle et d'une cellule reproductrice femelle est la pollinisation. La fleur se transforme alors en **fruit** contenant des graines. Chez de nombreuses plantes, les abeilles sont nécessaires à la pollinisation.

Unités 3 et 4 Le développement d'un être humain

- La **cellule-œuf** est le premier stade de développement d'un être humain. Elle est issue de la rencontre de deux cellules reproductrices : un ovule (émis par la femme) et un spermatozoïde (émis par l'homme).
- La cellule-œuf se transforme en fœtus, qui se développe, grandit et grossit pendant 9 mois dans le corps de la femme, jusqu'à l'accouchement.
- Dès sa naissance, le bébé grandit et grossit : il devient un enfant puis un adolescent.
- À l'adolescence, le corps se transforme et l'individu devient capable d'avoir des enfants. Filles et garçons cherchent également à affirmer leur personnalité.
- La **puberté** est l'ensemble des transformations qui marquent le passage de l'enfance à l'âge adulte.

➜ L'essentiel du cours en une animation

Je suis capable de

	Pour vérifier	Si tu n'es pas sûr...
[D1.3] **Construire un schéma présentant les étapes du développement d'un être vivant**	➜ Fais la dernière question des unités 1, 2 ou 3.	➜ Fais l'exercice guidé p. 141.

Je retiens par l'image

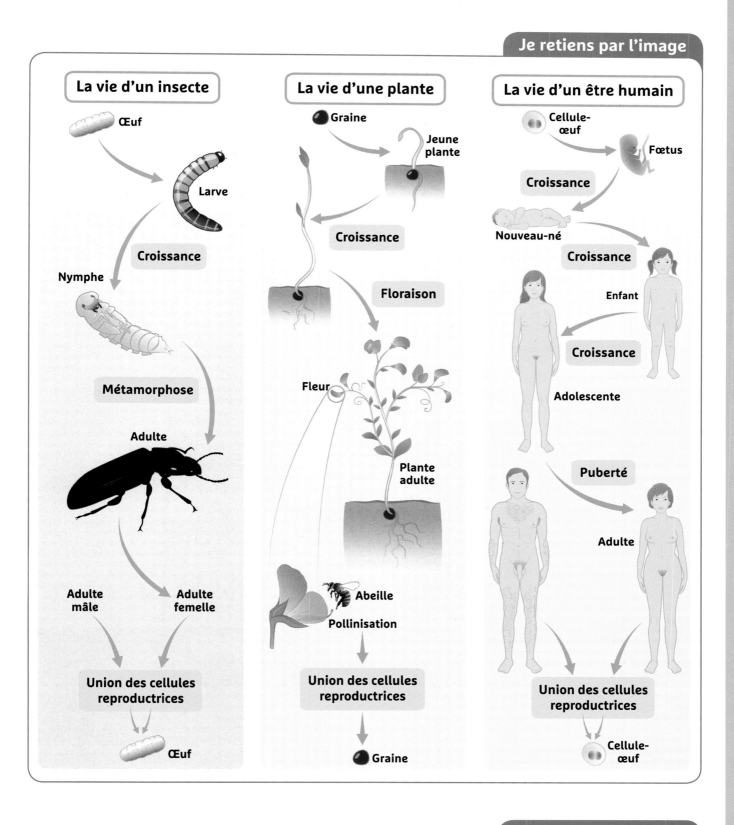

La vie d'un insecte

Œuf

Larve

Croissance

Nymphe

Métamorphose

Adulte

Adulte mâle

Adulte femelle

Union des cellules reproductrices

Œuf

La vie d'une plante

Graine

Jeune plante

Croissance

Floraison

Fleur

Plante adulte

Abeille

Pollinisation

Union des cellules reproductrices

Graine

La vie d'un être humain

Cellule-œuf

Fœtus

Croissance

Nouveau-né

Croissance

Enfant

Croissance

Adolescente

Puberté

Adulte

Union des cellules reproductrices

Cellule-œuf

Je retiens les mots-clés

- Cellule-œuf
- Croissance
- Développement
- Fleur
- Fruit
- Graine
- Larve
- Métamorphose
- Puberté

→ Pour réviser les définitions

ou Dico du manuel p. 379

Exercices

Je vérifie mes connaissances

1 Vrai ou faux ?

Retrouve les propositions exactes et recopie celles qui sont fausses en les corrigeant.

a. Le ténébrion est capable de se reproduire dès sa naissance.

b. La fleur se transforme en graine.

c. La croissance en taille d'un être humain ne se poursuit pas à l'âge adulte.

d. L'être humain est capable de se reproduire dès la métamorphose.

2 Une réponse courte

Réponds à chaque question.

a. Cite dans l'ordre chronologique les différents stades de développement du ténébrion.

b. Indique le rôle joué par les abeilles dans la transformation de la fleur en fruit chez certaines plantes.

c. Cite les principales transformations qui se produisent chez les filles et chez les garçons au cours de la puberté.

3 Une photo à légender

Trouve la légende qui va avec chaque numéro.

→ Exercices supplémentaires

J'utilise mes compétences

4 Questionner ses observations

La reproduction d'une algue

Le fucus est une algue brune fréquente en bord de mer. Ses cellules reproductrices portent le même nom que celles des hommes et des femmes.

Pour chaque phrase, trouve la bonne proposition :

a. La cellule au centre de l'image est :
1. un gros spermatozoïde de fucus.
2. un ovule de fucus.
3. un ovale de fucus.

b. Une cellule reproductrice mâle :
1. est plus petite qu'une cellule reproductrice femelle.
2. est plus grande qu'une cellule reproductrice femelle.
3. a la même taille qu'une cellule reproductrice femelle.

c. La fusion des cellules reproductrices permet :
1. la formation de nouvelles cellules reproductrices.
2. la formation d'un nouvel individu.

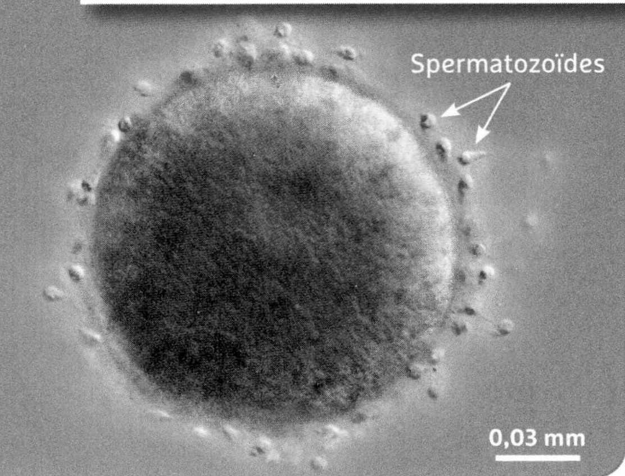

Les cellules reproductrices de fucus.

5 Questionner ses observations

Une jeunesse vieillie

◂ 1 **Déguisement…**

a. Sur le doc. 1, indique quels éléments donnent un aspect âgé à l'enfant.

b. Utilise le doc. 2 pour trouver un indice montrant que la personne photographiée est un enfant.

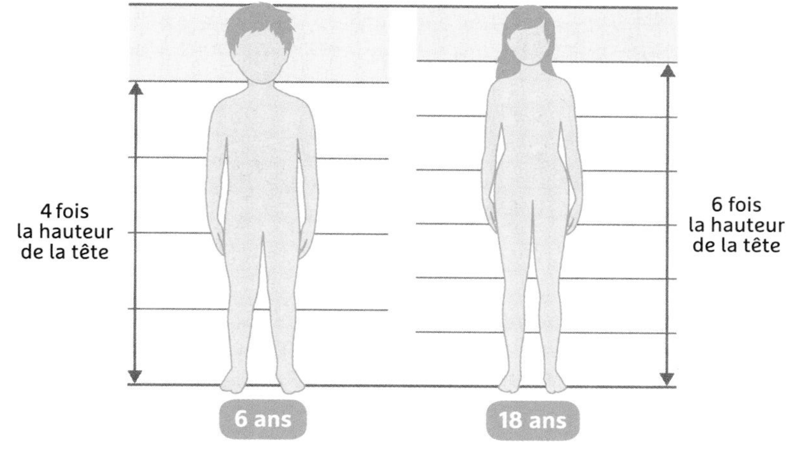

2 **Les proportions de la tête et du reste du corps enfant de 6 ans et d'un adulte.**

6 Proposer des hypothèses

Une fleur géante

L'arum titan est une plante. Sa fleur est la plus grande au monde: elle peut atteindre plus de 3 mètres de hauteur. Lorsqu'elle s'ouvre, la fleur laisse apparaître une couleur rouge vin et elle émet un parfum de viande pourrie. Lorsque les mouches d'une espèce très précise sont absentes du milieu de vie, l'arum titan ne forme jamais de graines.

a. Propose une hypothèse pour expliquer le rôle des mouches.

b. Propose une hypothèse pour expliquer la fonction de l'odeur et de la couleur de cette fleur.

Coup de pouce

→ Souviens-toi comment se forment les graines.

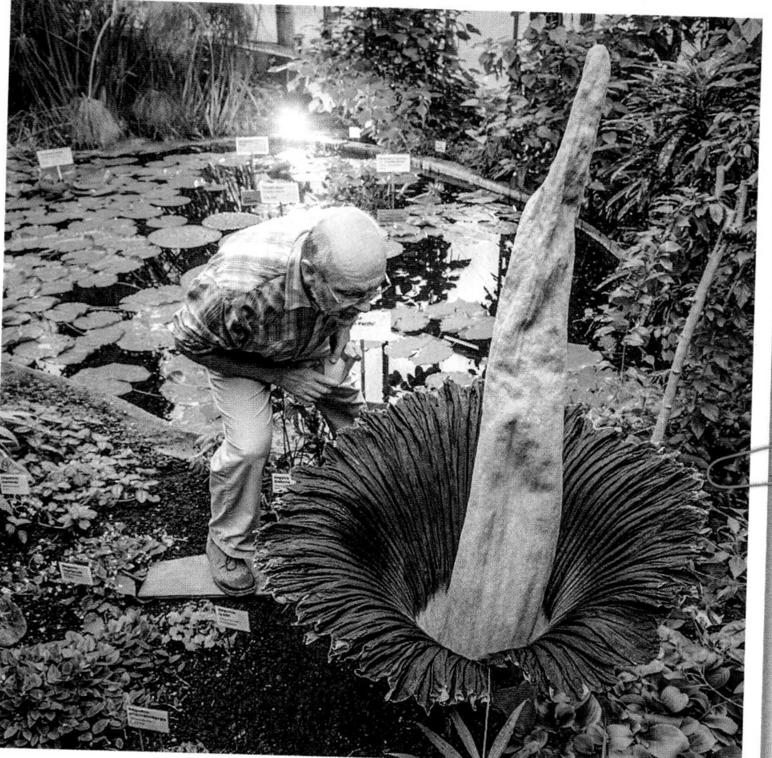

Fleur d'arum titan.

Exercices

7 Prendre conscience des enjeux environnementaux

La pêche du merlu

Le merlu est un poisson menacé par une pêche excessive : ils sont de moins en moins nombreux. En Europe, en 2008, pour 100 merlus capturés, 30 avaient une taille inférieure à 45 cm.

a. Place sur une ligne de temps les différentes étapes de la vie du merlu.

b. Indique si tous les merlus pêchés en 2008 ont eu le temps de se reproduire.

c. Déduis-en une raison pour laquelle les pêcheurs doivent rejeter à la mer les poissons trop petits.

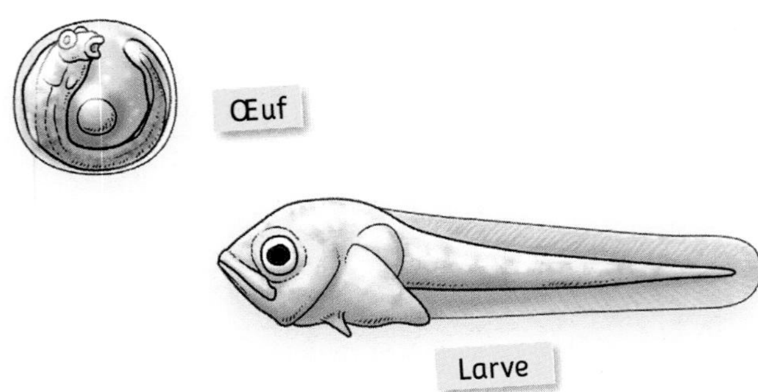

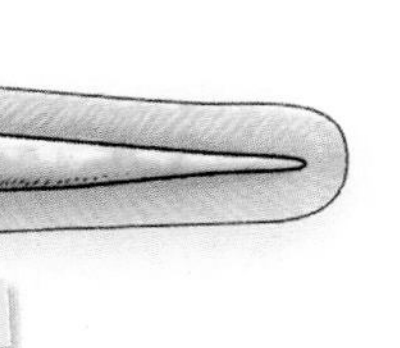

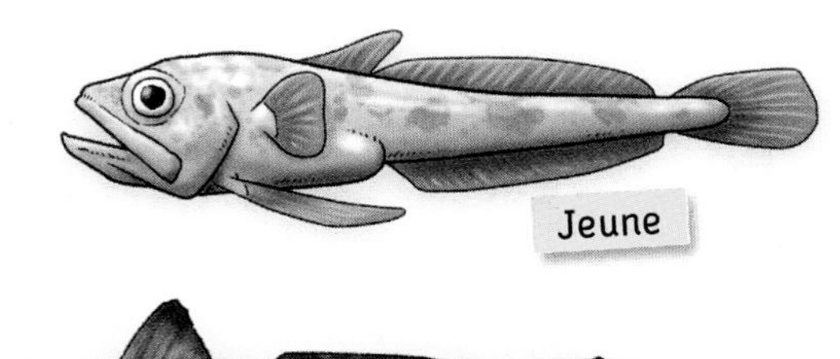

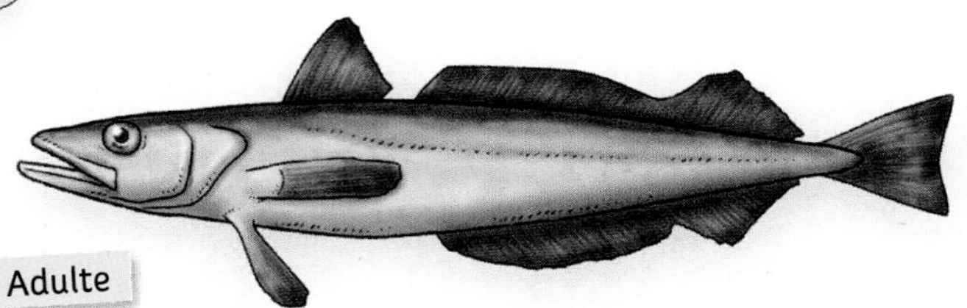

Quelques étapes de la vie d'un merlu.
L'adulte peut se reproduire quand sa longueur est supérieure à 45 cm environ.

8 Interpréter des graphiques

Des changements à la puberté

Les ovaires sont les organes qui fabriquent les cellules reproductrices chez la femme. Les testicules sont les organes qui fabriquent les cellules reproductrices chez l'homme.

a. Décris comment évoluent la masse d'un ovaire puis celle d'un testicule au cours des années.

b. Utilise tes connaissances pour expliquer les évolutions que tu as constatées.

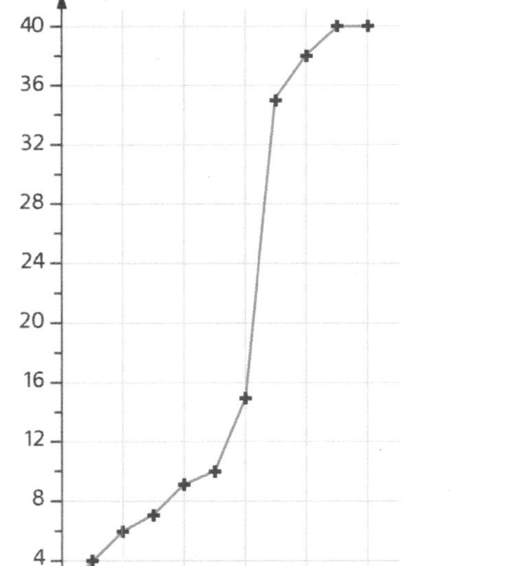

1 Évolution de la masse d'un ovaire chez une fille entre 0 et 20 ans.

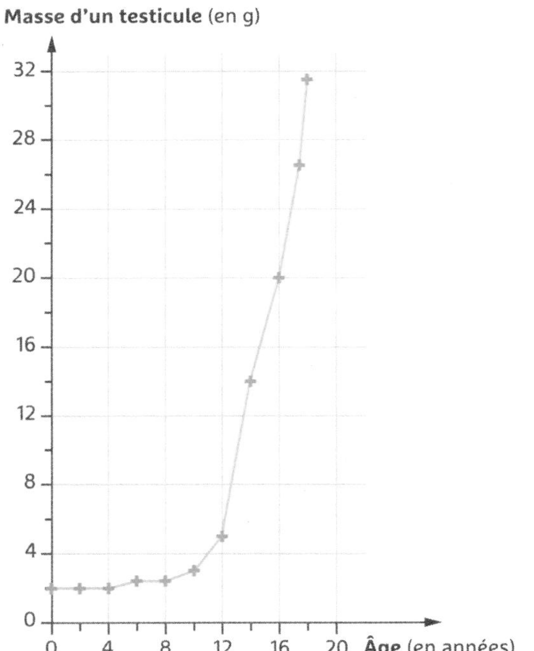

2 Évolution de la masse d'un testicule chez un garçon entre 0 et 20 ans.

Accompagnement personnalisé

9 J'apprends à construire un schéma

Énoncé

La reproduction de la grenouille rousse se déroule dans l'eau. Les œufs donnent naissance, après éclosion, à des larves appelées des têtards. Le têtard subit une métamorphose qui le transforme en juvénile. Ce dernier ressemble à l'adulte, mais il n'est pas capable de se reproduire. Le juvénile devient adulte lorsqu'il a acquis la capacité de se reproduire.

Question

Représente sur une ligne de temps les étapes du développement de la grenouille rousse.

1 Une grenouille rousse adulte.

2 Un têtard de grenouille rousse.

Aide à la résolution

Pour construire le schéma...

1. Repère dans le texte les mots correspondant aux quatre étapes du développement de la grenouille. Place-les dans l'ordre chronologique.

2. Repère dans le texte les événements associés au passage d'un stade de développement au suivant.

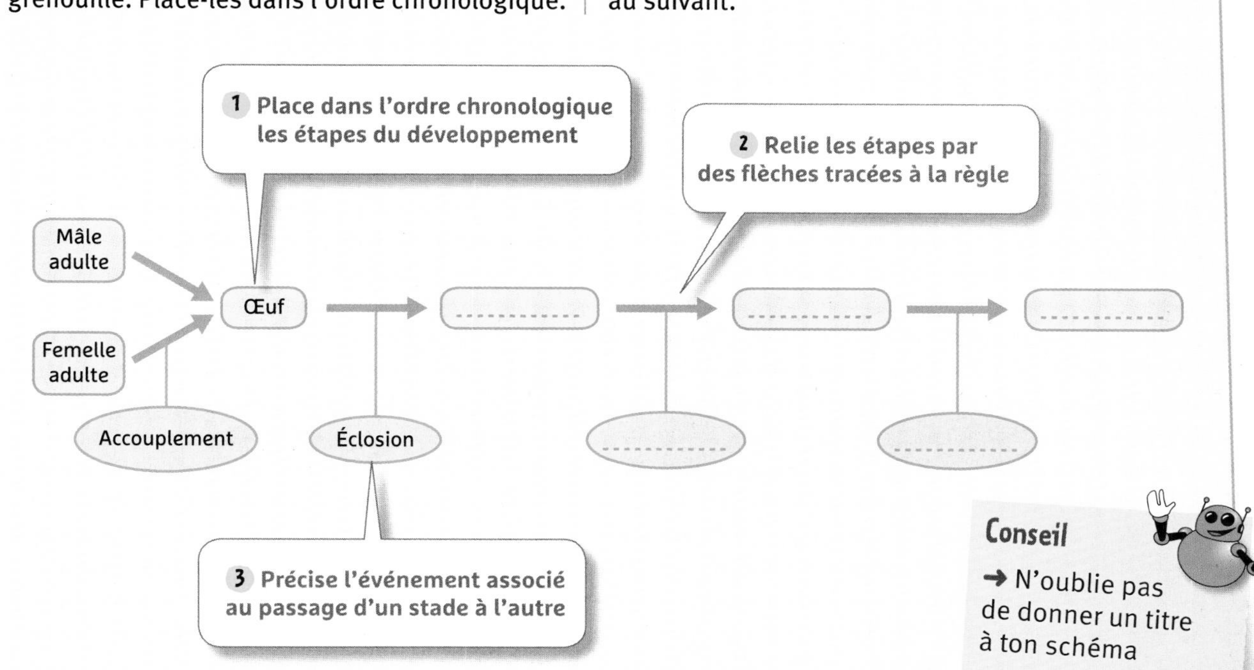

Conseil

→ N'oublie pas de donner un titre à ton schéma

Chapitre 10

Pour commencer...

Un nombre

Entre le mois d'avril et le mois d'octobre, la masse d'une marmotte est multipliée **par 2**.

>> D'où provient cette masse supplémentaire ?

Des images

Seulement 0,3 % des espèces végétales ont des animaux à leur menu.

>> Comment se nourrissent les autres plantes ?

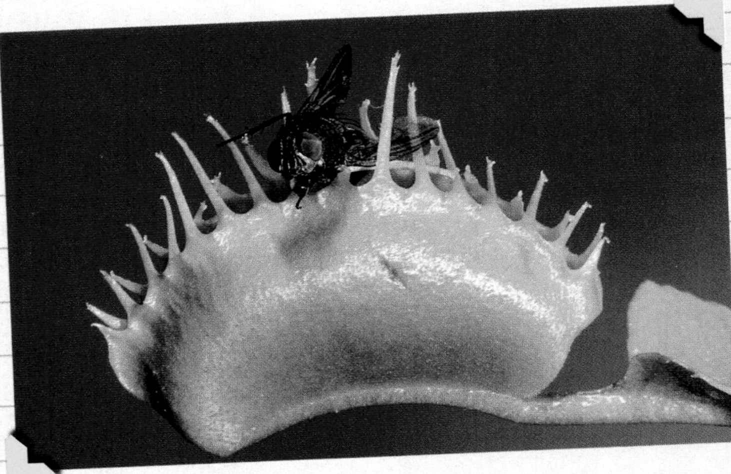

Les humains ne mangent pas la coquille des escargots.

>> Est-ce vrai aussi pour les autres prédateurs de l'escargot ?

Les besoins nutritifs des animaux et des plantes vertes

Quels sont les besoins des animaux et des plantes vertes pour grandir et se développer ?

La production de matière par les êtres vivants

Compétences
- [D1.3] Utiliser des tableaux.
- [D4] Lire, interpréter et commenter des graphiques.

Le développement d'un animal ou d'une plante s'accompagne d'une augmentation de sa taille et de sa masse.

→ Comment expliquer cette augmentation de taille et de masse ?

La croissance d'un être vivant

1 **Un phasme bâton sur une feuille.** Pour vivre, le phasme a besoin d'eau et de **matière organique** végétale.

Temps (en semaines)	1	3	5	7	9
Longueur moyenne d'un phasme (en centimètres)	2,0	3,5	5,5	7,0	8,5
Masse des 10 phasmes (en grammes)	1,7	2,9	3,6	5,0	8,2

La masse de lierre a diminué de 46 grammes pendant l'élevage des 10 phasmes.

2 **Des mesures effectuées par des élèves lors d'un élevage de phasmes.**

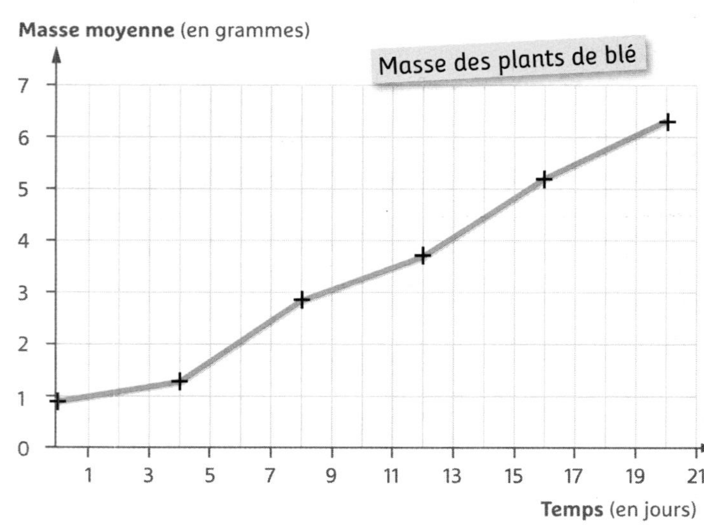

Masse de terre

Jour	1	8	15	20
Masse (en grammes)	52	52	52	52

3 **Des mesures effectuées par des élèves lors d'une culture.** Les plants de blé ont été placés en terre près d'une fenêtre puis arrosés régulièrement.

La production de matière

4 **Une marmotte.** Durant l'hiver, elle s'endort dans un terrier et ne consomme aucun aliment : c'est l'hibernation. Au retour du printemps, elle sort de son abri. À la fin de l'été, elle mange 400 grammes de nourriture par jour (de l'herbe, des écorces et des baies). Elle constitue ainsi d'importantes réserves de graisse (une **matière organique**), qui permettront le fonctionnement de son organisme durant l'hibernation suivante.

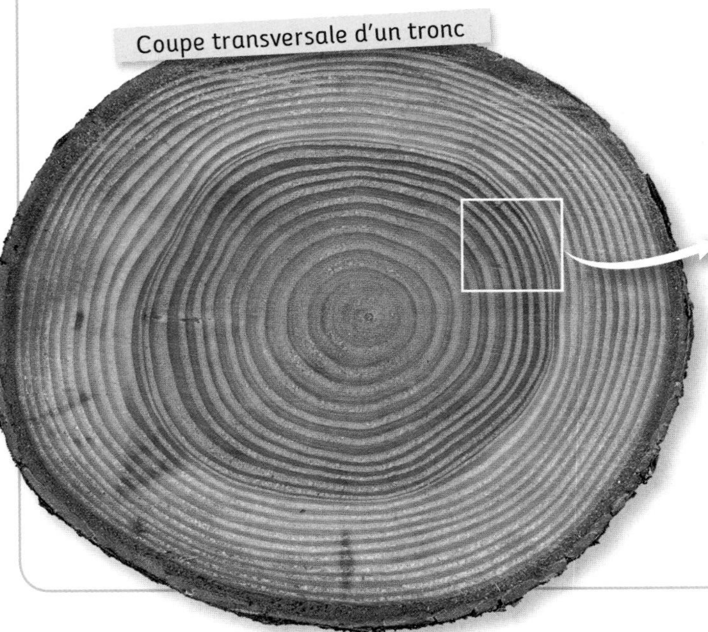

5 **Le pin de Douglas : un producteur de matière.** Le bois est essentiellement composé de cellulose, une **matière organique**. Chaque année, un cerne se forme. Il se compose d'une partie claire, appelée bois de printemps, et d'une partie plus foncée, appelée bois d'été.

Ta mission

1. **Doc. 1 et 2** Afin de mesurer la croissance des phasmes, construis des graphiques pour montrer l'évolution de leur longueur et de leur masse en fonction du temps.
2. **Doc. 1 à 3** Propose des hypothèses sur l'origine des éléments permettant la croissance du phasme et celle du blé.
3. **Doc. 4 et 5** Justifie l'expression : les êtres vivants sont des producteurs de matière.
4. **Conclusion** Montre que la croissance d'un animal ou d'une plante verte s'explique par la production de matière organique.

Vocabulaire

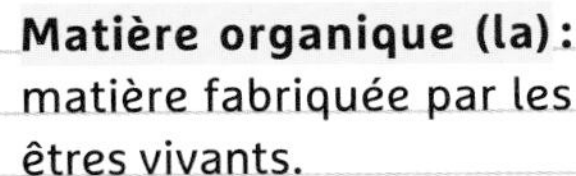

Matière organique (la) : matière fabriquée par les êtres vivants.

Les besoins nutritifs des plantes vertes

Compétences
- [D2] Anticiper et planifier des tâches.
- [D4] Proposer des expériences pour tester une hypothèse.

Comme tous les êtres vivants, les plantes vertes doivent trouver dans leur milieu de vie l'ensemble des éléments nutritifs indispensables à la production de leur matière organique.

→ Quels sont les besoins nutritifs des plantes vertes ?

L'exemple d'une culture hors-sol

1 **Une culture hors-sol à Yokosuka (Japon).**

- Dans une culture hors-sol, les plantes se développent sur un support neutre (polystyrène par exemple) et les racines baignent dans un liquide contenant des éléments nutritifs. Le plus souvent, ces cultures ont lieu sous des serres de verre permettant de mieux réguler la température.
- La culture du doc. 1 va plus loin : la lumière provient d'ampoules, les hangars de production restent fermés pour éviter aux insectes et « mauvaises » herbes de s'y introduire.
- Les cultures hors-sol nécessitent de gros investissements financiers et leur coût de fonctionnement (électricité, chauffage, etc.) est très élevé.

2 **Le principe de la culture hors-sol.**

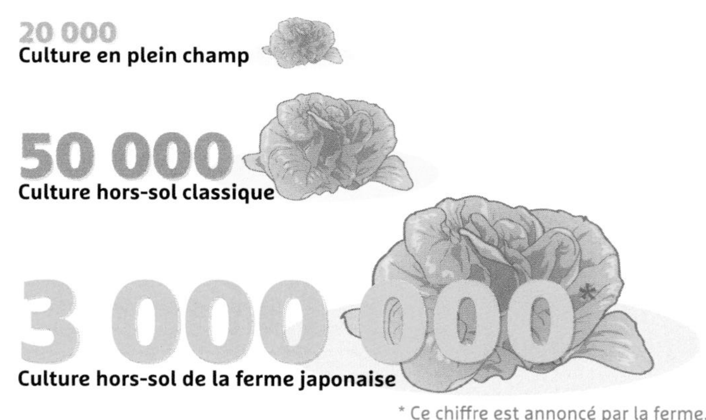

3 **Comparaison de l'efficacité de trois modes de culture.** Les chiffres indiquent le nombre de salades produites en un an sur 2000 m².

Des expériences

4 **Matériel permettant de concevoir des expériences pour déterminer les besoins nutritifs des plantes.**
La potasse absorbe le dioxyde de carbone de l'air.

Conditions de culture	Expérience témoin * Eau du robinet * Lumière * Air ambiant	1 * Eau déminéralisée * Lumière * Air ambiant	2 * Eau du robinet * Obscurité * Air ambiant	3 * Eau du robinet * Lumière * Air appauvri en dioxyde de carbone	4 * Pas d'eau * Lumière * Air ambiant
Hauteur moyenne (en cm)	20,2	13,4	15,3	16,1	5,2
Masse moyenne de 10 plants (en g)	6,4	3,6	4,2	4,4	1,8
Aspect de la culture après 20 jours					

5 **Des résultats obtenus en classe après 20 jours de culture dans différentes conditions.**
L'eau courante contient des sels minéraux, l'eau déminéralisée n'en contient pas.

Ta mission

1 Doc. 1 à 3 Que répondrais-tu à un camarade qui t'affirmerait: « Les plantes vertes se nourrissent de terre. »

2 Doc. 4 **Travail en groupe.** À l'aide du matériel proposé chaque groupe propose une expérience permettant de savoir si l'un des éléments suivants est nécessaire à la croissance des plantes: eau, sels minéraux, lumière, dioxyde carbone.

3 Doc. 6 Analyse les résultats obtenus et déduis-en les besoins nutritifs des plantes vertes.

4 Conclusion Montre que les plantes vertes sont des **producteurs primaires**.

Vocabulaire

Besoins nutritifs (des): ensemble des substances nécessaires à la croissance et au fonctionnement d'un être vivant.

Producteur primaire (un): organisme qui produit sa propre matière organique à partir de matière minérale.

Les besoins nutritifs des animaux

Compétences
- [D4] Questionner ses observations.
- [D4] Prélever, organiser et traiter l'information utile.

Comme les plantes vertes, les animaux ont besoin d'eau. Ils doivent aussi trouver dans leur milieu de vie d'autres éléments pour produire leur propre matière organique.

→ Quels sont les besoins nutritifs des animaux ?

Mener l'enquête en classe

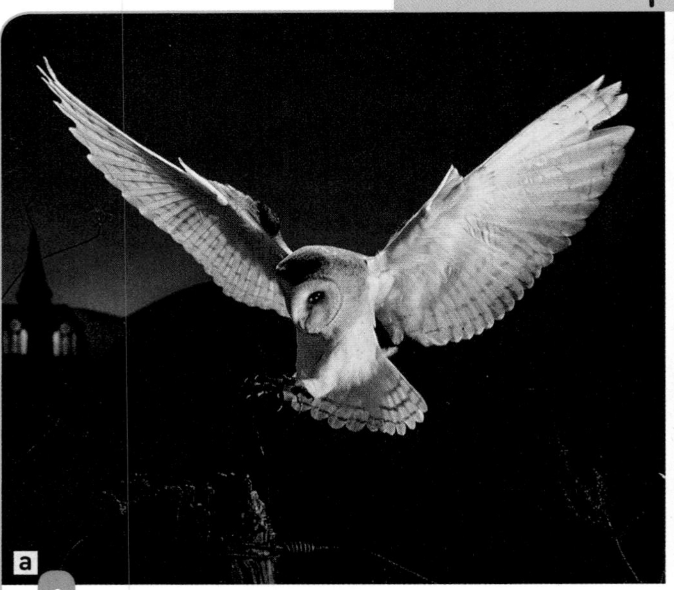

1 **Une chouette effraie en plein vol.** La chouette effraie se déplace la nuit à la recherche de nourriture **(a)**. Elle capture et avale ses proies en entier sans les mâcher. Plusieurs heures après le repas, elle rejette par le bec les parties que son estomac ne peut digérer, sous la forme de pelote de réjection **(b)**.

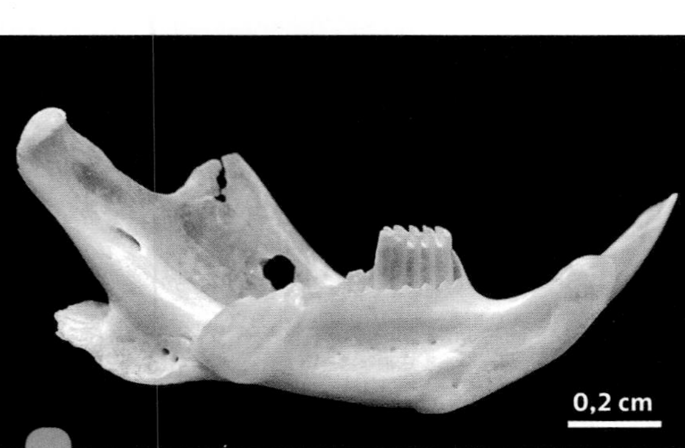

2 **Une mâchoire inférieure intacte découverte dans la pelote de réjection.**

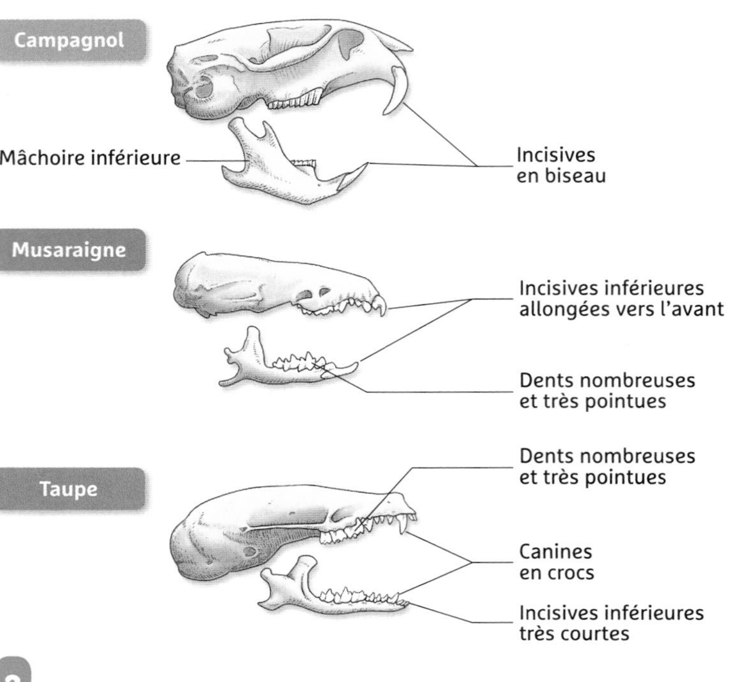

3 **Les mâchoires de petits mammifères.**

Mener l'enquête sur le terrain

4 **Des observations effectuées au cours d'une sortie en forêt.**

Ta mission — Mener l'enquête

❶ Utilise les indices présents dans les doc. 1 à 4 pour compléter les chaînes alimentaires ci-contre :

Chêne	→	Chevreuil		→ Se fait manger par
	→	Escargot	→	
	→		→	Chouette

❷ Précise la place occupée par les plantes dans ces chaînes alimentaires. Justifie alors leur appellation de producteurs primaires.

❸ Conclusion Explique les besoins nutritifs des animaux.

Vocabulaire

Chaîne alimentaire (une) : suite de relations entre des êtres vivants. Chaque être vivant mange celui qui le précède et est mangé par celui qui le suit dans la chaîne.

Bilan Les besoins nutritifs des animaux et des plantes vertes

Je dois savoir

Unité 1 La production de matière par les êtres vivants

◆ Lorsqu'une plante verte ou un animal grandit et grossit, il fabrique de la **matière organique**. Animaux et plantes vertes sont donc des **producteurs de matière**. Cette matière organique permet la construction et l'entretien de leurs différents organes.

◆ Les êtres vivants produisent leur matière organique à partir de la matière qu'ils prélèvent dans leur milieu de vie. Il y a donc des échanges de matière entre un animal ou une plante verte et son milieu de vie.

Unité 2 Les besoins nutritifs des plantes vertes

◆ Pour assurer leur développement, les plantes vertes n'ont besoin que de lumière et de **matière minérale**. Les plantes vertes sont donc des **producteurs primaires**.

◆ La matière minérale nécessaire au développement des plantes vertes est constituée par le dioxyde de carbone présent dans l'air, l'eau et les sels minéraux.

Unité 3 Les besoins nutritifs des animaux

◆ Pour assurer leur développement, les animaux ont besoin d'eau, mais aussi de matière organique. Celle-ci provient des êtres vivants dont ils se nourrissent.

◆ Les **besoins alimentaires** des animaux sont variés. Selon les espèces, ils peuvent manger des feuilles, des fruits et/ou d'autres animaux.

◆ Les êtres vivants sont reliés entre eux par des **chaînes alimentaires**. Une chaîne alimentaire est une succession d'êtres vivants. Chacun forme un élément de la chaîne qui est mangé par celui qui le suit dans cette chaîne et qui mange celui qui le précède.

◆ Les plantes vertes sont le premier élément des chaînes alimentaires.

→ L'essentiel du cours en une animation

Je suis capable de

	Pour vérifier	Si tu n'es pas sûr…
[D1.3] **Réaliser un graphique à partir d'un tableau de données**	→ Revois l'unité 1 p. 145.	→ Fais l'exercice guidé p. 155.
[D1.1] **Extraire l'information d'un texte**	→ Fais la question 2 de l'unité 2 p. 147.	→ Fais l'exercice guidé p. 375.

Je retiens par l'image

Les êtres vivants sont des producteurs de matière

Production de matière organique

Augmentation de taille et de masse

Les besoins nutritifs des êtres vivants

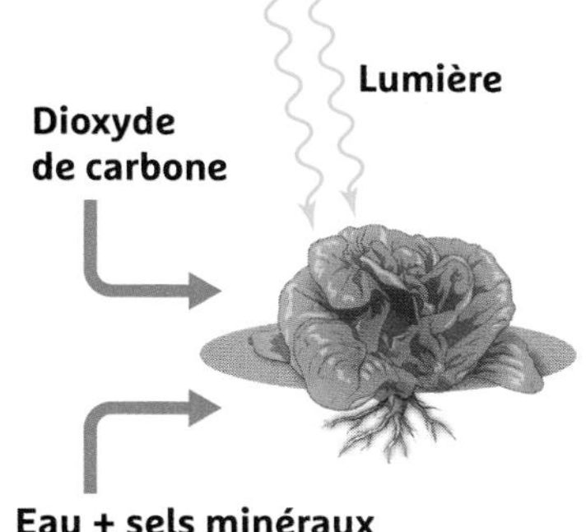

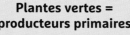

Plantes vertes = producteurs primaires

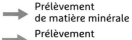

→ Prélèvement de matière minérale

→ Prélèvement de matière organique

Je retiens les mots-clés

- Besoin nutritifs
- Chaîne alimentaire
- Matière minérale
- Matière organique
- Producteur de matière
- Producteur primaire

→ Pour réviser les définitions  ou Dico du manuel p. 379

Exercices

Je vérifie mes connaissances

1 Vrai ou faux

Retrouve les propositions exactes puis recopie celles qui sont fausses après les avoir corrigées.

a. Les plantes vertes utilisent uniquement les sels minéraux et la lumière pour assurer leur développement.

b. Tous les êtres vivants produisent leur propre matière organique uniquement à partir de matière minérale.

c. On peut suivre la croissance d'un être vivant par des mesures régulières de sa taille et de sa masse.

d. Les plantes vertes n'occupent pas de place particulière dans les chaînes alimentaires.

2 Une réponse courte

Réponds en une phrase aux questions suivantes.

a. Quelle est l'origine de la matière qui compose une plante verte ?

b. Quels sont les besoins nutritifs d'un animal ?

c. Quels sont les besoins nutritifs d'un chêne ?

d. Qu'est-ce que la matière organique ?

3 Une phrase

Rédige une phrase correcte à partir des mots proposés.

a. matière organique / êtres vivants / nourriture / propre

b. animaux / croissance / matière organique / eau

c. plantes vertes / lumière / matière minérale / croissance / eau

d. chaîne alimentaire / êtres vivants / relation alimentaire

→ Exercices supplémentaires

J'utilise mes compétences

4 Interpréter une expérience

Le sucre est-il bon pour le blé ?

Des graines de blé sont mises à germer dans deux conditions différentes. Après 20 jours, les plants de blés sont pesés. Les résultats sont dans le tableau ci-contre.

Conditions de culture	• Eau courante • Lumière • Air ambiant	• Eau courante sucrée • Lumière • Air ambiant
Masse de 10 plants	6,4 g	4,1 g
Aspect de la culture après 20 jours		

Pour chaque phrase ci-dessous, trouve la bonne réponse.

a. L'hypothèse que l'on peut tester avec ces deux expériences est :
1. Les plantes vertes ont besoin d'eau pour se développer.
2. Les plantes vertes ont besoin de sucre pour se développer.

b. La conclusion de ces expériences est :
1. Les plantes vertes ont besoin de sucre pour se développer.
2. Les plantes vertes n'ont pas besoin de sucre pour se développer.
3. Les plantes vertes ont besoin d'eau pour se développer.

5 Proposer des hypothèses

Des végétaux (ou pas) dans un milieu de vie

1 Des peintures âgées de 30 000 ans dans la grotte Chauvet. Dans cette grotte, on ne trouve aucune plante verte, ni au sol, ni sur les parois.

2 Un terrain de golf au milieu du désert aux États-Unis.

a. Propose au moins une raison qui explique l'absence de plantes vertes dans la grotte Chauvet.

b. Propose au moins une raison qui explique la présence de pelouses à cet endroit du désert.

6 Construire un graphique

La croissance des truites

Des scientifiques ont mesuré la croissance de trois lots de truites élevées dans des eaux à différentes températures. Les résultats figurent dans le tableau ci-dessous. Chaque lot a reçu une alimentation identique.

1 Une truite.

	Masse (en g) d'une truite dans une eau à 8 °C	Masse (en g) d'une truite dans une eau à 15 °C	Masse (en g) d'une truite dans une eau à 18 °C
8 semaines	6	6	6
16 semaines	22	25	25
32 semaines	100	205	195
48 semaines	300	650	600

2 Évolution de la masse de la truite en fonction du temps dans des eaux à différentes températures.

Coup de pouce

→ Échelle conseillée : 1 cm pour 50 g et 2 cm pour 8 semaines.

→ Besoin d'aide pour tracer les courbes ? Réalise l'exercice p. 155.

a. Sur le même graphique, trace les trois courbes montrant l'évolution de la masse d'une truite en fonction du temps dans une eau à 8 °C, à 15 °C et à 18 °C.

b. Utilise ton graphique pour montrer que la production de matière par la truite ne dépend pas seulement de son alimentation.

Exercices

7 Calculer

Un arbre à bouchons

Les bouchons en liège sont fabriqués à partir de l'écorce produite par le chêne-liège. Quand l'arbre est âgé de 30 ans, on retire son écorce, mais elle n'est pas encore exploitable. Il faut attendre 9 ans de plus pour que l'arbre produise une écorce permettant de fabriquer des bouchons. On la prélève alors. L'opération se répète tous les 10 ans, le temps que l'arbre renouvelle son écorce. Un arbre peut supporter jusqu'à 12 prélèvements d'écorce pendant sa durée de vie.

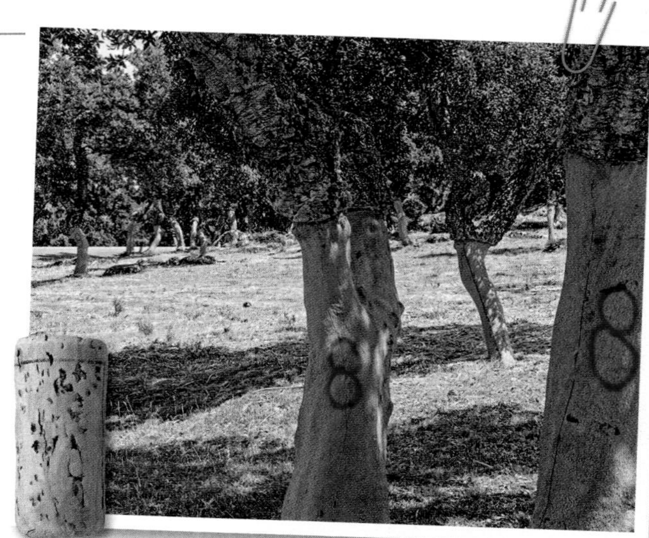

Chêne-liège dont l'écorce a été retirée et bouchon en liège.

a. Repère dans l'énoncé les informations indiquant que le chêne-liège produit de la matière.

b. Au bout de combien d'années un chêne-liège peut-il produire le liège nécessaire à la fabrication des bouchons ?

c. Calcule combien de temps peut vivre un chêne-liège.

8 Réaliser des schémas

Des chaînes alimentaires

À partir des données ci-dessous, construis deux chaînes alimentaires partant du pommier.

L'animal	Son menu
Chenille du paon du jour	Feuille du pommier
Guèpe	Nectar de fleur de pommier
Rouge-gorge	Guèpe, Chenille, Pomme
Mésange charbonière	Guèpe, Chenille
Chat sauvage	Mésange, Rouge-gorge

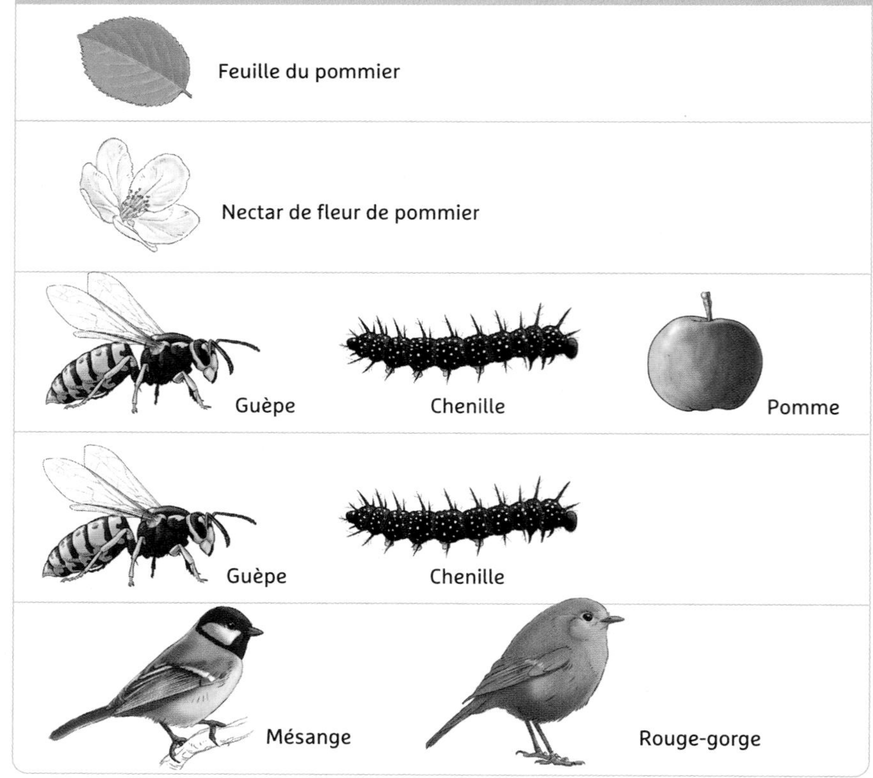

Quelques animaux et les aliments à leur menu.

Accompagnement personnalisé

9 J'apprends à… construire un graphique à partir d'un tableau

Énoncé

Pour vérifier que la croissance d'un animal se déroule normalement, on réalise des mesures régulières de sa taille et de sa masse. Les résultats obtenus pour un chien de la race Saint-Bernard figurent dans le tableau ci-contre.

Questions

a. Construis un graphique qui montre l'évolution de la masse d'un Saint-Bernard en fonction de son âge.

b. Trouve l'intérêt de choisir un graphique comme mode de communication des résultats.

Âge du chiot (en mois)	**Masse du chiot** (en kg)
0	0,8
1	14,0
2	20,0
3	26,5
4	33,0
5	37,5
6	43,0
7	48,5
8	53,0
9	56,5
10	60,5

Aide à la résolution

Pour construire un graphique, tu dois…

- **Déterminer** les grandeurs que tu reporteras sur l'axe des abscisses.
- **Déterminer** les grandeurs que tu reporteras sur l'axe des ordonnées.
- **Choisir** la bonne échelle pour chacun des deux axes.
- **Placer** chaque point comme indiqué ci-dessous.

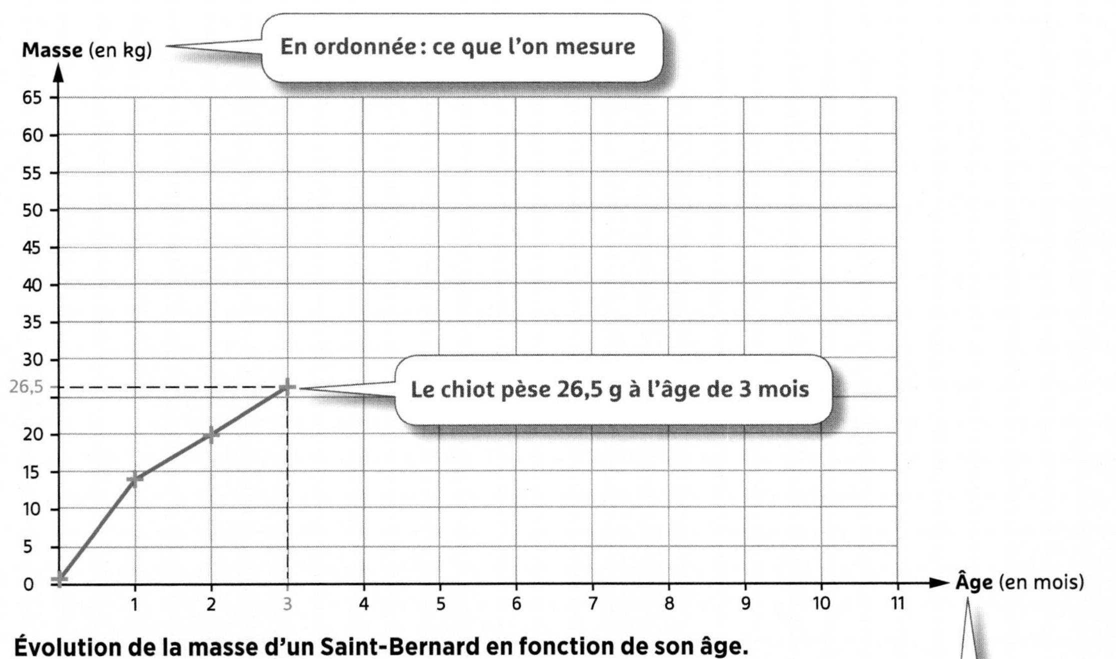

Évolution de la masse d'un Saint-Bernard en fonction de son âge.

Chapitre 11

Pour commencer...

Des images

La nourriture consommée en une semaine par une famille française.

>> Pourquoi se nourrir d'une si grande variété d'aliments ?

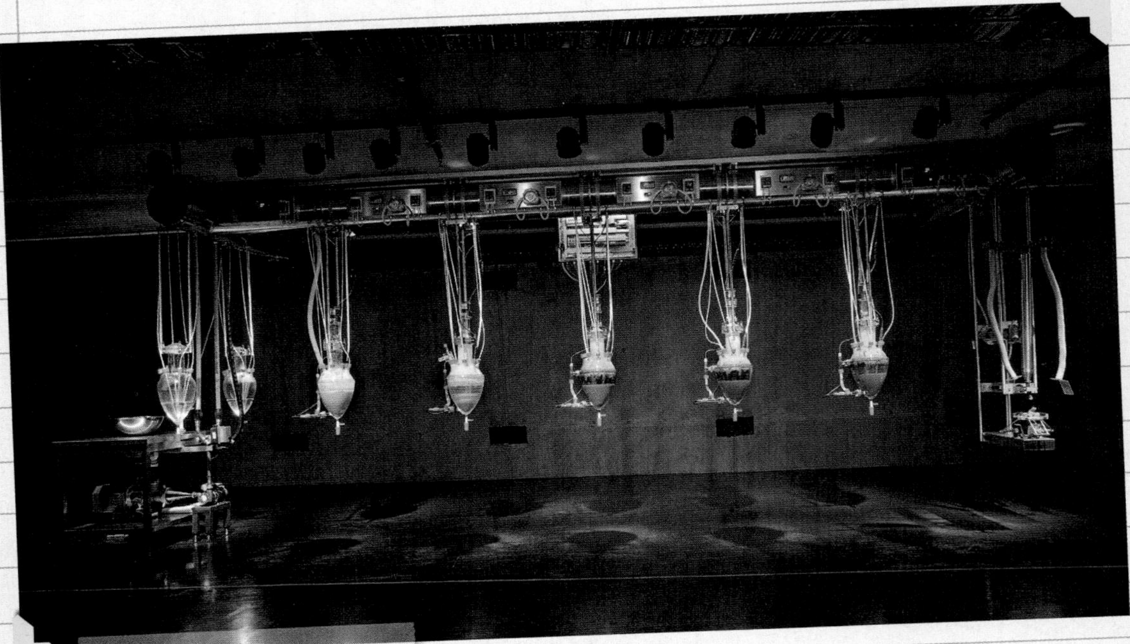

Cloaca Professional (2010), une œuvre de l'artiste belge Wim Delvoye. On y introduit des aliments et la machine les transforme en crottes.

>> Dans notre corps, que deviennent les aliments que nous mangeons ?

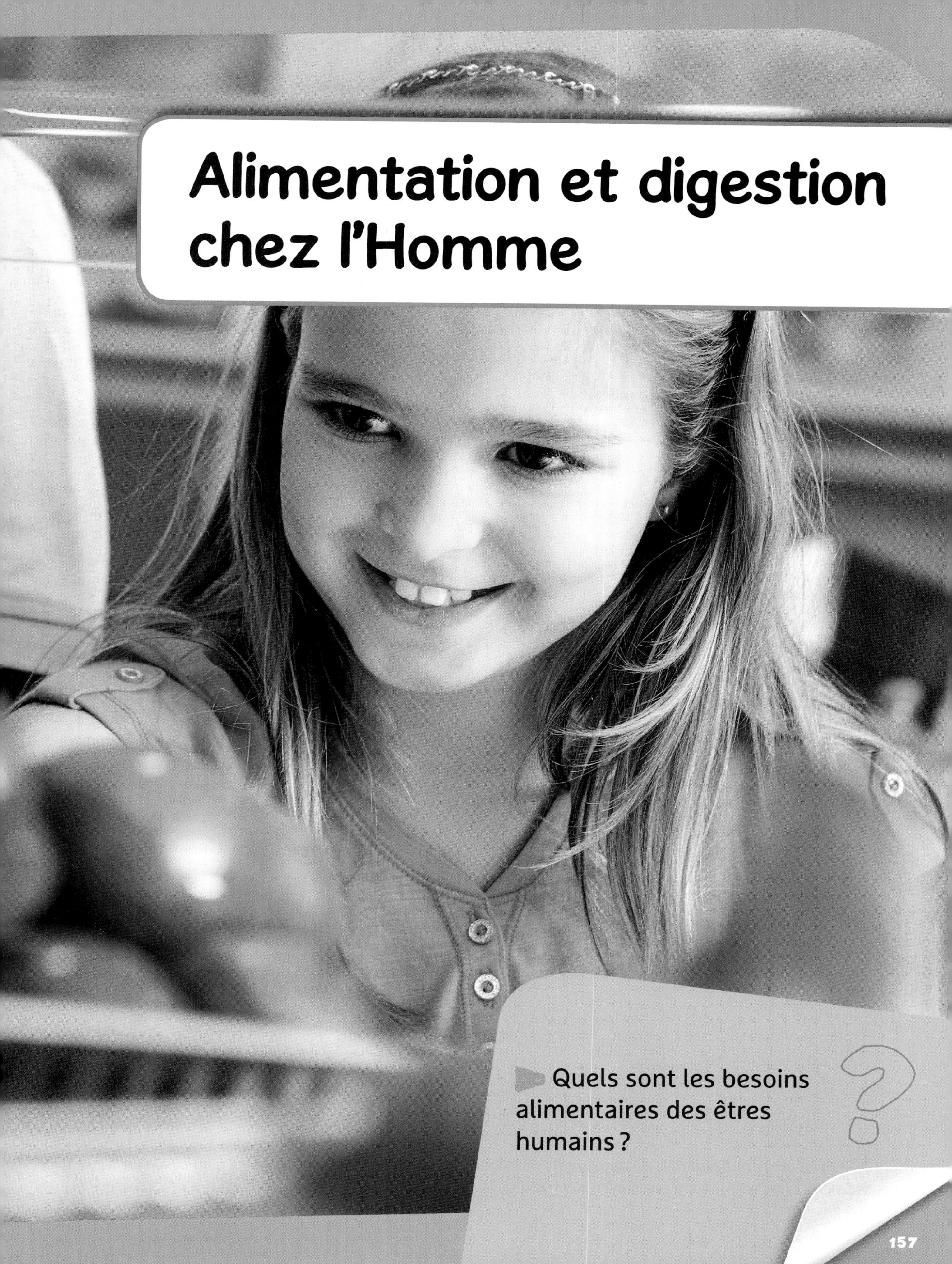

Alimentation et digestion chez l'Homme

Quels sont les besoins alimentaires des êtres humains ?

Unité
1

Les besoins alimentaires de différents individus

Compétences
- [D4] Prélever et traiter l'information utile.
- [D4] Être conscient de l'influence des pratiques alimentaires sur la santé.

La journée d'un collégien comprend de nombreuses activités : les cours, les récréations, les repas, parfois des activités sportives, les devoirs à la maison...

→ Comment les aliments répondent-ils à nos besoins ?

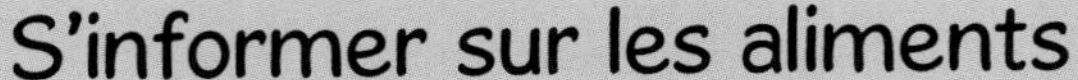

S'informer sur les aliments

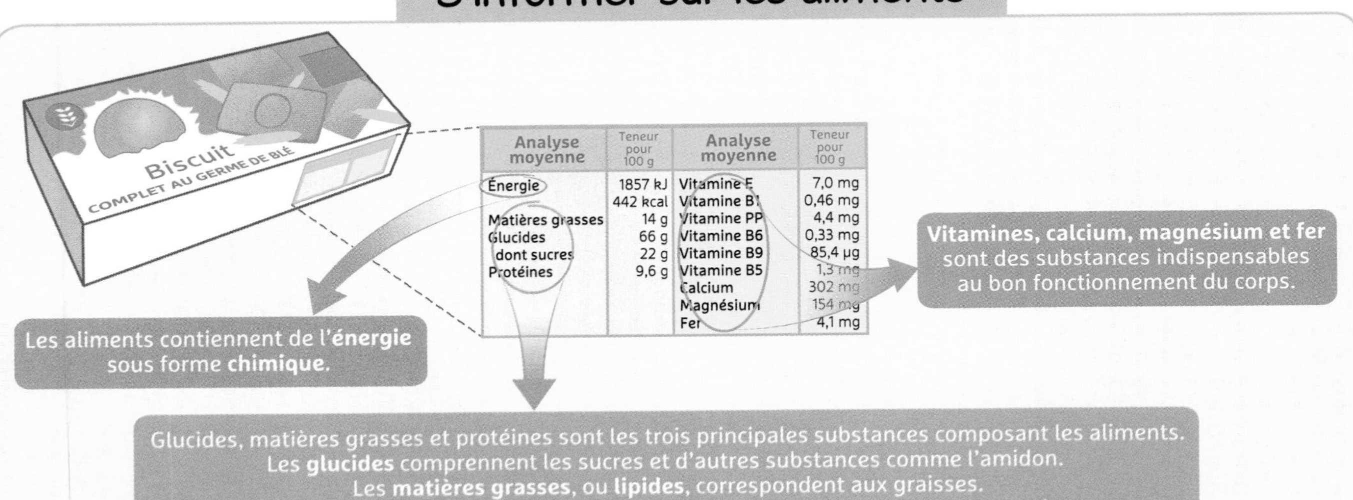
Biscuit
COMPLET AU GERME DE BLÉ
Les aliments contiennent de l'**énergie** sous forme **chimique**.
Vitamines, calcium, magnésium et fer sont des substances indispensables au bon fonctionnement du corps.
Glucides, matières grasses et protéines sont les trois principales substances composant les aliments.
Les **glucides** comprennent les sucres et d'autres substances comme l'amidon.
Les **matières grasses**, ou **lipides**, correspondent aux graisses.
Consommées en excès, les sucres et les graisses sont mauvais pour la santé.
Les **protéines** sont des substances indispensables à la construction de l'organisme.

Analyse moyenne	Teneur pour 100 g	Analyse moyenne	Teneur pour 100 g
Énergie	1857 kJ 442 kcal	Vitamine E	7,0 mg
		Vitamine B1	0,46 mg
Matières grasses	14 g	Vitamine PP	4,4 mg
Glucides	66 g	Vitamine B6	0,33 mg
dont sucres	22 g	Vitamine B9	85,4 µg
Protéines	9,6 g	Vitamine B5	1,3 mg
		Calcium	302 mg
		Magnésium	154 mg
		Fer	4,1 mg

1 **Des données nutritionnelles sur un paquet de biscuits.** L'alimentation doit apporter à un individu suffisamment d'**énergie**, d'eau ainsi qu'une quantité équilibrée de glucides, lipides, protéines, vitamines et sels minéraux.

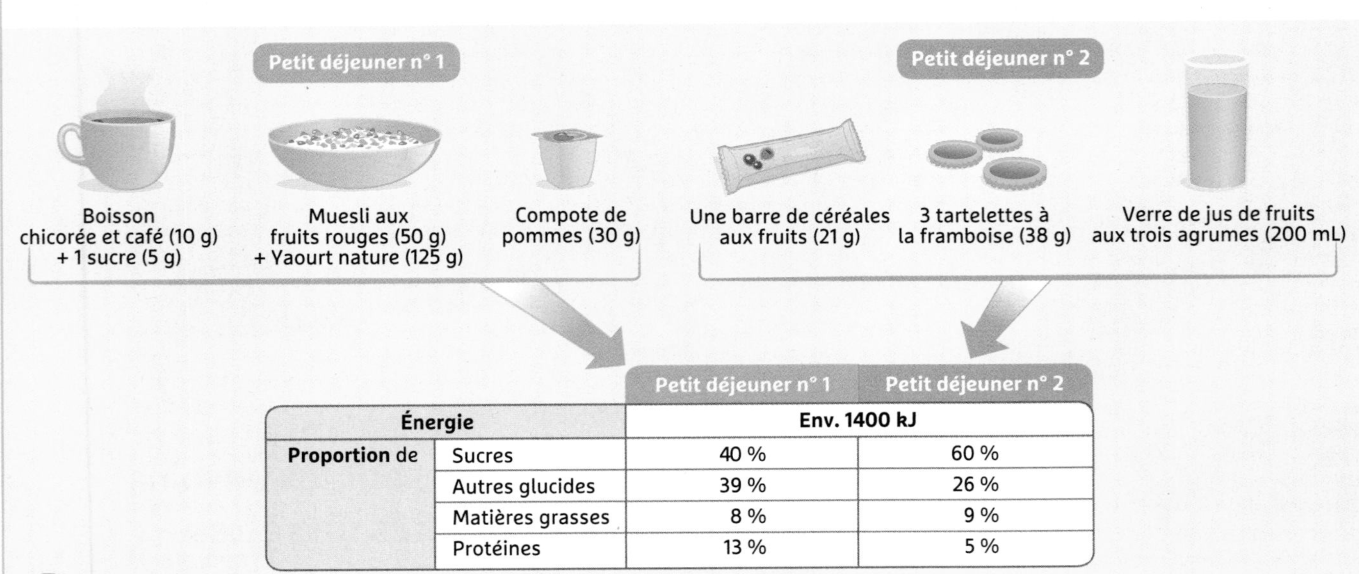
Petit déjeuner n° 1
Boisson chicorée et café (10 g) + 1 sucre (5 g)
Muesli aux fruits rouges (50 g) + Yaourt nature (125 g)
Compote de pommes (30 g)
Petit déjeuner n° 2
Une barre de céréales aux fruits (21 g)
3 tartelettes à la framboise (38 g)
Verre de jus de fruits aux trois agrumes (200 mL)

		Petit déjeuner n° 1	Petit déjeuner n° 2
Énergie		Env. 1400 kJ	
Proportion de	Sucres	40 %	60 %
	Autres glucides	39 %	26 %
	Matières grasses	8 %	9 %
	Protéines	13 %	5 %

2 **Les apports nutritionnels de deux petits déjeuners différents.** Tous deux apportent à un collégien sédentaire (qui ne pratique pas d'activité physique) la quantité d'énergie recommandée par les nutritionnistes.

Comparer des besoins alimentaires

3 Des élèves en cours d'EPS.

4 **Fillette et adolescente.** Entre 8 ans et 16 ans, une fille voit sa masse augmenter en moyenne de 28 kg et un garçon de 33 kg.

Besoins énergétiques (en kJ/jour)

	Besoins énergétiques (en kJ/jour)
♀ Femme sédentaire (30-40 ans)	8 400
♀ Adolescente sédentaire (16-19 ans)	9 800
♀ Adolescente pratiquant 1 heure/jour d'activité sportive	10 800
♂ Homme sédentaire (30-40 ans)	9 200
♂ Adolescent sédentaire (16-19 ans)	10 400
♂ Adolescent pratiquant 1 heure/jour d'activité sportive	12 800

5 Les besoins énergétiques journaliers chez différents individus.

Ta mission

1 Doc. 1 Montre que les aliments sont source de matière et d'énergie pour notre organisme.

2 Doc. 1 et 2 Afin de choisir ton petit déjeuner, réalise une comparaison des deux petits déjeuners présentés. Indique alors celui qui te paraît le meilleur pour la santé.

3 Doc. 3 à 5 Montre que les besoins alimentaires varient en fonction de l'âge et de l'activité physique. Propose des hypothèses pour expliquer ces observations.

4 Conclusion Explique pour quelles raisons nous avons des besoins alimentaires différents.

Vocabulaire

Énergie (une) : elle permet d'accomplir des actions (bouger, se réchauffer, etc.). Son unité est le kilojoule (kJ) ou la kilocalorie (kcal). 1 kcal = 4,18 kJ.

Le devenir des aliments dans l'organisme

Compétences
- [D1.1] S'exprimer à l'écrit pour expliquer.
- [D4] Comprendre que la santé repose sur le fonctionnement de différents organes.

Nous passons près de deux heures par jour à nous alimenter. Le reste du temps, nous n'absorbons quasiment pas de nourriture.

→ **Que deviennent les aliments dans notre corps, pendant les repas et entre les repas ?**

La digestion des aliments

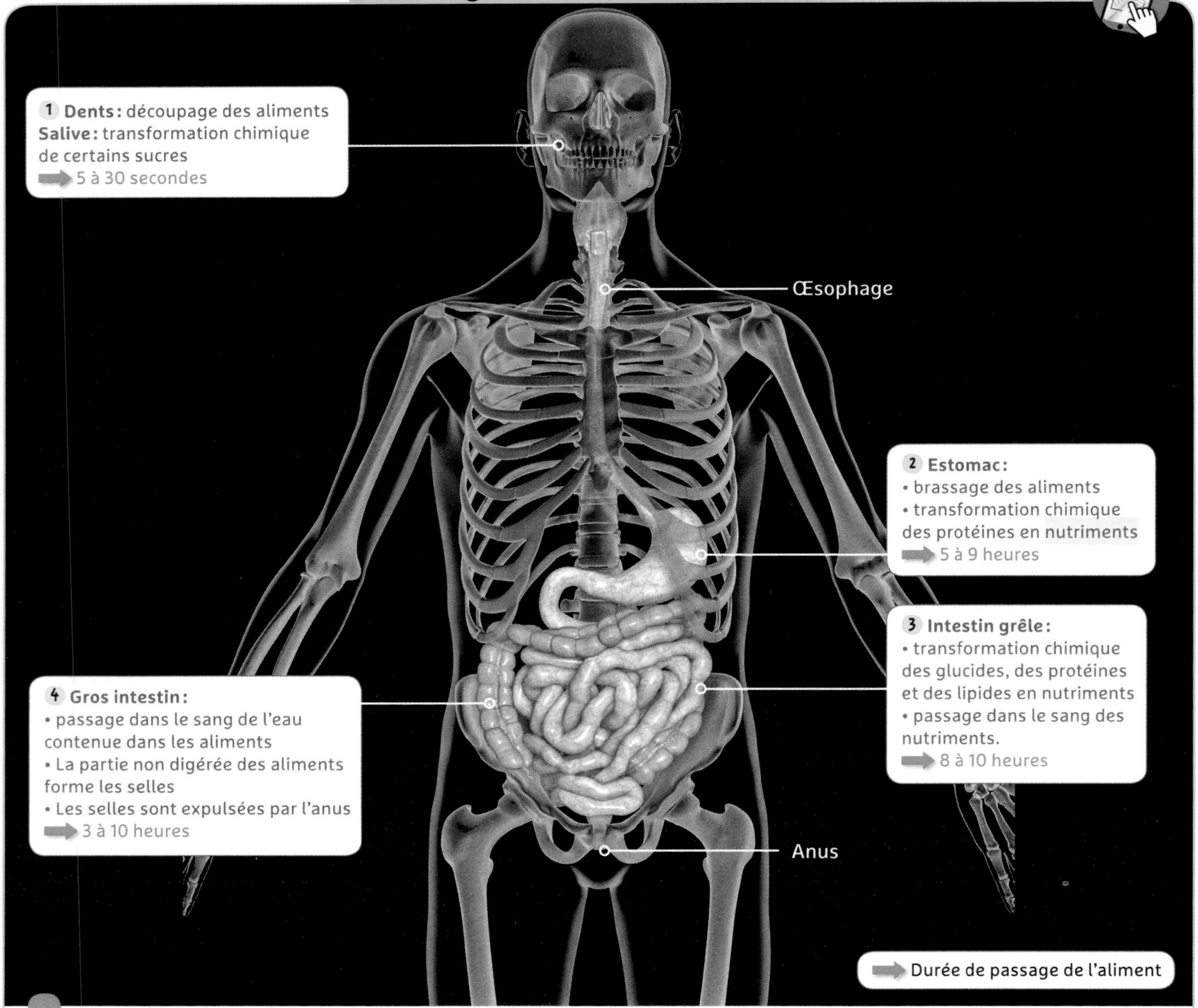

1 **Dents :** découpage des aliments
Salive : transformation chimique de certains sucres
➡ 5 à 30 secondes

Œsophage

2 **Estomac :**
- brassage des aliments
- transformation chimique des protéines en nutriments

➡ 5 à 9 heures

3 **Intestin grêle :**
- transformation chimique des glucides, des protéines et des lipides en nutriments
- passage dans le sang des nutriments.

➡ 8 à 10 heures

4 **Gros intestin :**
- passage dans le sang de l'eau contenue dans les aliments
- La partie non digérée des aliments forme les selles
- Les selles sont expulsées par l'anus

➡ 3 à 10 heures

Anus

➡ Durée de passage de l'aliment

1 **Le tube digestif humain** vu en transparence à travers le squelette et les étapes de la digestion. Dans le tube digestif, les aliments subissent des transformations physiques et chimiques : c'est la **digestion**. L'intestin grêle est long de 7 mètres, le gros intestin de 1,5 mètre.

L'approvisionnement des organes

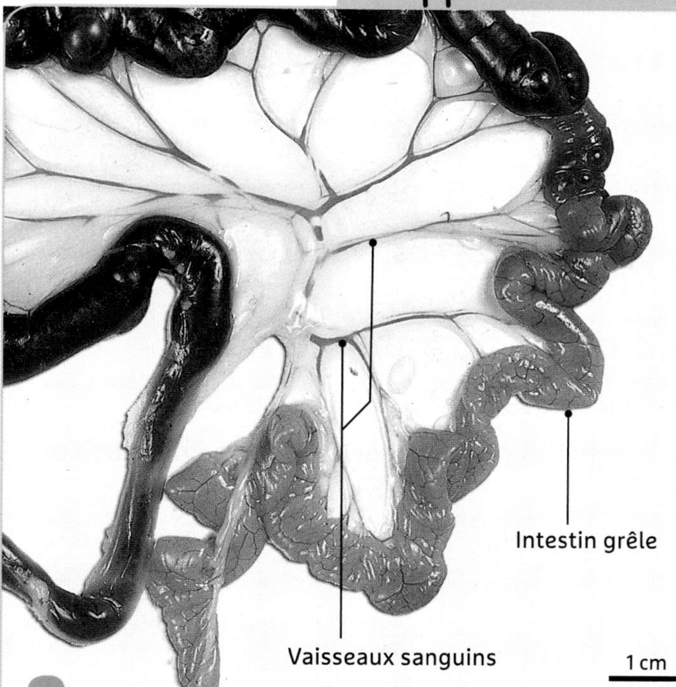

2 **Portion d'intestin grêle de lapin.** Le sang contenu dans les vaisseaux sanguins recueille les éléments nutritifs issus de la digestion.

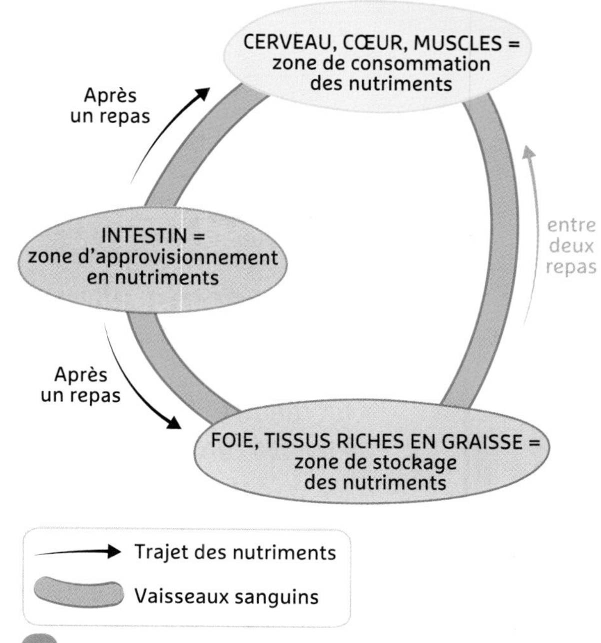

3 **Le devenir des nutriments dans le corps.**

24 heures sur 24, le cerveau a besoin d'environ **4,6 grammes de glucose** par heure pour fonctionner convenablement.

4 **Un malaise hypoglycémique lors d'une épreuve d'endurance.** Il se caractérise par des vertiges et une intense fatigue. Il est causé par une quantité de glucose dans le sang trop faible pour répondre aux besoins du cerveau.

Ta mission

1 Doc. 1 Dans la machine « Cloaca » photographiée p. 156, les aliments sont seulement transformés en crotte. Déduis-en une différence entre cette machine et le tube digestif.

2 Doc. 2 et 3 Explique comment les besoins en éléments nutritifs des organes sont comblés entre les repas.

3 Doc. 2 à 4 En utilisant les informations des documents, explique au coureur ce qui s'est produit entre son dernier repas et son malaise hypoglycémique.

4 Conclusion Explique comment les aliments permettent de répondre aux besoins permanents des organes de notre corps.

Vocabulaire

Digestion (une) : ensemble des transformations physiques et chimiques subies par les aliments dans le tube digestif.

Nutriment (un) : élément utilisé par les organes pour leur fonctionnement.

Bilan Les fonctions de nutrition

Je dois savoir

Unité 1 Les besoins alimentaires de différents individus

◆ Les aliments sont une source d'**énergie** et de matière pour notre corps.

◆ La matière est apportée par les aliments principalement sous forme de glucides, de lipides (graisses) et de protéines.

◆ La quantité d'énergie et la teneur en glucides, lipides et protéines varient d'un aliment à l'autre.

◆ L'alimentation doit apporter à un individu suffisamment d'énergie et une quantité équilibrée de glucides, lipides, protéines, vitamines et sels minéraux.

◆ Les besoins en aliments des êtres humains sont variables. Ils dépendent notamment de l'activité physique et de l'âge.

Unité 2 Le devenir des aliments dans l'organisme

◆ Dans le **tube digestif**, les aliments sont transformés en **nutriments** : c'est la **digestion**. Ces nutriments passent dans le sang.

◆ Les nutriments apportent aux organes l'énergie et la matière nécessaires à leur fonctionnement.

◆ Les besoins en énergie des organes sont continus, mais les aliments ne sont apportés qu'au moment des repas. Des réserves de nutriments permettent d'approvisionner les organes entre les repas.

→ L'essentiel du cours en une animation

Je suis capable de

	Pour vérifier	Si tu n'es pas sûr...
[D1.3] **Lire un diagramme en barres**	→ Fais la question 3 de l'unité 1 p. 159.	→ Fais l'exercice guidé p. 351.

Je retiens par l'image

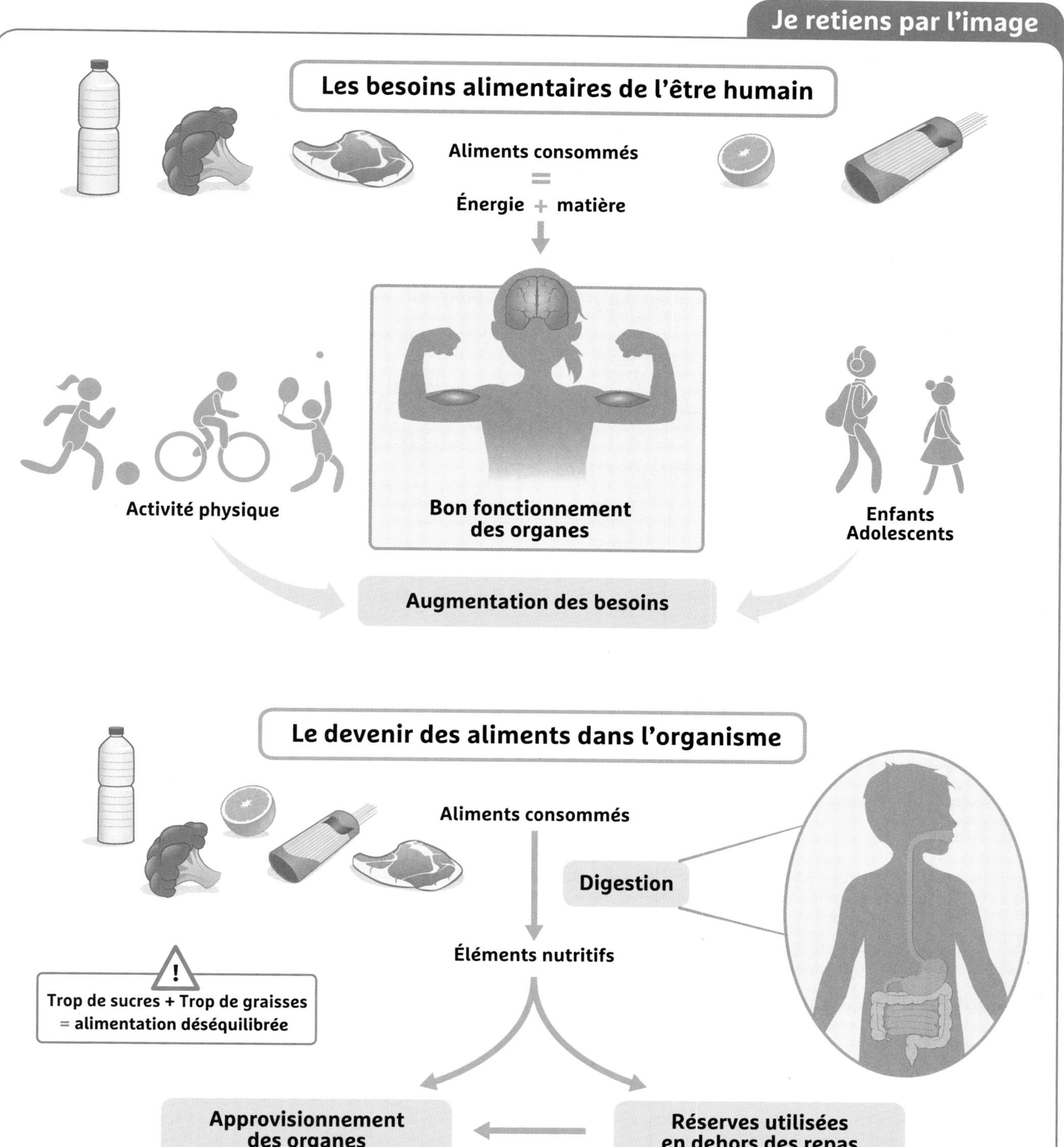

Je retiens les mots-clés

- Digestion
- Énergie
- Nutriments
- Tube digestif

→ Pour réviser les définitions ou Dico du manuel p. 379

Exercices

Je vérifie mes connaissances

1 Réponses courtes

Réponds aux questions posées.

a. Quelle unité permet d'exprimer la quantité d'énergie contenue dans un aliment ?

b. Cite dans l'ordre les organes où passent les aliments au cours de leur trajet dans le tube digestif.

c. Quel est le rôle des réserves de nutriments dans l'organisme ?

d. Cite deux facteurs qui modifient les besoins alimentaires d'un individu.

2 L'intrus

Pour chaque liste, un mot « intrus » a été placé en gras. Justifie ce choix.

a. Glucides / **pain** / protéines / matières grasses

b. Activité physique / âge / **réserve**

c. **Cerveau** / estomac / intestin grêle / gros intestin

3 Légende un schéma

Donne un titre à ce schéma et légende chaque élément.

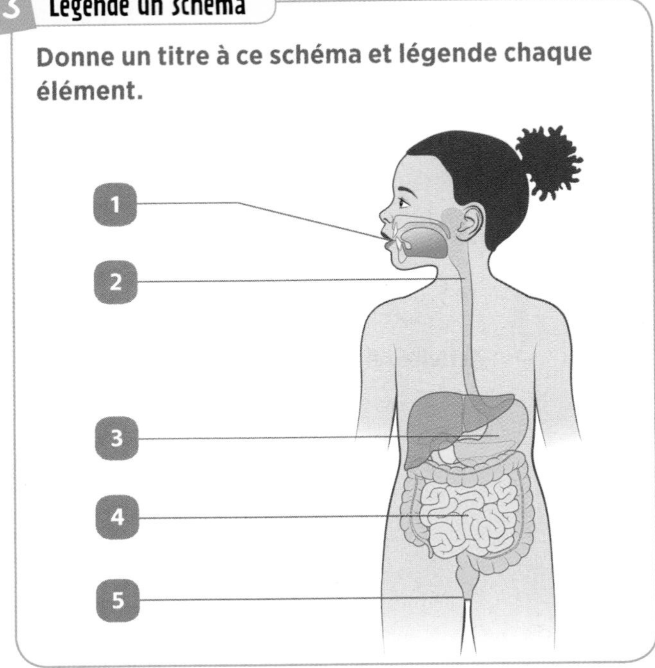

→ Exercices supplémentaires

J'utilise mes compétences

4 Interpréter un tableau de données

Quiz à propos d'un emballage de céréales

Pour chaque phrase, trouve la bonne proposition.

a. L'apport en énergie de 100 grammes de céréales est :

1. 174 kilocalories.

2. 85 grammes.

3. 1628 kilojoules.

b. 100 grammes de céréales apportent :

1. seulement l'une des principales substances composant les aliments.

2. seulement deux des principales substances composant les aliments.

3. les trois principales substances composant les aliments.

c. Pour 30 grammes de céréales + 125 mL de lait demi-écrémé, l'apport en matières grasses est de :

1. 7 grammes.

2. 32 grammes.

3. 2,5 grammes.

Valeurs nutritionnelles	Pour 100 g de céréales	Pour 30 g de céréales + 125 ml de lait
Énergie	384 kcal 1628 kJ	174 kcal 739 kJ
Protéines	7 g	7 g
Glucides dont sucres	85 g 8 g	32 g 9 g
Lipides	1,5 g	2,5 g

5 Utiliser des outils de recherche

Un mal resté longtemps mystérieux...

Jusqu'au xviie siècle, le scorbut a été une maladie très répandue chez les marins. On ne connaissait ni son origine, ni aucun remède. Dans sa forme sévère, le scorbut provoque de graves infections des gencives, des pertes de sang puis la mort.

Luffy soigne un membre d'équipage atteint du scorbut (extrait du manga *One Piece*, épisode 20).

a. Effectue une recherche documentaire pour trouver la cause du scorbut chez les marins, puis propose une liste d'aliments permettant d'éviter l'apparition du scorbut.

b. Explique alors comment Luffy soigne son compagnon.

6 Prendre conscience des enjeux de santé liés à l'alimentation

Comment la publicité nous influence...

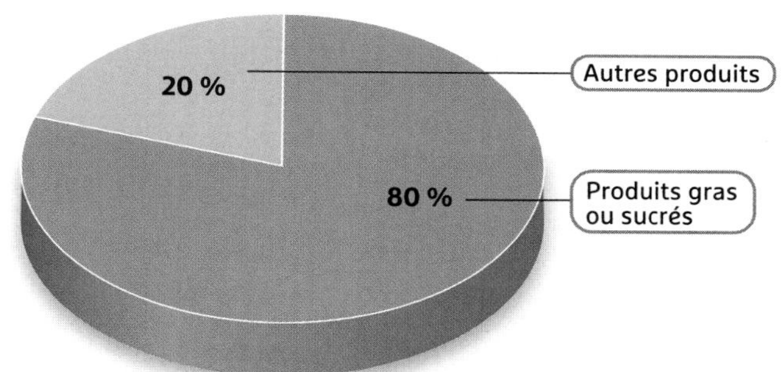

Les types d'aliments présentés dans les publicités pour les enfants en 2010.

a. Explique en quoi le comportement alimentaire des enfants exposés aux publicités peut être influencé.

b. D'après tes connaissances, quelles peuvent être les conséquences de ces publicités sur leur santé ?

7 Prélever les informations utiles

Comment mangeaient les Inuits ?

Les Inuits vivent au cœur de l'Arctique, où la température moyenne est de −30 °C. Longtemps, l'accès à la nourriture a été compliqué pour eux. L'alimentation traditionnelle des Inuits se composait principalement de viande et de graisse de phoques. Elle était bien plus riche en énergie que notre alimentation. En effet, une partie de l'énergie apportée par les aliments permet de maintenir la température du corps à 37 °C.

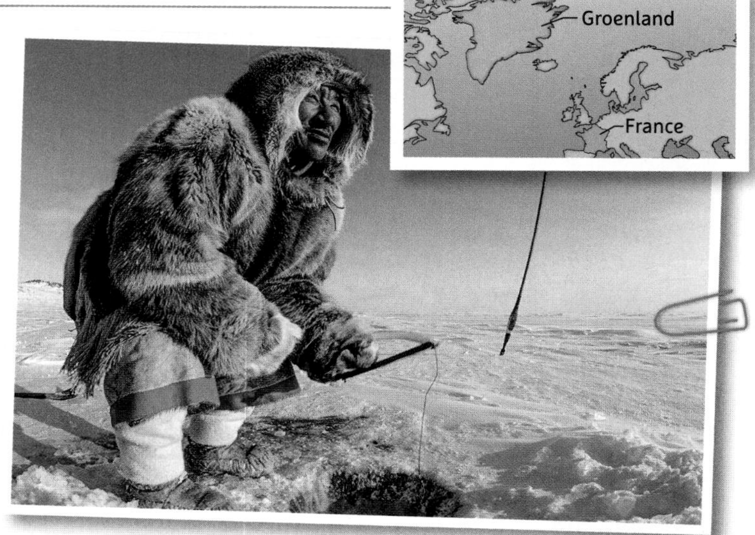

Un Inuit en tenue traditionnelle.

Utilise les informations de l'énoncé pour montrer que les besoins alimentaires d'une personne sont modifiés lorsqu'il fait très froid.

Chapitre 12

Pour commencer...

Un nombre

2000 poulets sont mangés chaque seconde dans le monde.

>> D'où proviennent tous ces poulets ?

Une image

Des pierres ? Non, des pommes de terre séchées au soleil au Pérou (« chuño »). C'est une des nombreuses formes sous lesquelles les pommes de terre sont mangées dans le monde.

>> Comment "faire" des pommes de terre ?

Des mots

« La fève de cacao est un phénomène que la nature n'a jamais répété : on n'a jamais trouvé autant de qualités réunies dans un aussi petit fruit. »

Alexandre de Humboldt (explorateur et naturaliste, 1769-1859)

>> Comment un fruit se transforme-t-il en chocolat ?

L'origine des aliments

De quelle manière sont produits les aliments que nous consommons ?

Compétences
- [D1] Prélever l'information utile.
- [D4] Prendre conscience de l'action de l'activité humaine sur l'environnement.

Un aliment issu d'une culture : la pomme de terre

Une situation-problème

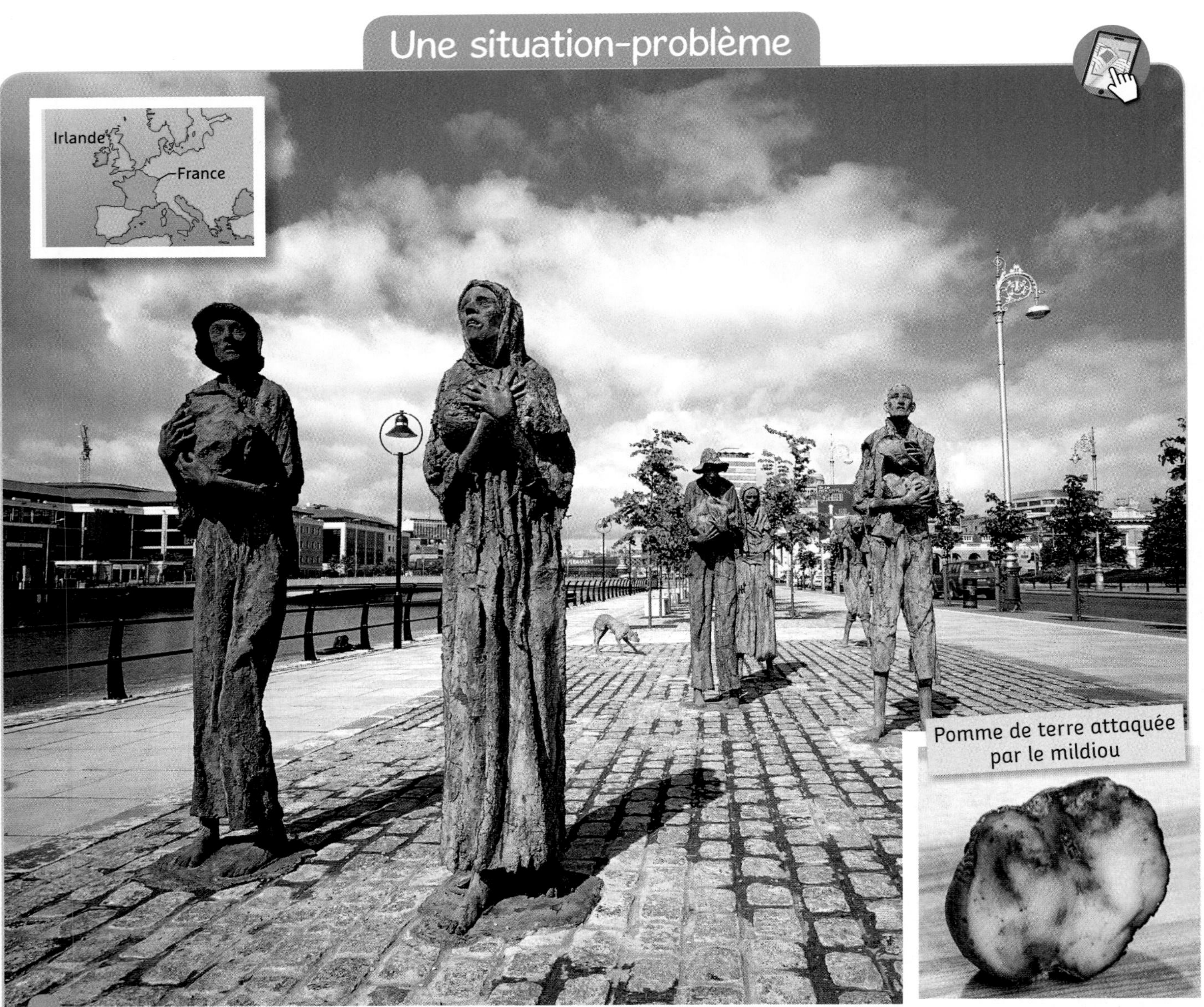

1 Le mémorial de la famine à Dublin (Irlande).
La pomme de terre est à l'origine de nombreux aliments, de la purée aux chips en passant par les frites. Mais elle a des ennemis comme le mildiou, qui est un micro-organisme. Au xixe siècle en Irlande, le mildiou a provoqué une famine catastrophique qui a décimé la population : un million d'Irlandais sont morts de faim. Un autre million a fui aux États-Unis.

→ Comment protéger les pommes de terre de leurs ennemis ?

La consigne

Tu utiliseras les documents de la page de droite pour montrer qu'il existe différentes méthodes pour protéger les pommes de terre et éviter ainsi une famine aussi terrible que celle qu'a connue l'Irlande. Tu présenteras les avantages et les inconvénients de chacune sous forme d'un tableau.

Des documents pour comprendre

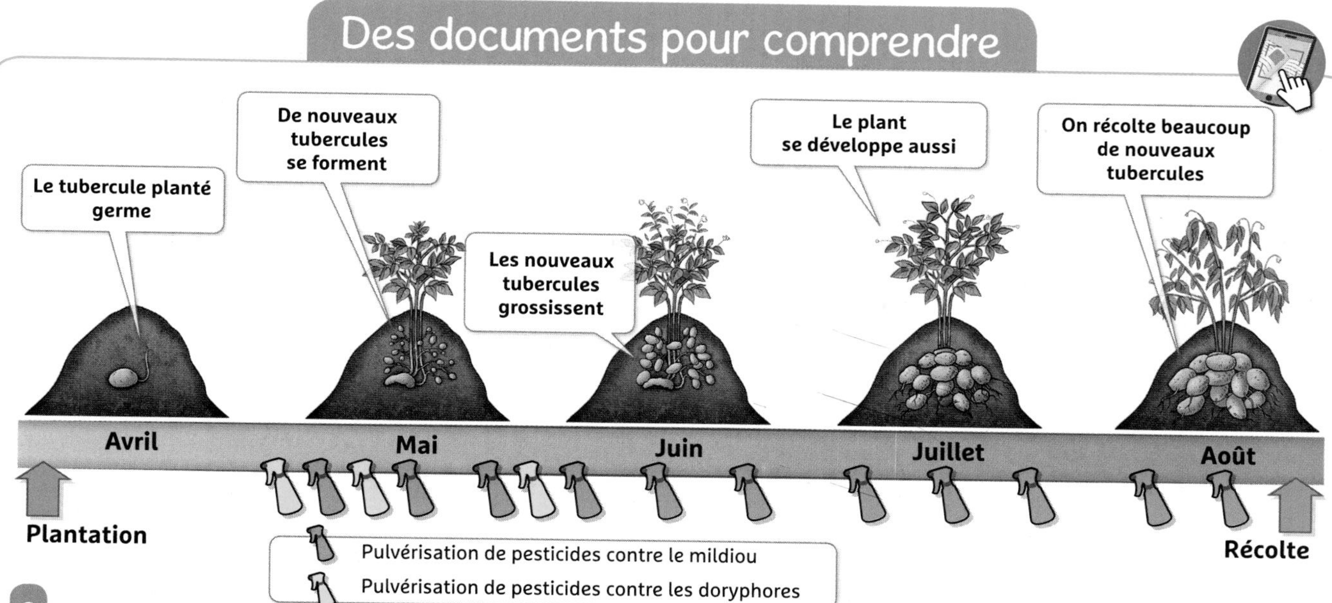

Le tubercule planté germe
De nouveaux tubercules se forment
Les nouveaux tubercules grossissent
Le plant se développe aussi
On récolte beaucoup de nouveaux tubercules
Avril
Mai
Juin
Juillet
Août
Plantation
Récolte
Pulvérisation de pesticides contre le mildiou
Pulvérisation de pesticides contre les doryphores

2 Calendrier de culture des pommes de terre. En agriculture « conventionnelle », on pulvérise des produits chimiques (pesticides) sur les feuilles pour protéger les plants contre le mildiou et certains insectes comme le doryphore. On utilise aussi des engrais chimiques pour augmenter la croissance des plantes (voir p. 198).

Thibault Marien, maraîcher en agriculture biologique à Milly-la-Forêt (91)

En agriculture dite «biologique», on ne peut pas utiliser de produits de l'industrie chimique. Le but est d'éviter d'exposer le cultivateur et le consommateur à des substances mauvaises pour la santé. Il est aussi de préserver des insectes qui, eux, ne sont pas nuisibles.
Pour protéger les cultures, il faut donc trouver d'autres solutions. Elles sont souvent plus complexes. Par exemple, les champs accueillent chaque année une culture différente : les ennemis de la culture précédente ne trouvent ainsi plus à se nourrir et disparaissent. On peut aussi choisir des variétés plus résistantes ou enlever les insectes à la main (pour de petites surfaces). Certains produits à base de cuivre, de plantes ou de bactéries sont aussi parfois utilisés.

3 Protéger les plantes sans produits issus de l'industrie chimique.

Variété « Passion »	Variété « Ditta »
Sensible au mildiou	Peu sensible au mildiou
Cuisson « frites » ou « purée » recommandée	Cuisson vapeur recommandée
Produit une bonne quantité de tubercules	Produit une quantité moyenne de tubercules

4 Comparaison de deux variétés de pomme de terre.

? BESOIN D'UN COUP DE POUCE ?

→ Rends-toi sur :

http://sciences6e.editions-belin.com

→ Ou 

J'ai réussi si...

- ☐ J'ai écrit un texte présentant les deux méthodes de protections des pommes de terre.
- ☐ J'ai construit un tableau avec les deux méthodes et deux colonnes précisant leurs avantages et inconvénients pour la production, l'agriculteur et l'environnement.

Unité 2

Un aliment issu de l'élevage : la viande de poulet

Compétences
- [D1] S'exprimer à l'écrit pour décrire et expliquer.
- [D4] Argumenter et mener différents types de raisonnement.

61 milliards de poulets sont tués chaque année dans le monde pour nourrir la population mondiale. Tous ces poulets sont issus d'élevages.

→ Comment organiser un élevage de poulets ?

Différentes souches de poulets

Souche Cobb 500®
- Grandit et grossit vite.
- Masse à l'abattage : jusqu'à 2 kg.
- Âge à l'abattage : 42 jours.
- Très sensible aux maladies (squelette, peau, cœur).
- Donne une viande tendre, mais flasque et peu goûteuse.
- Les poulets les moins chers sont souvent issus de cette souche.

Souche Cou-Nu Rouge
- Grandit et grossit lentement.
- Masse à l'abattage : entre 2 kg et 4 kg.
- Âge à l'abattage : entre 90 jours et 150 jours.
- Résiste aux maladies.
- Donne une viande ferme et très goûteuse.
- Viande plus coûteuse pour le producteur et le consommateur.

1 **Comparaison de deux souches de poulet.** La croissance lente, l'alimentation en plein air et la possibilité de se déplacer améliorent la qualité de la viande d'un poulet.

Différents types d'élevage

Jusqu'à 23 poulets par m²

2 **Un élevage en poulailler.** Il contient près de 9 000 poulets de souches à croissance rapide. L'absence de déplacement est responsable de nombreuses maladies du squelette et des articulations les faisant souvent souffrir.

Jusqu'à 11 poulets par m² dans le poulailler

3 **Un élevage « Label rouge ».** Il utilise des souches à croissance lente. Il contient un poulailler, mais les poulets doivent obligatoirement aller aussi en plein air.

Philippe Guillet (chambre d'agriculture de la Sarthe)

Dans son milieu naturel, en Inde, le poulet est un animal forestier. L'élevage de poulets en présence d'arbres, de haies reproduit ces conditions. En sécurité, il stresse moins, ne souffre pas de la chaleur ou du froid, se déplace davantage. Il complète son régime alimentaire avec les insectes et les graines qu'il trouve. Il peut ainsi profiter de l'ombre, avoir un bien être important, dans des paysages de qualité. En outre, les poulets sont plus résistants aux maladies et leurs déjections servent d'engrais pour les arbres, qui sont aussi utilisés pour leur bois. Ce type d'élevage demande de la place et nécessite des aménagements bien pensés.

4 **L'élevage sous les arbres (élevage agroforestier).**

Ta mission — Préparer une affiche

1 Doc. 1 Quelles informations fournirais-tu sur l'emballage du poulet en plus du prix pour que le consommateur ait tous les éléments pour faire son choix.

2 Doc. 2 à 4 pour chaque type d'élevage, détermine les avantages et les inconvénients pour le producteur, pour le consommateur et pour le poulet.

3 Conclusion Choisis un exemple d'élevage et fais une affiche pour montrer ses avantages et ses inconvénients.

Vocabulaire

Souche (une) : variété d'une même espèce animale.

Compétences
- [D2] Utiliser des outils numériques.
- [D3] Exprimer ses sentiments et ses émotions.

Un aliment issu d'une transformation: le chocolat

La fabrication du chocolat est le résultat de nombreuses étapes. Elles commencent par la culture de cacaoyer dans les régions tropicales. Elles se terminent par le moulage du chocolat fondu dans les chocolateries européennes.

→ Comment passer du fruit du cacaoyer au chocolat prêt à manger?

Du cacaoyer à la fève

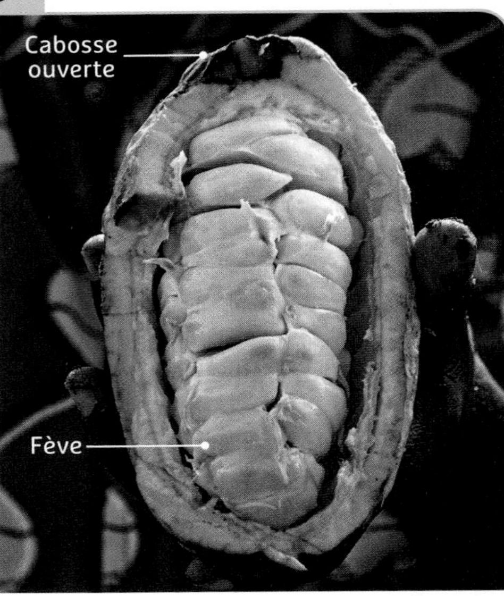

1 Étape 1: **la récolte des fèves de cacao au Ghana (Afrique de l'Ouest).** À l'intérieur des fruits du cacaoyer, ou cabosses, on trouve la matière première du chocolat: les fèves de cacao (graines du cacaoyer).

2 Étape 2: **la fermentation des fèves.** Les fèves de cacao sont mises à fermenter. Elles développent alors les arômes du futur chocolat. Elles sont ensuite séchées.

3 Étape 3: **la torréfaction des fèves.** Les fèves sont torréfiées, c'est-à-dire grillées tout en les faisant tourner dans une cuve. Elles continuent de développer les arômes du futur chocolat.

Des fèves jusqu'au chocolat

Pâte de cacao

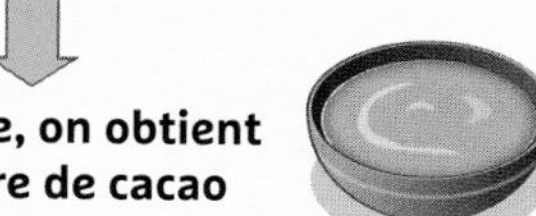

En surface, on obtient du beurre de cacao

4 Étapes 4 et 5: **des fèves au beurre de cacao.**

Type de chocolat voulu	Ingrédients mélangés
Chocolat noir	Pâte de cacao + beurre de cacao + sucre
Chocolat au lait	Pâte de cacao + beurre de cacao + lait + sucre
Chocolat blanc	Beurre de cacao + sucre

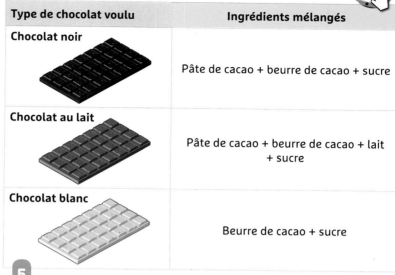

5 Étape 6: **le cacao devient chocolat.** Différents ingrédients sont mélangés selon le chocolat que l'on veut obtenir. Ce mélange est remué à 80 °C.

La qualité du chocolat dépend beaucoup du savoir-faire du chocolatier. Le mélange obtenu après l'étape 6 doit notamment être chauffé puis refroidi à des températures précises pour donner au chocolat son brillant et son croquant. Réussir cette étape (appelée « tempérage ») demande de l'expérience et il faut s'entraîner de nombreuses fois avant de bien réussir. Après le tempérage, le chocolat est placé dans des moules puis refroidi. On effectue enfin les finitions (remplissage avec du praliné, décorations extérieures, etc.).

6 Étapes 7 et 8: **le chocolatier entre en scène.**

7 **Le chocolat prêt à manger.**

Ta mission

1 Doc. 1 à 7 Précise les éléments qui peuvent être à l'origine d'une différence de qualité entre les chocolats que tu trouves dans le commerce.

2 Doc. 7 Décris avec précision les différentes sensations que te procurent la vue et la dégustation d'un morceau de chocolat.

3 Conclusion Construis une frise présentant l'ensemble des étapes qui permettent la transformation de la fève de cacao en chocolat.

Vocabulaire

Fermentation (une): action de micro-organismes qui conduit à la transformation d'un aliment.

Bilan L'origine des aliments

Je dois savoir

- La **matière organique** produite par les végétaux et par les animaux est une source d'aliments pour les humains.

Unité 1 Des aliments issus de cultures

- Pour obtenir des fruits, des légumes, des pommes de terre ou des céréales, un **agriculteur** doit cultiver des végétaux. Pour cela :
  - il choisit une **variété** du végétal cultivé ;
  - il protège la **culture** contre les maladies ou les insectes nuisibles ;
  - il fournit à la culture des éléments nutritifs et de l'eau.
- Il existe différentes méthodes pour réaliser des cultures. Elles diffèrent notamment par l'usage de produits chimiques.

Unité 2 Des aliments issus d'élevages

- Pour obtenir de la viande, des œufs ou du lait, un **agriculteur** doit élever des animaux. Pour cela :
  - il choisit une **souche** de l'animal qu'il élève ;
  - il choisit un mode d'élevage.
- Il existe plusieurs types d'élevages. Ils diffèrent notamment par l'espace dont disposent les animaux pour vivre.

Unité 3 Des aliments transformés

- Certains aliments sont le résultat d'une **transformation** de matière organique végétale et/ou animale par les humains.
- Pour obtenir un aliment comme le chocolat, il faut plusieurs transformations qui ne sont réalisées ni par les mêmes personnes ni au même endroit.

→ L'essentiel du cours en une animation

Je suis capable de

	Pour vérifier	Si tu n'es pas sûr...
[D1.3] **Construire un tableau**	→ Fais la tâche complexe de l'unité 1 pp. 168-169	→ Fais l'exercice guidé p. 91.
[D1.1] **Extraire des informations d'un texte**	→ Fais la question 3 de l'unité 2 p. 171.	→ Fais l'exercice guidé p. 211.

Je retiens par l'image

Un aliment issu d'une culture ▶ La pomme de terre

- Choix d'une variété
- Mise en culture
- Protection
- Amélioration de la croissance

Production de matière organique

Récolte

Pommes de terre

Un aliment issu de l'élevage ▶ Le poulet

- Choix d'une souche
- Choix d'un mode d'élevage
- Protection, nourrissage

Production de matière organique

Abattage

Poulet

Un aliment issu d'une transformation ▶ Le chocolat

Fèves de cacao

- Culture et récolte

Matière organique

- Transformation des fèves
- Préparation du cacao
- Fabrication du chocolat

Chocolat

Je retiens les mots-clés

- Agriculteur
- Culture
- Élevage
- Matière organique
- Souche
- Transformation
- Variété

➜ Pour réviser les définitions

ou Dico du manuel p. 379

Exercices

Je vérifie mes connaissances

1 Le mot mystère

Recopie et complète la grille à l'aide des définitions.

a. Je permets d'obtenir des aliments d'origine végétale.

b. C'est là que l'on cultive les plantes.

c. Je suis un mode de culture qui n'utilise pas de produits chimiques.

d. Je permets d'obtenir des aliments d'origine animale.

e. Nous sommes issus de l'élevage, d'une culture ou d'une transformation.

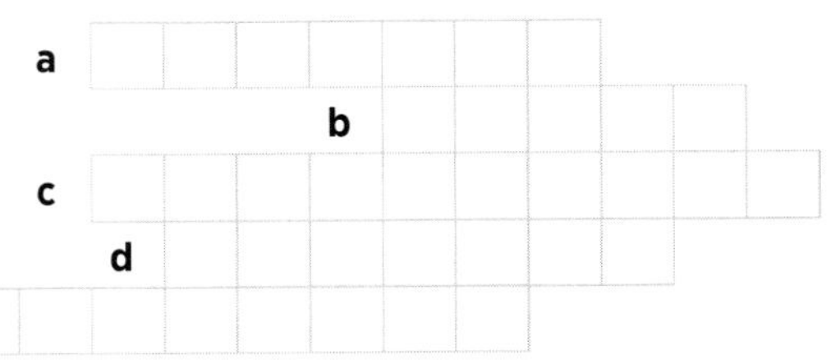

2 Vrai ou Faux

Retrouve les propositions exactes puis recopie celles qui sont fausses en les corrigeant.

a. Pour cultiver des végétaux, l'agriculteur doit toujours utiliser des produits chimiques.

b. Un éleveur peut choisir la souche de ses animaux dans le but d'obtenir des aliments.

c. Les aliments ne peuvent pas être à la fois d'origine animale et d'origine végétale.

3 Qui suis-je ?

Trouve le mot qui correspond aux définitions ci-dessous :

a. Je suis un produit chimique utilisé pour tuer des insectes.

b. Je suis un mode d'agriculture dans lequel la plupart des produits chimiques sont interdits.

c. Je suis un mode d'élevage dans lequel les animaux doivent pouvoir aller dehors.

→ Exercices supplémentaires

J'utilise mes compétences

4 Extraire l'information utile

D'où vient cet œuf ?

Sur les coquilles des œufs de poules du commerce, il est obligatoire de marquer les informations ci-contre.

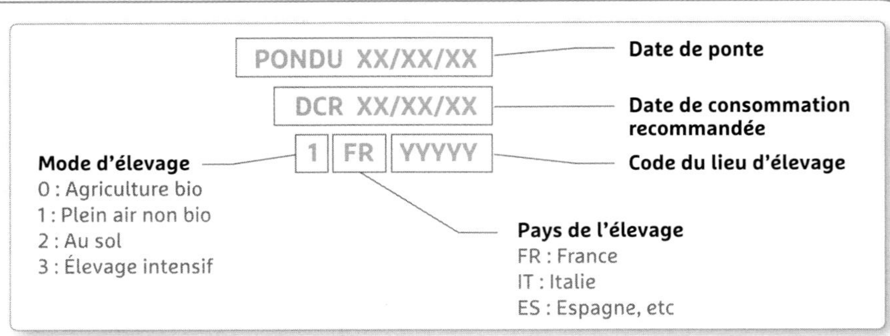

Comment lire un œuf ?

Pour chaque phrase, trouve la bonne réponse :

a. On peut manger l'œuf ci-contre :

1. Jusqu'au 22 février 2012

2. À partir du 19 mars 2012

3. Jusqu'au 19 mars 2012

b. L'œuf ci-contre a été produit :

1. Dans un élevage intensif en Allemagne

2. Dans un élevage au sol en France

3. En France dans un élevage intensif

5 Produire un tableau

C'est l'heure de déjeuner !

Pour préparer son déjeuner, Amélie a besoin des ingrédients ci-contre.

a. Réalise un tableau où tu indiqueras pour chaque aliment, s'il est issu d'une culture, d'un élevage ou d'une transformation.

b. Pour les aliments transformés, précise si un élevage et/ou une culture ont été nécessaires à l'élaboration de leurs ingrédients.

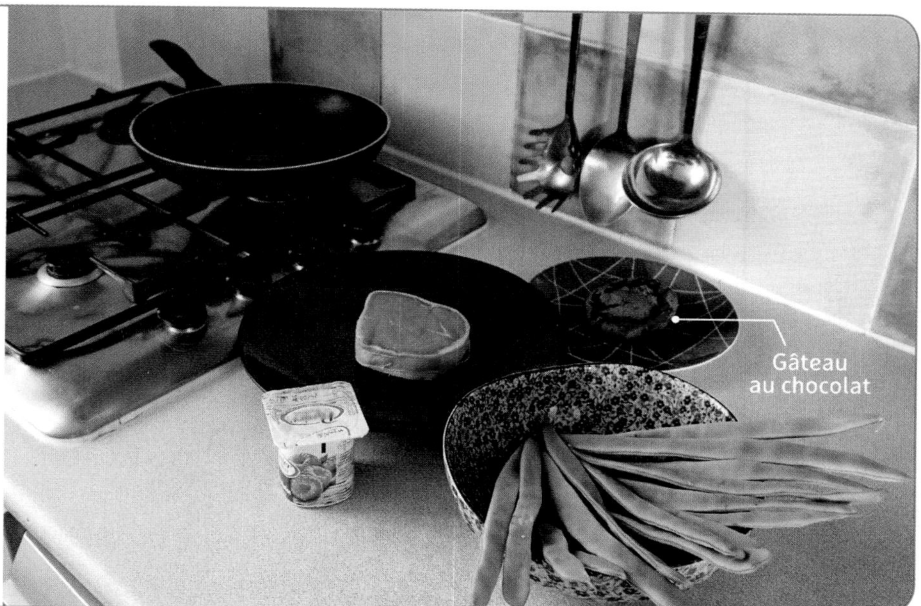

6 Argumenter

Golden contre Ariane

La tavelure est un champignon qui abîme les pommes. On lutte contre lui en utilisant des produits chimiques qui coûtent cher et peuvent avoir des conséquences sur la santé des agriculteurs.

Présente les avantages et les inconvénients de chaque variété pour le consommateur et pour l'agriculteur.

Golden
Goût moyen
Très bonne conservation
Très connue du public
Très sensible à la tavelure

Ariane
Bon goût
Assez bonne conservation
Peu connue du public
Peu sensible à la tavelure

7 Produire un schéma

La fabrication du beurre

Le beurre est fabriqué à partir de la crème extraite du **lait de vache**. La première étape est donc de collecter la crème contenue dans le lait. Pour cela, on place le lait dans un récipient qui tourne très vite appelé **centrifugeuse**. Cette étape est la centrifugation. Ensuite, la crème est agitée très vigoureusement avec des fouets pendant plusieurs minutes, c'est le **barattage**. On obtient alors du beurre.

À partir du texte ci-dessus, réalise un schéma expliquant les différentes étapes de fabrication du beurre.

Chapitre 13

Pour commencer...

Un nombre

2 heures du matin

C'est l'heure à laquelle de nombreux boulangers doivent se lever.

À cause d'un champignon.

>> Pourquoi les boulangers ont-ils affaire à un champignon ?

Des images

>> Combien de temps une bouteille se conserve-t-elle ? Et un verre de lait ?

>> Y a-t-il des moisissures bonnes à manger ?

Les micro-organismes et nos aliments

▲ Une cave d'affinage du fromage de Roquefort.

Quels rôles jouent les micro-organismes dans la production et la conservation de nos aliments ?

Unité 1

Faire son pain

Compétences
- [D1.1] S'exprimer à l'écrit pour expliquer.
- [D4] Observer et expérimenter.

En moyenne, chaque Français a consommé l'équivalent de 190 baguettes de pain en 2014. Toutes sont fabriquées avec l'aide de champignons microscopiques appelés levures...

→ **Quel est le rôle des levures dans la fabrication du pain ?**

Mettre en évidence le rôle des levures

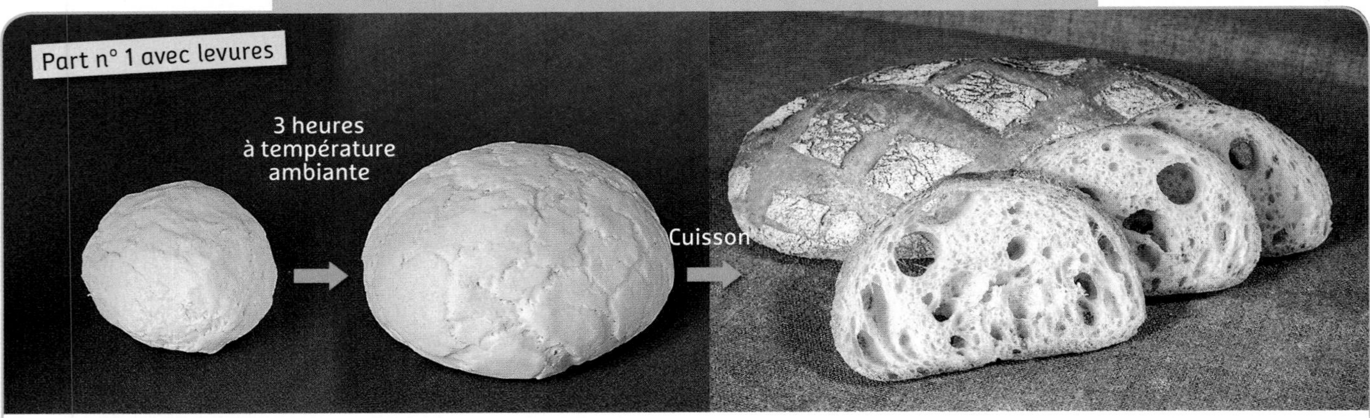

1 La préparation de pain avec et sans levures.

J'expérimente

1. Mélange 500 g de farine de blé, 2 pincées de sel et 300 mL d'eau.
2. Sépare la pâte obtenue en 2 parts égales.
3. Ajoute 5 g de levures de boulanger dans une des parts de pâte (part n° 1).
4. Pétris longuement chaque part. Forme des boules de pâte que tu laisseras reposer 3 heures à température de la pièce.
5. Avec l'aide d'un adulte, cuis chaque boule au four.

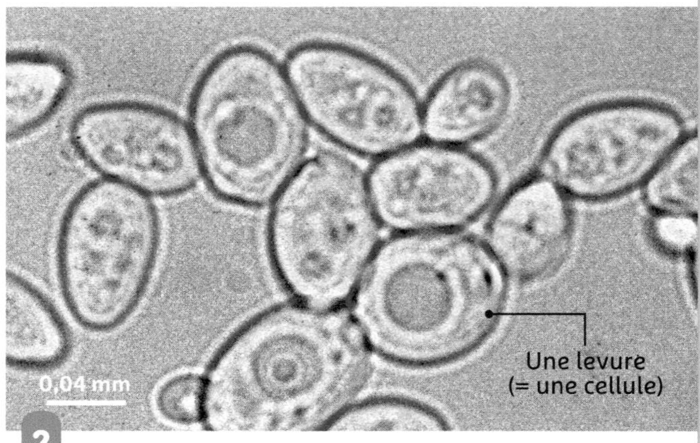

2 Observation de levures de boulanger (champignon) au microscope optique.

Comprendre le rôle des levures

Les levures du boulanger se nourrissent des glucides (sucres) contenus dans la farine. Elles les transforment en d'autres substances. Parmi ces substances, il y a un gaz : le dioxyde de carbone. En classe, on peut reproduire ce phénomène, appelé **fermentation**. Il faut placer les levures dans un grand volume d'eau tiède, y dissoudre du glucose (un glucide aussi) et laisser le mélange reposer quelques heures.

3 Ce que mangent les levures...

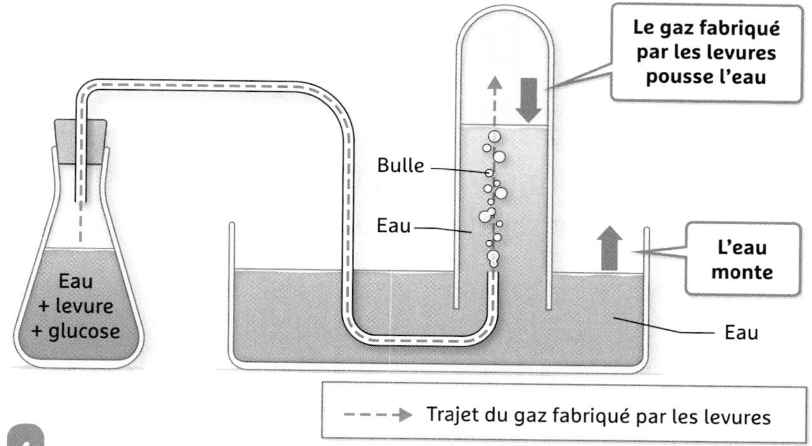

4 Un dispositif pour mettre en évidence la production d'un gaz.

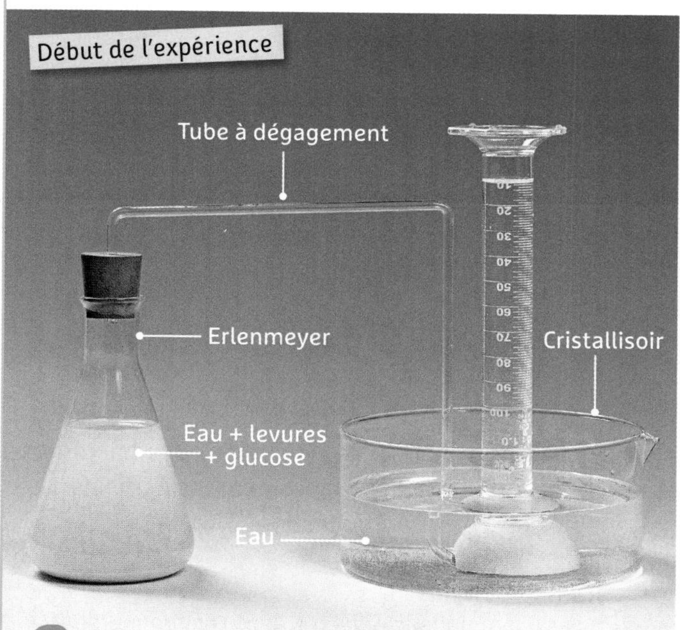

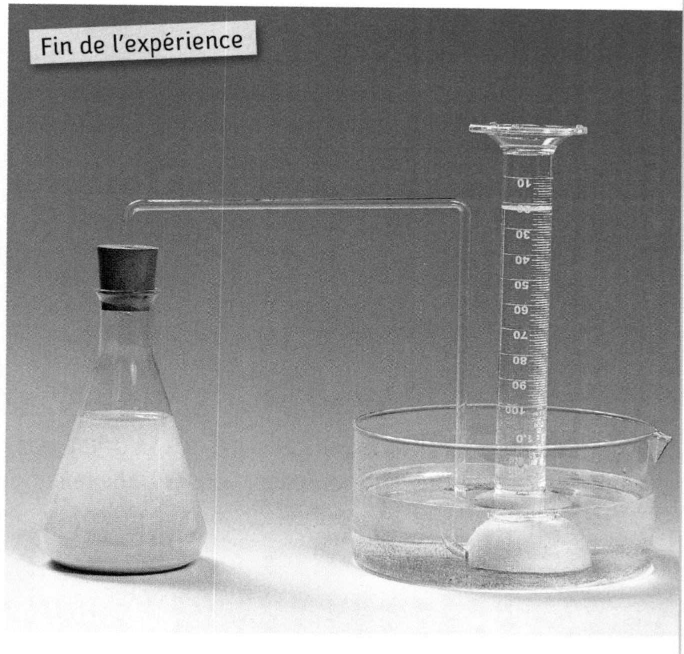

5 Une expérience utilisant le dispositif du doc. 4.

Vocabulaire

Levure (une) : champignon composé d'une cellule.

Fermentation (une) : action de micro-organismes qui conduit à la transformation d'un aliment.

Ta mission

1. Doc. 1. Décris les différences observées entre les deux pains après les 3 heures d'attente et après la cuisson.
2. Doc. 4 et 5 Décris précisément les résultats de l'expérience et montre que les levures ont produit du gaz.
3. Doc. 3 et 5 Utilise les données du doc. 3 pour expliquer le résultat précédent.
4. Doc. 1 et 3 Utilise les données du doc. 3 pour expliquer les différences observées lors de fabrication de pain avec ou sans levure.
5. Conclusion Explique le rôle des levures dans la fabrication du pain.

Conserver et transformer le lait

Compétences
- [D1.1] S'exprimer à l'écrit pour expliquer.
- [D4] Être conscient des enjeux de santé des pratiques alimentaires.

Le lait est un produit alimentaire très courant, qu'il soit consommé tel quel ou bien sous une forme transformée comme le yaourt. C'est aussi un produit qui s'abîme très vite s'il est mal conservé.

→ Comment conserver le lait puis le transformer ?

La production et la transformation du lait

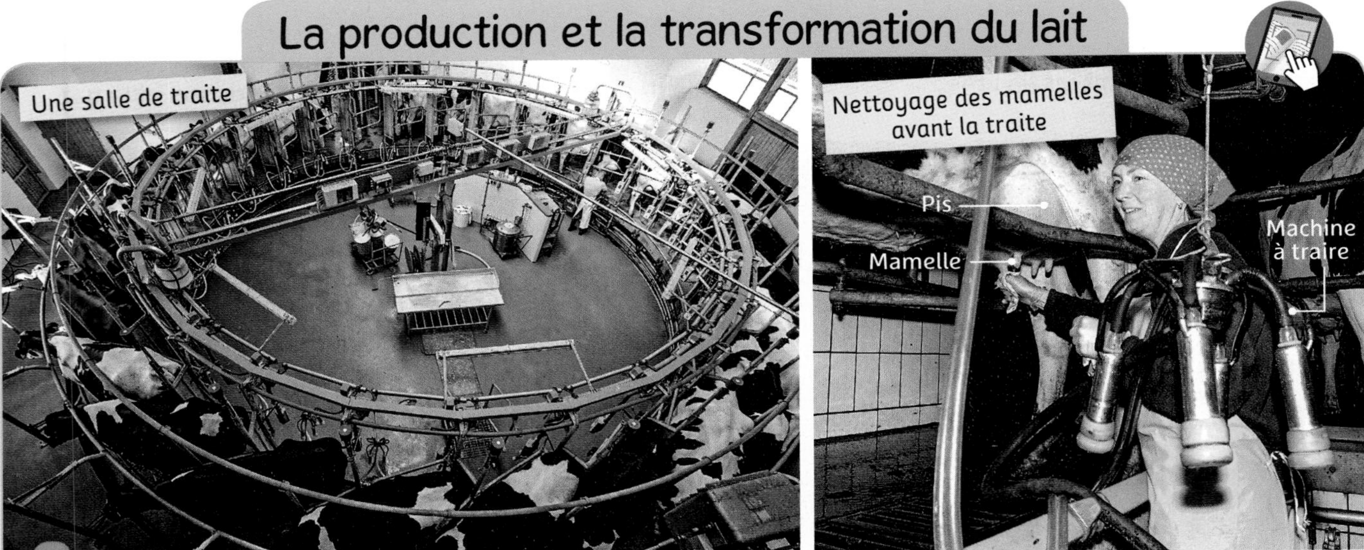

1 La récolte (traite) du lait. Le lait est produit par des vaches après la naissance d'un veau. Des bactéries peuvent contaminer les mamelles, passer dans le lait et être à l'origine de maladies graves pour les humains. Le nettoyage des pis et la propreté de la salle de traite permettent d'éviter cette contamination.

2 Un technicien pulvérise des champignons appelés pénicillium sur des camemberts. Ces champignons vont devenir des moisissures comestibles.

Des bactéries ou des champignons présents dans l'environnement peuvent être mis volontairement dans le lait. À une température bien précise, ils vont proliférer. Mais ils ne sont pas dangereux pour les humains. Au contraire, ils transforment le lait en lui donnant une **texture** et un goût nouveaux.

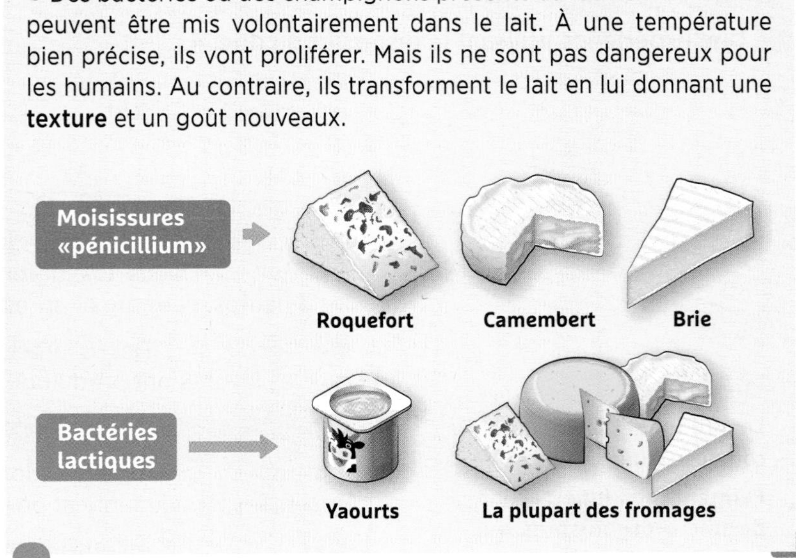

3 Quelques exemples de micro-organismes utiles aux humains.

La conservation du lait

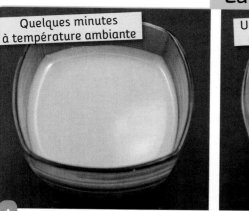

Quelques minutes à température ambiante

4 **Un verre de lait UHT conservé dans différentes conditions.** Lorsqu'un aliment change de couleur, d'odeur ou de goût de façon inattendue, il faut le jeter. Des micro-organismes **pathogènes** ont pu s'y développer. Ils proviennent de l'environnement: air, objets, mains, mamelles de la vache, etc.

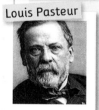

Louis Pasteur

- En 1795, **Nicolas Appert (1749-1841)** constate que l'on peut conserver très longtemps les aliments si on les enferme dans une bouteille en verre ou dans une boîte en métal bien fermées puis chauffées à haute température.
- Soixante ans plus tard, **Louis Pasteur (1822-1895)** explique scientifiquement ce phénomène.

5 **La découverte de la stérilisation.**

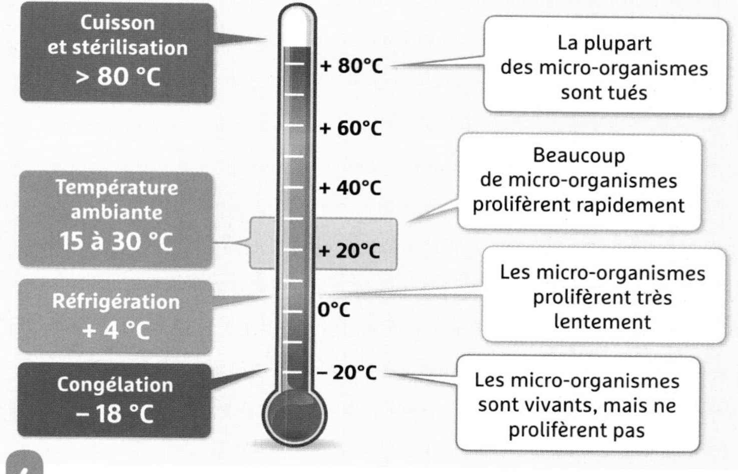

6 **L'effet de la température sur les micro-organismes.**

	Lait « UHT »	Lait « cru »
Traitement subi par le lait après récolte	Chauffage à 135 °C pendant 2-3 secondes	Aucun chauffage
Durée de conservation	Plusieurs mois bouteille non ouverte	3 jours à 4 °C

7 **Deux types de lait**

Ta mission

1. Doc. 1 et 4 Montre que les micro-organismes peuvent empêcher la conservation du lait. Précise d'où proviennent ces micro-organismes
2. Doc. 2 et 3 Montre que les micro-organismes peuvent être utiles pour l'utilisation du lait. Précise d'où proviennent ces micro-organismes.
3. Doc. 5 et 6 Explique comment la technique de N. Appert permet de conserver plus longtemps des aliments.
4. Doc. 7 Explique pourquoi le lait UHT se conserve plus longtemps que le lait cru.
5. Conclusion Explique comment conserver puis transformer le lait.

Vocabulaire

Pathogène : se dit d'un organisme qui provoque des maladies chez l'Homme.

Texture (une) : on peut connaître la texture d'un aliment quand on appuie dessus : liquide, solide, mou, dur, cassant, etc.

Unité 3

Tâche complexe

Conserver les aliments à la maison

Compétences
- [D1.3] Extraire et traiter l'information utile.
- [D4] Être conscience des conséquences sanitaires de ses actions.

Une situation-problème

1 Au retour des courses, c'est le bazar dans la cuisine !
Chaque Français jette en moyenne 7 kg d'aliments encore emballés tous les ans. Pourquoi ? Principalement parce qu'ils ont été mal conservés. Ils ne sont donc plus bons à consommer et peuvent rendre malade celui qui les mangera. Bien conserver les aliments permet de lutter contre le gaspillage et de préserver sa santé.

→ Comment conserver au mieux les aliments ?

La consigne

Range chaque aliment présent sur la table dans le réfrigérateur, le congélateur ou l'un des placards pour le conserver le plus longtemps possible. Explique tes choix à partir des documents de la page ci-contre et du doc. 6 p. 183.

Des documents pour comprendre

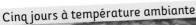

2 **Deux steaks hachés conservés différemment.** La viande hachée fraîche doit être consommée dans les deux jours suivant son achat.

Deux semaines dans un milieu humide
et à température ambiante

3 **Deux biscuits conservés différemment.**

Déclaration nutritionnelle Teneur pour 100 g	
Energie :	1416 kJ 333 kcal
Matières grasses :	< 0,5 g
dont Acides gras saturés :	< 0,1 g
Glucides :	83,3 g
dont Sucres :	*74,6 g*
Protéines :	< 0,5 g
Sel :	0,003 g

4 **Les informations nutritionnelles d'un pot de miel.**

Florence Baron, chercheuse en microbiologie alimentaire.

Pour se développer dans les aliments, les micro-organismes pathogènes ont besoin d'eau et d'une température qui leur convient : entre 15 et 40 °C pour la plupart d'entre eux. Le plus souvent, ils ne peuvent pas se multiplier dans un aliment si celui-ci est trop sec, très acide, ou très sucré, ou si la température est basse. Attention, quand on congèle un produit, les bactéries ne sont pas tuées. Au cours de la décongélation, le produit se réchauffe et les bactéries peuvent à nouveau proliférer. Chaque fois que l'on recongèle puis décongèle la quantité de bactéries augmente dans le produit et il peut devenir dangereux à consommer.

5 **Le développement des micro-organismes dans les aliments.**

? BESOIN D'UN COUP DE POUCE ?

→ Rends-toi sur :
http://sciences6e.editions-belin.com

→ Ou 

J'ai réussi si...

- ☐ J'ai rangé tous les aliments à la bonne place.
- ☐ J'ai expliqué, pour chaque aliment, pourquoi il se conservera bien à l'endroit que j'ai choisi.
- ☐ J'ai justifié les recommandations du doc. 2 concernant la viande hachée fraîche.

Bilan Les micro-organismes et nos aliments

Je dois savoir

◆ Les **micro-organismes** sont des bactéries ou des champignons microscopiques. Certains permettent de préparer des aliments, tandis que d'autres les rendent non consommables.

Unité 1 Faire du pain

◆ La levure du boulanger est un champignon microscopique utilisé par les boulangers pour faire gonfler la pâte à pain.

Unité 2 Transformer et conserver le lait

◆ Des bactéries et des champignons microscopiques sont utilisés pour préparer des produits à base de lait. Ils donnent leur consistance et leur goût aux fromages ou aux yaourts.

◆ D'autres micro-organismes sont, eux, **pathogènes** : ils provoquent des maladies. On prend des mesures d'**hygiène** pour qu'ils ne contaminent pas les produits laitiers lors de leur préparation. On peut aussi chauffer le lait à plus de 80 °C pour les tuer : c'est la **stérilisation**.

Unité 3 Conserver les aliments à la maison

◆ Pour conserver les aliments, il faut empêcher que des micro-organismes pathogènes s'y développent.

◆ On peut conserver longtemps à température ambiante les aliments stérilisés (s'ils n'ont pas été ouverts) et les aliments qui ne contiennent pas d'eau.

◆ Le froid ralentit ou stoppe la multiplication des micro-organismes. Les aliments se conservent donc plus longtemps au réfrigérateur ou au congélateur.

→ L'essentiel du cours en une animation

Je suis capable de

	Pour vérifier	Si tu n'es pas sûr...
[D1.3] **S'exprimer à l'écrit avec un langage scientifique**	→ Fais la question 3 de l'unité 1 p. 181.	→ Fais l'exercice guidé p. 325.

Je retiens par l'image

Des micro-organismes utiles aux humains

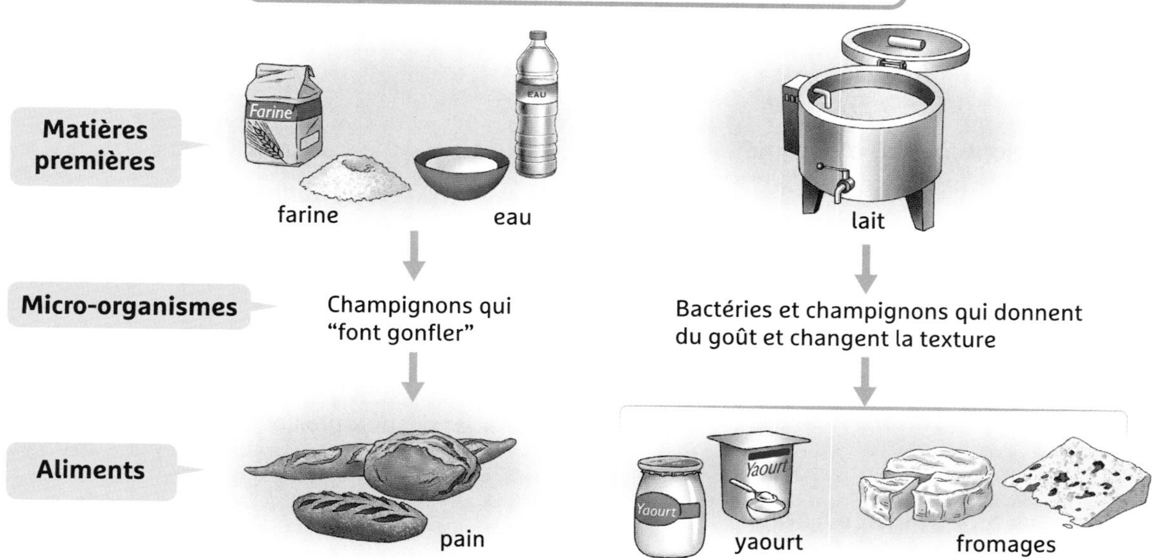

Des micro-organismes dangereux pour les humains

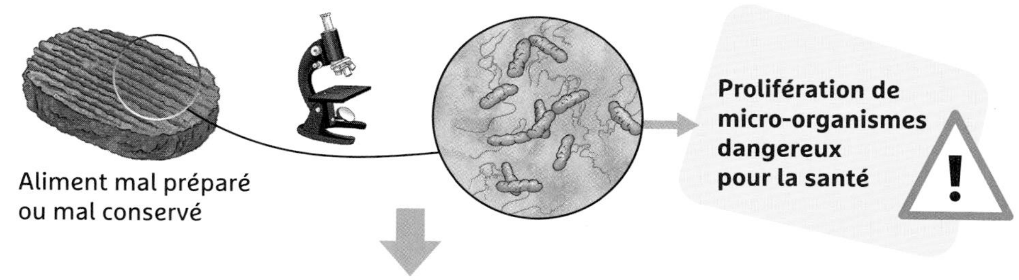

Mesures d'hygiène et de conservation

- **Chauffage des aliments à plus de 80 ° C** — 80° C → Les micro-organismes sont tués
- **Conservation des aliments au froid** — 4° C → Les micro-organismes prolifèrent moins vite
- **Conservation des aliments sous forme sèche** — 20° C → Les micro-organismes ne prolifèrent plus

Je retiens les mots-clés

- Hygiène
- Micro-organismes
- Pathogènes
- Stérilisation

→ Pour réviser les définitions

ou Dico du manuel p. 379

Exercices

Je vérifie mes connaissances

1 Vrai ou faux ?

Retrouve les propositions exactes et recopie celles qui sont fausses en les corrigeant.

a. Tous les micro-organismes sont dangereux.

b. Certains micro-organismes sont bénéfiques pour l'être humain.

c. Certains micro-organismes peuvent être dangereux s'ils se développent dans les aliments.

2 L'intrus

Pour chaque liste, un mot « intrus » a été placé en gras. Justifie ce choix.

a. Bactérie, levure, **chat**, micro-organisme

b. Réfrigérateur, congélateur, **lave-vaisselle**, stérilisateur

→ Exercices supplémentaires

3 Mot caché

Recopie et complète la grille à l'aide des définitions. Trouve le mot mystère et donne sa définition

1. Constituant de tous les êtres vivants.

2. Les champignons me donnent du goût.

3. Je suis un animal produisant du lait.

4. Je suis l'un des ingrédients du pain.

5. je permets d'observer un micro-organisme.

6. Je permets de ralentir la prolifération des micro-organismes.

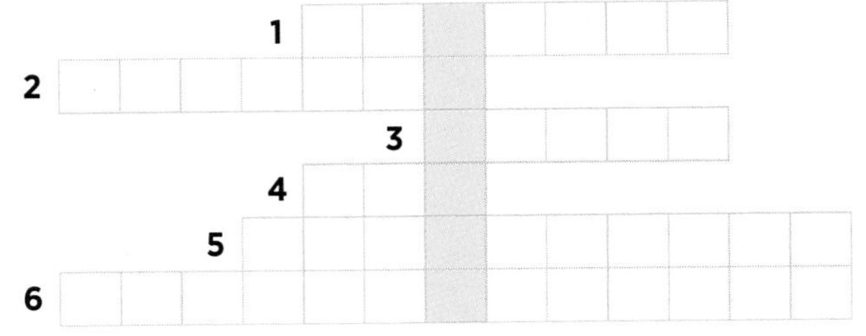

J'utilise mes compétences

4 Extraire et traiter les informations utiles

L'acidité du yaourt

Les yaourts sont produits grâce à deux espèces de bactéries: les lactobacilles et les streptocoques. Ces bactéries rendent le yaourt acide, ce qui empêche le développement d'autres bactéries qui sont, elles, pathogènes. C'est pourquoi on cherche à obtenir le maximum d'acidité lors de la préparation du yaourt.

Acidité du yaourt (unité arbitraire)

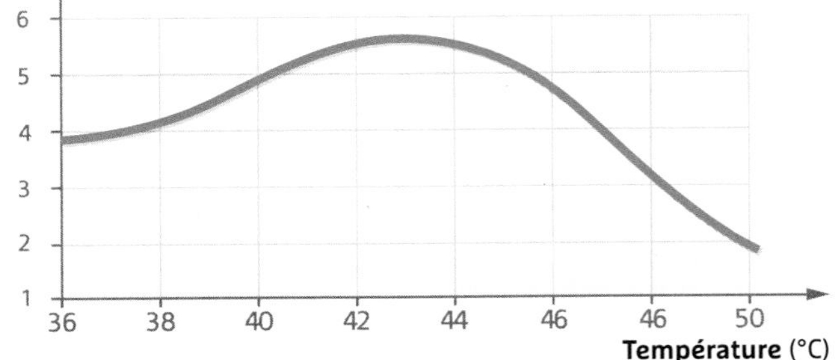

Acidité d'un yaourt en fonction de la température à laquelle il est fabriqué.

En t'aidant du texte et du graphique, trouve la bonne proposition pour chaque phrase :

a. Lorsque l'on fabrique un yaourt :

1. on laisse proliférer toutes les bactéries.

2. on laisse proliférer certaines bactéries.

3. on cherche à éliminer toutes les bactéries.

b. La température idéale de fabrication du yaourt est :

1. entre 36 et 40 °C.

2. de 37 °C.

3. entre 42 et 44 °C.

5 Extraire et traiter les informations utiles

Faire des yaourts dans des yourtes

En Mongolie, les nomades vivent dans des yourtes, souvent sans électricité, donc sans réfrigérateur. Pourtant, ils mangent beaucoup de yaourt. Les nomades donnent une forme rectangulaire au yaourt et le laissent sécher au soleil sur le toit de leur yourte. Le yaourt se conserve ainsi des mois.

Explique pourquoi le yaourt des nomades de Mongolie se conserve en dehors du réfrigérateur.

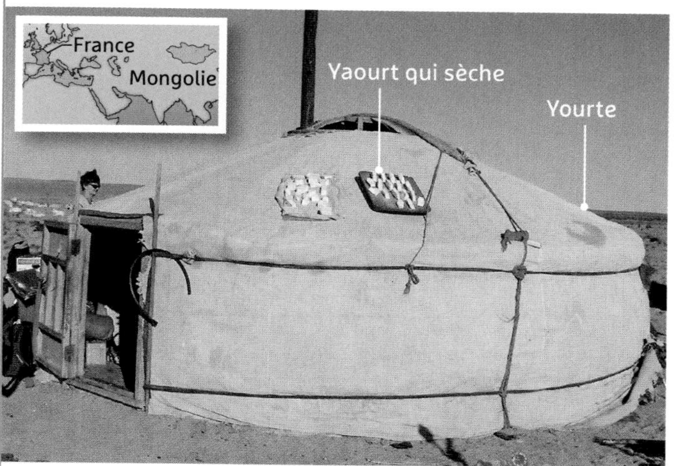

1 Séchage du yaourt sur une yourte en Mongolie.

2 Yaourt séché dans une yourte mongole.

6 Être conscient des enjeux de santé

La conservation des bouteilles de lait

Sur les étiquettes de bouteille de lait « UHT », on trouve des recommandations de conservation (voir ci-contre).

a. Indique comment conserver le lait « UHT » avant ouverture puis après ouverture de la bouteille.

b. À partir de tes connaissances, explique pourquoi le lait « UHT » ne se conserve pas de la même façon avant et après ouverture.

L'emballage d'une bouteille de lait UHT.

7 S'exprimer à l'écrit pour argumenter

La mayonnaise maison

Un œuf de poule est riche en eau et en nutriments. L'Institut de veille sanitaire fait la recommandation suivante :
« À la maison, les recettes à base d'œufs sans cuisson (mayonnaise, crèmes, mousse au chocolat, pâtisseries...) doivent être préparées le plus près possible du moment de la consommation et maintenues au froid. »

Explique les raisons de la recommandation de l'Institut de veille sanitaire.

Coup de pouce

→ Explique ce qui peut se passer si l'on prépare une mayonnaise longtemps à l'avance et qu'on la laisse en dehors du frigo.

8 Produire un tableau

Voyage en Afrique de l'Ouest

Le manioc est une plante qui peut être toxique. Dans plusieurs régions d'Afrique de l'Ouest, les habitants consomment le manioc sous forme de gari : ils broient le manioc et le font fermenter avec des micro-organismes. Ces derniers éliminent les substances toxiques et donnent du goût au manioc. La préparation est assez longue et nécessite du savoir-faire.

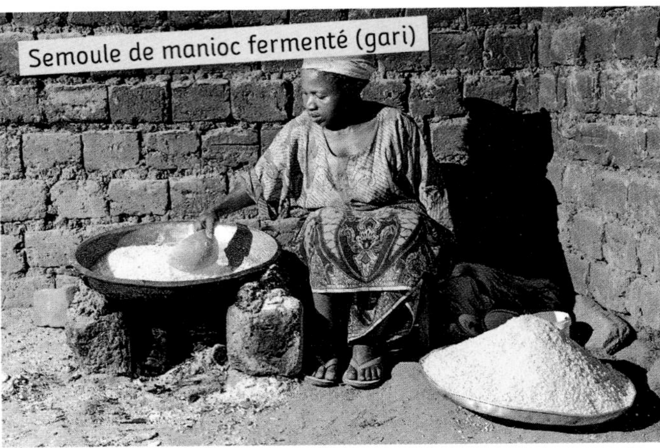

Dans un tableau à deux colonnes, écris les avantages et les inconvénients de la fermentation du manioc.

9 Interpréter une expérience

La préparation du yaourt

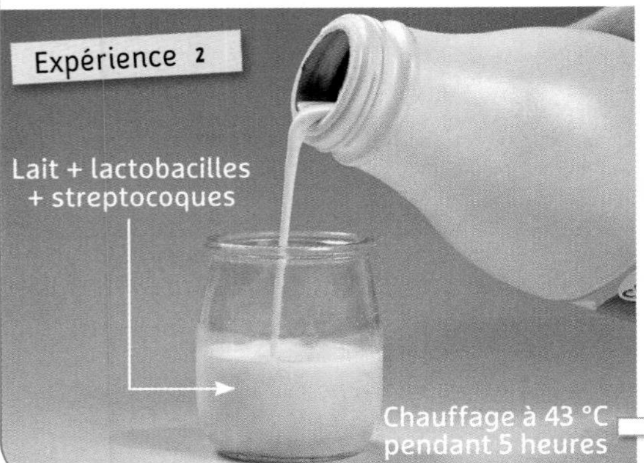

Pour préparer le yaourt, on mélange du lait et deux espèces de bactéries : les lactobacilles et les streptocoques. Ces bactéries se nourrissent des sucres du lait. Elles les transforment en d'autres substances chimiques. Afin de déterminer les conséquences de ces transformations chimiques, on a réalisé les expériences ci-contre.

a. Décris le résultat des expériences.

b. Déduis-en une conséquence des transformations chimiques effectuées par les bactéries.

c. Explique en quoi les micro-organismes sont indispensables à la fabrication du yaourt.

Accompagnement personnalisé

10 J'apprends à faire un dessin d'observation au microscope

Des champignons comestibles

Énoncé

La levure du boulanger (**doc. 1**) et le champignon pénicillium du roquefort (**doc. 2**) sont deux micro-organismes très utiles aux humains.

Questions

a. Rappelle le rôle des deux micro-organismes présentés dans la fabrication de certains aliments.

b. Réalise un dessin d'observation de ces deux micro-organismes.

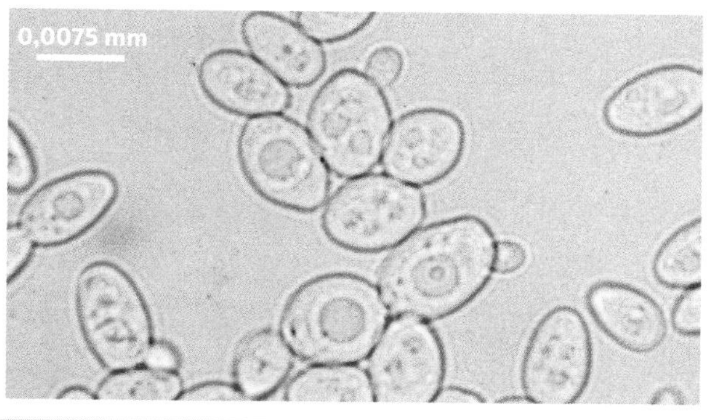

1 Levures du boulanger au microscope optique (MO).

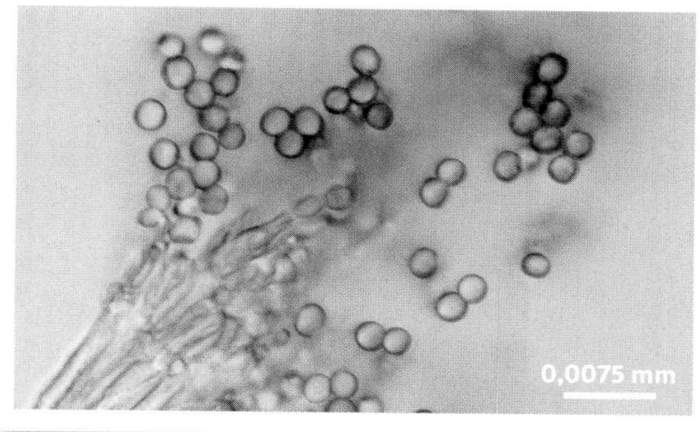

2 Pénicillum du roquefort au MO. Les noyaux des cellules ne sont pas visibles.

Aide à la résolution

Pour réaliser un dessin d'observation

1. **Observe ce que tu dois dessiner et relève ce qui te paraît le plus important : les contours, les formes remarquables, etc.**

2. **Réfléchis bien à l'endroit de ta feuille où tu vas dessiner : le dessin ne doit être ni trop grand ni trop petit.**

3. **Fais le dessin avec un crayon à papier bien taillé, sans hachurer ni colorier :**

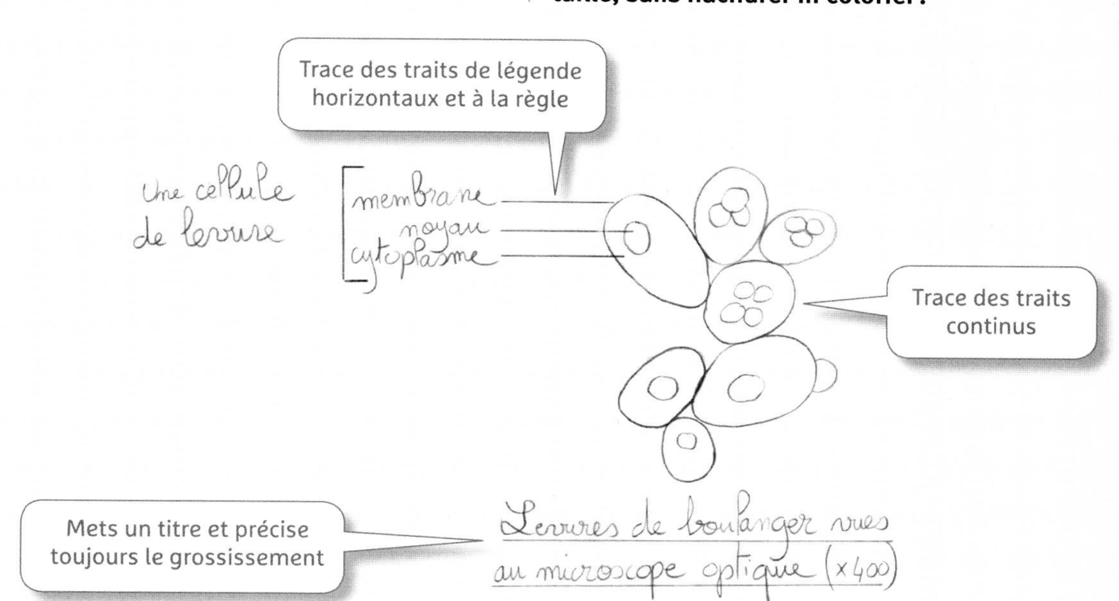

Chapitre 14

Pour commencer...

Une image

Ce chimpanzé de la forêt de Kibale (Ouganda) est malade. Habituellement, il ne mange pas les feuilles de cette plante.

>> Imaginerais-tu qu'un médicament se cache dans cette photo ?

Un nombre

2 000 fruits de coton sont nécessaires pour fabriquer un jean.

>> Comment peut-on se vêtir avec des fruits ?

Des mots

« Dans une cantine scolaire accueillant 200 collégiens, 25 kg d'aliments sont perdus à chaque repas sous la forme de déchets alimentaires. Cela représente 3,6 tonnes de déchets par an ! »

D'après www.lesechos.fr

>> Comment ce type de déchets peut-il être exploité par l'Homme ?

Le devenir de la matière organique

Comment l'Homme utilise-t-il la matière organique produite par les êtres vivants ?

Unité 1

La matière organique pour se soigner

Compétences
- [D2] Apprendre à gérer un projet.
- [D5] Se familiariser avec les évolutions de la science

L'Homme utilise une grande partie de la matière organique produite par les êtres vivants pour son alimentation. Mais il peut aussi l'utiliser pour se soigner.

→ En quoi la matière organique permet-elle de fabriquer des médicaments ?

L'histoire d'un médicament célèbre

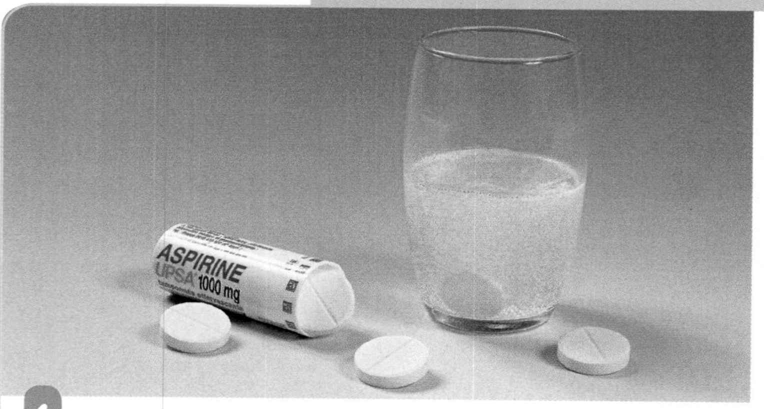

1 **Un tube d'aspirine.** On estime que 2 540 cachets d'aspirine sont consommés chaque seconde dans le monde.

2 **Un saule (plante à fleurs).** Dans l'Antiquité, le médecin grec Hippocrate (460 - 370 av. J.-C.) conseillait à ses patients d'utiliser des préparations d'écorce de saule en cas de fièvre ou de douleurs.

1829

- Une substance active est extraite de l'écorce du saule.
- Cette substance soulage douleurs et fièvre.

1859

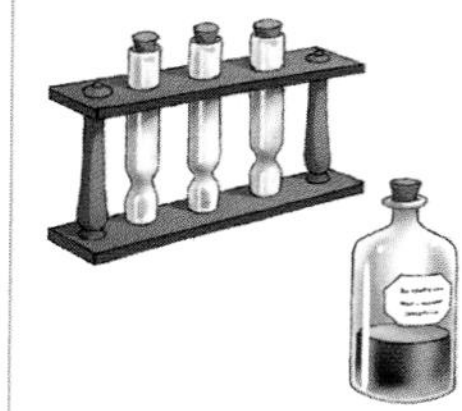

- La substance active est fabriquée au laboratoire.
- Elle provoque des irritations de l'estomac.

1897

- La substance active est modifiée de sorte qu'elle n'irrite plus l'estomac.
- La substance active modifiée est produite en grande quantité.

1899

- La Société Bayer commercialise cette substance sous le nom d'aspirine.

3 **L'histoire de l'aspirine en quelques dates.**

La biodiversité et les médicaments

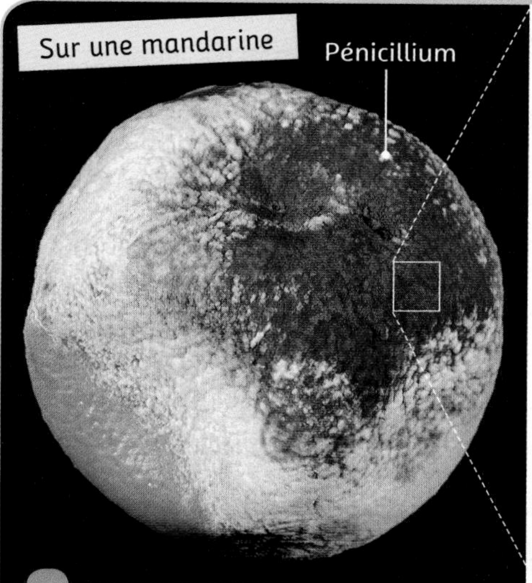

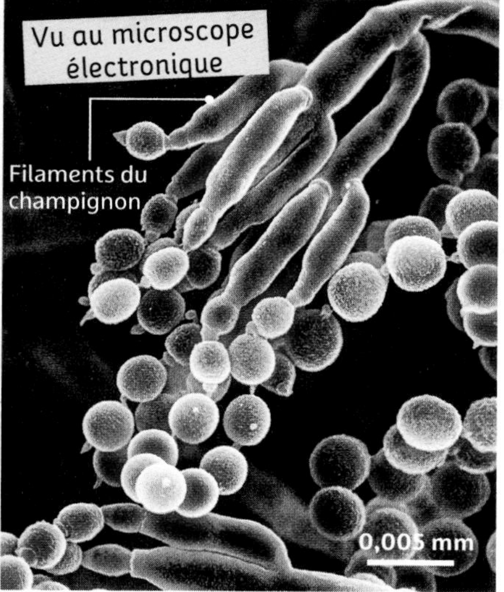

4 Le champignon pénicillium.

En 1928, A. Flemming découvre par hasard que le champignon pénicillium produit une substance, la pénicilline, capable de tuer des bactéries: c'est le premier **antibiotique** identifié. Il est utilisé comme médicament à partir des années 1940. Un grand progrès, car jusque-là, la médecine ne pouvait pas soigner des infections mortelles causées par des **bactéries** (tuberculose par exemple).

5 L'origine d'un antibiotique.

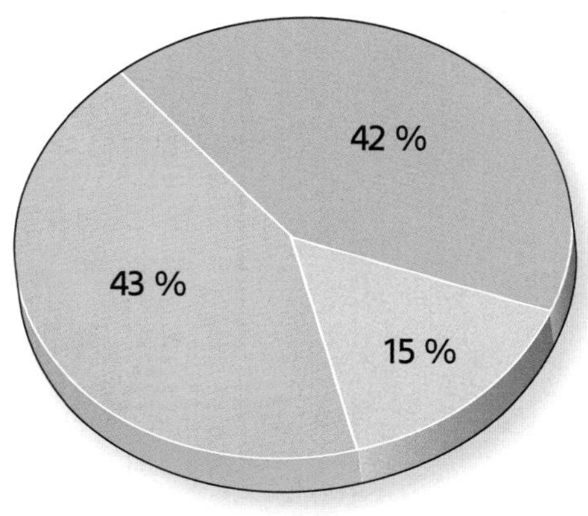

Substances directement issues d'un être vivant
Substances non naturelles
Substances inspirées d'une substance produite par un être vivant

6 L'origine des nouvelles substances utilisées pour fabriquer des médicaments.

7 **Un cône de mer.** Un antidouleur efficace a pu être fabriqué à partir du venin d'un cône de Nouvelle-Zélande. On suppose que d'autres espèces de cônes pourraient permettre de fabriquer de nouveaux médicaments. Mais ces animaux, très sensibles à la pollution, sont menacés de disparition.

Ta mission

1. Doc. 1 à 3 Explique pourquoi l'aspirine est un médicament inspiré de la nature.
2. Doc. 4 et 5 À l'aide de tes connaissances et des documents, cite deux services rendus à l'Homme par les champignons.
3. Doc. 6 et 7 Recherche une conséquence pour l'Homme de la disparition de certaines espèces.
4. Associe une image de la double page à chaque réponse.
5. Conclus ton affiche par une phrase qui résume l'importance de la matière organique et de la biodiversité pour la santé humaine.

Vocabulaire

Antibiotique (un): médicament capable de détruire les bactéries.

Bactérie (une): être vivant microscopique formé d'une seule cellule dépourvue de noyau.

Unité 2

La matière organique pour se vêtir

Compétences
- [D1.3] Produire des schémas.
- [D4] Se familiariser avec le monde technique.

Il y a 3000 ans en Inde, l'Homme utilisait déjà le coton pour se vêtir. Le coton est encore aujourd'hui l'une des matières les plus utilisées pour faire des vêtements.

→ Pourquoi le coton est-il encore très utilisé pour fabriquer des vêtements ?

Les étapes de la confection d'un jean

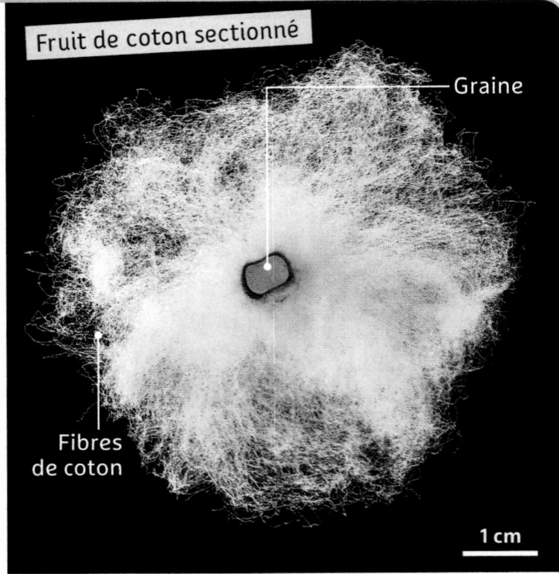

1 Le cotonnier et son fruit (capsule).

- La première étape, appelée **filage**, consiste à assembler des fibres de coton pour en faire un fil.
- La seconde étape, appelée **tissage**, est réalisée avec un métier à tisser. Elle consiste à entrecroiser des fils de coton afin d'obtenir un tissu. Selon la manière d'associer ces fils, on réalise des tissus différents.

Dans le cas du jean, le tissu obtenu est appelé denim.

2 La transformation d'une matière première en matériau.

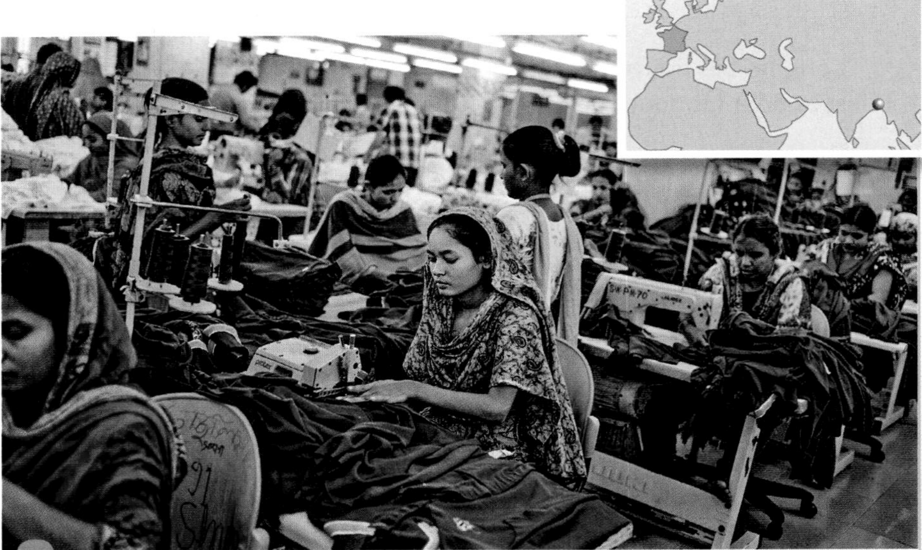

3 Du matériau à l'objet technique : des couturières assemblent les parties d'un jean dans une usine à Dhaka (Bangladesh).

Les propriétés du coton

4 **La naissance du jean.** À la fin du xixe siècle aux États-Unis, le denim, vendu par Levi Strauss, servait à la confection de tentes ou de bâches. Du fait de sa résistance, Jacob Davis eu l'idée de l'utiliser afin de tailler des pantalons pour les ouvriers. De plus, le denim résiste à des températures élevées, ce qui facilite son lavage.

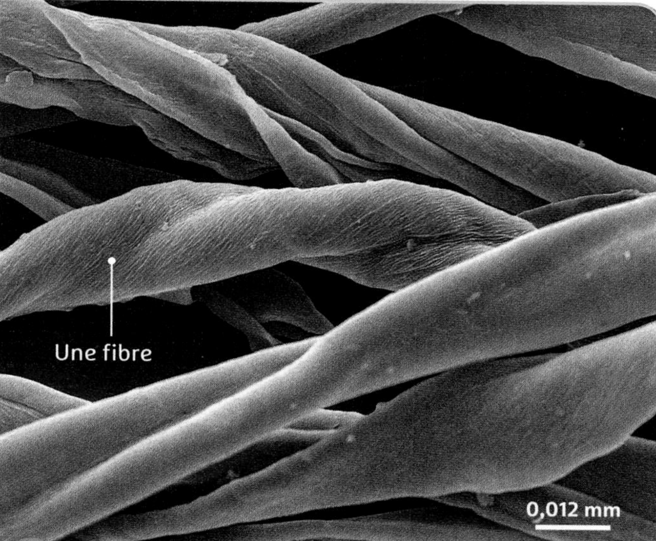

5 **Fibres de coton vues au microscope électronique.** Elles sont creuses et emprisonnent de l'air, qui est un très bon isolant thermique. Les fibres permettent donc de protéger les graines du froid.

- **25 millions de tonnes** de fibres de coton sont produites chaque année (l'équivalent de 6 milliards de jeans).
- **30 %** des fibres constituant les vêtements sont en coton.
- Il faut **11 000 litres d'eau** pour fabriquer un jean (culture du cotonnier et fabrication du jean).

6 **Des vêtements en coton.**

Vocabulaire

- **Fruit (un) :** organe d'une plante contenant des graines.
- **Matière première (une) :** matière à l'état brut extraite de la nature.

Ta mission

1. Doc. 1 Explique pourquoi la fibre de coton est bien de la matière organique.
2. Doc. 1 à 3 Identifie la matière première, le matériau et l'objet technique. Puis, construis un schéma résumant les étapes permettant de passer de la matière première au matériau, puis du matériau à l'objet technique.
3. Doc. 4 à 6 Cite au moins trois avantages et un inconvénient du coton en tant que matériau pour fabriquer un vêtement.
4. Conclusion Explique pourquoi le coton est encore très utilisé pour la fabrication de vêtements.

Le recyclage naturel de la matière organique

Compétences
- [D1.3] Interpréter des graphiques.
- [D1] Prélever et traiter l'information utile.

Nos déchets alimentaires sont faits de matière organique. De même, dans la nature, des déchets organiques sont produits : feuilles mortes, cadavres d'animaux, etc.

→ **Quel est le devenir de la matière organique dans le sol ? Comment l'Homme peut-il s'en inspirer pour recycler ses déchets organiques ?**

Des transformations de la matière organique

1 **Un tas de compost** dans une exploitation agricole. L'agriculteur entasse des débris végétaux variés. Au fil des semaines, la matière organique de ces déchets subit une **décomposition** et se transforme en compost.

3 **Une feuille morte à deux stades de sa décomposition.** On laisse 100 g de feuilles mortes se décomposer. Après 3 mois, la masse des feuilles n'est plus que de 10 g.

- Le sol d'une culture doit être enrichi en azote minéral, un élément nutritif pour les plantes.
- Pour cela, on peut utiliser des engrais chimiques azotés. Mais, utilisés en trop grande quantité, ces engrais entraînent des problèmes de pollution, comme une trop grande quantité de nitrates dans l'eau du robinet, qui la rend non potable.
- Une autre possibilité est d'utiliser du compost. On laisse pendant plusieurs mois des déchets organiques (épluchures, déchets du jardin, fruits pourris, etc.) sur un tas. Ils se décomposent et finissent par former une terre très noire que l'on mélange au sol de la culture. Il faut beaucoup de travail pour transporter cette terre et la mélanger au sol.

2 **L'utilisation du compost.**

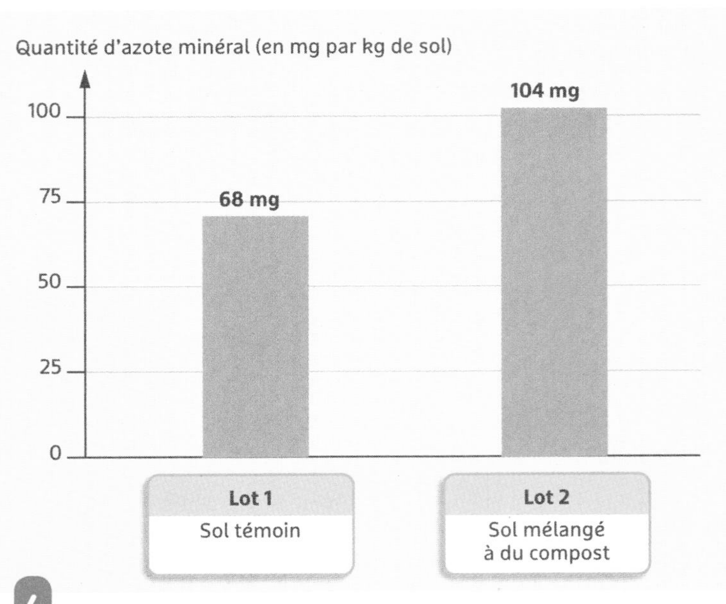

4 **La quantité d'azote minéral dans deux lots de sol.**

L'origine des transformations de la matière organique

5 **Un collembole.** Les collemboles fragmentent les feuilles mortes de la **litière** et s'en nourrissent.

6 **Un lombric.** Les lombrics prélèvent les feuilles mortes de la litière. Ils les enfouissent et s'en nourrissent. Après la digestion, ils rejettent des excréments qui enrichissent le sol en matière minérale.

7 **Un champignon en forêt.** Ce champignon est constitué d'un «chapeau» et de filaments qui colonisent les feuilles mortes. Ces filaments se nourrissent de la matière organique des feuilles. Ils la transforment en éléments minéraux (azote minéral, par exemple) qui sont ensuite rejetés dans le sol.

Ta mission

1. Doc. 1 et 3 Décris l'évolution de la feuille dans un compost.
2. Doc. 3 et 4. Trouve un argument prouvant que la matière organique du compost est décomposée en azote minéral.
3. Doc. 2. Trouve deux avantages et deux inconvénients de l'utilisation d'un compost.
4. Doc. 5 à 7. Explique l'action de chaque organisme sur les feuilles mortes.
5. Conclusion Explique ce que devient la matière organique dans le sol et comment l'Homme peut recycler ses déchets d'origine organique.

Vocabulaire

Décomposition (une) : transformation de la matière organique morte (feuilles, branches etc.) en matière minérale.

Litière (une) : débris et restes d'êtres vivants à la surface du sol.

Bilan Le devenir de la matière organique

Je dois savoir

• La **matière organique** issue des êtres vivants peut servir à produire des aliments (voir p. 174) ou des matériaux de construction (voir p. 368). Elle peut aussi rendre d'autres **services** à l'Homme.

Unité 1 La matière organique pour se soigner

• L'Homme peut extraire des substances produites par les êtres vivants. Il peut les utiliser directement ou bien s'en inspirer pour fabriquer des médicaments.

• Ces substances sont produites par une grande diversité d'êtres vivants. Il est donc important de préserver la **biodiversité**.

Unité 2 La matière organique pour se vêtir

• La matière organique peut être utilisée comme **matière première** pour produire des objets techniques. Ainsi, la fibre de coton permet de fabriquer des vêtements.

• Les conditions de culture du coton et de fabrication de ces vêtements ont un impact plus ou moins important sur l'environnement et les conditions de vie des ouvriers.

Unité 3 Le recyclage naturel de la matière organique

• La matière organique qui tombe sur le sol est décomposée par des êtres vivants appelés les **décomposeurs**. Certains se nourrissent de cette matière et la réduisent en éléments de plus en plus petits. D'autres transforment ces débris en **matière minérale**.

• L'Homme utilise cette **décomposition** naturelle pour recycler les déchets issus des êtres vivants et fabriquer de l'**engrais** biologique : le compost.

→ L'essentiel du cours en une animation

Je suis capable de

	Pour vérifier	Si tu n'es pas sûr...
[D1.1] **Extraire des informations d'un texte**	→ Fais la question 3 de l'unité 3 p. 199.	→ Fais l'exercice guidé p. 375.
[D1.3] **Lire un diagramme en barres**	→ Fais la question 2 de l'unité 3 p. 199.	→ Fais l'exercice guidé p. 351.

Je retiens par l'image

Êtres vivants

Extraction de substances chimiques → Médicaments

Extraction de matières premières → Vêtements ; Matériaux de construction

Culture Élevage → Aliments pour l'Homme

Restes d'êtres vivants → Décomposeurs → Matière minérale → Engrais biologique : compost

Matière organique

Services rendus à l'Homme

Je retiens les mots-clés

- Biodiversité
- Décomposeur
- Décomposition
- Engrais
- Matière minérale
- Matière organique
- Objet technique
- Service

→ Pour réviser les définitions  ou Dico du manuel p. 379

Exercices

Je vérifie mes connaissances

1 Le mot caché

Recopie et complète la grille à l'aide des définitions pour trouver le mot mystère.

a. Je désigne la matière lorsqu'elle n'est pas organique.

b. Je désigne la matière qui compose les êtres vivants.

c. Partie de la plante d'où on extrait le coton.

d. Nous transformons la matière organique en matière minérale.

						T	I	S	S	U						
					a											
							b									
									V	Ê	T	E	M	E	N	T
					c											
					M	É	D	I	C	A	M	E	N	T		
d																

2 Une phrase

Rédige une phrase correcte à partir des mots proposés.

a. Matière organique - matière première - objet technique

b. Substances - êtres vivants - médicaments

c. Décomposeurs - recyclage - matière organique - matière minérale

3 Vrai ou faux ?

Retrouve les propositions exactes et recopie celles qui sont fausses en les corrigeant.

a. Les fruits sont nécessaires à la fabrication de certains vêtements.

b. Seuls les végétaux produisent des substances utilisables par l'Homme pour produire des médicaments.

c. Les décomposeurs transforment la matière minérale en matière organique.

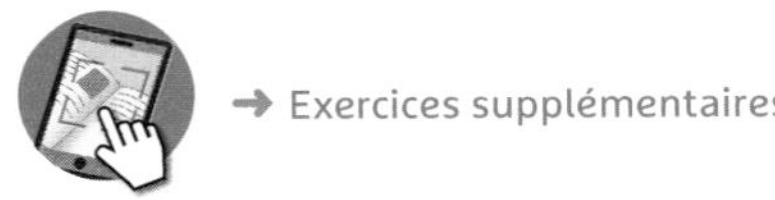
→ Exercices supplémentaires

J'utilise mes compétences

4 Lire et interpréter un graphique

Les acteurs de la décomposition des feuilles mortes

On place 1 kg de feuilles mortes dans différentes conditions : en présence de tous les êtres vivants du sol (expérience n° 1), en l'absence des êtres vivants du sol (expérience n° 2). Après 99 jours, on mesure la masse de feuilles mortes restante. Les résultats sont présentés sur le graphique ci-contre.

a. Indique la masse de feuilles mortes à la fin de chaque expérience.

b. Compare les résultats obtenus dans les deux expériences.

c. À l'aide de tes connaissances, propose une explication à la différence observée.

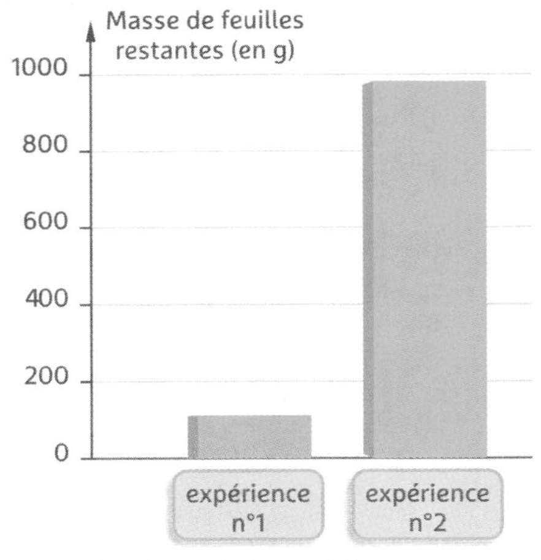

Les résultats de l'expérience.

5 Mettre en œuvre des actions responsables

Le prix à payer pour un jean à la mode

Les jeans délavés sont à la mode. Mais pour leur donner cet aspect vieilli, on pratique encore trop souvent le sablage : on propulse sur le tissu du sable à haute pression. Or, chez les ouvriers, le sablage est à l'origine de la silicose, une maladie des poumons mortelle. Interdite depuis longtemps en Europe, cette technique est encore employée au Maghreb ou en Asie pour produire les jeans délavés de grandes marques.

a. D'après le texte, cite une conséquence possible de l'achat d'un jean sur la santé de certains ouvriers du textile.

b. Comment peux-tu agir pour que ta consommation de jeans ait moins de conséquences sur la santé des ouvriers ?

6 Utiliser de façon réfléchie des outils de recherche

Vive les requins !

Aux États-Unis, l'équipe du professeur Zasloff a mis en évidence des effets bénéfiques d'une substance fabriquée par le foie de plusieurs requins (notamment l'anguillat commun) dans le traitement de plusieurs maladies, comme l'hépatite ou la fièvre jaune.

D'après www.lepoint.fr, septembre 2011.

▲ **Un aiguillat commun.**

a. Effectue une recherche sur les maladies citées dans l'énoncé (symptômes et mode de contamination).

b. Construis une affiche où tu expliqueras l'importance de préserver les requins.

7 Expliquer de façon claire et organisée

De drôles de bus anglais qui roulent aux crottes

Les déchets constitués de matière organique présents dans nos ordures ménagères (restes de repas) ou dans nos eaux usées (excréments) peuvent être recyclés grâce à des biofermenteurs. Ces appareils contiennent des micro-organismes qui transforment la matière organique en matière minérale. On obtient alors du gaz, le biométhane, utilisé comme source d'énergie, mais aussi des boues utilisées comme engrais.

a. Explique comment des crottes permettent de faire rouler un bus.

b. À l'aide de tes connaissances, explique pourquoi les boues issues du biofermenteur favorisent la croissance des cultures.

◄ **Un bus roulant au biométhane en Grande-Bretagne.**

Exercices

8 Exploiter un tableau

La matière organique et les besoins des êtres humains

Être vivant	Matière organique utilisée	Quelques utilisations
Canard	Plumes du duvet	Rembourrage de couettes, de manteaux
Lin	Fibres de la tige	Vêtements, linge de maison, bâches, ficelles
	Graines de la fleur	Huile de cuisine, peintures, savons
Mouton	Peau	Vêtements, chaussures, canapés en cuir
	Laine	Vêtements, couvertures, isolation des maisons
Sapin de Douglas	Bois	Construction et menuiserie (transformation en contreplaqué)

Quelques exemples d'utilisations de la matière organique par l'Homme.

À partir d'exemples pris dans le tableau ci-dessus, rédige un texte expliquant comment la matière organique permet de satisfaire de nombreux besoins des êtres humains.

Coup de pouce

→ Ton texte devra présenter au moins deux exemples de matière organique.

→ Tu indiqueras pour chaque exemple : l'être vivant d'où la matière provient et une utilisation possible par l'Homme.

9 Formuler une hypothèse

Apprendre à lire une étiquette de vêtement

a. Montre que chaque pull ci-contre a été fabriqué à partir de matière organique.

b. Compare les conditions d'entretien de ces deux pulls.

c. Propose une hypothèse afin d'expliquer pourquoi les conditions d'entretien des deux vêtements sont différentes.

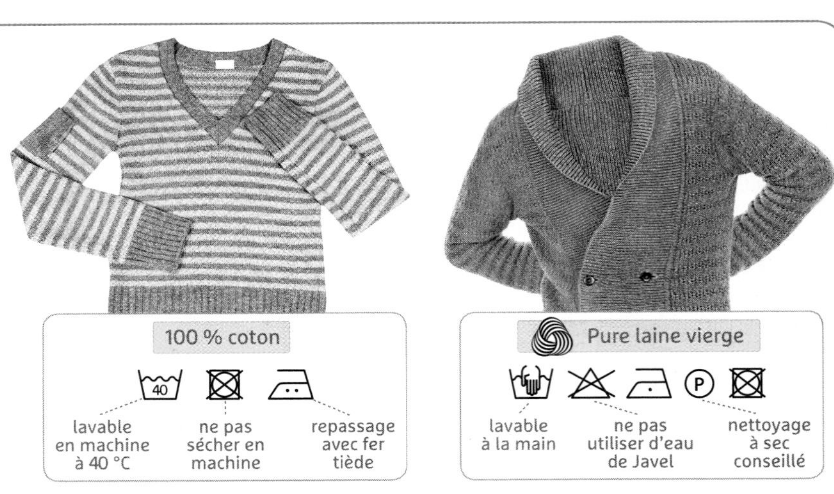

Deux pulls et leur étiquette d'entretien.

Accompagnement personnalisé

10 J'apprends à extraire des informations d'un texte

La médecine des chimpanzés

Énoncé

Les chimpanzés se nourrissent surtout de graines, de fruits et de feuilles. Une chercheuse du Muséum national d'Histoire naturelle, Sabrina Krief, a longtemps observé des chimpanzés à l'état naturel en Ouganda. Elle a remarqué que ceux qui étaient infectés par des vers modifiaient leur alimentation et se nourrissaient de l'écorce d'un arbre particulier, appelé l'albizia. Dans ces écorces, elle a isolé une substance qui empêche le développement des vers. Certains habitants d'Ouganda utilisent cette plante pour soulager leurs maux de ventre.

Questions

a. De quoi se nourrissent principalement les chimpanzés ?

b. Quand les chimpanzés se nourrissent-ils d'écorce d'albizia ?

c. À ton avis, quelles sont les conséquences de la consommation d'écorce pour eux ?

Aide à la résolution

Pour extraire des informations de ce texte...

1. Lis une première fois le texte attentivement.

2. Imagine dans ta tête le film correspondant au texte lu (film mental), en respectant les règles suivantes :

– certaines informations doivent apparaître obligatoirement ;
– certaines informations peuvent être rajoutées à condition qu'elles ne modifient pas le sens du texte.
– tu ne peux pas ajouter des informations qui ne sont pas logiques avec le texte.

Un exemple de film mental présenté sous la forme d'une bande dessinée.

Exercices Tâche complexe

Compétences
- [D2] Utiliser les outils de recherche
- [D5] Imaginer et réaliser une affiche

Les chasseurs du Paléolithique

Une situation-problème

1 Le tir d'une sagaie avec un propulseur.
Au Paléolithique supérieur (entre 45 000 et 10 000 ans avant J.-C.), des humains issus d'Europe mirent au point un objet technique pour améliorer leur technique de chasse des grands mammifères. Il est constitué d'une sagaie, semblable à une très longue flèche et d'un propulseur muni d'un crochet à l'une extrémité duquel on fixe l'embout de la sagaie.

→ Comment chassait-on avec une sagaie et un propulseur ?

La consigne

Tu utiliseras l'ensemble des documents pour élaborer une affiche. Elle permettra de comprendre comment les Hommes du Paléolithique confectionnaient ces objets destinés à la chasse et comment ils s'en servaient.

Ton affiche expliquera aussi pourquoi tous les éléments de sagaies et de propulseurs de cette époque n'ont pu être retrouvés.

Des documents pour répondre

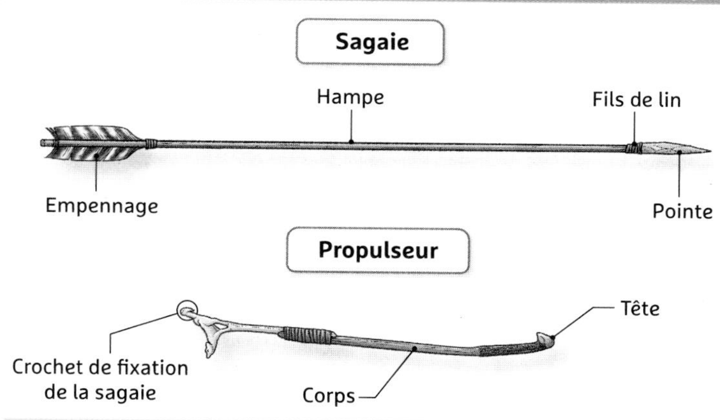

La sagaie est constituée d'une pointe (en bois de renne, en os ou en ivoire taillé), d'une hampe (manche de bois, longueur d'environ 2 m) et d'un empennage (plumes stabilisant la trajectoire lors du lancer). Le propulseur est souvent constitué d'un corps en bois végétal et d'un crochet en bois de renne, en os ou en ivoire. Il est long d'environ 30 cm. Les éléments sont fixés entre eux par de la résine de pin, de la cire d'abeille ou des fils de lin.

2 Reconstitution d'une sagaie et un propulseur.

3 Pointe de sagaies datées de 15 000 ans environ. Lors des fouilles archéologiques, les parties en matière organique ont très rarement été retrouvées.

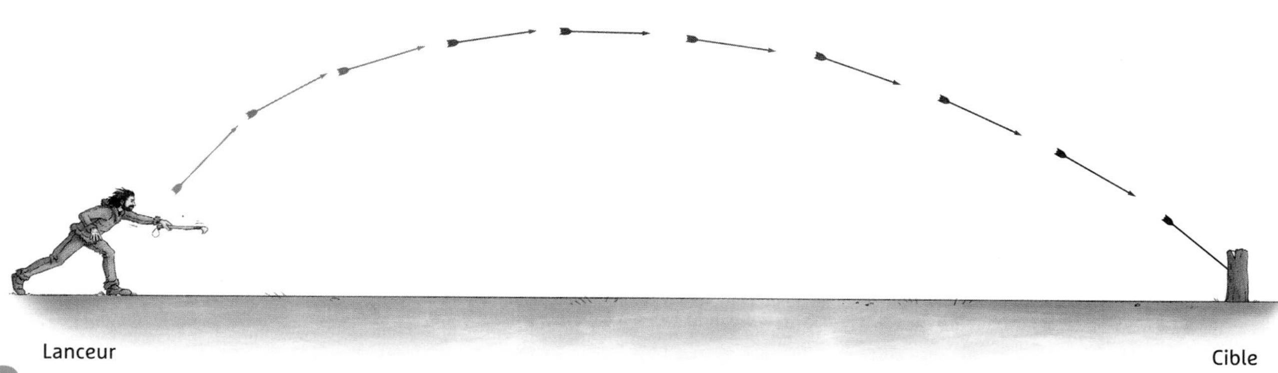

4 Position d'une sagaie à intervalles de temps réguliers après qu'elle a été lancée.
Un effet de levier accroît l'efficacité du lancer en augmentant la vitesse et la distance parcourue par la sagaie.

? BESOIN D'UN COUP DE POUCE ?

- Les objets techniques et leur nomenclature
→ Voir chapitre 17 unité 2 pp. 234-235.
- Les techniques d'assemblage
→ Voir chapitre 19 p. 255.
- Les mouvements
→ Voir chapitre 3 pp. 42-45.
- Le devenir de la matière organique
→ Voir chapitre 14 pp. 198-199.

J'ai réussi si...

- ☐ J'ai présenté un tableau de nomenclature d'une sagaie et d'un propulseur
- ☐ J'ai précisé les techniques d'assemblage utilisées.
- ☐ J'ai expliqué le devenir des éléments en matière organique.
- ☐ J'ai effectué une recherche pour expliquer ce qu'est un effet de levier.

Partie 3

Matériaux et objets techniques

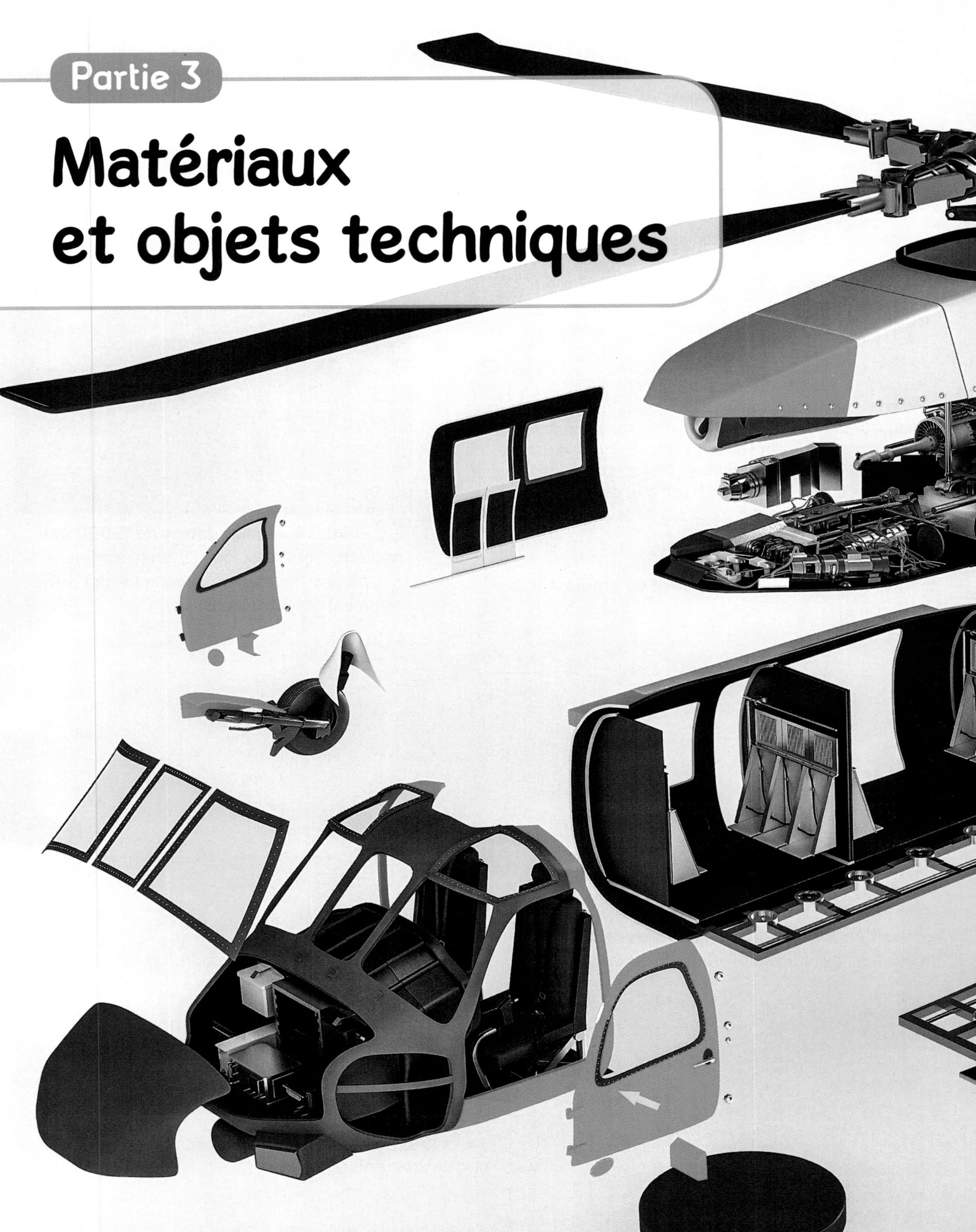

▲ Les pièces d'un hélicoptère.

Attendus de fin de cycle*

Identifier les principales évolutions du besoin et des objets

Décrire le fonctionnement d'objets techniques, leurs fonctions et leurs constitutions

Identifier les principales familles de matériaux

Concevoir et produire tout ou partie d'un objet technique en équipe pour traduire une solution technique répondant à un besoin

Repérer et comprendre la communication et la gestion de l'information

Bulletin officiel spécial, n° 11, 26 novembre 2015.

Cycle 3 De l'école au collège

Pour chaque question, choisis la bonne réponse à l'aide de tes connaissances

1 Les objets tecnhiques

Un phare en Sicile

1 Sur cette photo, le(s) objet(s) technique(s) présent(s) est (sont) :

a. seulement le voilier.
b. l'île et le phare.
c. le voilier et le phare.

2 Le phare :

a. éclaire le paysage la nuit pour faire plaisir aux touristes.
b. permet aux navigateurs de se repérer.
c. ne sert plus à rien.

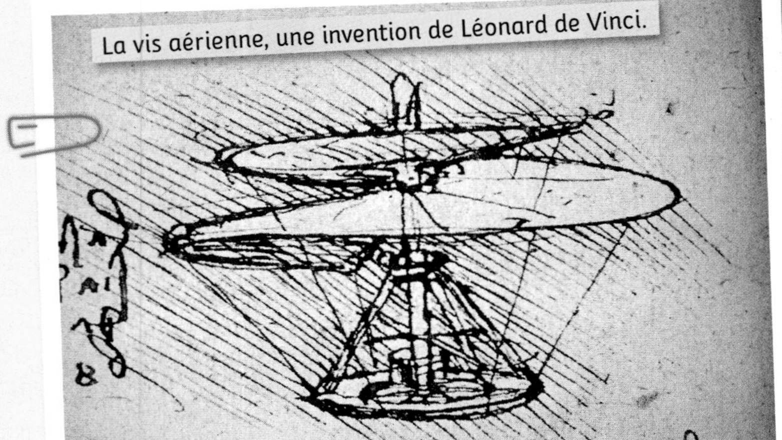
La vis aérienne, une invention de Léonard de Vinci.

3 Léonard de Vinci voulait fabriquer :

a. un ventilateur.
b. une machine volante.
c. un parasol.

4 Cette image est :

a. une photographie.
b. une maquette.
c. un schéma.

5 Pour se rendre à New-York, on utilise :

a. une voiture.
b. un avion.
c. un train.

2 Familles de matériaux

À chaque déchet sa poubelle.

6 Une bouteille en verre vide doit être :

a. mise dans le tas de compost.
b. brûlée dans une cheminée.
c. mise dans le bac de recyclage adapté.

7 Les objets jetés dans la poubelle bleue ci-contre sont fabriqués avec un matériau de la famille des :

a. métaux.
b. minéraux.
c. matériaux organiques.

8 Le matériau qui conduit l'électricité est :

a. le bois.
b. le plastique.
c. le cuivre.

3 Contraintes et solutions techniques

Un vélo accidenté…

9 Tu demandes de l'aide à un ami pour réparer ton vélo. Pour lui expliquer au mieux le problème :

a. tu dessines un croquis.
b. tu rédiges un texte.
c. tu décris oralement le problème.

10 L'outil qui n'est pas conçu pour faire des trous est :

a. une perceuse.
b. une perforatrice.
c. un tournevis.

11 Pour mesurer le diamètre d'une roue de vélo, tu utilises :

a. une équerre.
b. un rapporteur.
c. un mètre.

12 Ton amie te demande de réaménager son atelier. Pour cela, tu as besoin d'un plan :

a. vu de dessus.
b. vu de côté.
c. vu de face.

13 Lors d'une sortie en vélo électrique, l'élément va limiter ton temps de promenade est :

a. l'usure des roues.
b. la batterie.
c. le moteur.

4 Communication et gestion de l'information

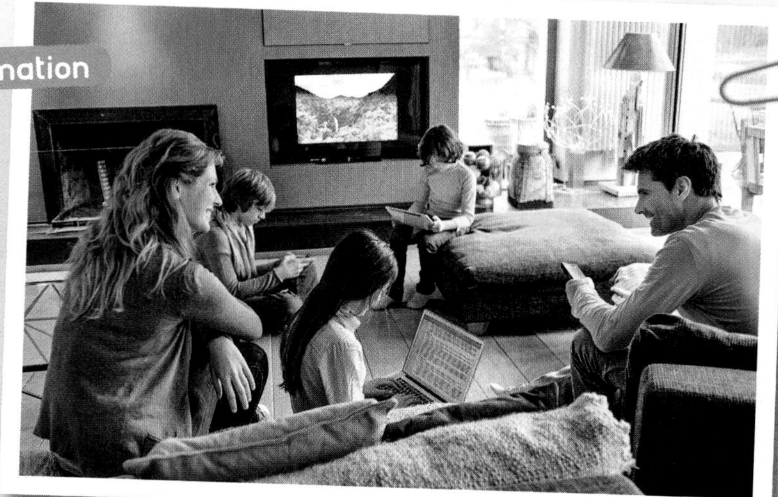

14 Sur l'image ci-contre, tu vois :

a. une clé USB.
b. une tablette.
c. une imprimante.

15 Les images trouvées sur Internet :

a. appartiennent à tout le monde.
b. appartiennent à leur auteur.
c. n'appartiennent à personne.

16 Un mot de passe :

a. doit rester personnel.
b. peut être partager par plusieurs personnes.
c. ne sert à rien.

17 Le réseau Internet permet :

a. d'envoyer et de recevoir des informations.
b. uniquement d'envoyer des informations.
c. uniquement de recevoir des informations.

Chapitre 15

Pour commencer...

Des images

>> Pour quelles raisons les avions volent-ils de plus en plus vite ?

Des nombres

« En France, 84 % des 11-24 ans possèdent un téléphone mobile. Ils représentent 2,1 millions d'utilisateurs et un quart d'entre eux changent de téléphone tous les ans. »

D'après www.lemonde.fr

>> Pour quelles raisons changeons-nous de téléphones mobiles alors que l'ancien fonctionne encore ?

L'évolution technologique, une réponse à l'évolution des besoins

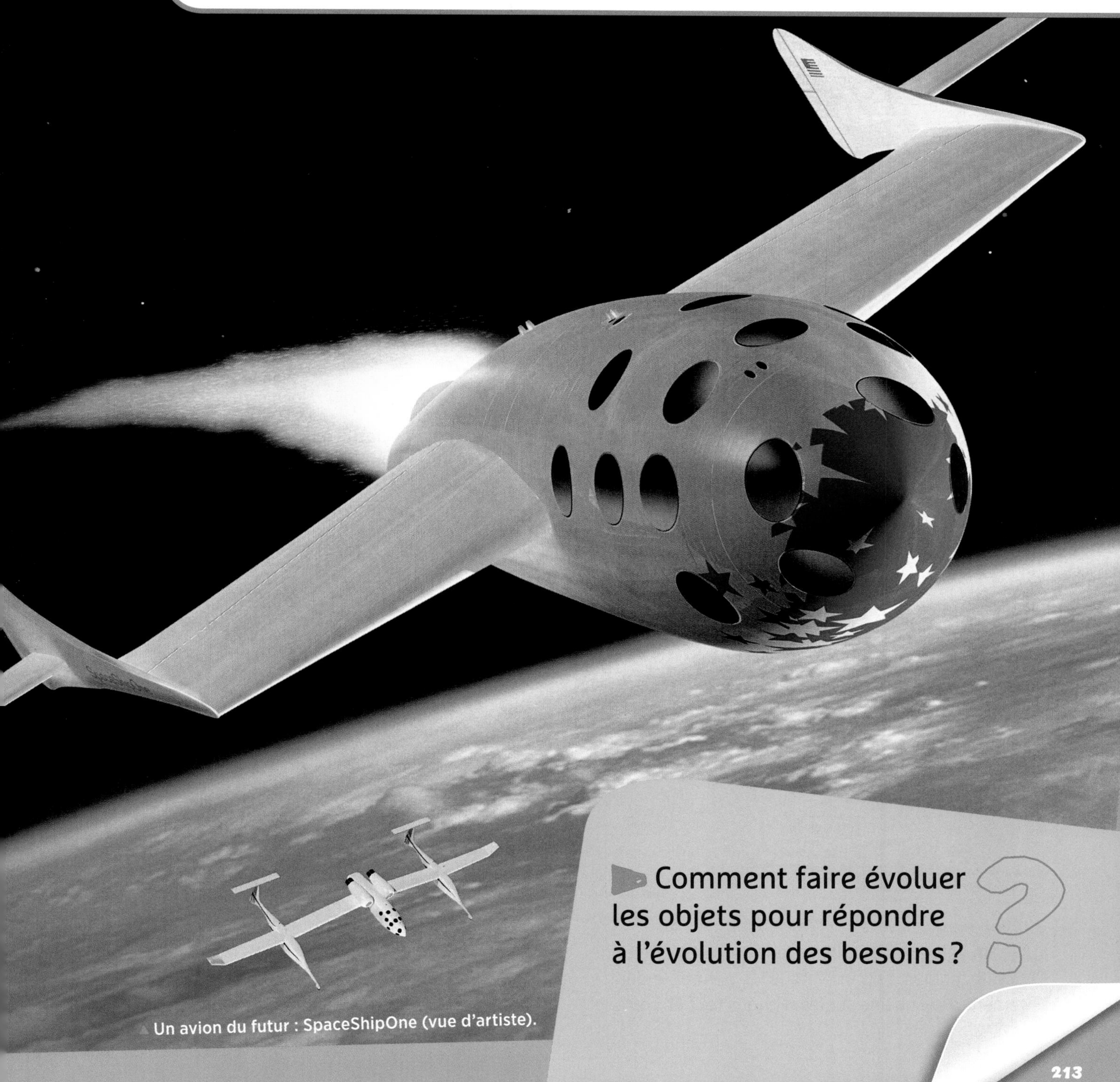

Un avion du futur : SpaceShipOne (vue d'artiste).

Comment faire évoluer les objets pour répondre à l'évolution des besoins ?

Unité 1

Identifier l'évolution technologique

Compétences
- [D1.3] Exploiter un document.
- [D5] Situer une évolution technologique dans le temps.

Un objet technique est un objet fabriqué par l'Homme, qui n'existe pas dans la nature. L'être humain fait évoluer et améliore sans cesse les objets techniques qui l'entourent.

→ Comment les objets techniques évoluent-ils ?

L'évolution de la bicyclette

1 **La draisienne** est un véhicule en bois d'environ 40 kg. C'est une **invention** de Karl Drais.

2 **Cette bicyclette en acier** (environ 20 kg) utilise le **principe technique** « chaîne pignons ». Ce système transmet la force du pédalage vers la roue arrière.

3 **Un vélo avec dérailleur** (environ 15 kg). Ce principe technique, apparu vers 1930, permet le déplacement de la chaîne sur les pignons tout en roulant.

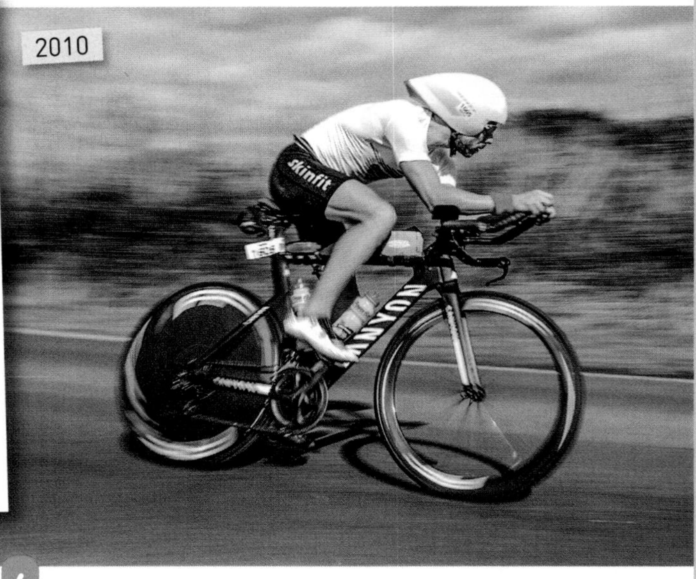

4 **Un vélo de course** moderne et léger (environ 2,7 kg) utilisant l'**innovation** du matériau carbone.

Étudier la transmission du mouvement à la roue arrière

Montage 1

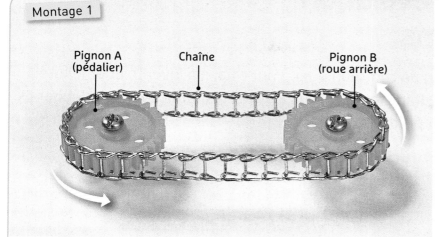

Pignon A (pédalier)
Chaîne
Pignon B (roue arrière)

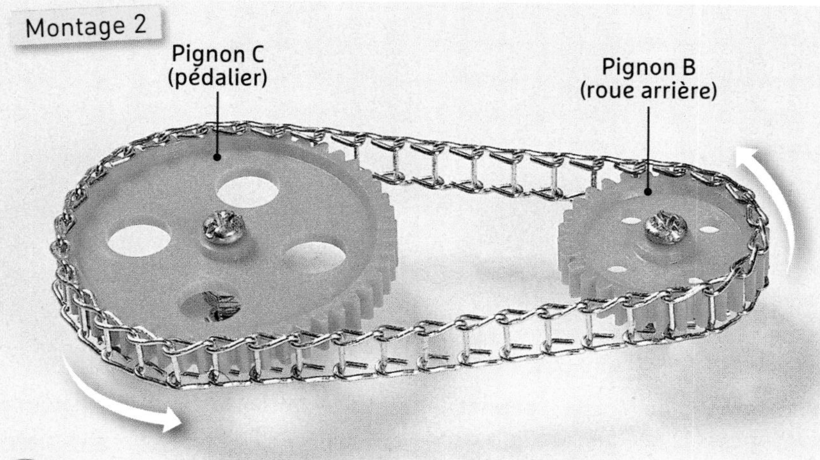

5 Maquette du système de transmission d'un vélo d'aujourd'hui, utilisant le principe technique chaîne pignons, comme en 1880 (doc. 2). Quand le cycliste change de pignon de roue arrière grâce au dérailleur, on dit qu'il change de vitesse.

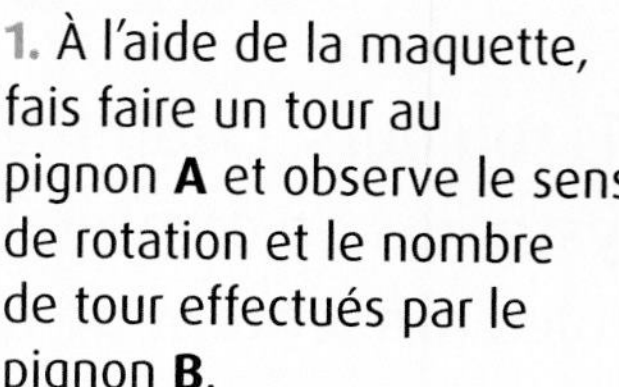

Je manipule

1. À l'aide de la maquette, fais faire un tour au pignon **A** et observe le sens de rotation et le nombre de tour effectués par le pignon **B**.
2. Refais la même expérience avec un pignon **C** de plus grand diamètre que celui du pignon **B**.
3. Note tes observations (sens et vitesse de rotation des pignons).

	Nombre de tours du pignon du pédalier	Nombre de tours du pignon de la roue arrière
Montage 1	1	1
Montage 2	1	1,7

6 Nombre de tours des pignons selon leur diamètre.

Ta mission

1. Doc. 1 à 4 Recherche sur Internet deux autres vélos importants dans l'histoire de l'évolution de la bicyclette, puis construis une frise chronologique à l'aide d'un logiciel de traitement de texte.
2. Doc 3 Indique le principe technique permettant de changer de pignon en roulant.
3. Doc. 2 et 5 Précise ce que permet l'utilisation du principe technique chaîne pignons et à quoi sert le changement de vitesse sur les vélos.
4. Doc. 4 Donne le nom de l'innovation qui a permis d'alléger les vélos.
5. Conclusion Rédige un texte qui décrit les différentes évolutions de la bicyclette. Précise dans chaque cas s'il s'agit d'une invention, d'une innovation ou d'un principe technique.

Vocabulaire

Invention (une) : imagination, réalisation de quelque chose de nouveau, que personne n'avait encore fait.

Innovation (une) : utilisation d'une technologie nouvelle avec pour objectif de répondre à un besoin.

Principe technique (un) : groupe de pièces d'un objet réalisant une action.

Repérer l'évolution des besoins

Compétences
- [D1.3] Exploiter un document.
- [D5] Identifier les évolutions des besoins et des objets techniques.

Depuis toujours, l'Homme a besoin de communiquer. Pour cela, il a inventé et amélioré des systèmes de communications. Par exemple, tous les ans, les fabricants de téléphones portables présentent de nouveaux produits.

→ Pourquoi les objets techniques évoluent-ils ?

Du télégraphe au téléphone mobile

Le télégraphe de Chappe. Une personne place les bras articulés dans différentes positions. Chaque position correspond à un mot. À des kilomètres de là, un observateur voit le message et le décode.

Durée de transmission : quelques heures.

Le télégraphe de Morse. Il permet d'envoyer des signaux électriques, transportés d'un appareil à l'autre par des câbles. Le code utilisé est fait de signaux longs et courts (voir chap. 6).

Durée de transmission : quelques minutes.

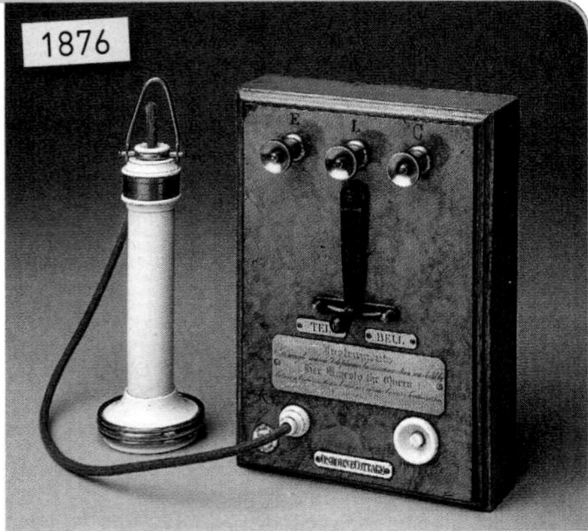

Le téléphone de Bell. Il transforme les sons en signaux électriques. Ces signaux sont transportés par des câbles jusqu'à un autre appareil, qui les transforme à nouveau en sons.

Durée de transmission : moins de 1 seconde.

1 Quelques inventions permettant de communiquer. Les téléphones fixes actuels fonctionnent selon le même principe que le téléphone de Bell.

2 Un téléphone mobile actuel et ses fonctions.

L'évolution du téléphone mobile

Vodafone

- **Année :** 1985
- **Dimensions* (en cm) :** *L* 22 × *ℓ* 23 × *e* 10
- **Masse (en g) :** 5 000
- **Autonomie :** 30 minutes

Téléphone Nokia 5110

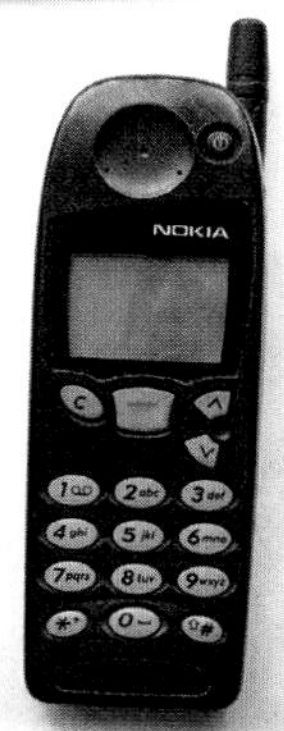

- **Année :** 1998
- **Dimensions* (en cm) :** *L* 13 × *ℓ* 5 × *h* 3
- **Masse (en g) :** 170
- **Autonomie :** 3 jours

Smartphone « solaire »

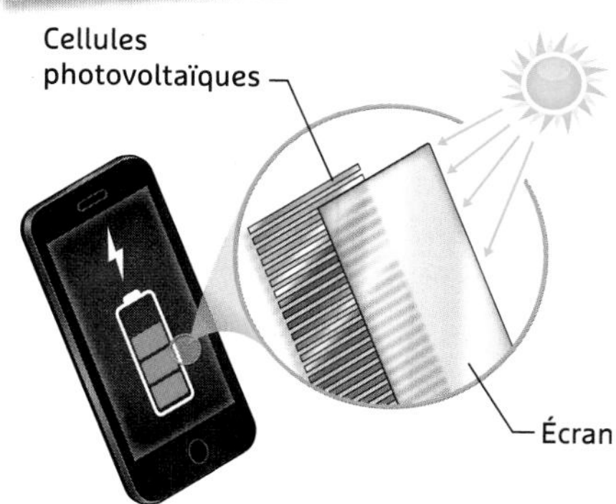

- **Année :** 2020 ?
- **Dimensions* (en cm) :** *L* 13 × *ℓ* 5 × *e* 1
- **Masse (en g) :** 150
- **Autonomie :** rechargé par énergie solaire

3 **Différents téléphones à travers le temps.** *Longueur *L*, largeur *ℓ*, épaisseur *e*.

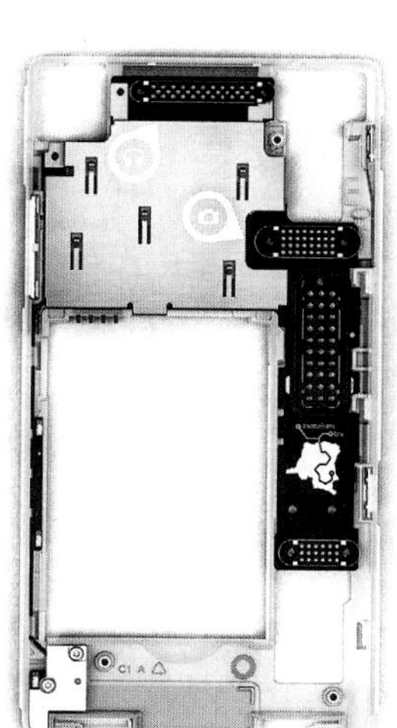

- **Le premier smartphone « éthique et équitable » a été créé en 2013 :** les matières premières utilisées pour le fabriquer proviennent de mines respectueuses de l'environnement (voir chapitre 27, p. 367). Les usines qui le produisent respectent les droits des ouvriers. Il est réparable facilement pour prolonger la durée de vie du produit.

4 **Le Fairphone, un smartphone « éthique et équitable ».**

Vocabulaire

Besoin (un) : nécessité ou désir éprouvé par un utilisateur (manger, dormir, communiquer, s'amuser...).

Éthique (adj.) : respectueux de l'Homme et de l'environnement.

Équitable (adj.) : se dit d'échanges satisfaisants pour tous (salaires des ouvriers, pas d'exploitation des enfants, produits de qualité...).

Ta mission

1. Doc. 1 Indique à quels **besoins** répondent les évolutions de ces moyens de communication.
2. Doc. 2 Précise à quels besoins répond un téléphone d'aujourd'hui.
3. Doc. 3 Repère les différentes évolutions entre les téléphones présentés. Précise à quels besoins répondent ces évolutions.
4. Doc 4 À quel besoin répond le Fairphone et comment y répond-il ?
5. Conclusion Rédige un court texte pour expliquer les raisons qui conduisent l'Homme à faire évoluer les objets techniques.

Bilan

L'évolution technologique, une réponse à l'évolution des besoins

Je dois savoir

Unité 1 Identifier l'évolution technologique

- Les **objets techniques**, fabriqués par l'Homme, évoluent dans le temps : leur forme, les matériaux utilisés ou les principes de fonctionnement changent.
- Ces évolutions sont rendues possibles par l'apparition d'**innovations**, d'**inventions** et de nouveaux **principes techniques**.

Unité 2 Repérer l'évolution des besoins

- Les objets techniques répondent aux **besoins** de l'Homme (se déplacer, communiquer...).
- Les besoins évoluent dans le temps. Pour s'adapter à cette évolution, les objets techniques évoluent aussi.

→ L'essentiel du cours en une animation

Je retiens par l'image

Évolution des besoins de l'Homme

Temps

Évolution des objets techniques

Temps

Nouveaux principes techniques

Exercices

Je vérifie mes connaissances

1 Un texte

Repère les mots du texte qui se rapportent à une innovation, à une invention ou à un principe technique.

Un appareil photographique permet de fixer sur un support l'image d'un « objet » donné.

Le daguerréotype de 1839 est le premier appareil qui enregistre une image et permet de la fixer en noir et blanc sur un support.

En 1884, la société Kodak met au point les surfaces sensibles souples avec le film en celluloïd, qui permet de stocker plusieurs images. En 1927 apparaît le flash, en 1935 la photographie couleur. En 1945, l'autofocus permet la mise au point automatique. En 1985, le premier appareil photo numérique sans film est commercialisé.

2 Des objets et des besoins

À quel(s) besoin(s) répond chacun des objets suivants ?

J'utilise mes compétences

3 Situer dans l'espace et dans le temps

L'automobile

a. Recherche sur Internet la date d'invention de l'automobile, ainsi que trois innovations et trois principes techniques qui lui sont associés.

b. Précise à quel besoin nouveau répond chaque innovation que tu as choisie.

4 Concevoir, créer, réaliser

Un télégraphe de Morse

a. Réalise le montage ci-dessous à l'aide du logiciel de simulation « Crocodile Junior » ou avec du matériel de laboratoire (piles, interrupteurs, buzzers, des fils électriques).

b. Tu trouveras le code morse p. 90 : choisis une phrase de 5 ou 6 mots et transmets-la à ton voisin.
Tu peux te chronométrer...

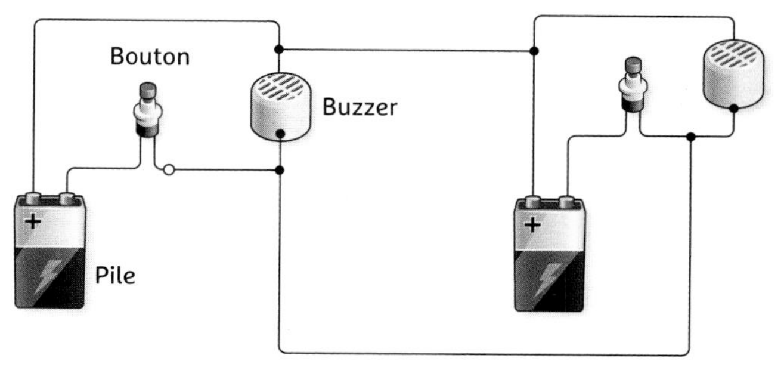

Montage simplifié d'un télégraphe de Morse.

Chapitre 16

Pour commencer...

Des images

La voiture "gazogène" en BD et en réalité. Cette voiture utilise comme source d'énergie le charbon de bois.

La gazogène de Gaston Lagaffe.

Une voiture « gazogène » à Paris pendant la Seconde Guerre mondiale.

>> Pour répondre à un même problème technique, combien y a-t-il de solutions ?

Des nombres

Vélos en libre service

+ 13 %

Circulation automobile

- 4 %

Des changements dans la façon de se déplacer à Paris entre 2013 et 2014.

>> Selon quels critères choisit-on son moyen de transport ?

Objets techniques : fonctions, constitutions et fonctionnement

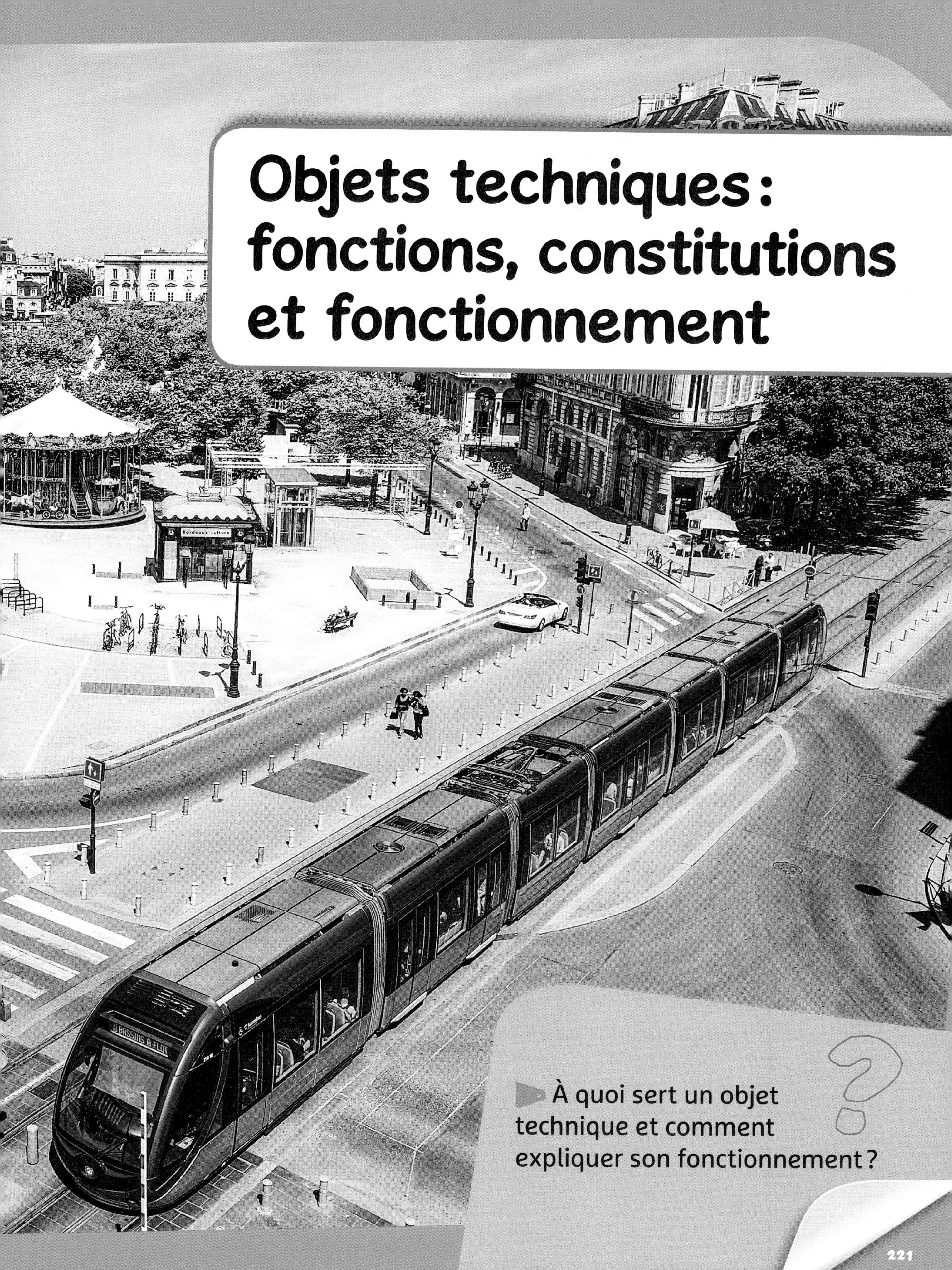

À quoi sert un objet technique et comment expliquer son fonctionnement ?

Choisir un objet technique adapté à un besoin

Compétences
- [D2] Mettre en relation des informations.
- [D4] Décrire les objets techniques.

Sacha habite en ville et, pour se rendre au collège, il doit marcher 20 minutes. Le bus ne passe pas près de chez lui. Sacha cherche à réduire son temps de trajet.

→ **Comment aider Sacha à choisir un moyen de transport ?**

Déterminer une fonction d'usage

	Gyroroue	**Trottinette**	**Rollers**	**Vélo**
Vitesse maximale (en km/h)	22	25	25	40
Temps de trajet maison/collège (en min)	7	12	12	8
Énergie nécessaire	Électrique	Musculaire	Musculaire	Musculaire
Diamètre de la roue (en mm)	400	175	80	700
Masse (en kg)	14,2	4	2,8	12,5
Temps de charge de la batterie (en heures)	4	–	–	–
Couleur	Bleu ou gris	Bleu ou noir	Bleu ou noir	gris
Prix (en €)	999	59,95	79,95	349

1 Différents moyens de transport individuels sélectionnés par Sacha.

Les objets sélectionnés par Sacha appartiennent tous à la même **famille d'objets** car ils ont la même fonction d'usage : permettre de se déplacer plus rapidement en ville. Les parents de Sacha sont d'accord pour lui acheter un objet, mais sous certaines conditions :

- prix maximal : 400 € ;
- temps de trajet inférieur à 10 minutes ;
- doit pouvoir aussi être utilisé pour les loisirs.

2 Les critères de choix.

Décrire une fonction d'estime

	Vélo 1	Vélo 2	Vélo 3	Vélo 4
Suspensions	Oui **Le ⊕ :** Permettent d'aller sur tous les terrains	Non	Non	Non
Nombre de vitesses	24 **Le ⊕ :** Permettent de choisir la vitesse la plus adaptée en montée, en descente, sur le plat	21	1	1
Freinage	À disques **Le ⊕ :** Pour bien freiner sur les très fortes pentes	À patins	À patins	À patins (avant) + rétropédalage (arrière)
Taille des roues (en pouces*)	26	26	20 **Le ⊕ :** Des petites roues pour réussir toutes les acrobaties	26
Masse (en kg)	15,9	11,4 **Le ⊕ :** Un vélo léger idéal pour les longs trajets	12,8	10
Prix (en €)	399	349	299	425
Couleurs disponibles				

* 1 pouce = 2,54 cm.

3 **Plusieurs modèles de vélos.** Ils ont tous la même **fonction d'usage** (se déplacer), mais des **fonctions d'estime** différentes.

Vocabulaire

Famille d'objets (une) : regroupe tous les objets qui ont une même fonction d'usage.

Fonction d'estime (une) : un objet technique est conçu pour plaire à l'utilisateur. La fonction d'estime correspond au goût des utilisateurs.

Fonction d'usage (une) : un objet technique est conçu pour répondre à un besoin. La fonction d'usage répond à ce besoin.

Ta mission

1 Doc 1 et 2 Construis un tableau avec en ligne les conditions des parents de Sacha, et en colonnes les objets techniques qui répondent à ces exigences.

2 Doc 1 et 2 Conseille un moyen de transport à Sacha. Explique ton choix.

3 Doc. 3 Indique la (les) ligne(s) du tableau qui correspond(ent) à des fonctions d'estime et la (les) ligne(s) du tableau qui correspond(ent) à des fonctions d'usage.

4 Doc. 3 Précise quel(s) vélo(s) Sacha peut choisir. Peux-tu donner toutes les caractéristiques de ce vélo ?

5 Conclusion Indique quelles questions doit se poser Sacha pour choisir un moyen de transport adapté à son besoin.

Identifier les fonctions techniques et les solutions techniques

Compétences
- [D2] Garder une trace écrite ou numérique des expériences réalisées.
- [D4] Décrire les objets techniques.

Vélo, voiture, train, tramway... Ces véhicules sont très différents, mais ils tous sont conçus pour pouvoir s'arrêter.

→ **Quelles solutions techniques permettent un freinage efficace ?**

Identifier les fonctions techniques d'un vélo

1 Se déplacer à vélo.

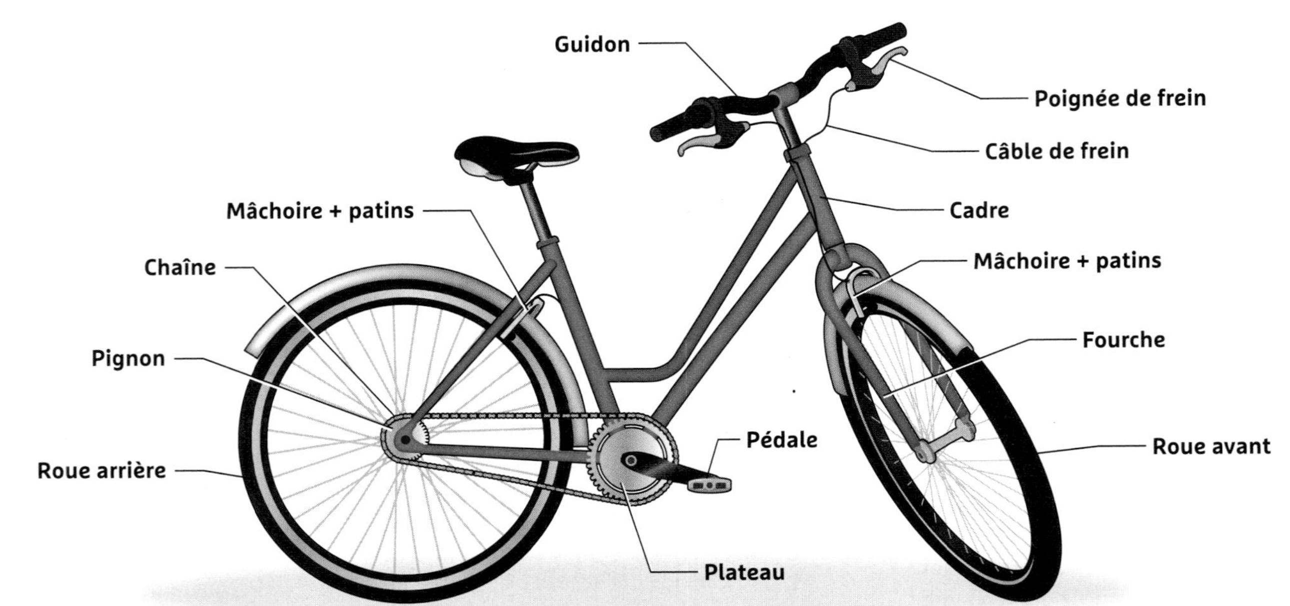

2 **Les composants d'un vélo.** Chacun a une **fonction technique** précise.

Identifier les solutions techniques pour le freinage

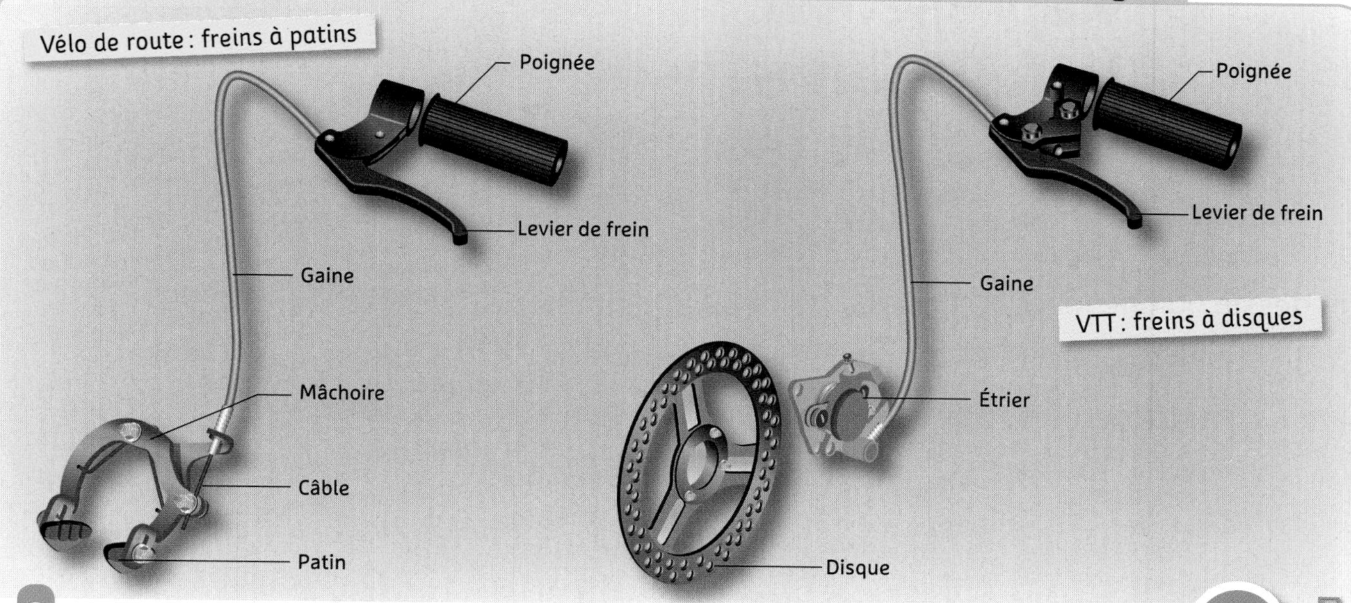

3 Différentes solutions techniques pour la fonction technique « freiner ».

J'utilise un logiciel

1. Ouvre l'un des deux fichiers* de maquette numérique de vélo dans un modeleur volumique.
2. Repère les éléments qui assurent la fonction technique « freiner » et cache les autres.
3. Choisis un angle de vue où tous les éléments sélectionnés précédemment apparaissent.
4. Fais une capture d'écran de cette vue.

➜ *Retrouve ces fichiers sur : http://sciences6e.editions-belin.com

Caractéristiques \ Solution technique	Freins à disques	Freins à patins
Puissance	Élevée	Moyenne
Réglage	Très facile	Très facile
Masse	Élevée	Faible
Usure	Faible	Rapide
Prix	Élevé	Faible

4 Comparaison des solutions techniques pour la fonction technique « freiner ».

Ta mission

Travail en équipe

1. Doc. 1 Décris par une phrase les actions que réalise l'élève avec son vélo. Souligne les verbes d'actions.
2. Doc. 2 Fais une liste de tous les éléments qui permettent de réaliser chacune de ces actions.
3. Doc. 3 Pour chaque groupe, avec un logiciel de traitement de texte, annote l'image que tu as enregistrée avec les noms des éléments du système de freinage du vélo.
4. Doc. 3 et 4 Rédige une phrase pour expliquer pourquoi cette solution technique a été choisie pour le vélo étudié par ton groupe.
5. Conclusion Résume les différentes solutions techniques permettant le freinage un vélo.

Vocabulaire

Fonction technique (une) : une des actions que doit réaliser un objet technique pour assurer sa fonction d'usage.

Solution technique (une) : choix techniques retenus pour réaliser une fonction technique.

Représenter le fonctionnement d'un objet technique

Compétences
- [D1.3] Utiliser un schéma.
- [D4] Décrire les objets techniques.

Pour identifier les composants d'un objet technique, on peut utiliser une photo, un dessin ou une maquette numérique en 3D. Mais tous ces outils n'expliquent pas comment l'objet technique fonctionne.

→ Comment représenter le fonctionnement d'un objet technique ?

La fonction technique « propulser »

1 **La constitution d'un vélo.** Un vélo comprend plusieurs organes. Les **organes** qui participent à la fonction technique « propulser » sont ici représentés en couleur.

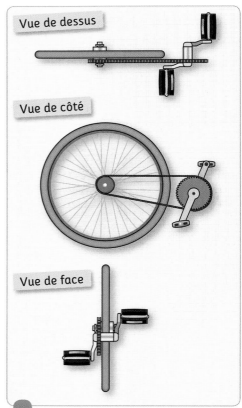

Vue de dessus

Vue de côté

Vue de face

2 **Plusieurs vues de l'organe qui permet de propulser un vélo.** Il faut choisir la vue qui permet la meilleure compréhension du fonctionnement.

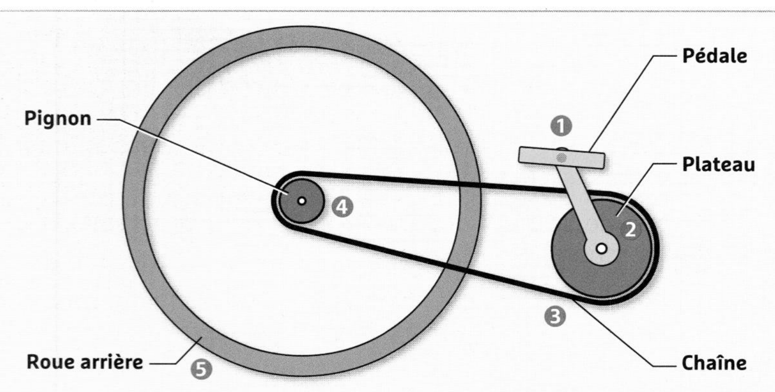

1 Le pédalier tourne grâce à l'énergie musculaire produite par le cycliste.
2 Le plateau, solidaire du pédalier, entre en mouvement de rotation.
3 La chaine transmet ce mouvement de rotation au pignon.
4 Le pignon, solidaire de la roue, entraine celle-ci en rotation.
5 La roue, en contact avec le sol, tourne et fait avancer le vélo.

3 **Schéma de la fonction technique « propulser » et étapes de la propulsion.** Seuls les éléments essentiels doivent être représentés.

La fonction technique « freiner »

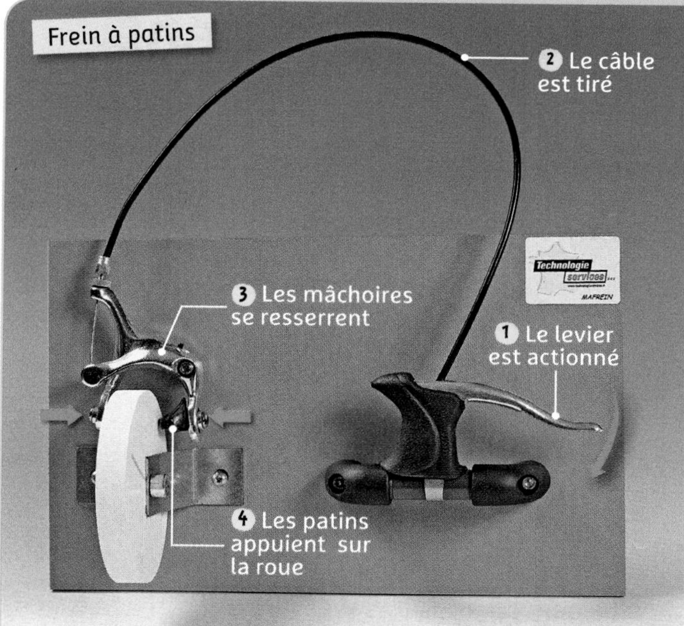

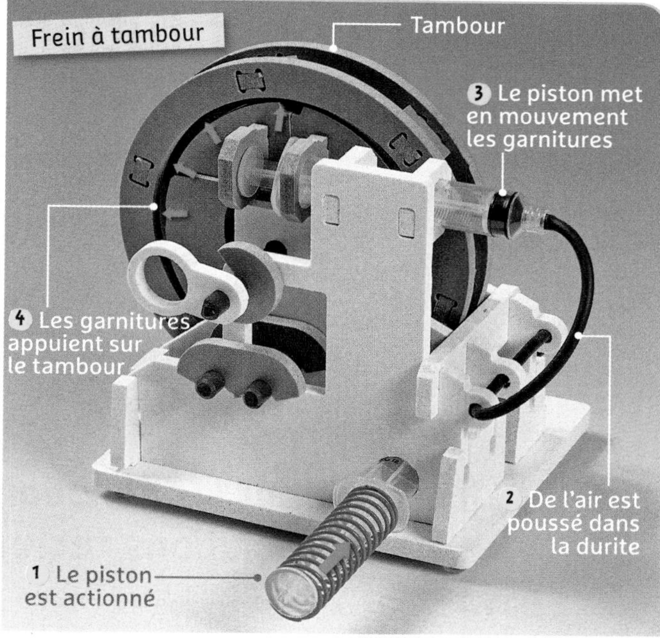

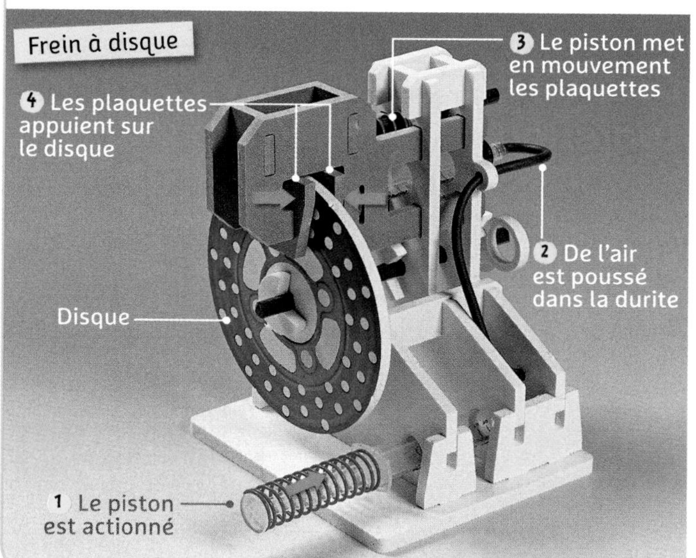

J'expérimente

Chaque groupe travaille sur l'une des maquettes.

1. Sur la maquette de ton groupe, fais tourner la partie associée à la roue.
2. Actionne le levier ou le piston.
3. Identifie les pièces qui permettent finalement de stopper la roue.
3. Repère comment l'énergie de la main est transmise à ces pièces.

4 Maquettes de trois solutions techniques différentes pour une même fonction technique (« freiner »).

Ta mission

Travail en équipe

1 Doc. 1 à 3 Indique la vue la mieux adaptée pour schématiser la fonction « propulser ».

2 Doc. 3 Recopie le schéma du doc. 3 et place une flèche à côté de chaque numéro pour indiquer le mouvement des différentes pièces.

3 Doc. 4 Choisis la vue la mieux adaptée de la maquette de ton groupe et schématise les éléments la fonction technique de cette maquette.

4 Doc. 3 Repasse avec une couleur les éléments fixes par rapport à la fourche et d'une autre couleur les éléments mobiles par rapport à la fourche. Légende le schéma.

5 Conclusion Présente à la classe le fonctionnement de la solution technique étudiée par le groupe.

Vocabulaire

Schéma (un) : dessin représentant de manière simple les éléments essentiels d'un objet et permettant de faire comprendre son fonctionnement.

Organe (un) : ensemble de pièces ayant une fonction particulière (propulsion, freinage, etc.).

Constitution (une) : manière dont tous les organes d'un objet technique sont regroupés.

Bilan Objets techniques: fonctions, constitutions et fonctionnement

Je dois savoir

Unité 1 Choisir l'objet technique adapté à un besoin

- Un objet technique est fabriqué pour répondre à un besoin précis: c'est sa **fonction d'usage**. Il doit aussi plaire à l'utilisateur: c'est sa **fonction d'estime**.
- Une **famille d'objets** regroupe tous les objets qui répondent au même besoin. Ils ont la même fonction d'usage.

Unité 2 Identifier les fonctions techniques et les solutions techniques

- Un objet technique est constitué de plusieurs composants réalisant chacun une **fonction technique** différente.
- Pour une même fonction technique, plusieurs **solutions techniques** peuvent convenir.
- L'association des fonctions techniques d'un objet permet de réaliser sa **fonction d'usage**.

Unité 3 Représenter le fonctionnement d'un objet technique

- Le **fonctionnement** d'un objet technique ou d'une fonction technique peut être expliqué à l'aide d'un **schéma**.
- Un schéma doit être simple et ne représenter que les éléments nécessaires à la compréhension du fonctionnement.

➜ L'essentiel du cours en une animation

Je retiens par l'image

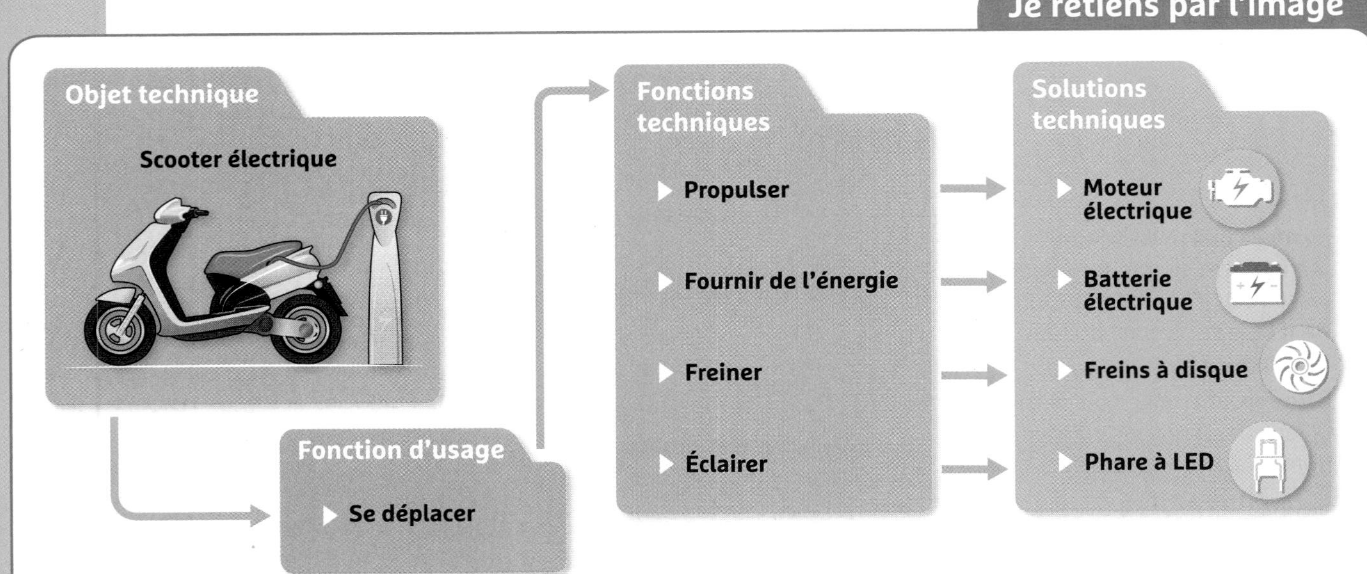

Je vérifie mes connaissances

1 Le bon choix

Sélectionne les objets techniques qui font partie de la famille « chauffer un logement ».

• convecteur électrique • panneau solaire photovoltaïque • poêle à granulés • grille-pain • four

2 Associations

a. Quelle est la fonction d'usage commune aux éoliennes, aux panneaux solaires et aux batteries ?

b. Relie chaque situation à la ou aux solution(s) technique(s) adaptée(s).

• Tour du monde à la voile sans escale
• Exploration de Mars par un robot
• Écouter de la musique en courant

• Batterie rechargeable
• Éolienne
• Panneau solaire photovoltaïque

→ Exercices supplémentaires

J'utilise mes compétences

3 Décrire le fonctionnement d'objets techniques, leurs fonctions et leurs composants

Un avion

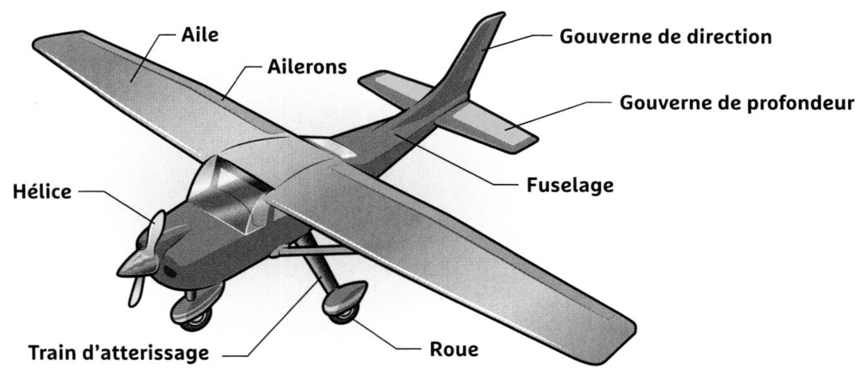

a. Identifie les fonctions techniques d'un avion.

b. Associe chaque élément légendé sur le dessin ci-contre à la fonction technique qu'il assure.

4 Proposer une hypothèse

Le voyage de Curiosity

Le rover (robot) Curiosity a été envoyé sur Mars par la NASA en 2012 pour explorer la planète et étudier, entre autres, si des conditions favorables à l'apparition de la vie ont existé (voir chap. 21).
Le tableau ci-dessous indique les fonctions techniques pour lesquelles les ingénieurs responsables du projet ont dû trouver des solutions.

a. Recopie et complète le tableau en imaginant des solutions techniques pour chaque fonction technique.

b. Regarde la vidéo du voyage de Curiosity (https://vimeo.com/46955132) et compare tes solutions à celles retenues par les concepteurs de ce projet.

Curiosity replié à l'intérieur du vaisseau spatial lors de sa descente vers Mars (illustration).

Fonctions techniques	Amener le rover jusqu'à Mars	L'alimenter en énergie pendant le voyage	Le diriger lors de la descente vers Mars	Ralentir sa chute vers le sol martien	Le poser en douceur sur le sol martien
Solutions techniques possibles	Avion	Batteries	......	......	......

Chapitre 17

Pour commencer...

Des images

Le skateboard : dessus, dessous...

Je dois être à la fois souple et résistant

Je dois pouvoir être percé

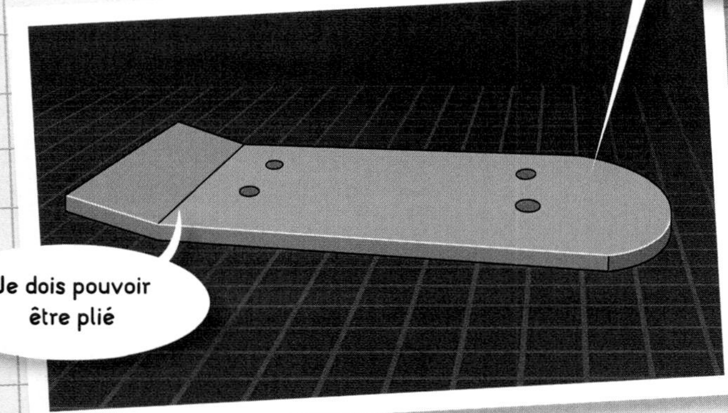
Je dois pouvoir être plié

>> Avec quel matériau fabriquerais-tu une planche de skateboard ?

Un nombre

Chaque année en France, un habitant trie en moyenne **46,1 kg de déchets** d'emballages ménagers.

>> À quoi cela sert-il de trier nos déchets ?

Les principales familles de matériaux

Un bateau « volant » : l'hydroptère.

Comment choisir un matériau pour répondre à un besoin, tout en préservant l'environnement ?

Étudier les propriétés des matériaux

Compétences
- [D1.1] Rendre compte en utilisant un vocabulaire précis.
- [D1.3] Exploiter un document.

Pour une solution technique, le matériau choisi doit avoir certaines caractéristiques. Ainsi, une planche de skate doit être souple et résistante, les chaussures ne doivent pas glisser dessus.

→ Comment choisir un matériau adapté pour une solution technique ?

Tester les caractéristiques de matériaux

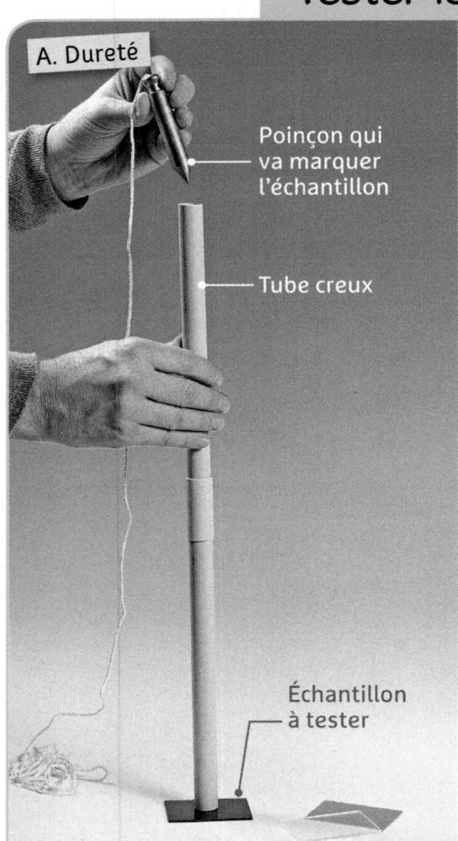

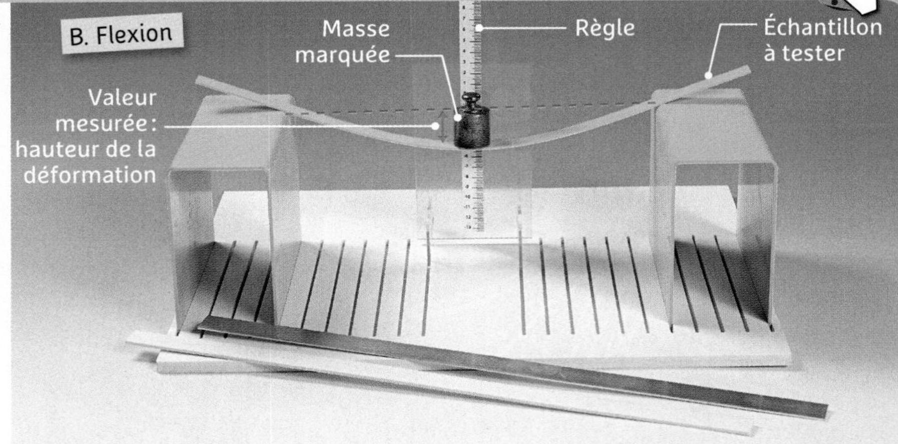

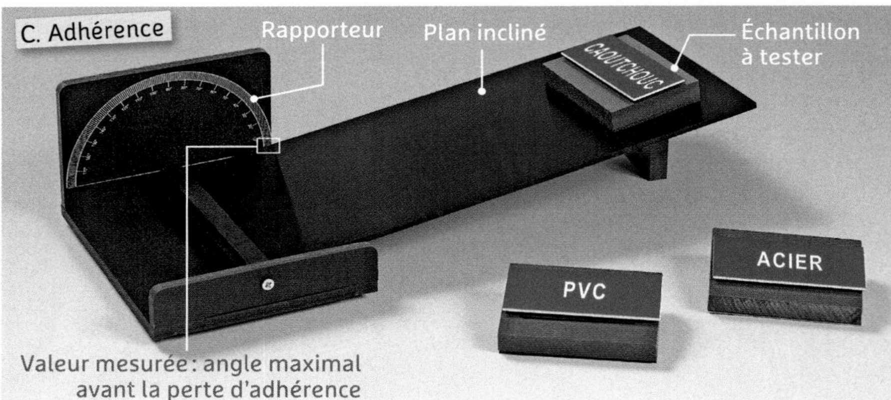

1 Différents tests pour caractériser les matériaux.

Matériau	Bois	Aluminium	PVC*	Acier
A. Diamètre de l'impact (en mm)	2,5	1	2	0,5
B. Déformation (en mm)	–10	–5	–15	–1
C. Angle maximal avant la perte d'adhérence	10°	5°	5°	7°

2 **Résultats des tests.** *Le PVC est un plastique.

- **Dureté** : résistance que la surface d'un échantillon oppose à la pénétration d'un poinçon. Plus la valeur mesurée est petite, plus le matériau testé est dur.
- **Flexion** : action de fléchir, de courber, de plier. Plus la valeur mesurée est grande, plus le matériau testé est flexible.
- **Adhérence** : phénomène qui empêche deux surfaces de glisser l'une contre l'autre. Plus la valeur mesurée est élevée, plus le matériau testé est adhérent.

Façonner un matériau

Façonnage	Exemple de matériau utilisable	Nom de la machine	Pièce obtenue
Perçage : action de réaliser un trou	Bois, plastiques, métaux...	Perceuse	
Usinage : action d'enlever de la matière	Bois, plastiques, métaux...	Machine-outil à commande numérique	
Cisaillage : action de couper	Plastiques, métaux	Cisaille	
Thermopliage : action de plier un matériau en le chauffant	Plastiques, métaux	Thermoplieuse	

3 **Différentes machines pour façonner des matériaux.** Voir aussi chapitre 19.

Vocabulaire

Façonner (verbe) : donner une forme à un matériau.

Propriété (une) : grandeur physique permettant de définir un matériau, sans jugement de valeur.

Caractéristique (une) : grandeur physique avec un jugement de valeur pour faire ressortir l'intérêt particulier d'un matériau par rapport à d'autres (par exemple : une caractéristique du diamant est sa dureté élevée par rapport à tous les autres matériaux).

Ta mission

Travail en groupe

Chaque équipe étudiera l'une des propriétés en réalisant le test adapté sur différents échantillons.

1 Doc. 1 et 2 À l'aide des **caractéristiques** obtenues lors des tests, range les matériaux du plus flexible au moins flexible ; du plus dur au moins dur ; du plus adhérent au moins adhérent.

2 Doc. 1 à 3 Indique quel(s) matériau(x) choisir pour réaliser la planche de skateboard p. 230. Justifie ton choix.

3 Doc. 3 et p. 230 Selon le matériau choisi, indique les façonnages à effectuer pour réaliser la planche.

4 Conclusion Explique comment choisir un matériau adapté pour une solution technique.

Les familles de matériaux

Compétences
- [D2] Choisir le matériel adapté.
- [D4] Pratiquer une démarche technologique.

Certains matériaux ont des propriétés et des caractéristiques communes.

→ Comment classer les matériaux ?

Définir les familles de matériaux

Le matériau est-il un mélange hétérogène ?
- OUI → Matériaux composites
- NON → Est-il conducteur électrique ?
  - OUI → Matériaux métalliques
  - NON → Voit-on des veines ou des fibres ?
    - OUI → Matériaux organiques naturels
    - NON → Est-il cassant ?
      - OUI → Matériaux minéraux
      - NON → Matériaux organiques synthétiques

Matériaux organiques synthétiques
Exemples :
Plastiques

Matériaux minéraux
Exemples :
Marbre
Verre
Granite

Matériaux composites
Exemples :
Béton armé (ci-dessous)
Fibre de carbone...

Matériaux métalliques (métaux purs et alliages*)
Exemples :
Fer
Cuivre
Acier (fer + carbone),
Bronze (cuivre = étain)

Matériaux organiques naturels
Exemples :
Bois
Papier
Coton
Caoutchouc...

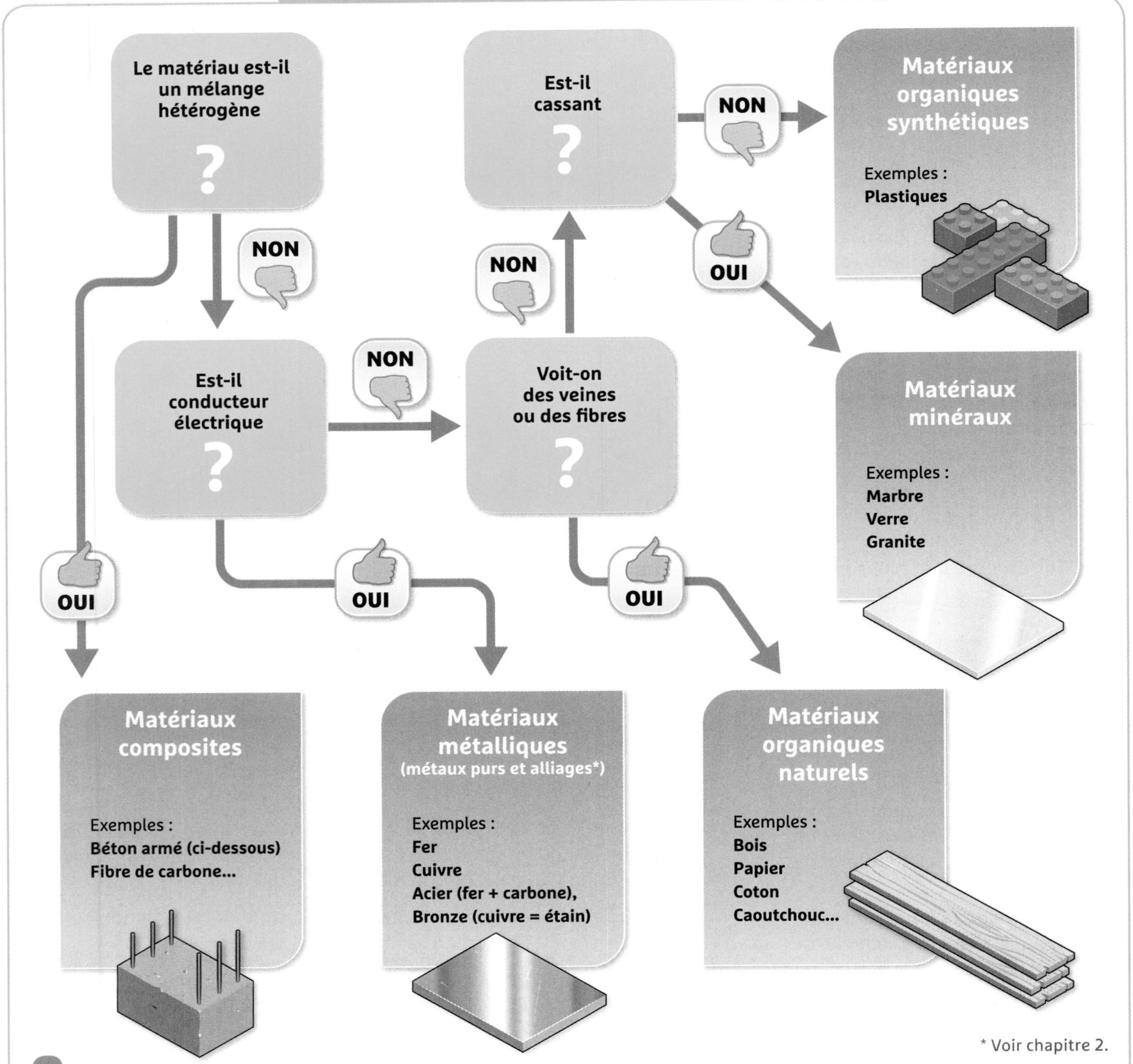

* Voir chapitre 2.

1 Organigramme pour définir les familles de matériaux.

Observer et trier des matériaux

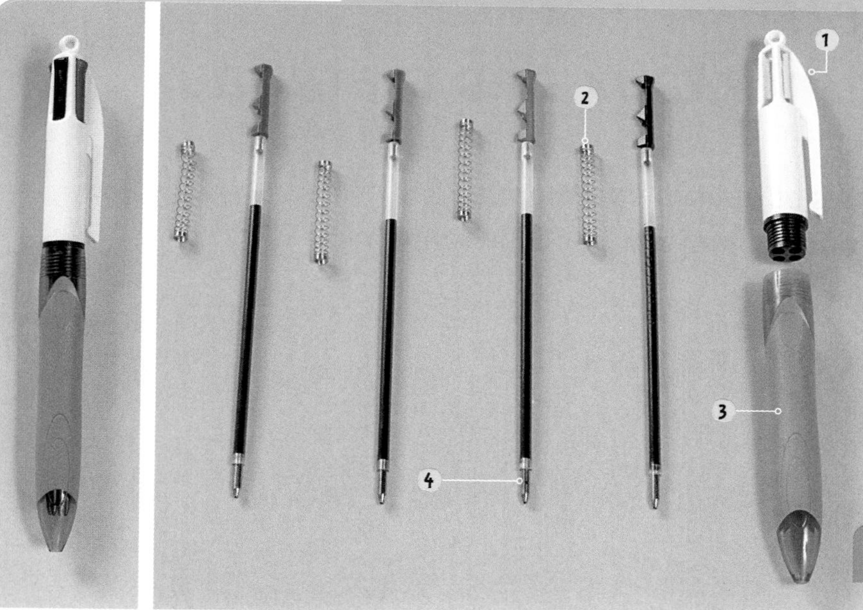

Repère	Nombre	Nom	Matériau
1	1	Corps	PVC
2	4	Ressort	Acier
3	1	Grip	Caoutchouc
4	1	Mine	Acier

2 **Un stylo à bille démonté et sa nomenclature partielle.**

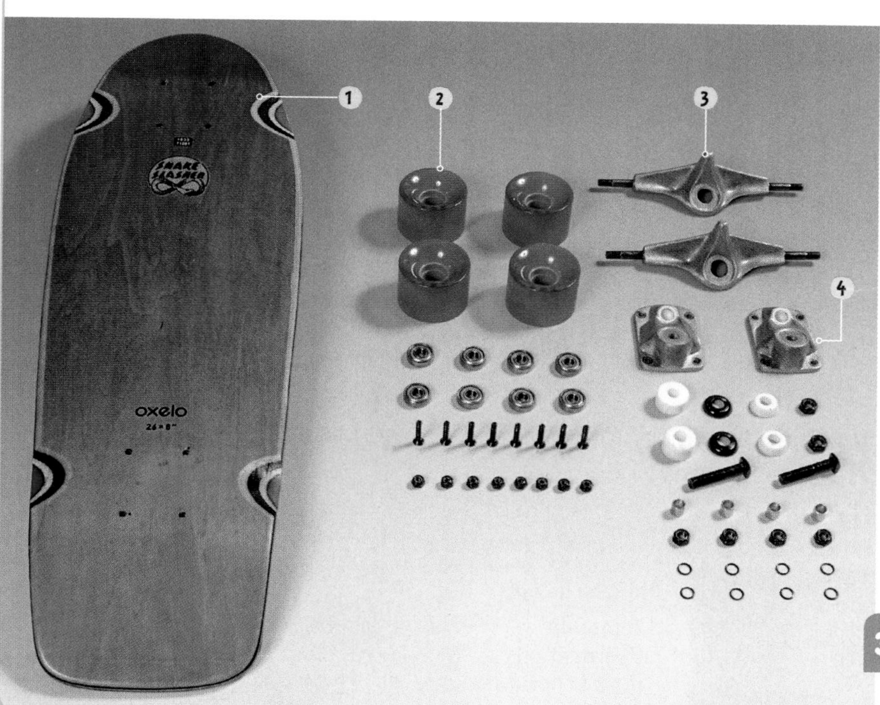

Repère	Nombre	Nom	Matériau
1	1	Planche	Bois
2	4	Roue	Uréthane (plastique qui remplace le caoutchouc)
3	2	Essieu	Aluminium et acier
4	2	Support essieu	Aluminium

3 **Un skateboard démonté et sa nomenclature partielle.**

Vocabulaire

Matériau (un) : matière utilisée pour fabriquer un objet.

Nomenclature (une) : tableau qui donne des informations précises sur les pièces qui constituent un objet (numéro, nombre, nom, matériau, etc.).

Famille de matériaux (une) : ensemble de matériaux regroupés en fonction de propriétés ou d'origines communes.

Ta mission

1 Doc 1 À l'aide de l'organigramme et du chapitre 1, trouve la famille d'objets à laquelle appartiennent quelques objets de ta trousse.

2 Doc 1 Donne un exemple de matériau conducteur, de matériau cassant et de matériau dont on voit des veines.

3 Doc. 1 à 3 Classe les éléments qui constituent le stylo, puis ceux de la planche de skate dans les différentes familles.

4 Conclusion Rédige un court texte pour expliquer comment classer les matériaux en familles.

Unité 3

Les impacts environnementaux des matériaux

Compétences
- [D1.3] Exploiter un document.
- [D4] Relier des connaissances à des questions d'environnement.

Les objets techniques sont fabriqués et utilisés par l'Homme.
Les matériaux qui les composent ont des impacts sur l'environnement.

→ Comment étudier l'impact d'un matériau sur l'environnement et comment préserver l'environnement ?

Cycle de vie et impact sur l'environnement

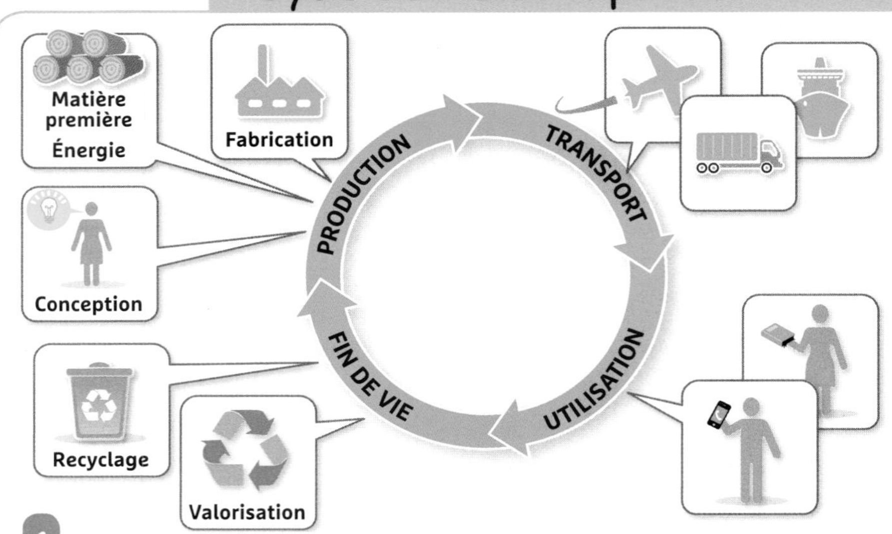

1 **La représentation du cycle de vie d'un objet technique.** Toutes les étapes peuvent avoir un impact sur l'environnement : voir doc. 3 ci-dessous et pp. 364-365 (chap. 27).

- Une **matière première** est une matière à l'état brut extraite de la nature. On distingue deux catégories. Les matières premières **renouvelables** se renouvellent en quelques jours à quelques dizaines d'années. La matière organique produite par les êtres vivants (voir chapitre 14) est renouvelable. Les matières premières **non renouvelables** se renouvellent sur des millions, voire des milliards d'années.

2 **Les matières premières.**

Bouteille plastique
- Temps de dégradation dans la nature : 100 à 400 ans.
- Produit à partir de pétrole (non renouvelable).
- 4 à 12 millions de tonnes de déchets plastiques jetés à la mer en 2010.

Planche de bois
- Temps de dégradation dans la nature : 10 à 20 ans.
- Produit à partir de matière organique végétale (renouvelable).

3 **Comparaison de deux matériaux en fin de vie.**

Le devenir des objets techniques en fin de vie

4 **Deux objets techniques issus du recyclage du plastique.** Le verre, le papier, le carton et la plupart des métaux peuvent aussi être recyclés.

« Un écran cassé (premier motif de réparation des smartphones), l'oxydation légère qui peut endommager les connecteurs, la prise casque, le haut-parleur ou le micro, ou encore des grains de sable qui peuvent entraîner un problème de charge, tout cela est réparable ! »

lexpansion.lexpress.fr, août 2013

5 **Les smartphones sont réparables.**

6 **Un exemple de réutilisation : le « pavillon circulaire ».** Installé en 2015 à Paris, il est fait de portes en bois récupérées dans un immeuble.

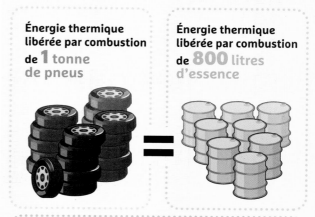

Énergie thermique libérée par combustion de 1 tonne de pneus = **Énergie thermique libérée par combustion de 800 litres d'essence**

166 000 tonnes de pneus usagés utilisés comme combustibles en 2014 en France

7 **La valorisation énergétique des pneus...** c'est utiliser les pneus usagés comme source d'énergie.

Vocabulaire

Cycle de vie (un) : série d'étapes comprenant l'extraction des matières premières constituant un objet technique, sa fabrication, son utilisation, son transport et sa fin de vie.

Recyclage (un) : récupération des matériaux d'un objet technique usagé dans le but de fabriquer un autre objet technique.

Valorisation (une) : production de matière première ou d'énergie à partir d'objets techniques en fin de vie.

Ta mission

1. Doc. 1 à 3 Donne des exemples d'impacts sur l'environnement de quelques étapes du cycle de vie d'un objet de ton choix.
2. Doc. 4 à 7 Propose trois solutions pour éviter de jeter un objet technique en fin de vie.
3. Doc. 5 et p. 366-367 (chap. 27) Explique en quoi réparer un smartphone a un impact sur l'environnement.
4. Doc. 7 Calcule le volume d'essence (en litres) que la valorisation des pneus a permis d'économiser en France en 2014.
5. En conclusion Construis le cycle de vie d'un skateboard et propose des solutions pour réduire son impact environnemental.

Bilan Les principales familles de matériaux

Je dois savoir

Unité 1 Propriétés et caractéristiques des matériaux

- Les matériaux possèdent des **propriétés**, telles que la dureté, la flexion, l'adhérence, etc. Ces propriétés sont étudiées à l'aide de tests.
- Comparer des **caractéristiques** et des aptitudes au **façonnage** de plusieurs matériaux permet de choisir les mieux adaptés à la fabrication d'un objet technique donné.

Unité 2 Les familles de matériaux

- Les matériaux sont classés en **familles** en fonction de certaines de leurs propriétés : matériaux métalliques, minéraux, organiques naturels ou synthétiques, composites.

Unité 3 Impacts environnementaux des matériaux

- Les objets techniques ont un **cycle de vie** : extraction des matières premières, fabrication, utilisation, fin de vie. Chaque étape de ce cycle a un impact sur l'environnement.
- Le choix d'un matériau dépend aussi de son impact environnemental.
- Le **recyclage**, la **valorisation** (matière ou énergétique) ou la réutilisation permettent de diminuer l'impact environnemental d'un objet technique en fin de vie.

→ L'essentiel du cours en une animation

Je retiens par l'image

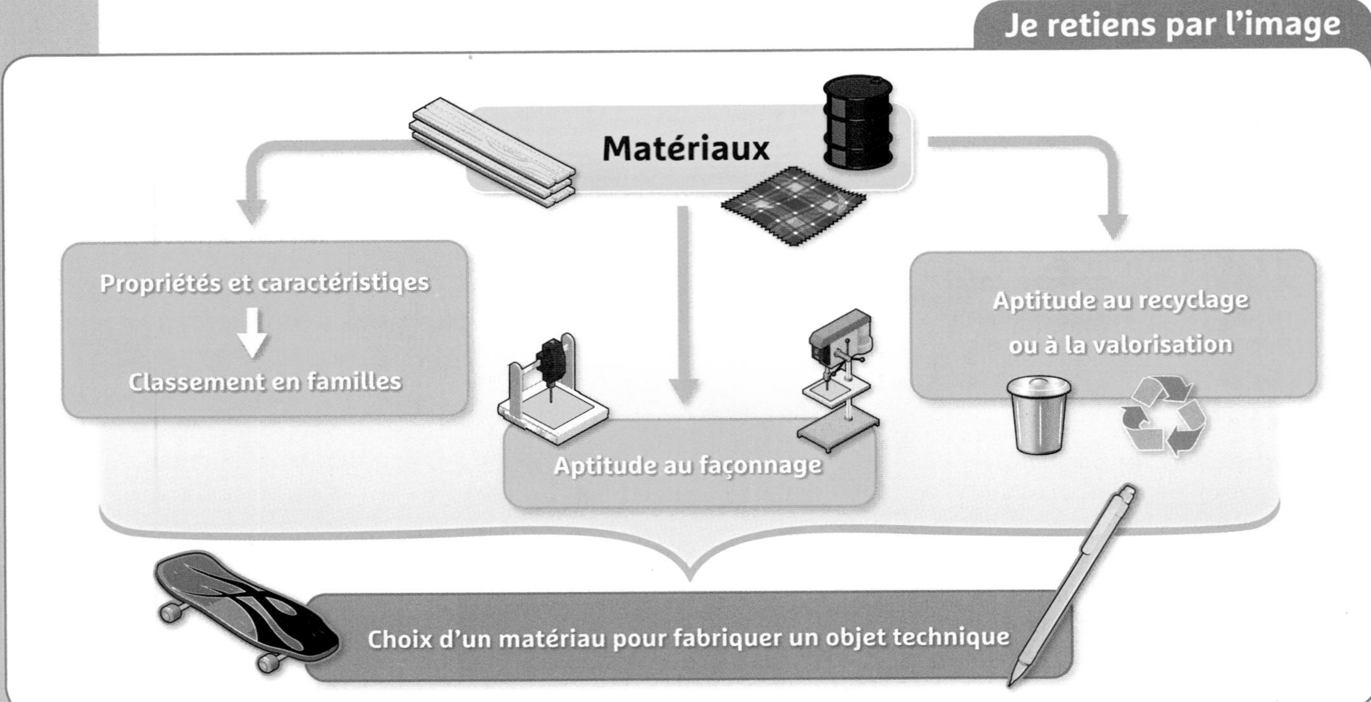

Je vérifie mes connaissances

1 Qui suis-je ?

a. Je permets de créer, à partir des objets techniques en fin de vie, de la matière première ou de l'énergie.

b. Nous permettons de comparer une propriété de plusieurs matériaux.

c. Je suis un ensemble de matériaux dont les propriétés sont semblables.

2 Vrai ou faux

Identifie la (ou les) phrase(s) fausse(s) et corrige-la (les).

a. Le verre appartient à la famille des minéraux.

b. L'adhérence est un phénomène qui s'oppose au glissement de deux surfaces mécaniques.

c. La dureté est l'action de fléchir, de courber, de plier.

→ Exercices supplémentaires

J'utilise mes compétences

3 Exploiter un document constitué de divers supports

Téléphone et environnement

	Mode 1	Mode 2
Le portable est gardé pendant…	24 mois	12 mois
Temps de chargement	1 heure	Toute la nuit
Fin de vie	Recyclage	Destruction

1 Deux modes d'utilisation d'un téléphone portable.

Quel est le mode d'utilisation le plus respectueux de l'environnement ? Justifie ta réponse.

Quantité de cuivre extrait

6 kg — Mode 1

15 kg — Mode 2

Mon utilisation consomme autant d'énergie qu'un avion qui parcourt :
20 km
100 km
Mode 1
Mode 2

2 Les impacts sur l'environnement des modes d'utilisation.

4 Extraire des informations d'un texte

Le Duroplast

a. Donne le nom des deux matériaux dont le Duroplast est constitué. À quelle famille chacun de ces deux matériaux appartiennent-ils ?

b. Fais une liste des propriétés et des façonnages possibles du Duroplast.

c. Pourquoi la valorisation énergétique du Duroplast est-elle impossible ?

La Trabant est une voiture produite entre 1955 et 1991 en Allemagne de l'Est (RDA). Pendant cette période, la RDA manque d'acier et la carrosserie est fabriquée en Duroplast, obtenu en recouvrant une trame de coton (tissus) avec du phénol (issu du charbon). Ce mélange, placé dans des moules, est comprimé et chauffé. On obtient des plaques solides, qui sont découpées et peintes pour former les pièces de la carrosserie.

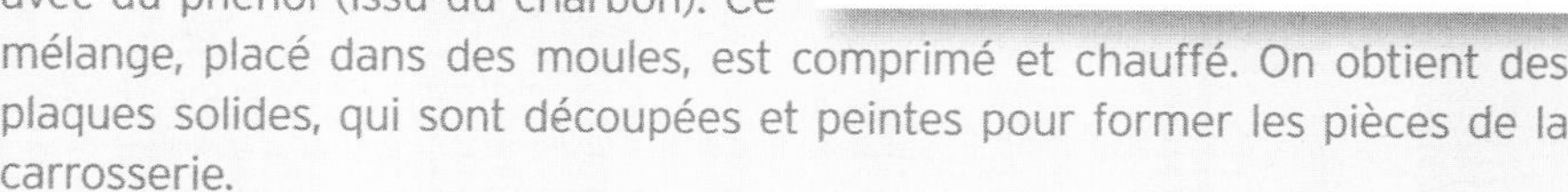

Le Duroplast est léger, résiste à de petits chocs et ne se déforme pas.

Lorsque la Trabant arrive en fin de vie, le Duroplast ne doit pas être brûlé car il dégage des gaz toxiques. En revanche, les pièces de carrosserie peuvent être transformées en granulés pour fabriquer des trottoirs ou des routes.

Chapitre 18

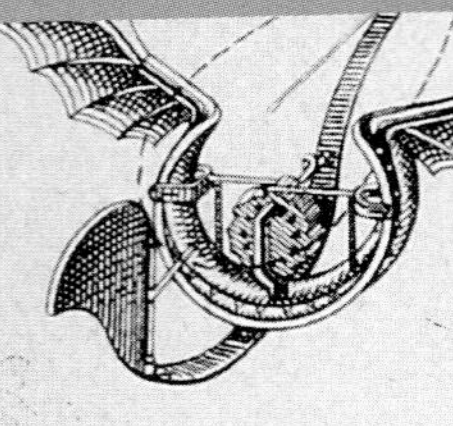

Pour commencer...

Un nombre

En France **12 000 000** de personnes souffrent d'un handicap, soit un peu plus de 1 personne sur 5.

>> Quelles sont les difficultés rencontrées par ces personnes ?

Des dates

- **525** ▸ L'invention des fauteuils roulants est documentée sur une gravure chinoise.
- **1932** ▸ Mise au point des premiers fauteuils roulants pliants.
- **1955** ▸ Commercialisation du premier fauteuil roulant électrique.
- **2015** ▸ Greffe de la première prothèse de main fabriquée par une imprimante 3D.

>> Comment une invention peut-elle répondre à un besoin donné ?

Des images

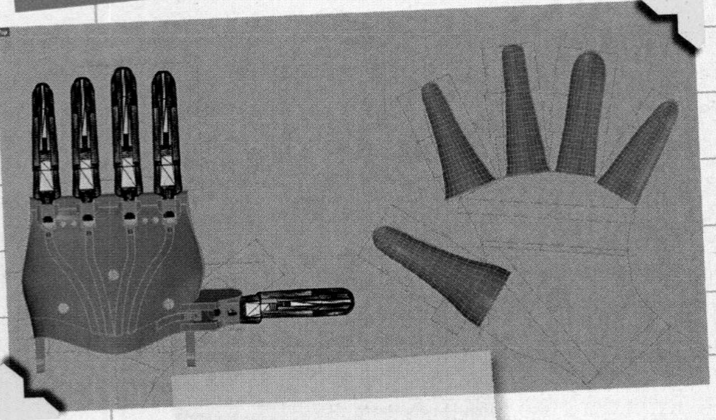

Modélisation 3D d'une prothèse de main.

Prothèse de main fabriquée grâce à une imprimante 3D.

>> À quoi sert la modélisation ?

L'objet technique, des contraintes à la solution technique

Comment adapter les objets techniques à l'évolution des besoins ?

▲ Des machines volantes imaginées au début du XXe siècle.

Recenser les contraintes

Compétences
- [D1.3] Exploiter un document.
- [D5] Relier des connaissances à des questions de sécurité.

Quand des objets techniques sont inventés ou améliorés, il faut tenir compte des contraintes liées à leur utilisation.

→ De quelles contraintes doit-on tenir compte pour aménager un espace en ville ?

L'exemple des personnes à mobilité réduite

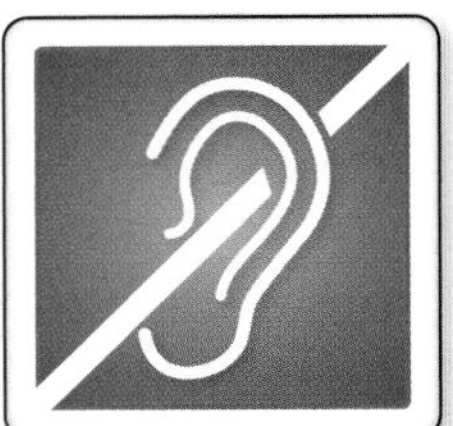

1 **Les personnes à mobilité réduite (P.M.R.).** Elles ont des difficultés pour accéder aux transports en commun.

2 **Quelques situations rencontrées par les personnes à mobilité réduite.**

L'exemple d'un arrêt de bus

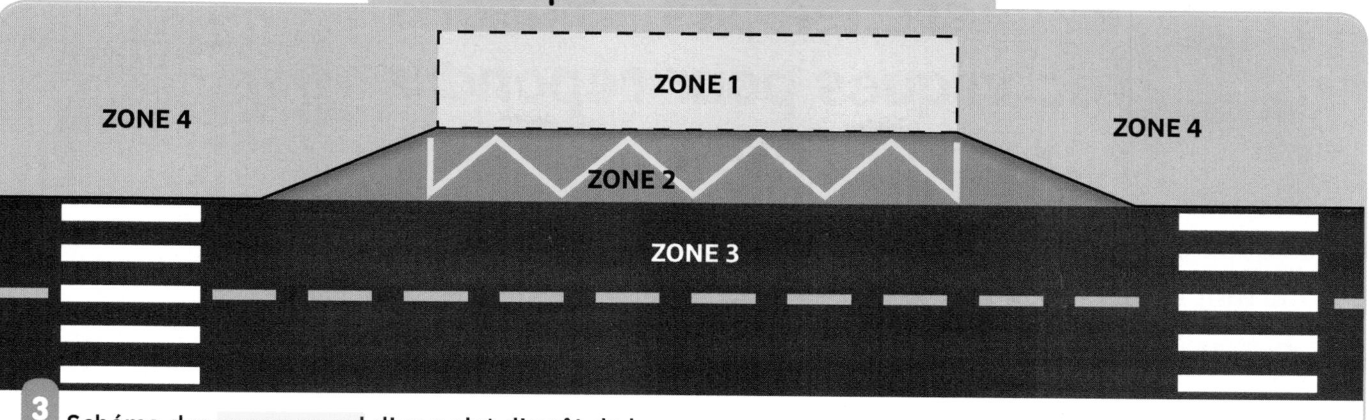

3 Schéma des zones au sol d'un point d'arrêt de bus.

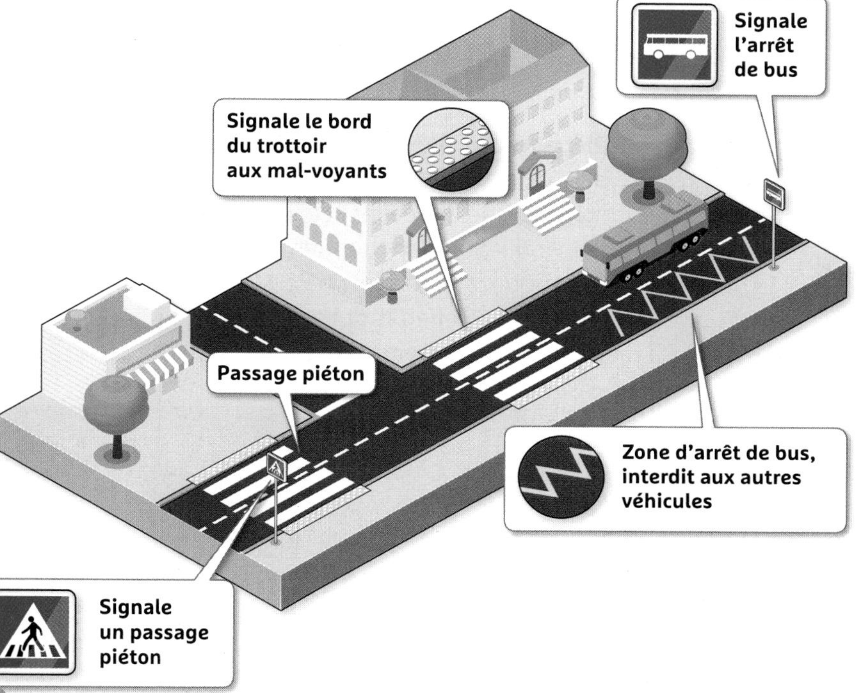

4 **Signalisation routière près d'un arrêt de bus.** Le code de la route impose des **contraintes** de signalisation. Cette signalisation est verticale (panneaux de signalisation) et horizontale (marquages au sol).

- Pour assurer sa fonction d'usage (permettre à tout le monde d'accéder aux transports en commun), un point d'arrêt de bus doit tenir compte de plusieurs contraintes.

  - accueillir et abriter les voyageurs.
  - permettre aux bus de stationner temporairement.
  - rendre possible la circulation des piétons en toute sécurité.
  - permettre aux autres véhicules de continuer à circuler.

- Il doit donc posséder plusieurs «zones»: zone d'attente des voyageurs, zone de circulation des piétons, zone de stationnement du bus et zone de circulation des véhicules.

5 **Les contraintes pour l'aménagement d'un point d'arrêt de bus.**

Ta mission

1. **Doc. 1** Précise qui sont les personnes à mobilité réduite (P.M.R.).
2. **Doc. 1 et 2** Donne des exemples de difficultés que les P.M.R. rencontrent dans leurs déplacements quotidiens.
3. **Doc 3 à 5** Reproduis le schéma du doc. 3 en y faisant apparaître les quatre zones citées dans le doc. 5, ainsi que les cinq éléments de signalisation obligatoires (doc. 4).
4. **Conclusion** Rédige un texte court pour résumer l'ensemble des contraintes dont il faut tenir compte pour aménager un arrêt de bus.

Vocabulaire

Contrainte (une): obligation dont il faut tenir compte lors de la conception d'un objet technique.

Zone au sol (une): surface au sol ayant une fonction précise.

Rechercher des solutions techniques pour répondre aux contraintes

Compétences
- [D1.3] Utiliser un tableau.
- [D4] Pratiquer une démarche technologique.

Après avoir défini les contraintes, les concepteurs cherchent des solutions permettant de les résoudre.

→ **Quelles solutions imaginer pour faciliter l'accès aux transports en commun pour les personnes à mobilité réduite ?**

Analyser des solutions techniques existantes

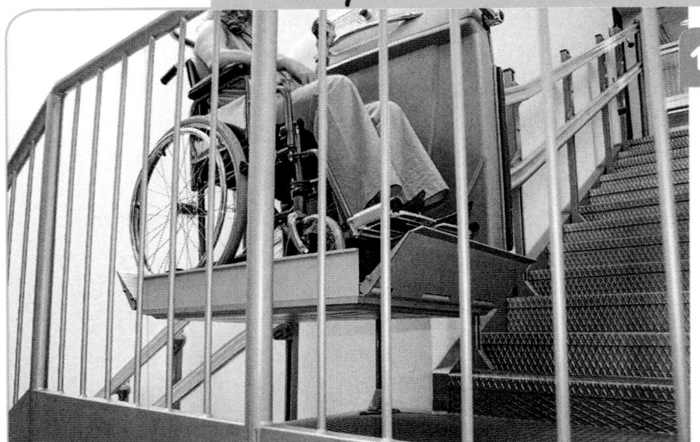

1 **Plate-forme élévatrice motorisée pour escalier.** Elle permet de monter d'un étage à l'autre sans utiliser les marches de l'escalier. Le plateau se déplace le long d'un rail. Son fonctionnement nécessite de l'énergie électrique et un important système mécanisé. Il faut aussi un entretien régulier. Mais cette plate-forme peut s'adapter à de nombreuses situations.

2 **Rampe d'accès amovible.** Sa mise en place est rapide, simple et peu coûteuse. Elle peut cependant être gênante pour la circulation des piétons (risque de chute) et ne permet pas de franchir une hauteur très importante.

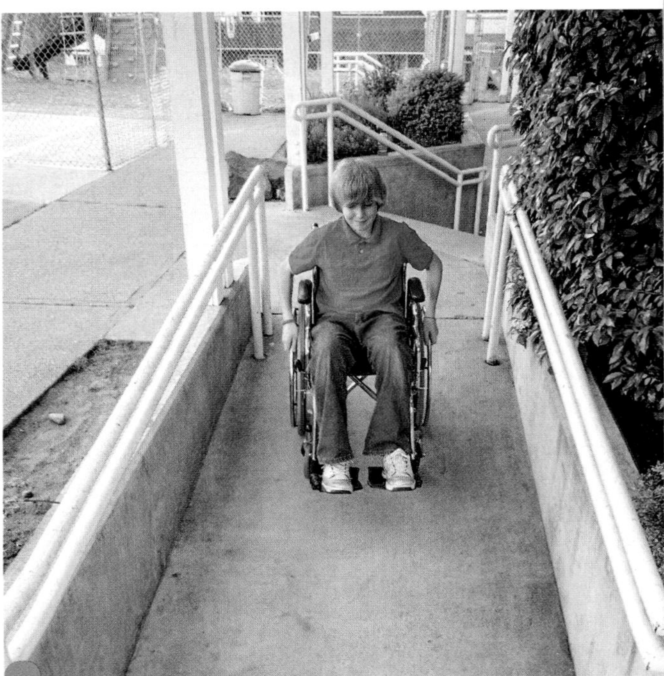

3 **Rampe d'accès permanente.** Elle est directement intégrée au trottoir. Elle ne nécessite pas de source d'énergie, ni de maintenance particulière. Sa réalisation est coûteuse. La rampe résiste bien aux conditions atmosphériques extérieures et sa durée de vie est longue.

Adapter une solution technique à un environnement donné

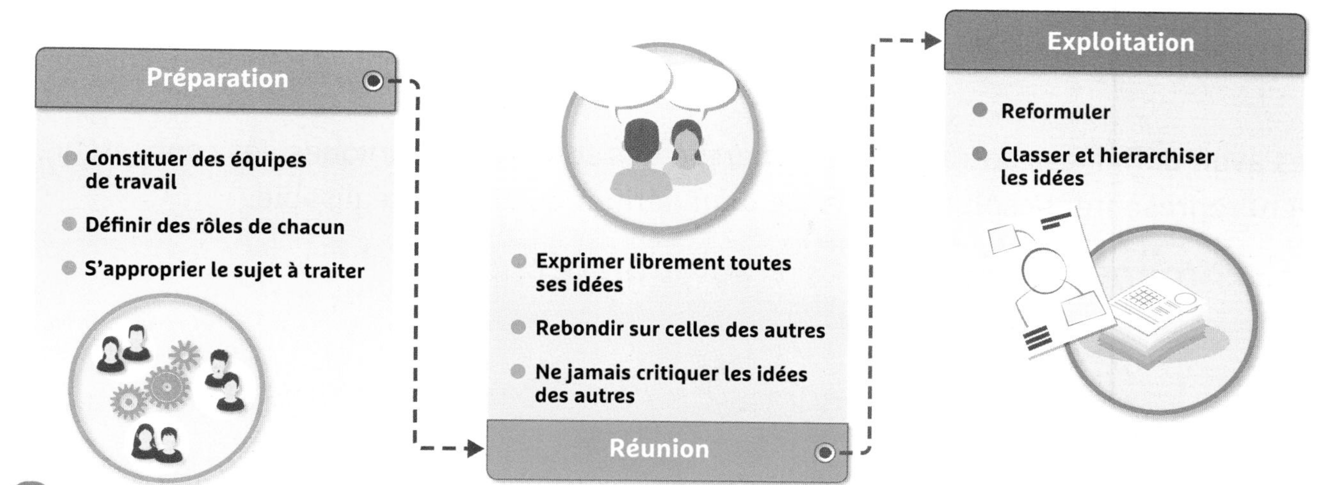

Préparation
Constituer des équipes de travail
Définir des rôles de chacun
S'approprier le sujet à traiter
Réunion
Exprimer librement toutes ses idées
Rebondir sur celles des autres
Ne jamais critiquer les idées des autres
Exploitation
Reformuler
Classer et hierarchiser les idées

4 **Les étapes d'un brainstorming («remue-méninges», «tempête d'idées»).** But: concevoir une ou plusieurs solutions techniques tenant compte des contraintes.

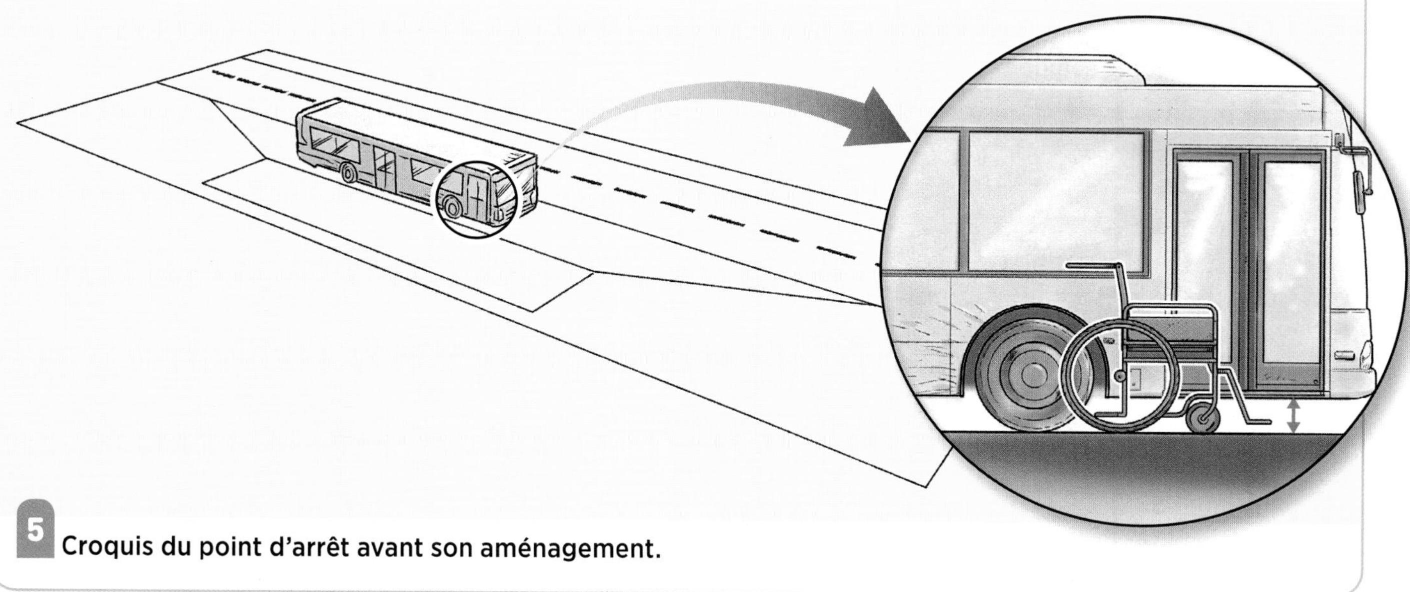

5 **Croquis du point d'arrêt avant son aménagement.**

Ta mission

Travail en équipe

1 Doc. 1 à 3 Réalise un tableau présentant les avantages et les inconvénients de chaque solution.

2 Doc. 1 à 4 En s'inspirant des solutions existantes, procédez par groupe à un brainstorming sur la question suivante: «Comment modifier un arrêt de bus pour faciliter l'accès aux personnes à mobilité réduite?»

3 Doc. 5 Pour chaque groupe, complétez le doc. 5 en proposant au moins une solution technique facilitant l'accès au bus pour les personnes à mobilité réduite.

4 Conclusion Discutez collectivement des différentes solutions proposées.

Vocabulaire

Concevoir: action qui consiste à créer, imaginer une solution technique.

Solution technique (une): ensemble de pièces permettant de réaliser une fonction technique.

Modéliser le réel

Compétences
- [D2] Utiliser un outil numérique pour représenter des objets techniques.
- [D5] Se situer dans l'environnement et maîtriser les notions d'échelle.

Après avoir défini les contraintes et recherché des solutions techniques, les concepteurs doivent représenter la solution retenue pour vérifier qu'elle est réalisable.

→ Comment représenter une solution technique ?

Différentes façons de représenter un objet

- Pour être le plus proche de la réalité, on utilise des logiciels pour réaliser des représentations virtuelles des objets en 3 dimensions (3D). Ces logiciels, appelés **modeleurs volumiques**, permettent d'associer différents volumes et de représenter une pièce ou un système avant sa réalisation. Les concepteurs peuvent ainsi vérifier la faisabilité de la solution envisagée.
- La **conception assistée par ordinateur** (CAO) regroupe l'ensemble des outils numériques utilisés pour concevoir et tester virtuellement des objets, puis les réaliser.

1 Modéliser une solution.

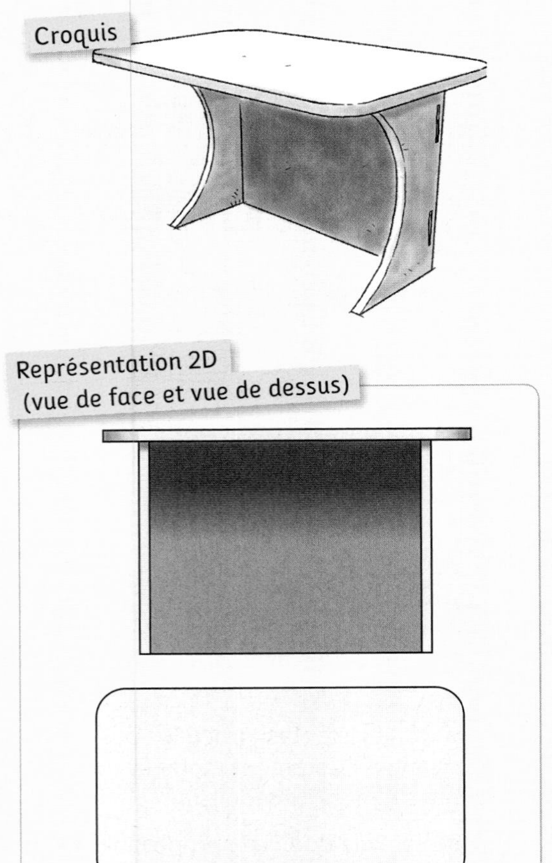

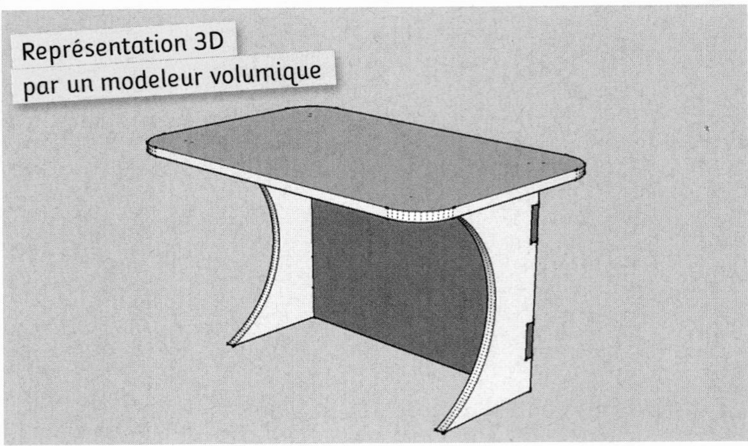

2 Différentes représentations d'un abribus.

Utiliser un modeleur volumique

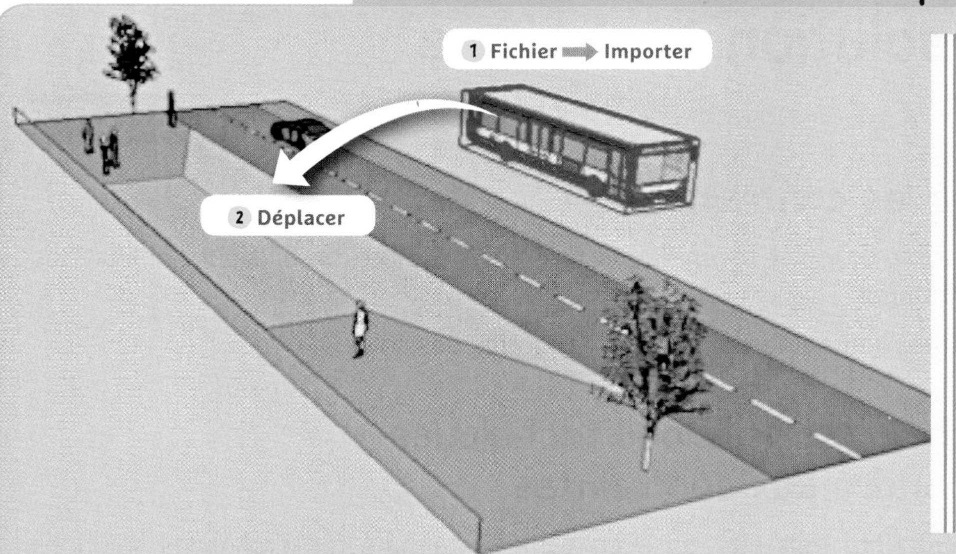

3 **Importation et déplacement de la maquette du bus dans celle du point d'arrêt.**

J'utilise un logiciel

- Ouvre un modeleur numérique.
- Dans le menu « Fichier », Ouvre le fichier « Arrêt de bus »*, puis importe le fichier « Bus ».
- Positionne le bus dans sa zone de stationnement à l'aide de l'outil « Déplacer ».
- Importe et place de même l'abribus, le banc et le fauteuil roulant.

→ *Voir http://sciences6e.editions-belin.com

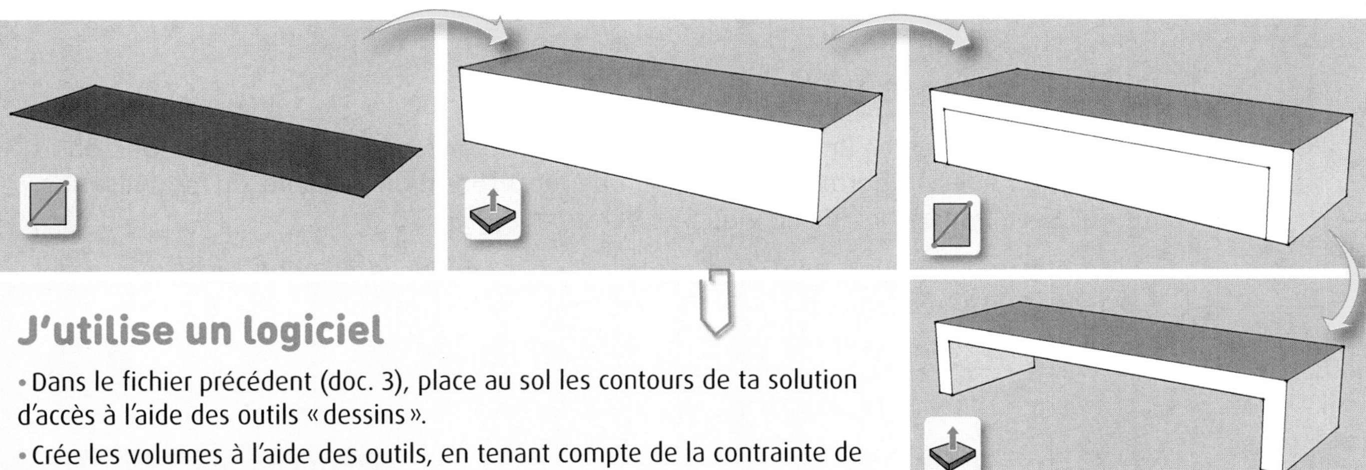

J'utilise un logiciel

- Dans le fichier précédent (doc. 3), place au sol les contours de ta solution d'accès à l'aide des outils « dessins ».
- Crée les volumes à l'aide des outils, en tenant compte de la contrainte de hauteur du plancher du bus.

4 **Créer un volume dans un modeleur volumique.** Pour représenter des volumes, il faut définir les contours de surfaces en 2D (esquisses), puis procéder à des ajouts ou à des enlèvements de matière.

Vocabulaire

2D / 3D : représentation d'un objet dans le plan en **deux** dimensions ou dans l'espace en **trois** dimensions.

Concepteur (un) / conceptrice (une) : personne qui conçoit des objets techniques en les imaginant, en les dessinant.

Représentation virtuelle (une) : technique permettant de visualiser un objet sous tous les angles à partir d'un logiciel, sans être obligé de le réaliser.

Ta mission

1 Doc 1 et 2 Reproduis le schéma du doc. 3 de l'unité 1 et complète-le en y faisant apparaître l'occupation au sol du bus, de l'abribus, du banc et du fauteuil roulant, ainsi que la solution conçue pour améliorer l'accès au bus. Quelle(s) difficulté(s) as-tu rencontrée(s) ?

2 Doc. 3 et 4 Utilise un modeleur volumique pour représenter ta solution technique.

3 Conclusion Rédige un court texte pour expliquer comment représenter une solution technique, en précisant les avantages d'utiliser un modeleur volumique.

Bilan L'objet technique, des contraintes à la solution technique

Je dois savoir

Unité 1 Recenser les contraintes

- Pour **concevoir** un objet technique, il faut tenir compte de plusieurs obligations appelés **contraintes**.
- Ces contraintes limitent les **solutions techniques** possibles.

Unité 2 Rechercher des solutions techniques pour répondre aux contraintes

- Chaque contrainte doit être prise en compte par une recherche des solutions techniques possibles.
- La solution retenue est celle qui permettra de répondre au mieux aux différentes contraintes.

Unité 3 Modéliser le réel

- Pour représenter une solution technique, un **concepteur** peut utiliser des outils informatiques. Ils permettent de créer une **représentation virtuelle**, ou **modélisation**, de la solution technique en 2 ou 3 dimensions (**2D** ou **3D**).
- Cette modélisation peut être exploitée pour vérifier la solution technique avant de la réaliser réellement.

→ L'essentiel du cours en une animation

Je retiens par l'image

Idée ou besoin

Rechercher des solutions
- Analyser les solutions existantes
- Concevoir, innover
- Dessiner ses solutions

Étudier les contraintes
- Prendre en compte l'environnement de l'objet
- Prendre en compte les utilisateurs

Modéliser les solutions
- Utiliser des logiciels de représentation 2D ou 3D
- Vérifier ses solutions

Solution retenue

Je vérifie mes connaissances

1 Association

Associe chaque contrainte à la description qui convient.

Contrainte	Description
a. Dimensionnelle	**1.** Doit tenir compte de l'aspect visuel
b. Fonctionnelle	**2.** Doit tenir compte des fonctions techniques attendues
c. Esthétique	**3.** Doit respecter les mesures décidées par le concepteur
d. Réglementaire	**4.** Doit utiliser des matériaux recyclables
e. Environnementale	**5.** Doit tenir compte des normes de sécurité

2 Que suis-je ?

a. Personne qui conçoit des objets techniques en les imaginant et en les dessinant.

b. Logiciel permettant de dessiner des objets techniques en 3D.

c. Réponse à un problème technique.

→ Exercices supplémentaires

J'utilise mes compétences

3 Rechercher des solutions

L'esthétique des panneaux

Les panneaux à l'entrée et à la sortie des villes ou villages font partie de la signalisation imposée par le code de la route. Ils doivent être rectangulaires et blancs bordés de rouge. Le nom de la ville doit être écrit en majuscules. Certaines municipalités améliorent l'esthétique de ces panneaux en les personnalisant.

1 Un panneau réglementaire.

2 Un panneau décoré.

a. Fais la liste des contraintes réglementaires.

b. Imagine comment améliorer l'aspect esthétique du panneau d'entrée de ta ville en tenant compte des contraintes réglementaires. Tu peux pour cela prendre en compte une particularité de ta commune.

Exercices

4 Modéliser

Un réverbère

La modélisation d'un réverbère est donnée ci-contre.

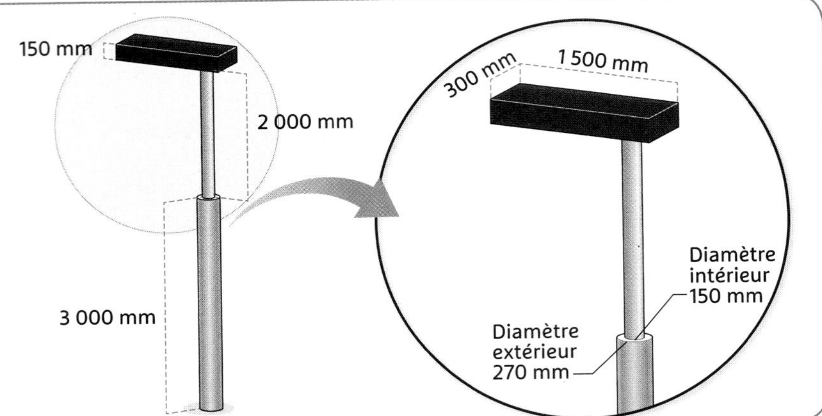

a. Quels solides géométriques reconnais-tu dans cette modélisation ?

b. À l'aide d'un logiciel de modélisation, reproduis ce réverbère en utilisant les dimensions données.

5 Étudier une contrainte

Deux abribus

a. Rappelle la définition de la fonction d'estime (voir chap. 16).

b. Détermine ce qui différencie ces deux abribus.

c. Explique pourquoi la fonction d'estime peut être considérée comme une contrainte.

6 Rechercher une information

Les métiers de dessinateur industriel

a. Sur le site de l'ONISEP (www.onisep.fr), tape « dessinateur industriel » dans le champ de recherche, puis repère les deux fiches métier proposées. Choisis une de ces fiches et lis-la attentivement.

b. Quelles sont les trois principales compétences nécessaires pour exercer ce métier ?

c. Les dessinateurs utilisent souvent la CAO, le DAO et la CFAO : que signifient ces sigles ?

7 Utiliser des modes de représentation

Volumes et surfaces

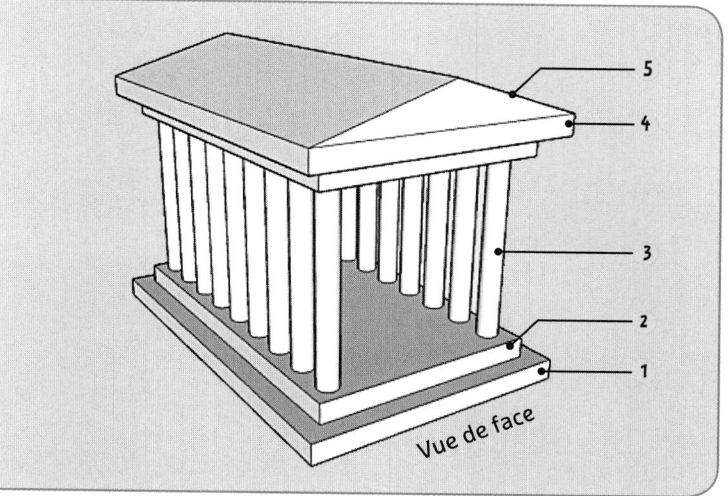

a. Indique les formes géométriques simples qu'il faut utiliser pour créer les volumes numérotés de **1** à **5** sur la représentation virtuelle ci-contre.

b. Fais un croquis de ce monument vu de face.

c. Utilise un modeleur volumique pour modéliser le toit de ce monument.

8 Connaître la notion de contrainte

Un arrêt de bus en évitement

En dehors des centres-villes, les points d'arrêts de bus doivent être aménagés en créant une zone de stationnement, appelée zone d'évitement. Elle permet de libérer la route à la circulation lorsque le bus embarque ou dépose des voyageurs.

a. Recopie le schéma ci-dessous.

b. Sur ton croquis, indique les valeurs des dimensions souhaitables L, L1, L2 et L3 pour une ligne de bus ne comportant que des véhicules standards.

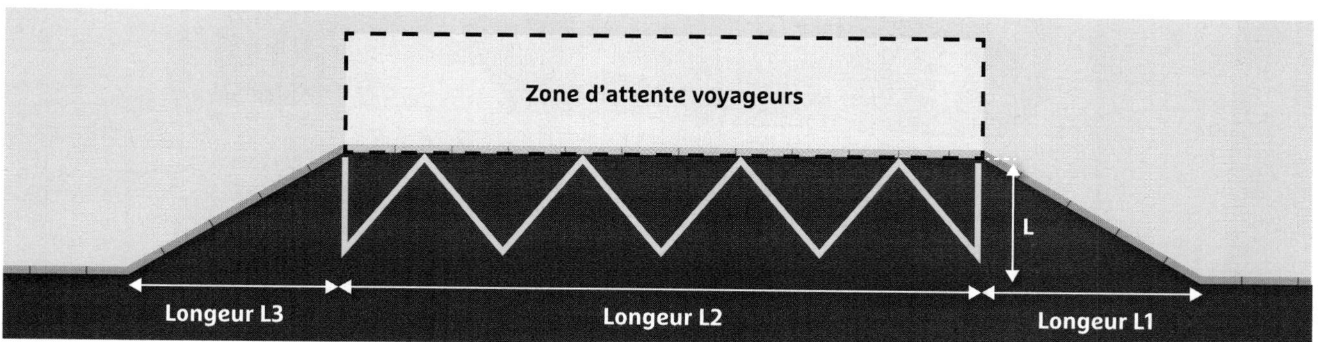

1 Schéma d'un point d'arrêt de bus en évitement. La largeur de l'évitement, notée L, est de 3 mètres.

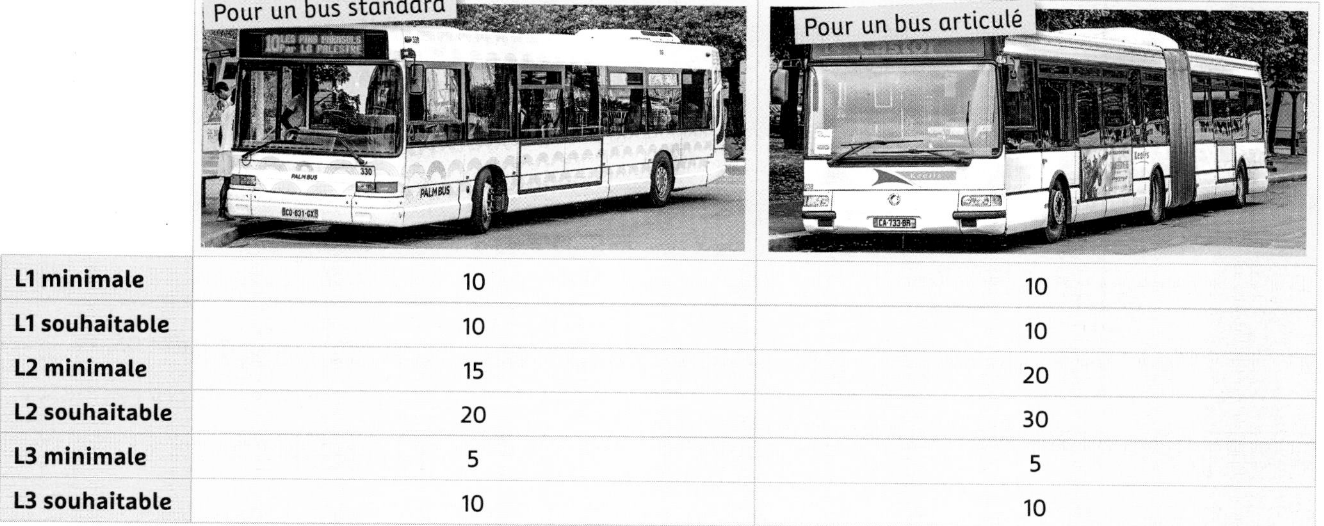

	Pour un bus standard	Pour un bus articulé
L1 minimale	10	10
L1 souhaitable	10	10
L2 minimale	15	20
L2 souhaitable	20	30
L3 minimale	5	5
L3 souhaitable	10	10

2 Les dimensions minimales et souhaitables d'un arrêt de bus (en mètres).

Chapitre 19

Pour commencer...

Une image

>> À quoi sert une maquette ?

Des nombres

Une voiture c'est...

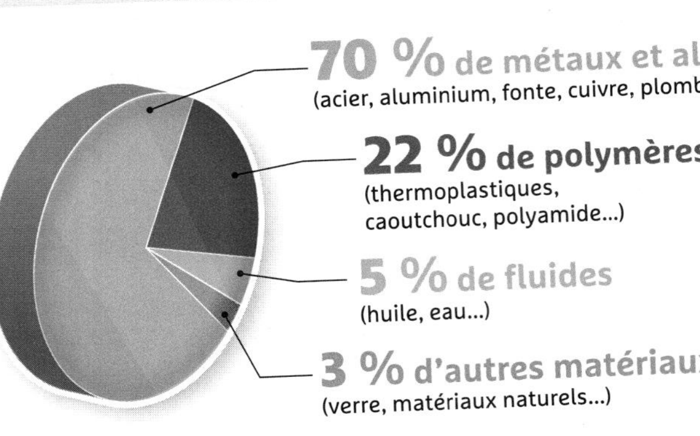

>> Peut-on utiliser n'importe quel matériau pour fabriquer un objet technique ?

Des mots

« Le métier de technicien(ne) en métrologie consiste, entre autres, à vérifier que les dimensions des pièces fabriquées en usine sont correctes. Ce métier demande beaucoup de minutie et de précision. »

>> Pourquoi est-il si important de contrôler ces dimensions ?

Réaliser une solution technique répondant à un besoin

Comment passer de la conception à la réalisation d'une solution technique ?

Unité 1

Organiser la réalisation d'une maquette

Compétences
- [D2] Organiser un espace de réalisation expérimentale.
- [D5] Réaliser un objet technique répondant à un besoin.

Après avoir modélisé une solution, comme un point d'arrêt de bus (chapitre 18, unité 3), il convient de mettre au point la réalisation de sa maquette. Pour cela, il faut ordonner les étapes de sa fabrication.

→ Comment organiser la réalisation d'une maquette ?

Donner une forme à une pièce

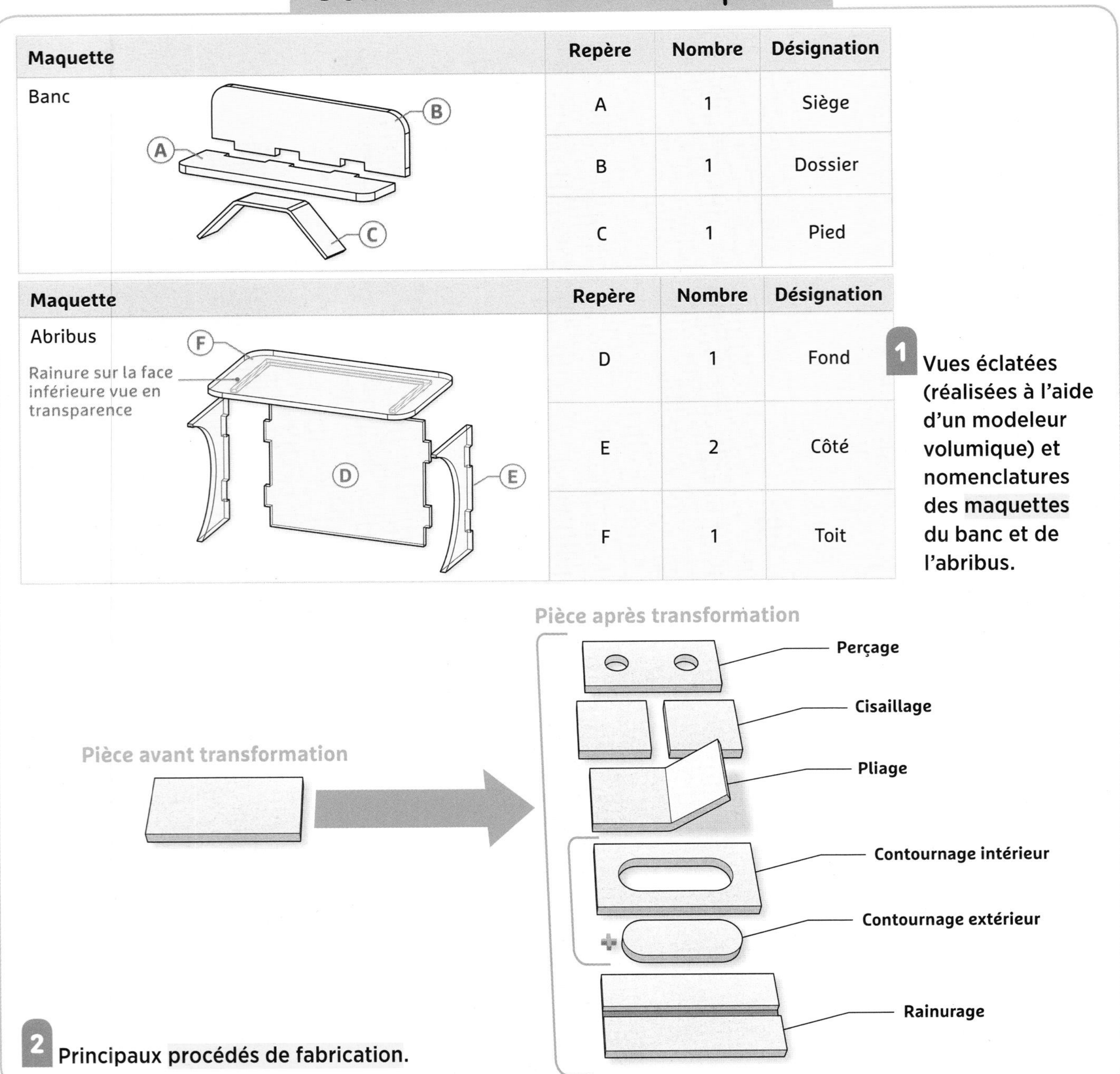

Maquette	Repère	Nombre	Désignation
Banc	A	1	Siège
	B	1	Dossier
	C	1	Pied

Maquette	Repère	Nombre	Désignation
Abribus	D	1	Fond
	E	2	Côté
	F	1	Toit

1 Vues éclatées (réalisées à l'aide d'un modeleur volumique) et nomenclatures des maquettes du banc et de l'abribus.

2 Principaux procédés de fabrication.

Organiser l'assemblage des pièces d'une maquette

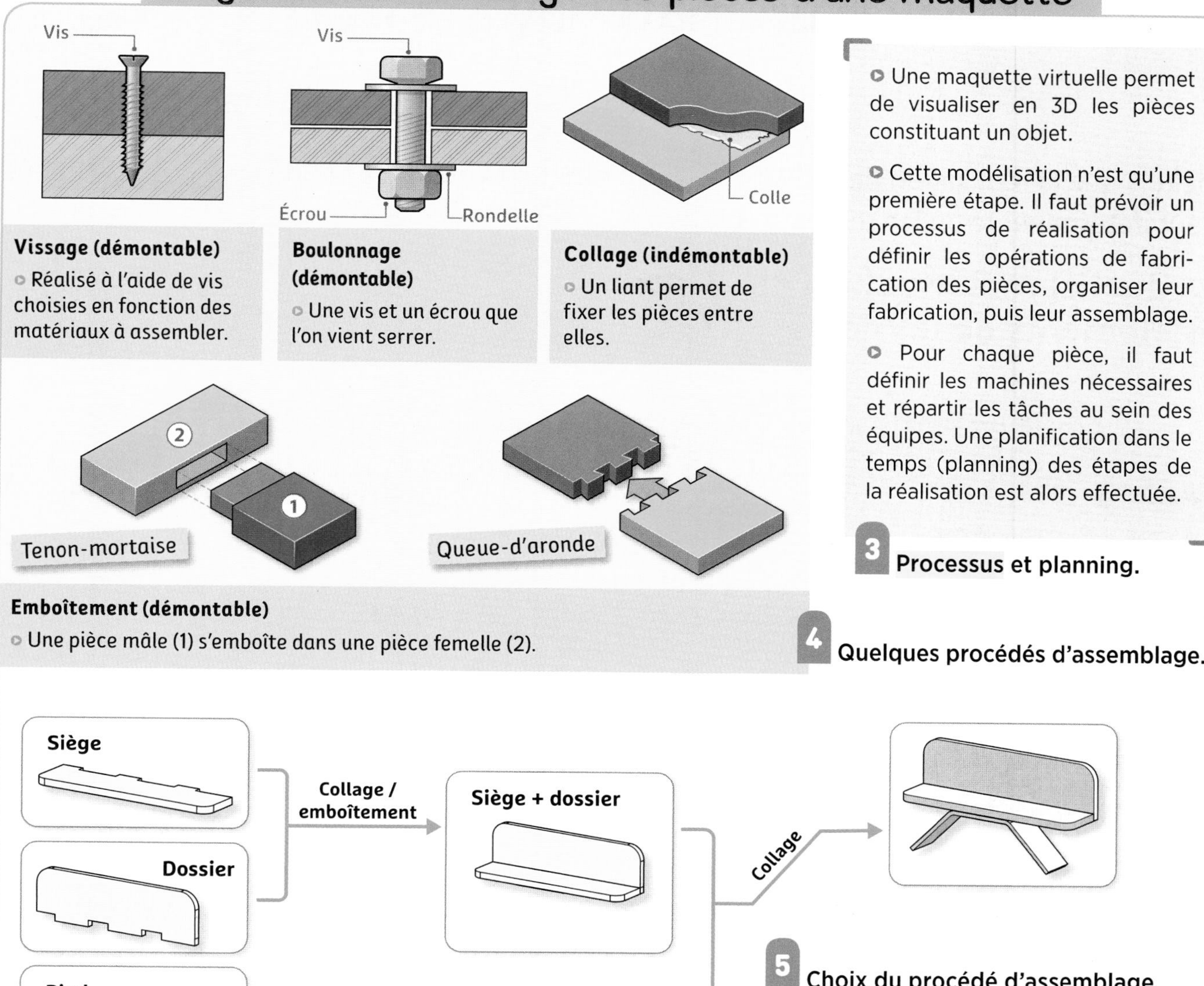

Vis
Vis
Écrou
Rondelle
Colle
Vissage (démontable)
Réalisé à l'aide de vis choisies en fonction des matériaux à assembler.
Boulonnage (démontable)
Une vis et un écrou que l'on vient serrer.
Collage (indémontable)
Un liant permet de fixer les pièces entre elles.
2
1
Tenon-mortaise
Queue-d'aronde
Emboîtement (démontable)
Une pièce mâle (1) s'emboîte dans une pièce femelle (2).
Siège
Dossier
Pied
Collage / emboîtement
Siège + dossier
Collage

- Une maquette virtuelle permet de visualiser en 3D les pièces constituant un objet.
- Cette modélisation n'est qu'une première étape. Il faut prévoir un processus de réalisation pour définir les opérations de fabrication des pièces, organiser leur fabrication, puis leur assemblage.
- Pour chaque pièce, il faut définir les machines nécessaires et répartir les tâches au sein des équipes. Une planification dans le temps (planning) des étapes de la réalisation est alors effectuée.

3 **Processus et planning.**

4 **Quelques procédés d'assemblage.**

5 **Choix du procédé d'assemblage et organigramme de montage de la maquette du banc.** Cette maquette sera le **prototype** de l'objet à l'échelle réduite.

Vocabulaire

Maquette (une) : représentation réelle d'un objet technique respectant ses proportions.

Procédé de fabrication (un) : ensemble des techniques de transformation de matière utilisées pour fabriquer une pièce.

Processus (un) : suite d'opérations à réaliser dans un ordre défini pour fabriquer une pièce.

Prototype (un) : premier exemplaire réalisé d'un objet technique pour tester sa conformité et son bon fonctionnement.

Ta mission

1. Doc 1 et 2 Détermine les procédés de fabrication nécessaires à la réalisation de chaque pièce du banc et de l'abribus.
2. Docs 1 à 5 Organise l'assemblage des pièces de l'abribus sur le modèle du doc. 5.
3. Doc. 1 À partir de la modélisation de ta solution d'accès au bus pour les personnes à mobilité réduite (chap. 18), fais une liste des pièces à fabriquer pour réaliser cette solution.
4. Doc. 2 à 5 et chap. 18 Pour chaque pièce, détermine le procédé de fabrication et le procédé d'assemblage à utiliser.
5. Conclusion Énonce les étapes permettant de passer d'une modélisation 3D à une maquette.

Choisir un matériau

Compétences
- [D4] Identifier les principales familles de matériaux.
- [D5] Relier des connaissances à des questions d'environnement.

Une fois que la réalisation des pièces d'une maquette du point d'arrêt de bus a été organisée, il faut déterminer le ou les matériaux dans lesquels fabriquer les pièces de cette maquette.

→ Quel(s) matériau(x) utiliser pour fabriquer les éléments de la maquette ?

Coût et aptitudes au façonnage de plusieurs matériaux

Matériaux	Prix de vente et conditionnement	Surface ou masse vendue	Prix unitaire
Bois (contreplaqué)	14,55 € la plaque de 3 × 300 × 300 mm	0,15 m^2	97,00 €/m^2
Carton	4,89 € la plaque de 3 × 600 × 800 mm	0,48 m^2	10,18 €/m^2
Aluminium	11,31 € la plaque de 3 × 195 × 245 mm	0,04 m^2	240,00 €/m^2
Mousse	2,47 € la plaque de 3 × 620 × 800 mm	0,49 m^2	4,97 €/m^2
PVC expansé	4,15 € la plaque de 3 × 400 × 500 mm	0,20 m^2	20,75 €/m^2
Plastique PLA	29 € la bobine d'1 kg (1,75 mm × 340 m)	1,0 kg	58,00 €/m^2

1 Différents matériaux et leur prix.

Matériaux	Aptitude au découpage	Aptitude au pliage
Bois	Facile	Très difficile
Carton	Très facile	Très facile
Aluminium	Facile	Facile
Mousse	Très facile	Très difficile
PVC expansé	Facile	Facile
Plastique PLA	Facile	Facile

2 **Aptitudes des matériaux étudiés au découpage et au pliage.** D'autres propriétés peuvent être prises en compte pour le choix d'un matériau (voir chap. 1 et 17).

Matériaux et développement durable

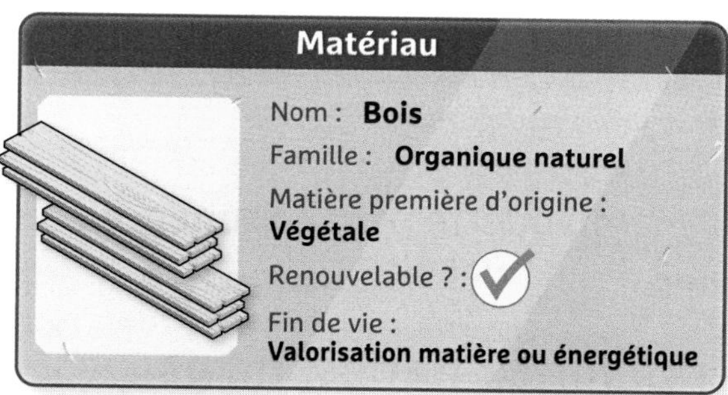

Matériau
Nom : Bois
Famille : Organique naturel
Matière première d'origine : Végétale
Renouvelable ? : ✓
Fin de vie : Valorisation matière ou énergétique

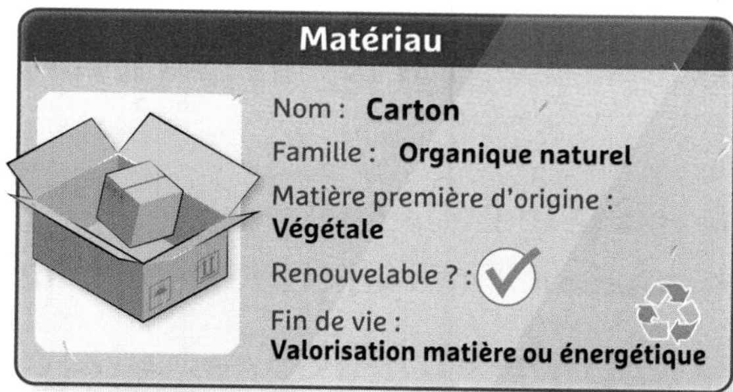

Matériau
Nom : Carton
Famille : Organique naturel
Matière première d'origine : Végétale
Renouvelable ? : ✓
Fin de vie : Valorisation matière ou énergétique

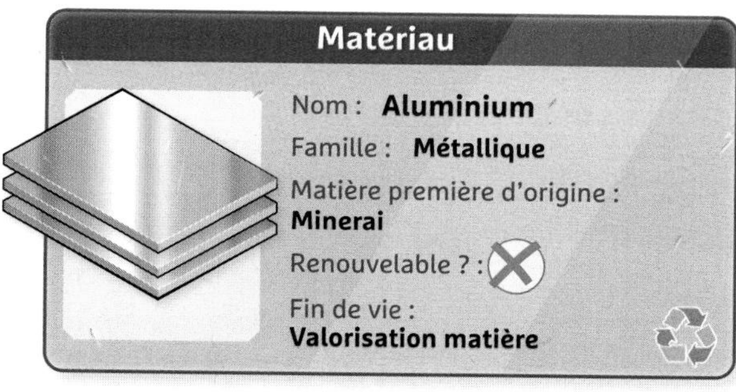

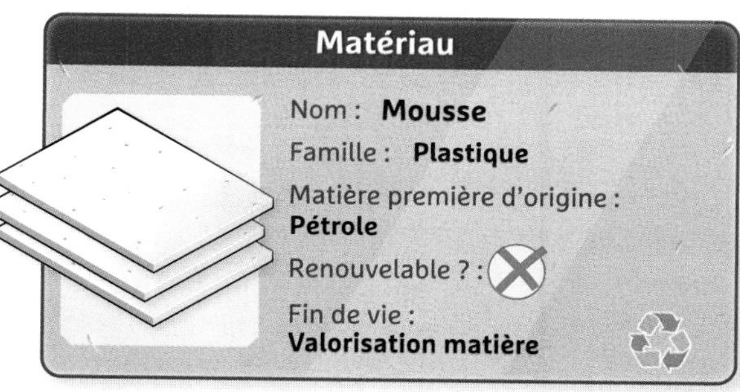

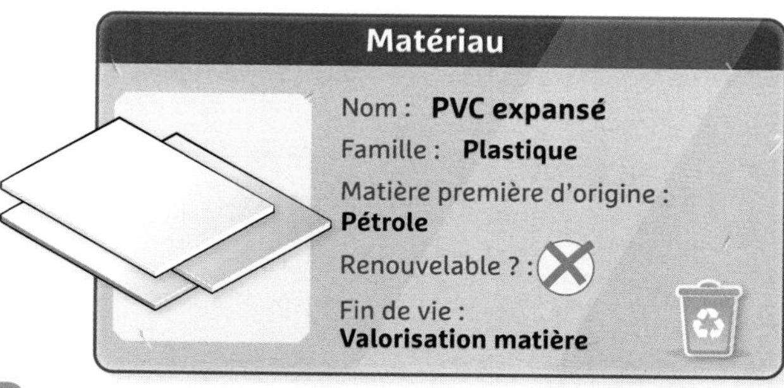

Matériau
Nom : PVC expansé
Famille : Plastique
Matière première d'origine : Pétrole
Renouvelable ? : ✗
Fin de vie : Valorisation matière

3 L'origine et la valorisation des matériaux étudiés. Un objet technique suit un cycle de vie (voir chapitre 17). Pour préserver l'environnement et les ressources, il faut, dès la conception, choisir les matériaux en fonction de leur coût et de leurs propriétés, mais aussi :
- de leur origine (renouvelable ou non-renouvelable) ;
- de leur aptitude au recyclage ou à la valorisation (matière ou énergétique) à la fin de la vie de l'objet.

Vocabulaire

Renouvelable (adj.) : voir chap. 4.
Recyclage (un) : voir chap. 17.
Valorisation (une) : voir chap. 17.

Ta mission

1 Doc. 1 et 2 Range les matériaux étudiés : **a.** du moins cher au plus cher ; **b.** du plus facile au moins facile à découper ; **c.** du plus facile au moins facile à plier.

2 Doc. 3 Trie les matériaux en fonction de leur origine (renouvelable ou non renouvelable).

3 Doc. 3 Trie les matériaux en fonction de leur aptitude à être recyclés ou valorisés en fin de vie.

4 Doc. 1 à 3 En une phrase simple, énonce les trois caractéristiques principales que doit avoir le matériau « idéal » en vue de la réalisation d'une maquette.

5 Conclusion Détermine le(s) matériau(x) le(s) plus adapté(s) à la réalisation du banc et de l'abribus, en justifiant tes choix.

Réaliser une maquette

Compétences
- [D2] Organiser un espace de réalisation expérimentale.
- [D5] Réaliser un objet technique.

Une fois le matériau déterminé, la réalisation de la maquette peut commencer. Elle implique l'utilisation de différentes machines.

→ Comment choisir et utiliser les machines nécessaires à la fabrication des éléments d'une maquette ?

Découvrir les machines utilisées en technologie

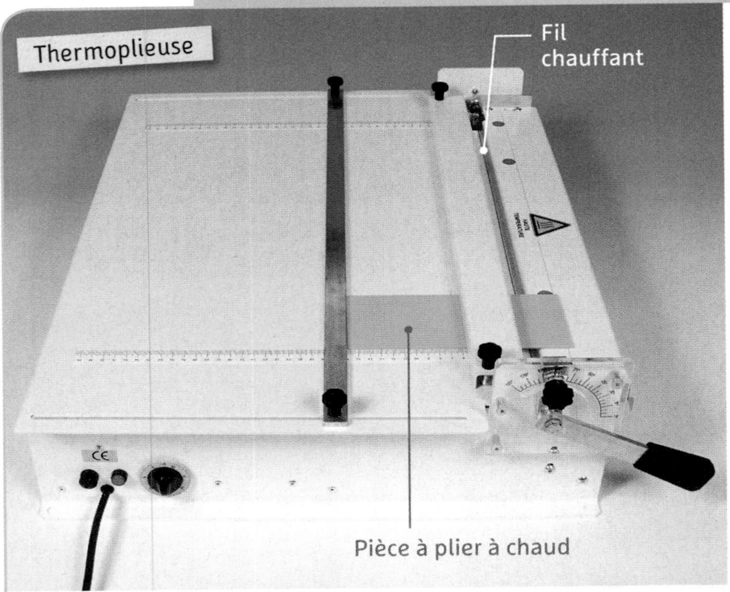

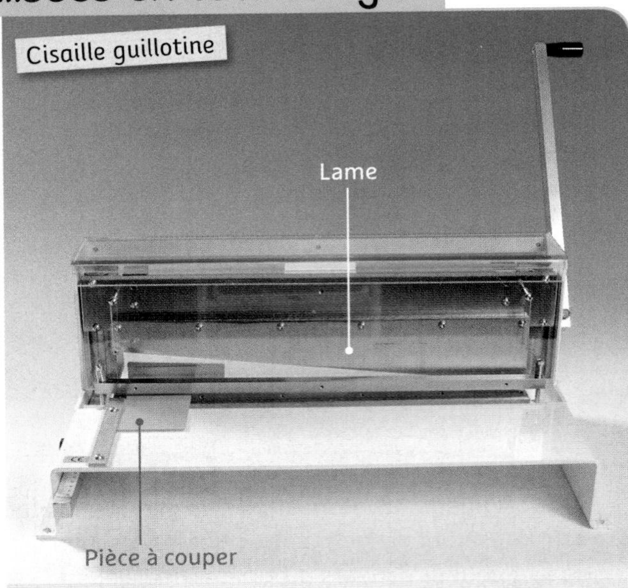

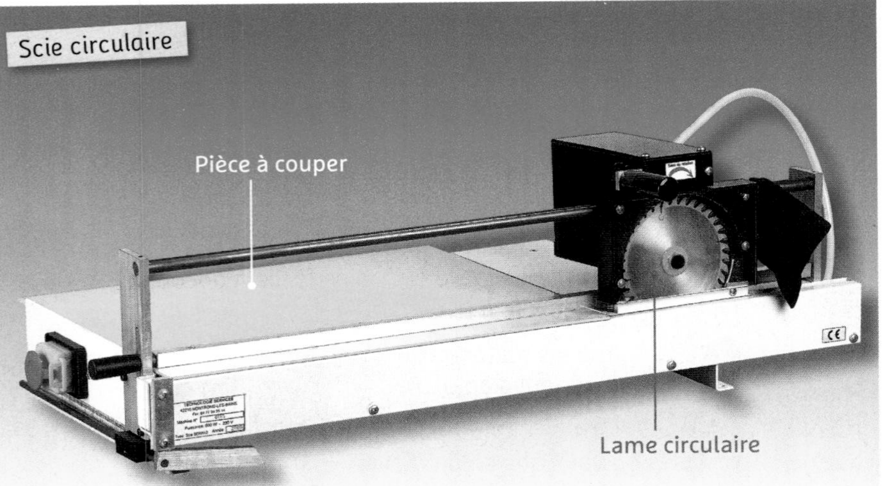

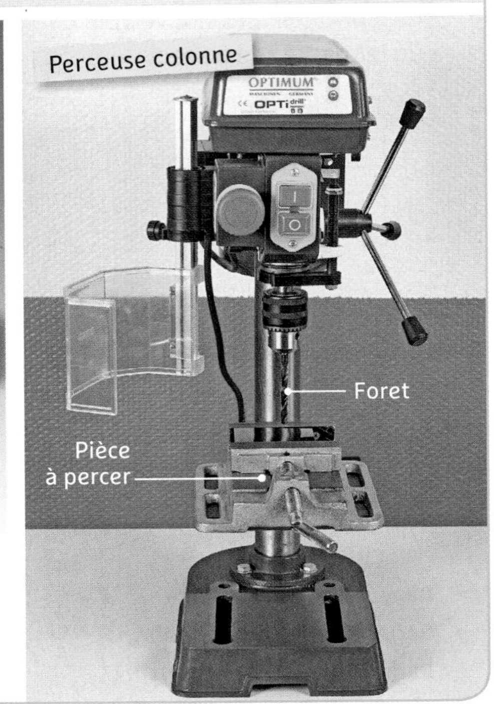

1 Quelques machines disponibles dans l'espace à moyens partagés d'un collège : chaque machine réalise une opération de fabrication. Leur utilisation doit se faire en respectant les consignes de sécurité propres à chacune.

Utiliser des machines pour fabriquer des pièces

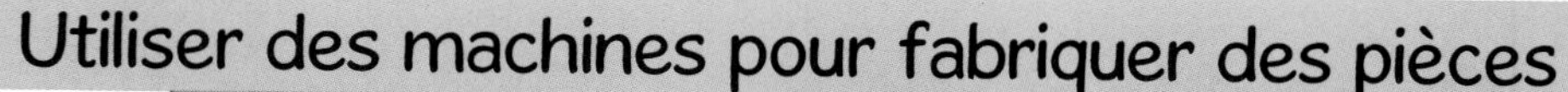

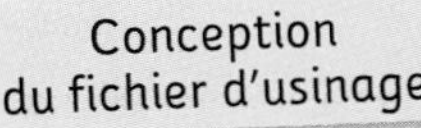

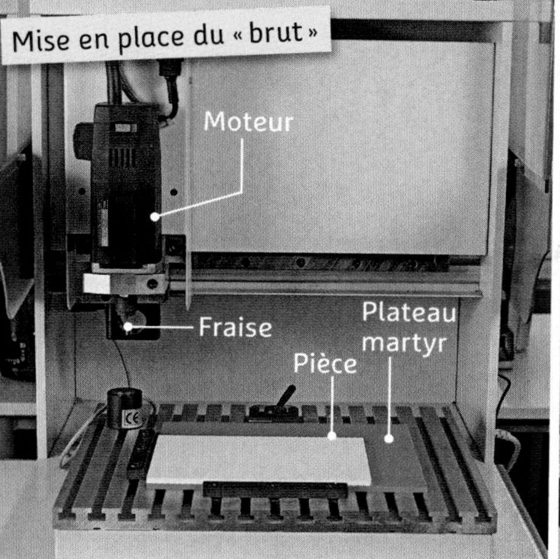

2 **La réalisation d'une pièce par enlèvement de matière avec une machine-outil à commande numérique.**

Modélisation et fichier d'impression

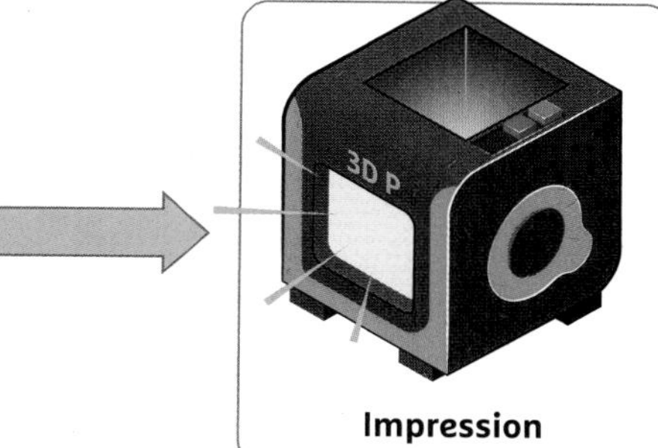

Impression

Pièce réalisée

Je manipule

>> Pour réaliser une impression 3D :

1. Ouvre le fichier* STL fourni par ton professeur dans le logiciel d'impression.
2. Génère le fichier d'impression (Gcode).
3. Lance l'impression 3D.

→ *Pour télécharger ce fichier, rends-toi sur http://sciences6e.editions-belin.com

3 **La réalisation d'une pièce par ajout de matière avec une imprimante 3D.** Les différentes parties d'une pièce peuvent être imprimées séparément, puis assemblées.

Ta mission

Travail en groupe

Chaque groupe proposera une solution facilitant l'accès au bus pour les personnes à mobilité réduite.

1. Répartissez-vous par groupe les pièces à réaliser pour l'abribus et pour le banc.
2. Doc. 1. Pour la pièce à réaliser, faites la liste des machines dont vous aurez besoin, en indiquant les outils et les opérations de fabrication correspondantes.
3. Doc. 2 et 3. À l'aide de l'unité 1, proposez un processus de fabrication. Faites-le valider par le professeur, puis réalisez la pièce.
4. Réalisez l'assemblage de l'abribus et du banc.
5. Conclusion En vous inspirant des questions 2 et 3, proposez et réalisez par groupe une solution facilitant l'accès au bus pour les personnes à mobilité réduite.

Contrôler la réalisation

Compétences
- [D2] Utiliser le matériel adapté pour effectuer une mesure.
- [D2] Faire le lien entre la mesure réalisée, les unités et l'outil utilisés.

Une fois les pièces réalisées, il faut contrôler que leurs dimensions correspondent bien à celles prévues par le concepteur. C'est indispensable à un assemblage correct des pièces et au bon fonctionnement de la solution technique.

→ Comment vérifier les dimensions des pièces réalisées ?

Utiliser des instruments de mesure

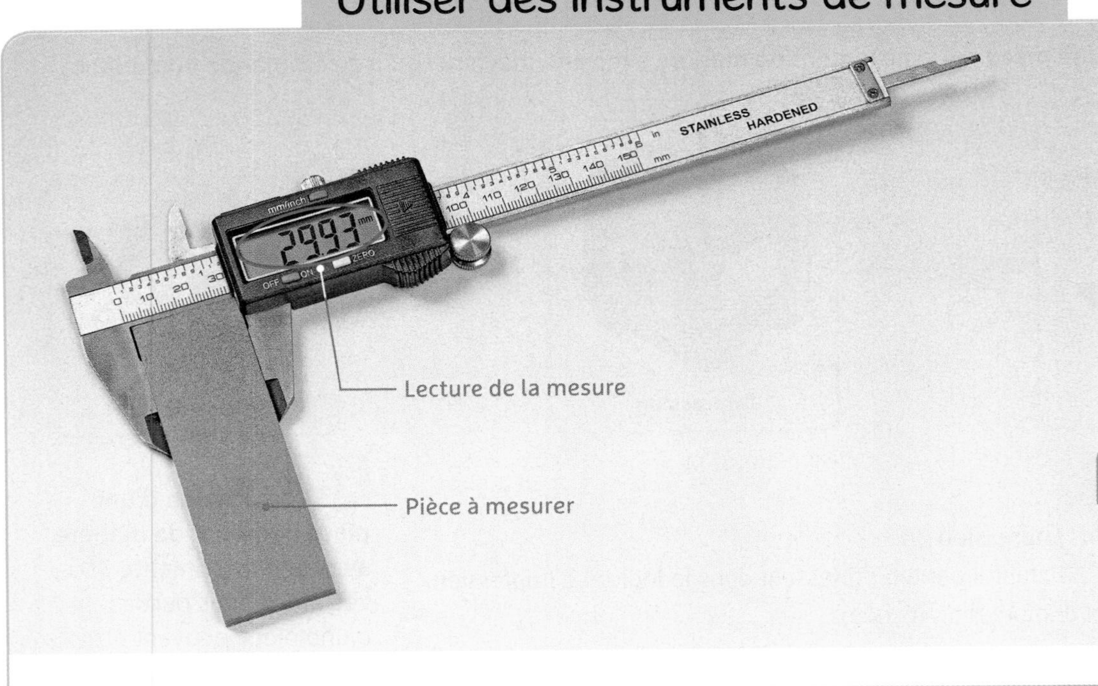

1 Mesurer une dimension avec un pied à coulisse numérique.

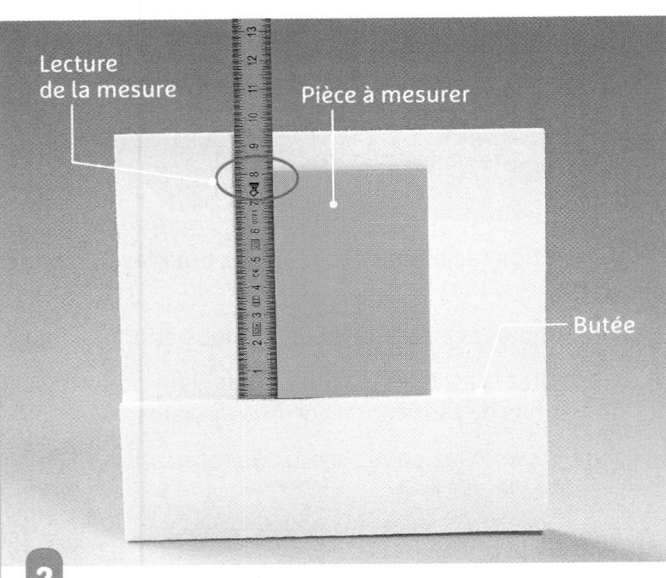

2 Mesurer une longueur au réglet (avec butée). Le « 0 » est placé à l'extrémité.

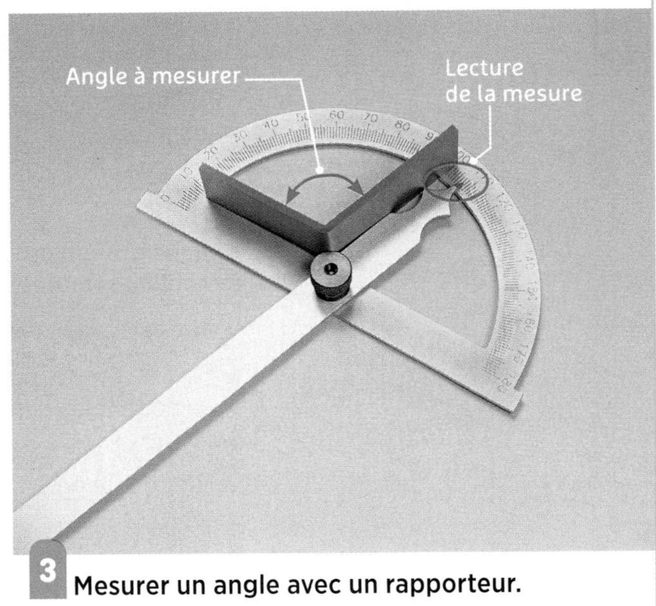

3 Mesurer un angle avec un rapporteur. La valeur mesurée est donnée en degré.

Vérifier les dimensions d'une pièce

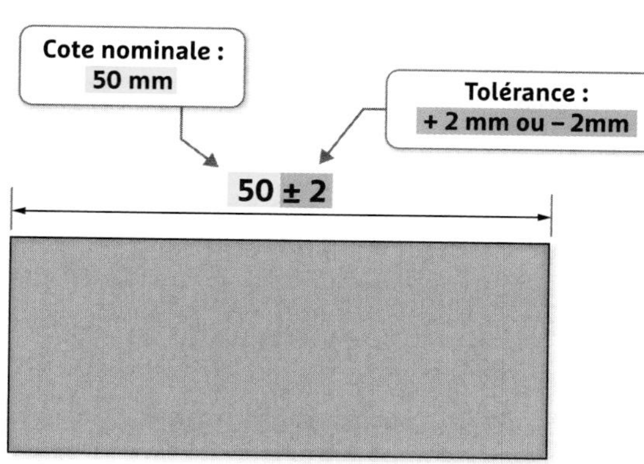

4 Cote et tolérance. La dimension souhaitée est appelée **cote nominale**. Pour les pièces fabriquées, on permet un écart de dimension nommé **tolérance**.

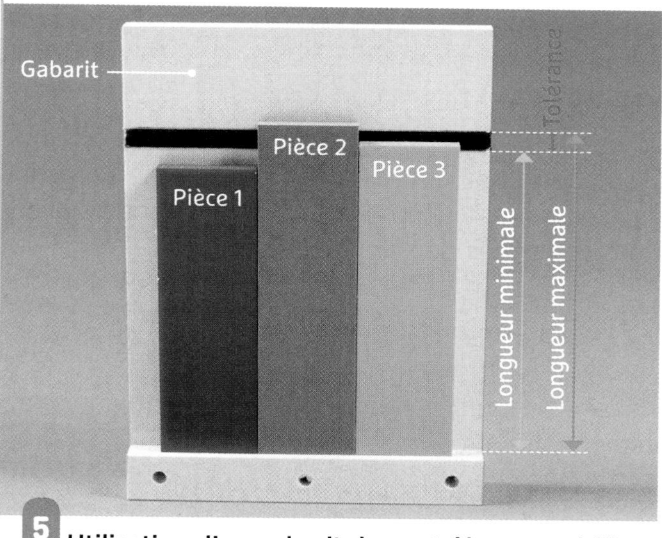

5 Utilisation d'un gabarit de contrôle pour vérifier une longueur.

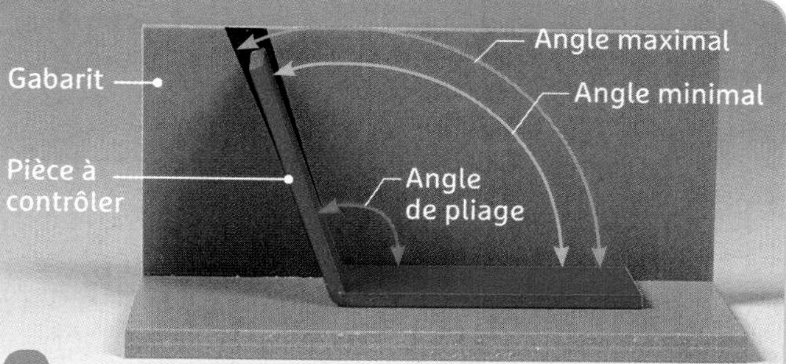

6 Utilisation d'un gabarit de contrôle pour vérifier un angle. Un angle droit peut être vérifié à l'aide d'une équerre.

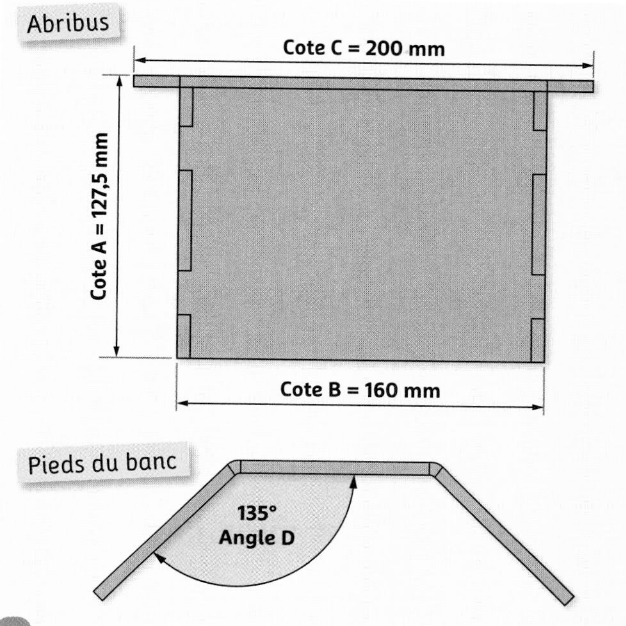

7 Des pièces à contrôler. Dans un modeleur volumique, on peut afficher les cotes nominales en sélectionnant les extrémités du côté à mesurer avec l'outil « cotation ».

Ta mission

1. Doc. 4 et 5 Détermine laquelle des pièces (1, 2 ou 3) est conforme sur le doc. 5.
2. Doc. 4 et 7 Calcule les limites supérieures et inférieures des cotes à contrôler pour une tolérance de ±1 mm pour les longueurs (abribus) et ± 5 degrés pour l'angle de pliage (pieds du banc).
3. Doc. 1, 2, 3 et 7 Choisis l'instrument de mesure qui convient pour effectuer chaque mesure.
4. Doc. 5 à 7 Imagine un gabarit de contrôle permettant de vérifier les cotes A, B et C et un gabarit de contrôle permettant de vérifier l'angle D.
5. Conclusion Vérifie que chaque pièce fabriquée pour les maquettes (unité 3) est conforme.

Bilan Réaliser une solution technique répondant à un besoin

Je dois savoir

Unité 1 Organiser la réalisation d'une maquette

◆ Pour réaliser un objet technique, il faut organiser sa fabrication. Pour cela, on fait la liste des pièces qui le constituent, puis on recense et on ordonne les opérations de fabrication pour chacune. On détermine alors un **planning** et un **procédé de fabrication**.

◆ Un objet composé de plusieurs pièces nécessite également une solution d'assemblage déterminant l'ordre dans lequel les pièces doivent être assemblées.

Unité 2 Choisir un matériau

◆ Pour réaliser une **maquette** ou un objet technique, on doit choisir le matériau qui conviendra le mieux.

◆ Il est nécessaire de faire la liste des caractéristiques de chaque matériau possible : on détermine ainsi lequel présente le meilleur compromis.

Unité 3 Réaliser une maquette

◆ Pour réaliser une maquette ou un objet technique, il est important de se répartir les tâches, de déterminer les machines nécessaires à la mise en forme de chaque pièce, d'utiliser ces machines en respectant des consignes de sécurité.

Unité 4 Contrôler la réalisation

◆ Les concepteurs décident des dimensions (cotes nominales) d'un objet technique et des tolérances nécessaires à un fonctionnement correct.

◆ Pour vérifier une fabrication, il convient de contrôler certaines cotes à l'aide d'instruments de mesures ou de gabarits de contrôle.

➜ L'essentiel du cours en une animation

Je retiens par l'image

PIÈCE MODÉLISÉE ➜

Organiser la réalisation
- Se répartir les tâches
- Organiser les opérations de fabrication et d'assemblage

➜ **Déterminer le matériau**
- Choisir le meilleur compromis tenant compte des caractéristiques de chacun

➜ **Réaliser la pièce**
- Associer les machines nécessaires aux opérations de fabrication
- Respecter les règles de sécurité

➜ **Contrôler les dimensions et angles**
- Utiliser des outils de mesures
- Tenir compte des tolérances autorisées

➜ PIÈCE RÉALISÉE ET CONFORME

Exercices

Je vérifie mes connaissances

1 Associations

Associe chaque mot à la définition qui convient.

1. Organisation dans le temps de la fabrication d'un objet.
2. Représentation réelle et proportionnée d'un objet technique.
3. Suite d'opérations à réaliser pour fabriquer une pièce.
4. Synonyme de vérification.
5. Premier exemplaire, modèle d'un objet technique.

a. Maquette
b. Processus
c. Planning
d. Contrôle
e. Prototype

2 Vrai ou faux ?

Retrouve les propositions exactes et recopie celles qui sont fausses en les corrigeant.

a. Les pièces d'une maquette peuvent être assemblées dans n'importe quel ordre.
b. Un gabarit permet de contrôler les dimensions d'une pièce fabriquée.
c. Pour choisir un matériau, il faut tenir compte de ses caractéristiques.
d. La dimension souhaitée pour une pièce est appelée cote minimale.

J'utilise mes compétences

3 Construire un tableau

Les éléments d'un roller

Voici la liste des pièces constituant le roller ci-contre : roue • lacet • coque • support de frein • châssis • sangle • axe de roue • frein.

Sur le modèle du doc. 1 de l'unité 1 p. 254, construis un tableau pour établir la nomenclature des pièces de ce roller.

4 Réaliser une pièce conforme

Mise en forme et vérification

On dispose d'une plaque de plastique rectangulaire pour fabriquer la pièce A ci-dessous. Cette pièce est percée au diamètre 10,2 mm ± 0,5. Un axe (B) de forme cylindrique est inséré dans le trou percé.
Quatre axes ont été réalisés. Leur diamètre a été mesuré : **Axe 1 :** 10,9 mm ; **Axe 2 :** 9,7 mm ; **Axe 3 :** 10,5 mm ; **Axe 4 :** 9,5 mm.

a. Nomme et ordonne les opérations de formage qui ont été nécessaires pour fabriquer la pièce A.
b. Précise l'instrument à utiliser pour mesurer le diamètre des axes.
c. Indique le ou les axe(s) convenant à la tolérance du diamètre du support.

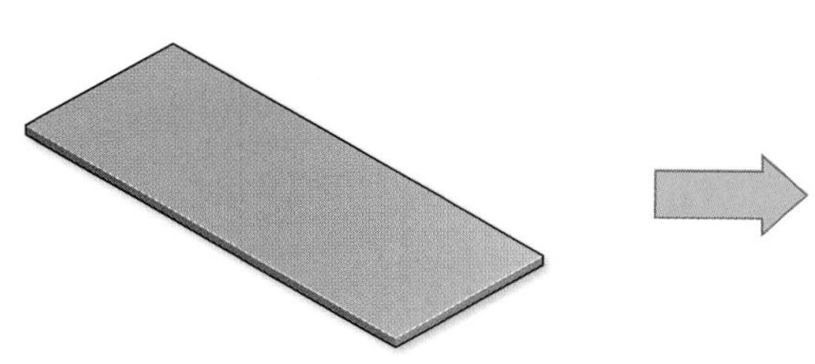

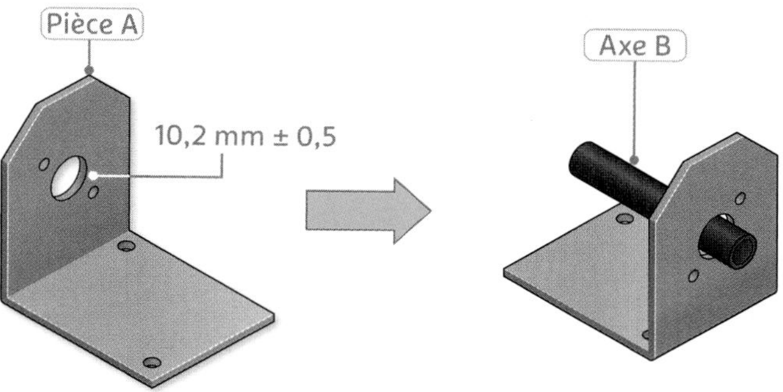

Chapitre 20

Pour commencer...

Une image

>> Ce cahier de texte est-il un objet en voie de disparition ?

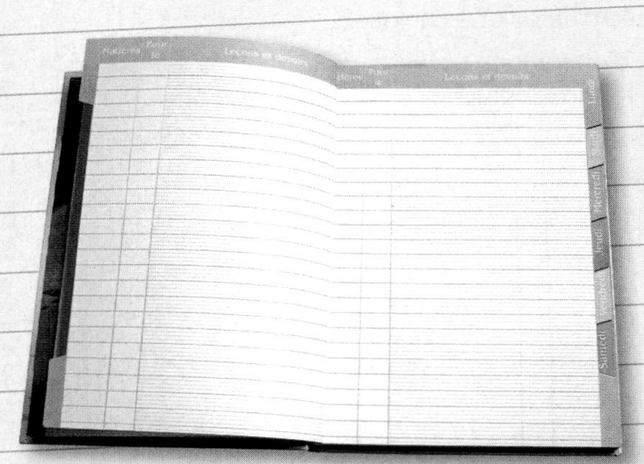

Des chiffres

Les utilisateurs de Youtube téléchargent 72 heures de vidéos nouvelles

Google reçoit plus de 4 millions de requêtes

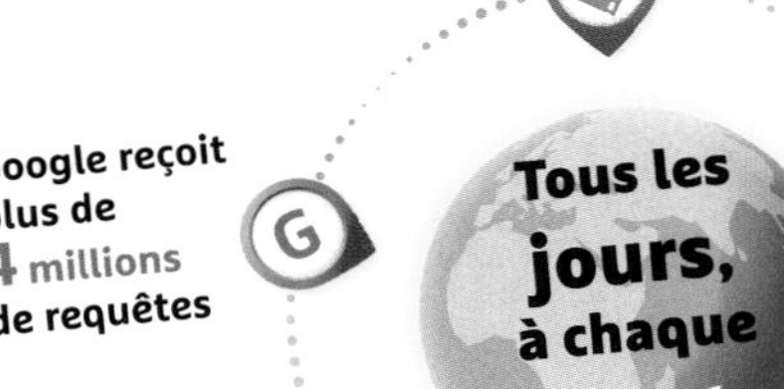

204 millions de courriels sont envoyés

Les utilisateurs de Twitter envoient 277 000 tweets

Les utilisateurs d'Instagram publient 216 000 nouvelles photos

>> Que peut-on faire dans un réseau informatique ?

Des mots

« [...] nous assistons à l'aube d'une ère nouvelle où les objets les plus banals du quotidien pourront communiquer entre eux grâce à des connexions sans fil, réaliser des tâches à la demande et nous abreuver de données inédites. [...] »

D'après "Quand tous nos objets seront programmables", 13/06/2013
www.courrierinternational.com

Communication et gestion de l'information

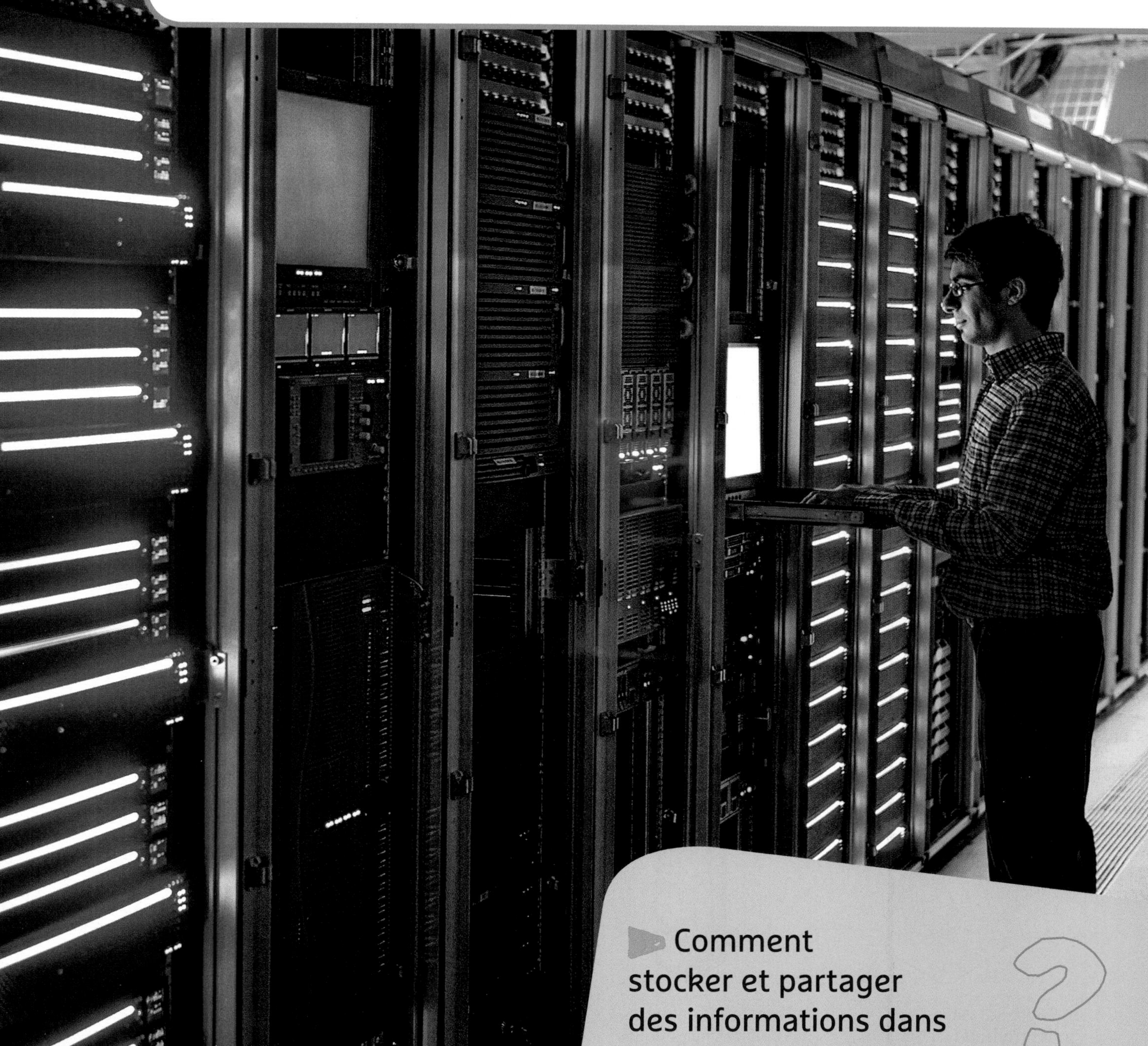

Un centre de données informatiques.

Comment stocker et partager des informations dans un réseau informatique ?

Unité 1

Utiliser un environnement numérique de travail (ENT)

Compétences
- [D2] Mettre en relation des informations.
- [D4] Décrire les objets techniques.

Certaines salles de classe sont équipées de postes informatiques permettant d'accéder à l'ENT du collège.

→ À quoi sert un ENT et comment y accède-t-on ?

Découvrir le poste informatique et son environnement

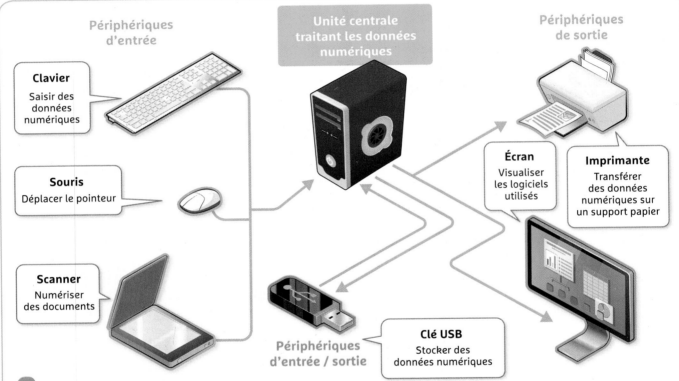

Périphériques d'entrée

Unité centrale traitant les données numériques

Périphériques de sortie

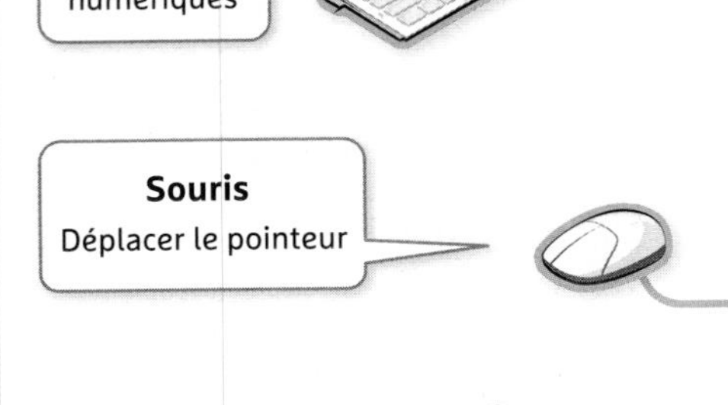

Clavier
Saisir des données numériques

Écran
Visualiser les logiciels utilisés

Imprimante
Transférer des données numériques sur un support papier

Souris
Déplacer le pointeur

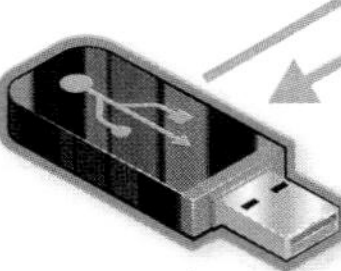

Scanner
Numériser des documents

Périphériques d'entrée / sortie

Clé USB
Stocker des données numériques

1 **Les échanges de données numériques entre l'unité centrale (UC) et ses périphériques.** Un périphérique est un composant informatique permettant à l'utilisateur d'échanger avec l'unité centrale.

Webcam

Capte des vidéos et les transmet à l'UC.

Haut-parleur

Transforme en son les données numériques provenant de l'UC.

Microphone

Transforme les sons en données numériques pour les envoyer à l'UC.

Vidéoprojecteur

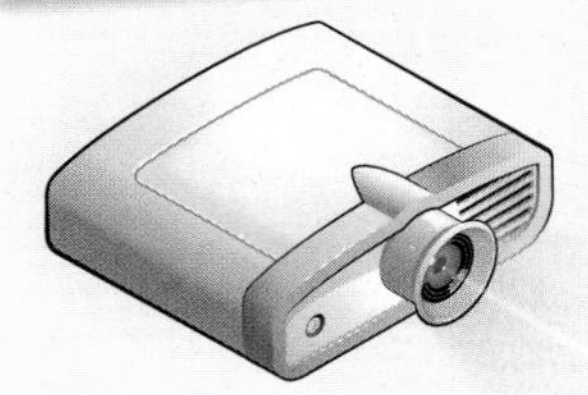

Affiche des informations provenant de l'UC sur une surface murale.

2 **Autres périphériques pouvant être connectés à l'unité centrale (UC) d'un ordinateur.**

L'ENT d'un collège

- Un ENT est un **outil informatique** permettant à ses **utilisateurs**, d'accéder à plusieurs **services en ligne:** communiquer, s'informer et échanger des informations de manière sécurisée.
- Dans un ENT, on peut également **stocker** des informations personnelles ou réaliser des **travaux collaboratifs** (effectués par plusieurs utilisateurs).
- Les ENT peuvent être différents d'un collège à un autre, cependant ils proposent généralement le même type de services.

3 Principe d'un environnement numérique de travail.

4 Une fenêtre d'accès à un ENT (ici, l'ENT PLACE).

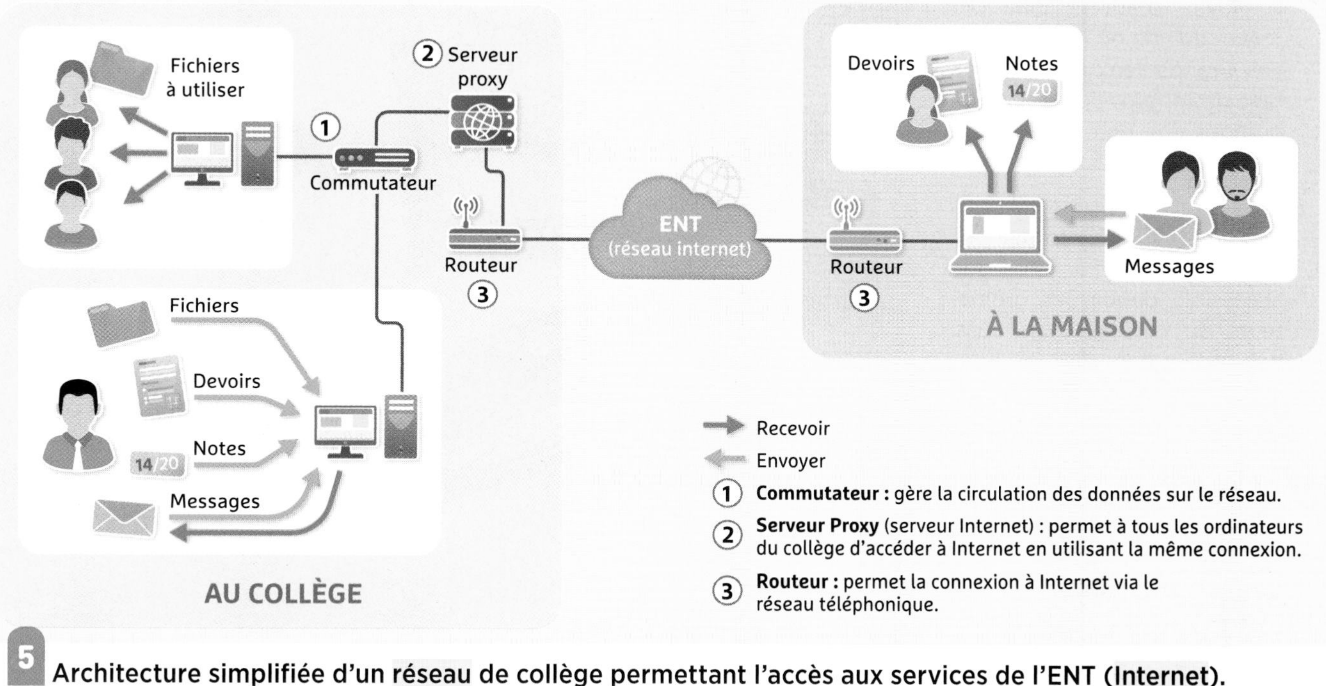

5 Architecture simplifiée d'un réseau de collège permettant l'accès aux services de l'ENT (Internet).

Vocabulaire

Donnée numérique (une) : information codée (voir chap. 6) afin d'être utilisée par un ordinateur.

Internet (l') : ensemble d'ordinateurs reliés entre eux à travers le monde entier.

Réseau (un) : ensemble d'ordinateurs reliés entre eux dans le but de partager et échanger des informations sous forme numérique.

Ta mission — Préparer une affiche

1. Doc. 1 et 2 Pour chaque périphérique, précise s'il s'agit d'un périphérique d'entrée, de sortie ou d'entrée/sortie.
2. Doc. 3 et 4 Connecte-toi à l'ENT du collège. Navigue ensuite dans les menus et recherche le nom des services proposés.
3. Doc 5. Indique par quels éléments du réseau l'information circule quand un élève se connecte à l'ENT depuis un ordinateur du collège.
4. Conclusion Réalise une affiche pour expliquer à quoi sert un ENT.

Unité 2

Utiliser un réseau

Compétences
- [D2] Utiliser des outils numériques pour traiter des données.
- [D5] Repérer et comprendre les systèmes et les réseaux d'information.

Maya, Noam et Lina effectuent une sortie scolaire aux arènes de Nîmes. Leur professeur leur a demandé de réaliser un compte rendu de la visite et de le partager avec le reste de la classe.

→ Comment stocker et diffuser des documents numériques ?

Récolter et stocker des informations sous forme numérique

- Maya, Noam et Lina ont prévu de filmer le spectacle des Grands Jeux Romains, de faire des photos des arènes, de prendre des notes et d'interviewer leur guide.
- Ils veulent ensuite rassembler toutes les informations dans un espace de stockage accessible depuis les ordinateurs du collège, mais aussi depuis leur domicile.

1 Préparer un compte rendu de la sortie.

Disque dur interne

Clé USB

Cartes mémoires

2 Trois supports de stockage de données numériques. Les informations récoltées sont codées (voir chapitre 6) pour être stockées sous forme numérique.

Tablette

- **Type de stockage :** mémoire interne, carte mémoire
- **Type de connexion :** Bluetooth, Wi-Fi, USB

Smartphone

- **Type de stockage :** mémoire interne, carte mémoire
- **Type de connexion :** Bluetooth, Wi-Fi, USB

Caméscope numérique

- **Type de stockage :** mémoire interne, carte mémoire
- **Type de connexion :** USB

Appareil photo numérique

- **Type de stockage :** carte mémoire
- **Type de connexion :** Wi-Fi, USB

3 Les appareils numériques à disposition des élèves. Ils permettent l'acquisition et le stockage provisoire des informations sous forme numérique. Ils disposent de technologies pour être connectés à d'autres appareils et échanger ces données avec eux.

Utiliser le réseau pour communiquer

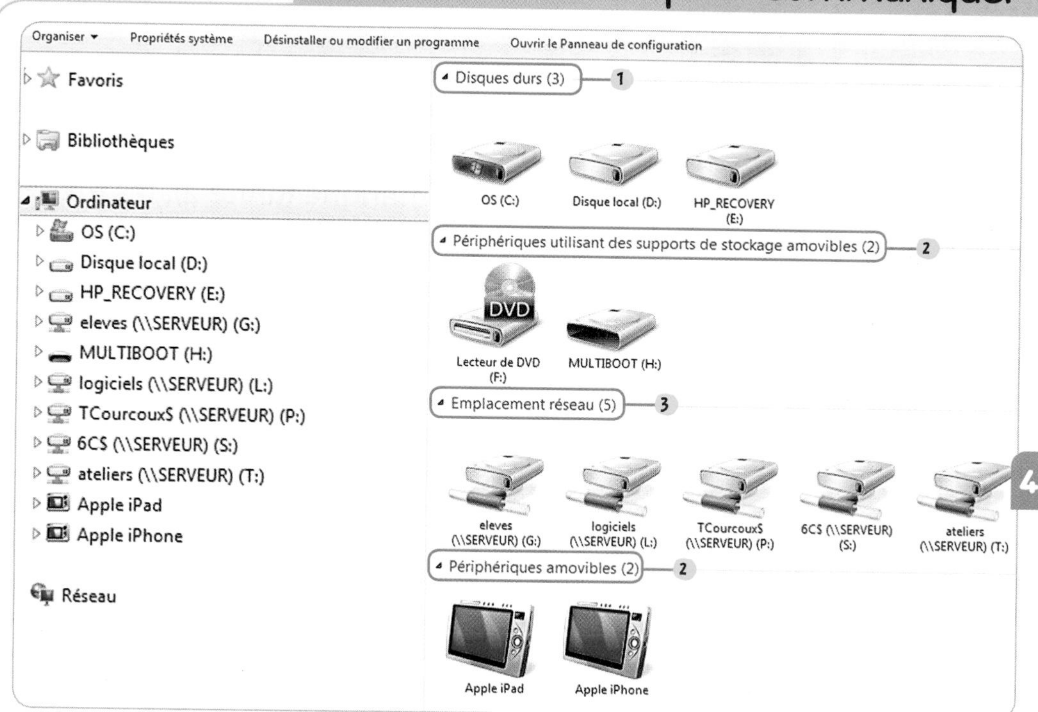

1 Disque(s) dur(s) de l'ordinateur ⇒ stockage interne à l'ordinateur

2 Dispositifs de stockage amovibles (clé USB, carte mémoire...) ⇒ stockage

3 Emplacements réseaux ⇒ partage avec les utilisateurs du réseau

4 L'explorateur de fichiers. Il permet d'accéder à tous les espaces où des données numériques peuvent être stockées ou partagées.

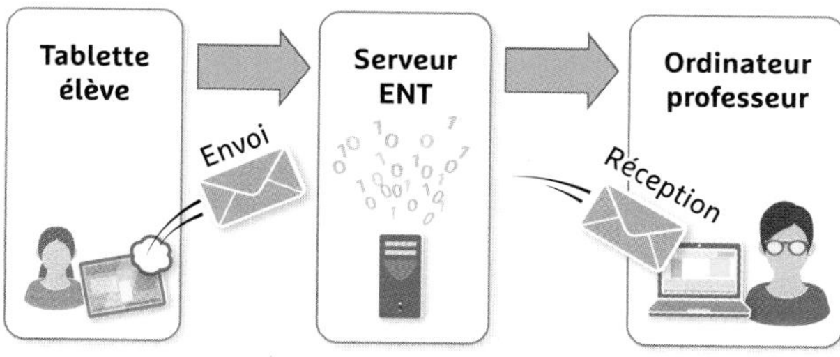

5 Principe de la messagerie de l'ENT. Pour émettre ou recevoir un **courriel**, il faut avoir une adresse mail, constituée du nom de l'utilisateur, suivi du caractère @ (arobase) et du nom du fournisseur de messagerie. Par exemple: noam@ent.fr

5 règles d'or sur les réseaux

1. Je ne donne jamais d'informations personnelles.
2. Je ne diffuse jamais de documents offensants ou insultants sur une personne (camarade ou professeur, par exemple).
3. Je protège mon ordinateur des intrusions et des virus à l'aide des logiciels de sécurité.
4. Je ne donne à personne mes mots de passe et identifiant.
5. Je respecte la charte informatique du collège.

6 Règles d'usage des réseaux.

Vocabulaire

Courriel ou e-mail (un): message codé qui circule dans un réseau informatique.

Support de stockage (un): composant électronique dont la fonction est de stocker des données numériques (programmes, images, textes...).

Ta mission

1 Doc. 1 à 3 Indique où sont stockées les données numériques créées au moment de la visite.

2 Doc. 1 à 4 Propose une procédure qui permettrait de regrouper les données contenues dans chaque appareil utilisé lors de la visite.

3 Doc. 5 et 6 Explique comment les élèves peuvent diffuser leur travail au professeur et aux autres élèves de la classe en toute sécurité.

4 Conclusion Réalise un dessin récapitulant comment stocker et diffuser des informations récoltées lors de la sortie.

Utiliser des logiciels usuels

Compétences
- [D2] Mettre en relation des informations.
- [D2] Utiliser un outil numérique pour communiquer des résultats.

Une fois les informations récoltées et stockées sous forme numérique (unité 2), les élèves doivent réaliser le compte rendu de leur sortie aux arènes de Nîmes.

→ Comment utiliser un logiciel pour réaliser un compte rendu de visite ?

Utiliser un navigateur et un moteur de recherche

3 règles d'or sur Internet

1. Je sélectionne avec soin les sites consultés : les informations sur Internet ne sont pas toujours vraies.
2. Je demande toujours l'autorisation aux auteurs si je souhaite utiliser des ressources (texte, photo, etc.) qui leur appartiennent.
3. Je respecte les règles d'or des réseaux (voir p. 269).

1 Utiliser le réseau Internet. Un **logiciel** de navigation (ou navigateur) permet de visualiser à l'écran le contenu de sites Internet. Il permet, par exemple, d'accéder à l'ENT ou de faire des requêtes au moyen de moteurs de recherche et de **mots-clés**.

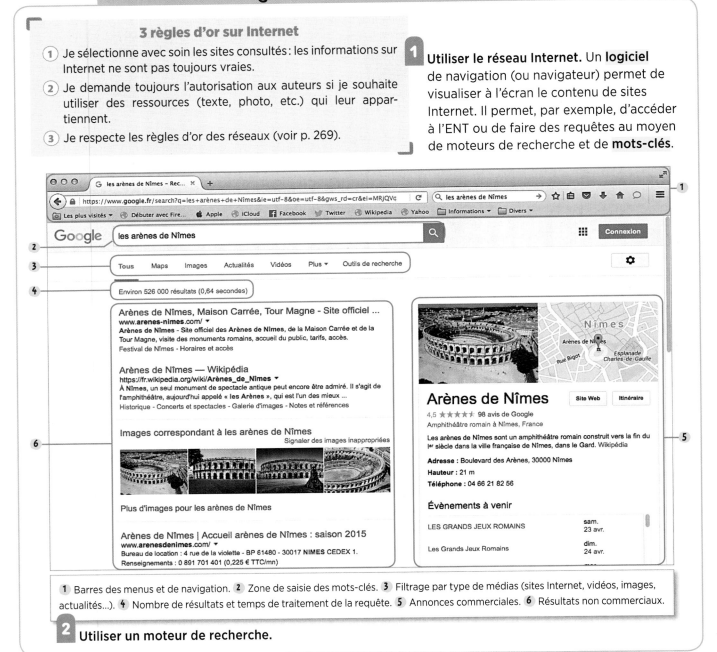

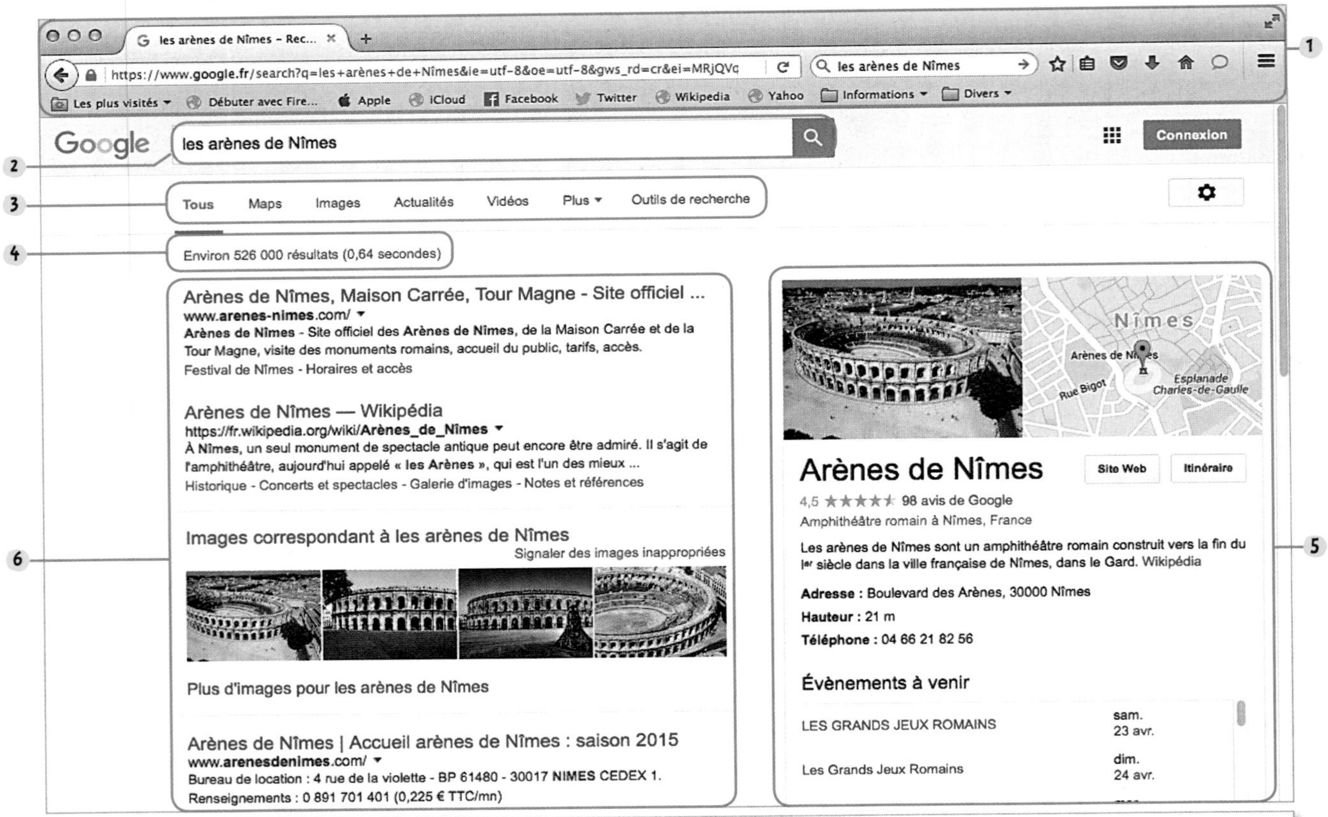

les arènes de Nîmes – Rec... ×
https://www.google.fr/search?q=les+arènes+de+Nîmes&ie=utf-8&oe=utf-8&gws_rd=cr&ei=MRjQVa
les arènes de Nîmes
Les plus visités · Débuter avec Fire... · Apple · iCloud · Facebook · Twitter · Wikipedia · Yahoo · Informations · Divers

1 · 2 · 3 · 4 · 5 · 6

Google — les arènes de Nîmes — Connexion

Tous · Maps · Images · Actualités · Vidéos · Plus · Outils de recherche

Environ 526 000 résultats (0,64 secondes)

Arènes de Nîmes, Maison Carrée, Tour Magne - Site officiel ...
www.arenes-nimes.com/
Arènes de Nîmes - Site officiel des Arènes de Nimes, de la Maison Carrée et de la Tour Magne, visite des monuments romains, accueil du public, tarifs, accès.
Festival de Nîmes - Horaires et accès

Arènes de Nîmes — Wikipédia
https://fr.wikipedia.org/wiki/Arènes_de_Nîmes
À Nîmes, un seul monument de spectacle antique peut encore être admiré. Il s'agit de l'amphithéâtre, aujourd'hui appelé « les Arènes », qui est l'un des mieux ...
Historique - Concerts et spectacles - Galerie d'images - Notes et références

Images correspondant à les arènes de Nîmes
Signaler des images inappropriées

Plus d'images pour les arènes de Nîmes

Arènes de Nîmes | Accueil arènes de Nîmes : saison 2015
www.arenesdenimes.com/
Bureau de location : 4 rue de la violette - BP 61480 - 30017 NIMES CEDEX 1.
Renseignements : 0 891 701 401 (0,225 € TTC/mn)

Nîmes · Arènes de Nîmes · Rue Bigot · Esplanade Charles-de-Gaulle

Arènes de Nîmes — Site Web · Itinéraire
4,5 ★★★★★ 98 avis de Google
Amphithéâtre romain à Nîmes, France
Les arènes de Nîmes sont un amphithéâtre romain construit vers la fin du Ier siècle dans la ville française de Nîmes, dans le Gard. Wikipédia
Adresse : Boulevard des Arènes, 30000 Nîmes
Hauteur : 21 m
Téléphone : 04 66 21 82 56

Évènements à venir
LES GRANDS JEUX ROMAINS — sam. 23 avr.
Les Grands Jeux Romains — dim. 24 avr.

1 Barres des menus et de navigation. 2 Zone de saisie des mots-clés. 3 Filtrage par type de médias (sites Internet, vidéos, images, actualités...). 4 Nombre de résultats et temps de traitement de la requête. 5 Annonces commerciales. 6 Résultats non commerciaux.

2 Utiliser un moteur de recherche.

Utiliser des logiciels usuels

Un **logiciel d'application** (« logiciel » dans le langage courant) permet à un utilisateur de créer des documents répondant à ses besoins. Les logiciels usuels au collège sont :

- le **traitement de texte** : permet de créer des documents contenant principalement du texte. On peut y insérer des images ou des tableaux.
- le **tableur-grapheur** : permet de créer des tableaux, de réaliser des graphiques et de procéder à des calculs.
- la **présentation** : permet de réaliser des diaporamas.

3 Quelques logiciels usuels.

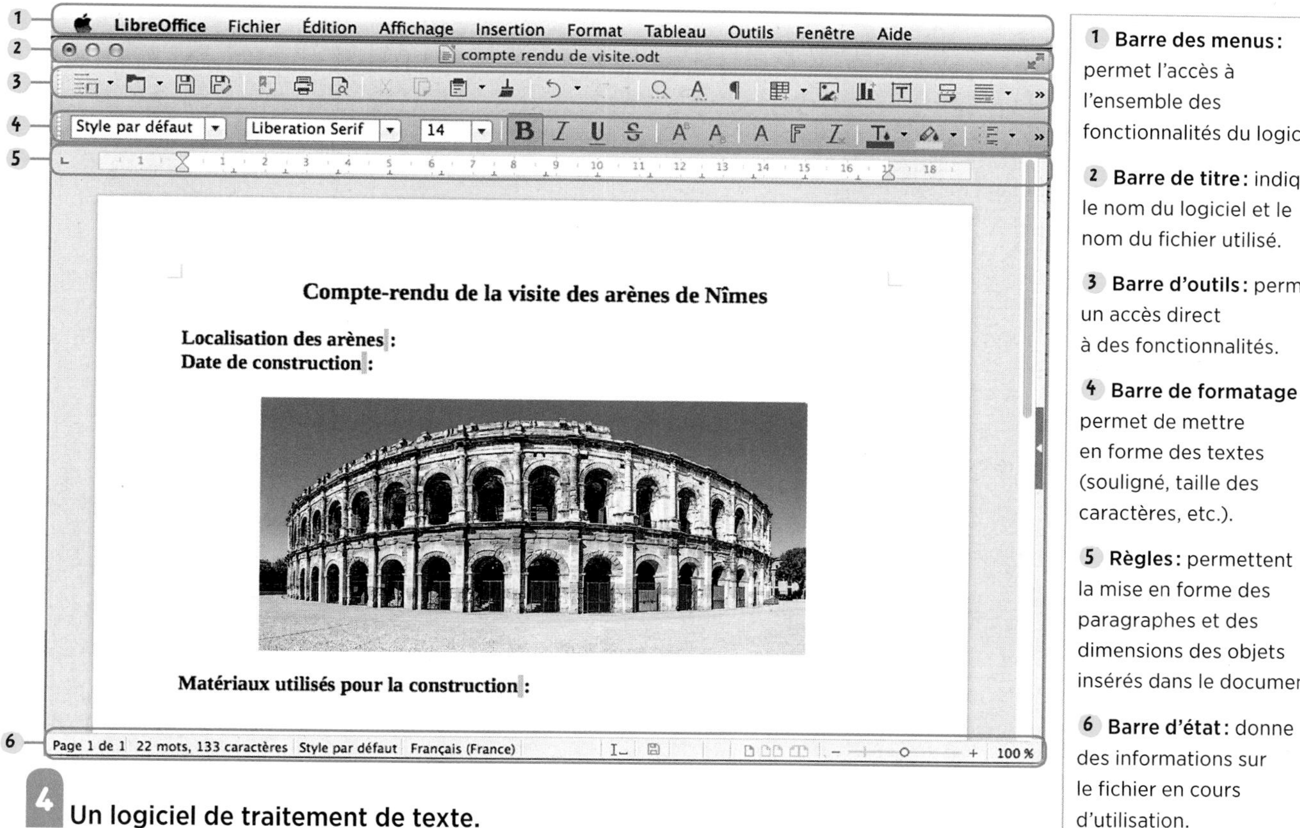

1 Barre des menus : permet l'accès à l'ensemble des fonctionnalités du logiciel.

2 Barre de titre : indique le nom du logiciel et le nom du fichier utilisé.

3 Barre d'outils : permet un accès direct à des fonctionnalités.

4 Barre de formatage : permet de mettre en forme des textes (souligné, taille des caractères, etc.).

5 Règles : permettent la mise en forme des paragraphes et des dimensions des objets insérés dans le document.

6 Barre d'état : donne des informations sur le fichier en cours d'utilisation.

4 Un logiciel de traitement de texte.

Ta mission

1. **Doc 1. et 2** Indique comment les élèves peuvent compléter leur compte rendu s'il leur manque des informations.
2. **Doc 2 et 4** Propose quelques mots-clés pour effectuer des requêtes permettant de compléter les informations manquantes du doc. 4.
3. **Doc. 3** Détermine le logiciel qui te semble le plus adapté à la rédaction d'un compte rendu de visite. Justifie ta réponse.
4. **Doc. 2 et 4** Situe la ville de Nîmes sur une carte de France et insère cette carte dans une feuille de traitement de textes.
5. **Conclusion** Complète ton document pour réaliser une « fiche d'identité » des arènes de Nîmes.

Vocabulaire

Logiciel (un) : ensemble de programmes informatiques réalisant une tâche définie (créer et mettre en forme un texte, retoucher des images, créer des tableaux et graphiques, etc.).

Mot-clé (un) : mot ou groupe de mots utilisé dans une recherche pour trouver des sites Internet traitant de ce sujet.

Découvrir le fonctionnement des objets programmables

Compétences
- [D1.3] Utiliser un algorithme.
- [D2] Utiliser un outil numérique.

À la maison ou sur le lieu de travail, nous utilisons de plus en plus d'objets programmables et connectés.

→ **Quelles tâches les objets programmés réalisent-ils et comment ?**

Améliorer notre confort au quotidien

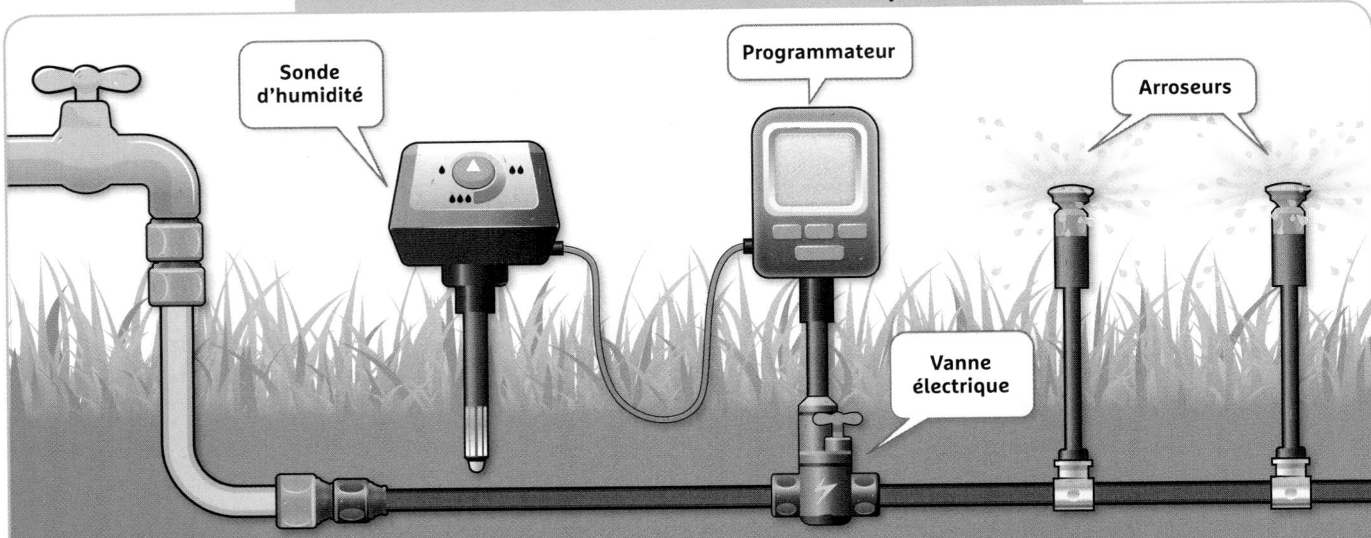

1 Un système d'arrosage programmable. Le programmateur commande l'ouverture (arrosage) ou la fermeture (arrêt) d'une vanne à commande électrique en fonction de l'humidité mesurée dans le sol au moyen d'une sonde et des informations saisies par l'utilisateur (les horaires et le temps d'arrosage à effectuer).

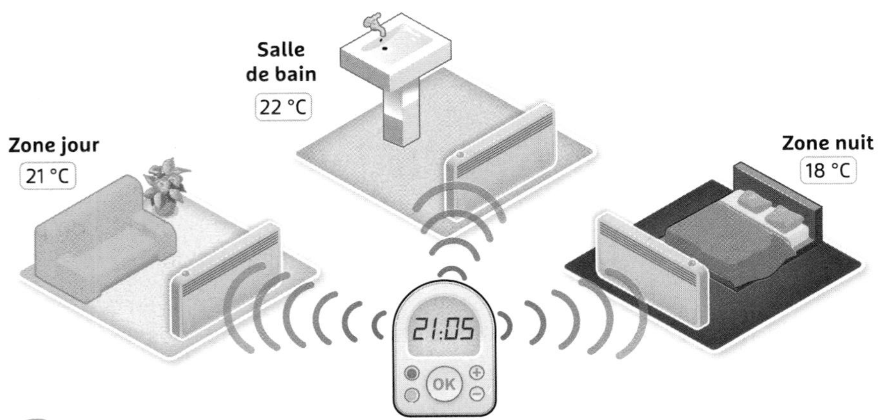

2 Un système de chauffage programmable. Le programmateur commande par ondes radio les récepteurs branchés à chaque radiateur. L'utilisateur peut programmer son chauffage selon la température désirée dans chaque pièce et à des horaires définis selon l'occupation des pièces.

- Les objets programmables fonctionnent de façon **autonome** : ils sont capables d'agir (arroser/ne pas arroser, chauffer/ne pas chauffer) en fonction de paramètres (heure, taux d'humidité, température) sans que l'utilisateur intervienne.
- Pour cela, ils contiennent un **programme**, c'est-à-dire une suite d'instructions codées et stockées dans la mémoire informatique du système.

3 Rendre un système autonome.

Découvrir les algorithmes et les programmes

NAO, mis au point par la société française Aldebaran Robotics, peut bouger, se repérer, entendre et parler, voir et se connecter à Internet. Tout cela de manière autonome, à condition de le programmer.

On peut envisager de nombreuses utilisations de NAO : robot de compagnie, garde-malade, élève-robot, etc.

4 NAO, un robot autonome et programmable.

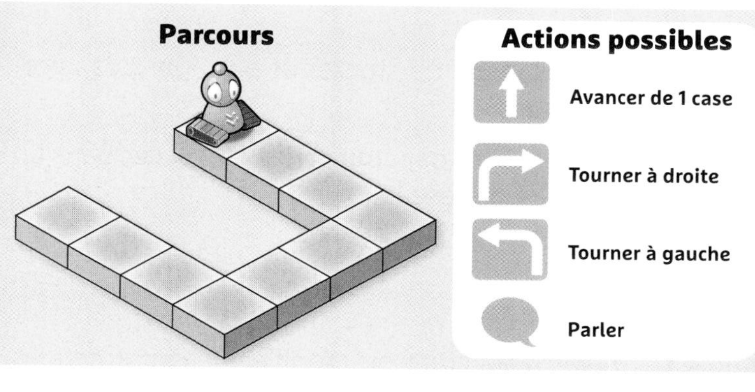

5 Un parcours à effectuer et des actions possibles.

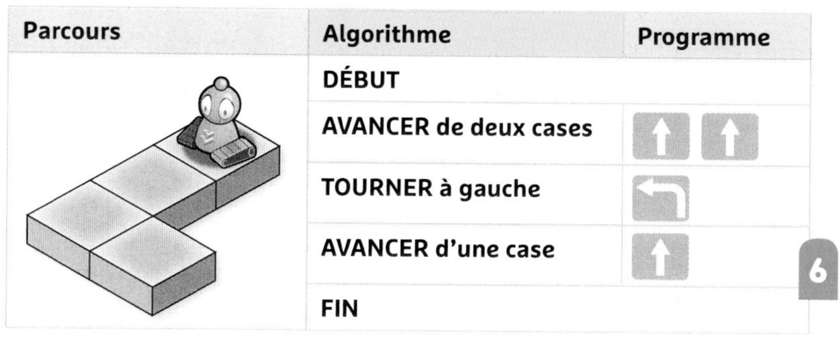

Parcours	Algorithme	Programme
	DÉBUT	
	AVANCER de deux cases	
	TOURNER à gauche	
	AVANCER d'une case	
	FIN	

6 Algorithme et programme correspondant à un parcours simple.

J'expérimente

>> Essaye de programmer différents parcours en allant sur le site : https://lightbot.com/hocflash.html

Ta mission

1 **Doc. 1 et 3** Cite les éléments qui permettent de rendre autonome le système d'arrosage.

2 **Doc. 2 et 3** Cite les éléments qui permettent de rendre autonome le système de chauffage. Précise comment ces éléments communiquent entre eux.

3 **Doc. 4** Imagine d'autres utilisations possibles pour le robot NAO.

4 **Doc. 4 à 6** Rédige l'algorithme décrivant le parcours que le robot doit effectuer sur le doc. 5, puis « dessine » le programme correspondant.

5 **Conclusion** Rédige un court texte pour expliquer comment un objet programmé parvient à réaliser ses tâches.

Vocabulaire

Algorithme (un) : description écrite d'une suite d'actions aboutissant à un résultat. Voir aussi chap. 6, pp. 84-85.

Programme (un) : ensemble d'instructions traduisant l'algorithme dans un langage qui sera exécuté par un ordinateur.

Bilan

La communication et la gestion de l'information

Je dois savoir

Unité 1

Utiliser un ENT

- Un poste informatique est constitué d'une unité centrale et de périphériques (clavier, souris, écran, etc.).
- Tous les postes informatiques d'un collège peuvent être reliés entre eux grâce à un **réseau**. Il permet à tous ses utilisateurs d'accéder aux services de l'ENT : communication, vie scolaire, bureau virtuel, ressources numériques, etc.

Unité 2

Utiliser un réseau

- Un réseau informatique permet à ses utilisateurs de stocker et partager des informations sous la forme de **données numériques**.
- Pour partager une information, on peut l'envoyer par **courriel** ou la stocker dans un serveur de fichiers accessibles aux utilisateurs du réseau.

Unité 3

Utiliser des logiciels usuels

- Un **logiciel** est un **programme** permettant de créer ou modifier des informations numériques.
- Les logiciels usuels permettent à l'utilisateur de produire des documents dans des domaines divers (traitement de textes, tableur, modélisation, navigateur Internet...).

Unité 4

Découvrir le fonctionnement des objets programmables

- Pour réaliser leurs tâches, les objets programmables (chauffage, portail, robot aspirateur, volet roulant, etc.) doivent contenir, dans des mémoires informatiques, des **programmes**, fondés sur des **algorithmes** décrivant leur fonctionnement.

→ L'essentiel du cours en une animation

Je suis capable de

	Pour vérifier	Si tu n'es pas sûr...
[D2] **Utiliser un outil numérique pour communiquer des résultats**	→ Fais la question 5 de l'unité 3 p. 271.	→ Fais l'exercice 5 p. 277
[D4] **Décrire le fonctionnement d'objets techniques, leurs fonctions et leurs composants**	→ Fais la question 2 de l'unité 4 p. 273.	→ Fais l'exercice 7 p. 277

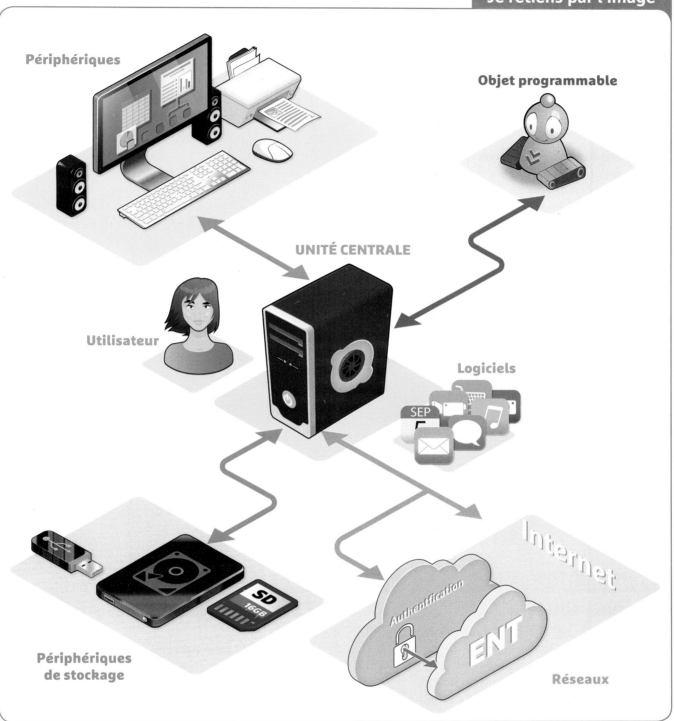

Je retiens par l'image

Périphériques

Objet programmable

UNITÉ CENTRALE

Utilisateur

Logiciels

SEP

Internet

Authentification

ENT

Périphériques de stockage

SD 16GB

Réseaux

Je retiens les mots-clés

- Algorithme
- Courriel
- Donnée numérique
- Internet
- Logiciel
- Mot-clé
- Programme
- Réseau

➜ Pour réviser les définitions  ou Dico du manuel p. 379

Exercices

Je vérifie mes connaissances

1 Associations

Associe chaque travail à réaliser au logiciel qui te semble le mieux adapté.

a. Présenter un exposé à la classe
b. Rédiger un compte rendu à rendre sur feuille
c. Faire une recherche en histoire-géographie
d. Réaliser un graphique à partir d'un relevé de températures
e. Enlever les « yeux rouges » d'un portrait

1. Traitement de textes
2. Navigateur Internet
3. Tableur-grapheur
4. Retouche d'images
5. Diaporama

2 Chasser l'intrus

Lis attentivement les listes de mots ci-dessous et indique pour chacune quel est l'intrus. Justifie tes réponses.

a. Clavier • Haut-parleur • Logiciel • Souris

b. Traitement de texte • Tableur-grapheur • Navigateur Internet • Unité centrale

c. Disque dur • Carte mémoire • Vidéoprojecteur • Clé USB

3 S'authentifier sur un réseau

a. Quelles informations sont nécessaires pour accéder à l'ENT d'un collège ?

b. Rappelle pourquoi ces informations doivent rester personnelles.

→ Exercices supplémentaires

J'utilise mes compétences

4 Utiliser des logiciels usuels et diffuser l'information

La circulation de l'information

Jules doit envoyer à son professeur de sciences et technologie le compte rendu de la dernière expérience réalisée en cours. Son document doit contenir une photo de l'expérience, un tableau de mesures et un texte interprétant les résultats obtenus.

a. Conseille à Jules un logiciel qui lui permettra de produire son document.

b. Que doit-il utiliser pour faire parvenir son document à son professeur ?

c. Jules crée son document à l'aide d'une tablette. Retrace, sous forme de diagramme, le parcours suivi par le document entre la tablette et l'ordinateur de son professeur.

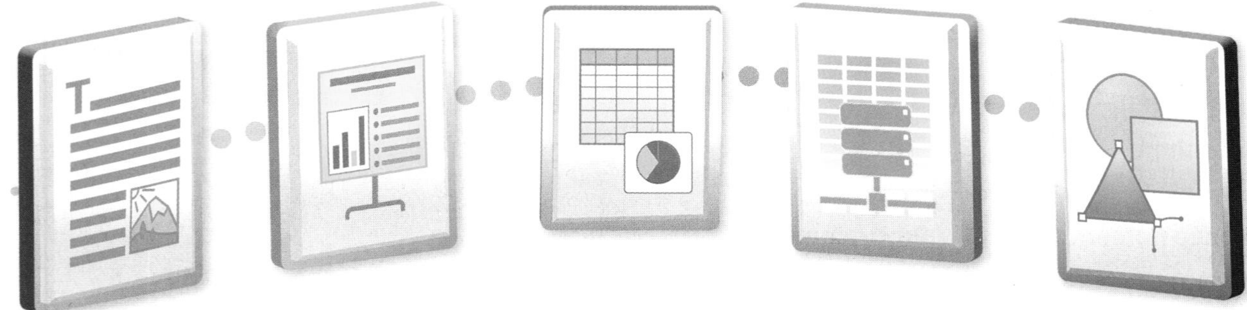

5 Utiliser des logiciels usuels

L'ENT

a. Rappelle ce qu'est un ENT et fais la liste des services proposés par l'ENT de ton collège.

b. À l'aide d'un logiciel de présentation, réalise une diapositive animée récapitulant les services proposés par l'ENT. Ta diapositive comportera principalement des images commentées.

c. Pour finir, présente cette diapositive au reste de la classe.

6 Programmer

Un robot « planteur »

Élise doit planter en ligne des graines de haricot tous les 20 cm.
Comme elle voudrait gagner du temps, elle aimerait programmer un robot pour qu'il effectue le parcours du doc. 1 et plante les graines.

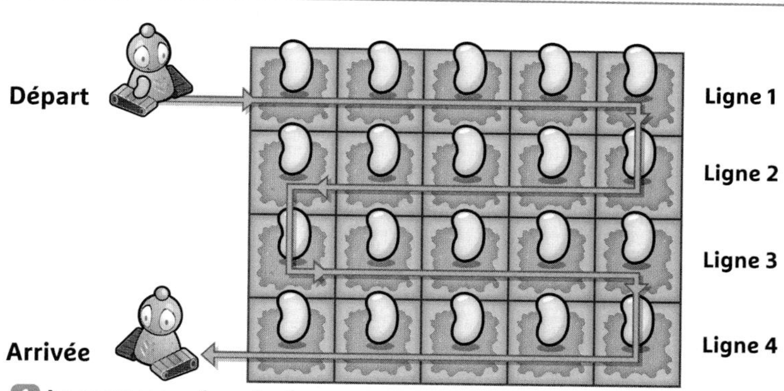

1 **Le parcours du robot.**

a. Imagine un algorithme permettant à Élise de planter l'ensemble des graines sur son carré de jardinage.

b. Écris le programme correspondant à cet algorithme à l'aide des instructions.

c. Compare les instructions des lignes 1 et 2 du programme avec les instructions des lignes 3 et 4. Que constates-tu ?

Actions	Avancer de 20 cm (AV)	Tourner à gauche (TG)	Tourner à droite (TD)	Planter un haricot (PH)
Instructions				

2 **Actions possibles du robot et instructions correspondantes.**

7 Apprendre à connaître un objet programmable

Une chaussure connectée

Une entreprise commercialise des Smartshoes, chaussures connectées et interactives, contrôlées par l'intermédiaire d'un smartphone.

a. En quoi peut-on dire que cet objet est connecté ?

b. Relève les fonctions que cette chaussure assure.

c. Recherche la traduction du mot anglais *smart* et explique alors pourquoi ces chaussures ont été appelées « Smartshoes ».

d. Comment les informations sont-elles transmises entre la chaussure et le smartphone ?

e. Propose un algorithme correspondant au fonctionnement suivant : si la température à l'intérieur de la chaussure est inférieure à 30 °C, alors la semelle est chauffée jusqu'à ce que la température de 33 °C soit atteinte.
Tu pourras utiliser les actions suivantes pour rédiger ton algorithme : CHAUFFER semelle, SI, Température ≥ 33 °C, ALORS, ARRÊTER CHAUFFAGE, Température < 33 °C, FIN

f. À ton avis, avec quel objet technique la chaussure « sait »-elle si elle doit ou pas chauffer la semelle ?

Compétences
- [D1.3] Schématiser une chaîne d'énergie.
- [D5] Réaliser en équipe un objet technique répondant à un besoin.

Fabriquer un mini-dragster

Une situation-problème

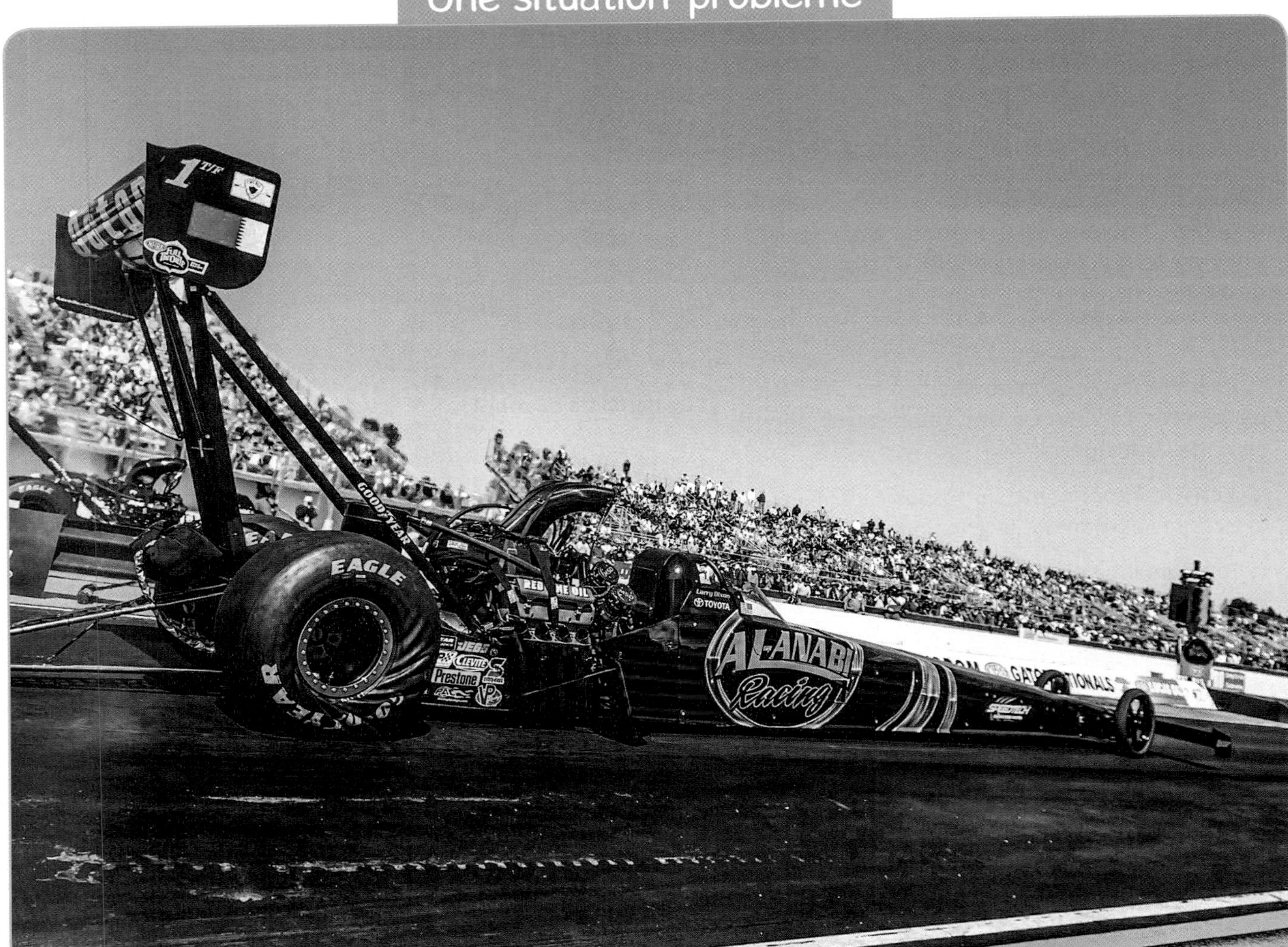

1 **Une course de dragster.** Le dragster est un sport mécanique ouvert aux deux et quatre roues. Départ arrêté, les concurrents doivent parcourir 305 mètres en ligne droite en une durée la plus courte possible. Les professeurs de sciences et technologie d'un collège ont lancé un défi aux classes de 6e : les élèves devront configurer un mini-dragster avec des pièces interchangeables pour que leur véhicule parcoure 10 mètres en ligne droite le plus vite possible.

→ **Quelle est la meilleure configuration d'un mini-dragster pour répondre au défi lancé par les professeurs de sciences et technologie ?**

La consigne

Pour répondre au problème, tu t'aideras des documents de la page de droite. Pour le dragster dans la meilleure configuration :
- **indique les pièces interchangeables utilisées ;**
- **schématise la chaîne d'énergie du mini-dragster ;**
- **décris le mouvement du mini-dragster lors du défi ;**
- **calcule sa vitesse moyenne lors du défi.**

Des documents pour répondre

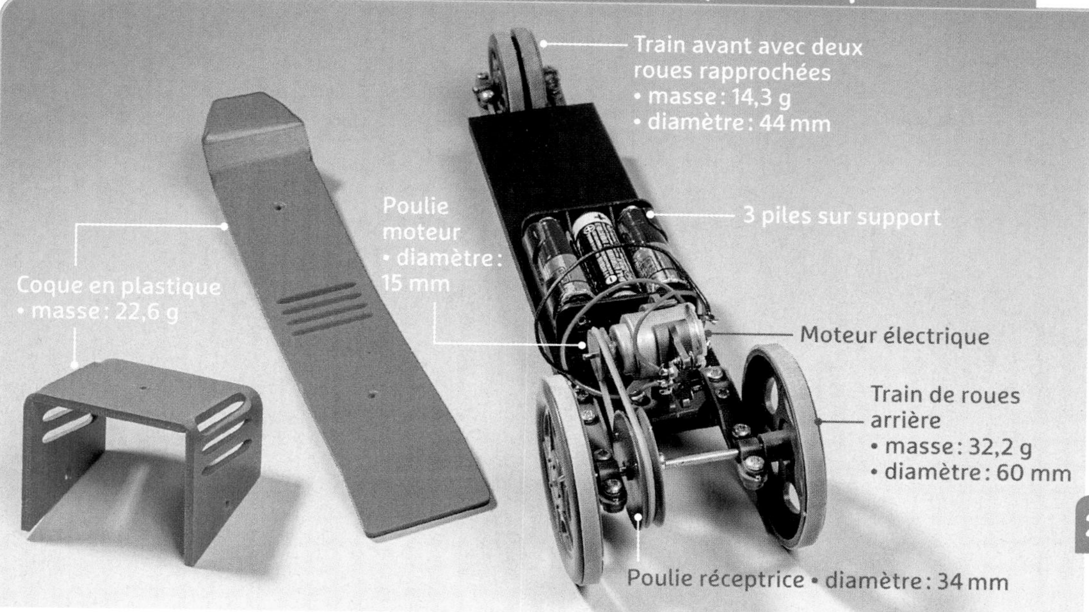

2 **Une configuration possible pour le mini-dragster.**

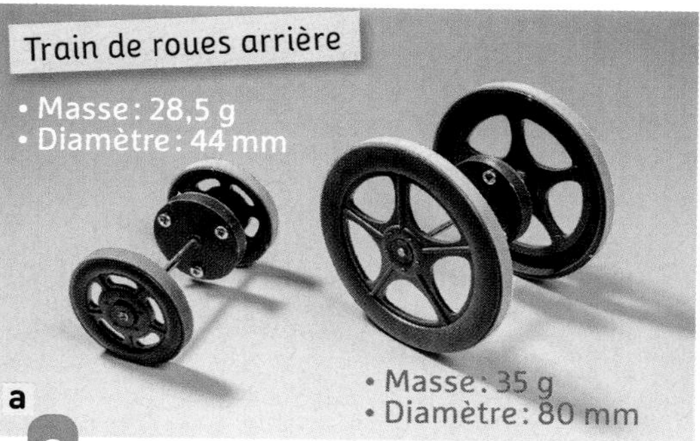

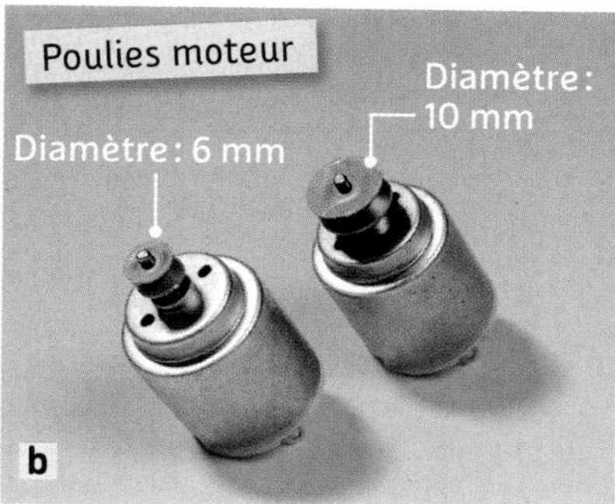

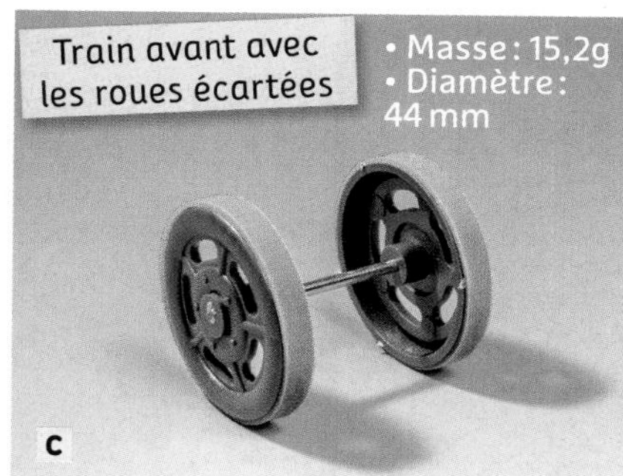

3 **Des pièces interchangeables.**

Configuration	Durée
• Roues arrière (diamètre 44 mm) • Poulie moteur (diamètre 6 mm)	10 s
• Roues arrière (diamètre 80 mm) • Poulie moteur (diamètre 15 mm)	2 s

4 **Quelques résultats avec les roues avant éloignées.**
Les roues avant rapprochées ne donnent pas de mouvement rectiligne satisfaisant.

J'expérimente

Chaque équipe :

1. Réalise une configuration du mini-dragster.
2. Trace une ligne droite au sol.
3. Chronomètre la durée mise par le mini-dragster pour parcourir 10 mètres, départ arrêté.
4. Compare ses résultats à ceux des autres équipes.

? BESOIN D'UN COUP DE POUCE ?

- Les objets techniques
  → Voir chapitre 16, pp. 220-231.
- La transmission du mouvement
  → Voir chapitre 15, p. 215.
- Le mouvement rectiligne
  → Voir chapitre 3, pp. 42 à 49.

J'ai réussi si...

- ☐ J'ai schématisé la chaîne d'énergie du mini-dragster.
- ☐ J'ai su décrire le mouvement du mini-dragster.
- ☐ J'ai réalisé un mini-dragster dans une configuration donnée.

Partie 4

La planète Terre. Les êtres vivants dans leur environnement

▲ Le lac et le volcan de Batur (Bali, Indonésie).

Attendus de fin de cycle*

Situer la Terre dans le système solaire et caractériser les conditions de la vie terrestre

Identifier des enjeux liés à l'environnement

Bulletin officiel spécial, n° 11, 26 novembre 2015.

Cycle 3 De l'école au collège

Pour chaque question, choisis la bonne réponse à l'aide de tes connaissances

1 La Terre et le système solaire

1 Sur cette photo, apparaissent :

a. une étoile et une planète.
b. deux étoiles.
c. deux planètes.

2 La Terre effectue un tour complet autour du Soleil en :

a. 24 heures.
b. 28 jours.
c. 365 jours.

3 Le développement de la vie exige la présence :

a. d'eau liquide.
b. d'eau solide.
c. d'eau gazeuse.

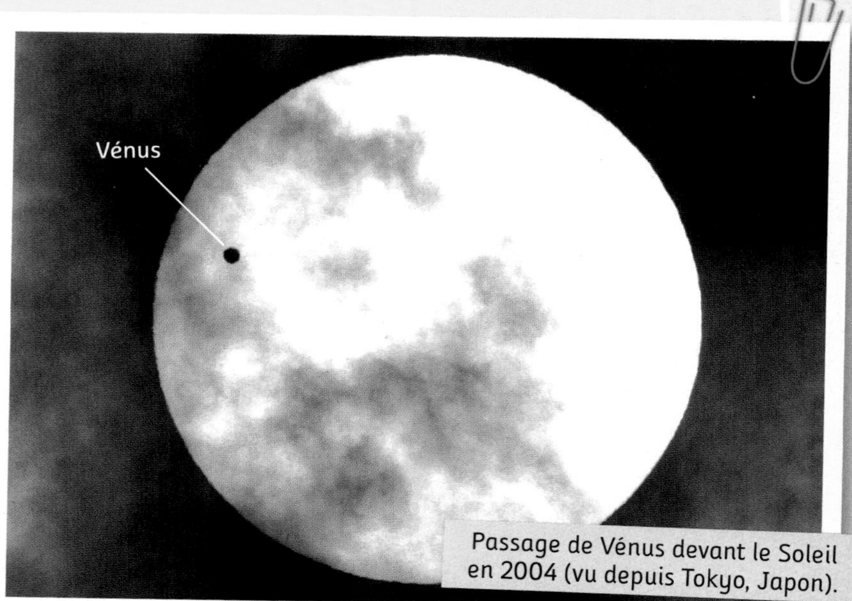

Passage de Vénus devant le Soleil en 2004 (vu depuis Tokyo, Japon).

2 L'activité de la Terre

4 Cette photo illustre :

a. un tremblement de terre.
b. une éruption volcanique.
c. un cyclone.

5 Un phénomène qui traduit une activité interne de la Terre est :

a. une inondation.
b. une tempête.
c. un tremblement de terre.

6 Les phénomènes qui traduisent une activité externe de la Terre sont :

a. les tremblements de terre.
b. les inondations.
c. les sécheresses.

À la Réunion, des phénomènes météorologiques peuvent se révéler dangereux pour la population.

3 Le regard d'un artiste sur le monde

Les artistes Pierre Javelle et Akiko Ida changent notre perspective du monde qui nous entoure.

7 L'être humain exploite les ressources naturelles :

a. seulement quand il se déplace.
b. depuis le XXe siècle.
c. pour toutes ses activités.

8 Une ressource naturelle exploitable pour des besoins humains est :

a. la rotation de la Terre.
b. le pétrole.
c. la lave.

9 L'exploitation des ressources naturelles par l'être humain :

a. aura toujours un impact positif sur l'environnement.
b. aura toujours un impact sur l'environnement.
c. n'a jamais d'impact sur l'environnement.

4 Les écosystèmes

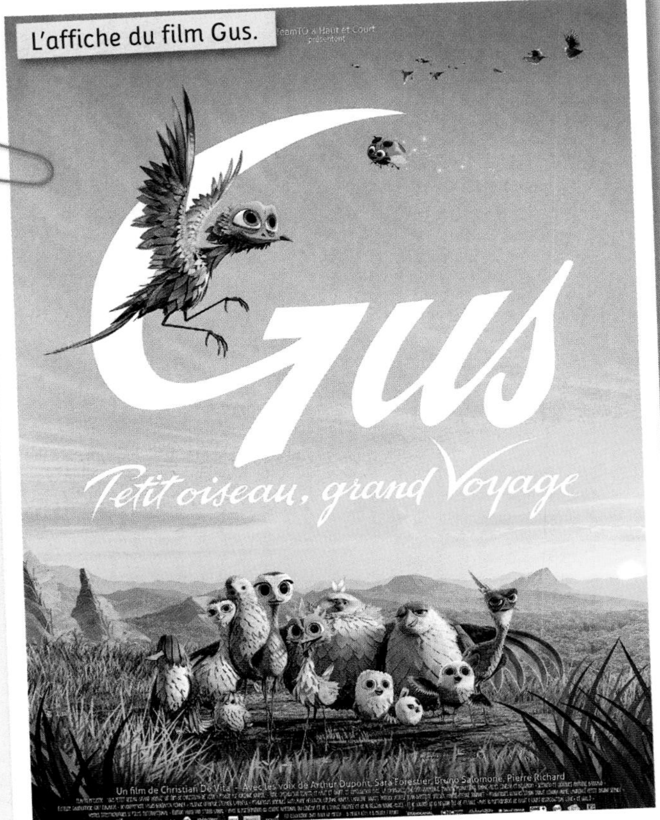

L'affiche du film Gus.

10 Sur cette affiche, le « grand voyage » dont il s'agit est :

a. une migration.
b. une hibernation.
c. une colonisation.

11 La condition qui peut être à l'origine du déplacement d'une population d'oiseaux est :

a. une baisse des températures.
b. une baisse de la force des vents.
c. une baisse de la quantité de pluie.

12 Le déplacement d'une population d'oiseaux peut être mis en relation avec :

a. le cycle journée-nuit.
b. le cycle des saisons.
c. les phases de la Lune.

Chapitre 21

Pour commencer...

Des images

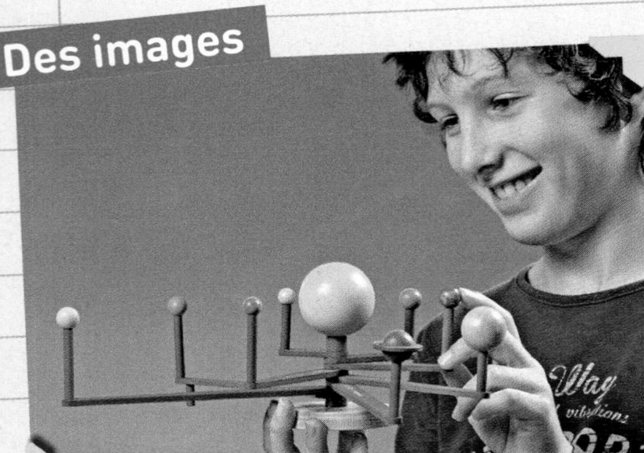

>> Que représentent les boules de ce curieux manège ?

La NASA prévoit d'envoyer la première expédition humaine vers Mars vers 2030.

>> En cas de succès, les humains seront-ils les premiers êtres vivants sur Mars ?

Des mots

« On ne sait pas de façon certaine comment l'eau est apparue sur Terre. Certains scientifiques pensent que des volcans ont libéré de la vapeur d'eau lors de la formation de la Terre. D'autres supposent que des comètes chargées de glace ont percuté notre planète. »

>> Pourquoi la présence d'eau est-elle importante pour nous ?

La Terre et le système solaire

En quoi la Terre est-elle une planète singulière du système solaire ?

Situer le Soleil et les planètes

Compétences
- [D1.1] Rendre compte avec un vocabulaire précis.
- [D5] Se situer dans l'environnement.

Le système solaire peut être comparé à une sorte de manège au centre duquel se trouve le Soleil.

→ De quoi est constitué notre système solaire ?

Soleil
Mercure
Vénus
Lune
Terre
Mars
Jupiter
Ceinture d'astéroïdes

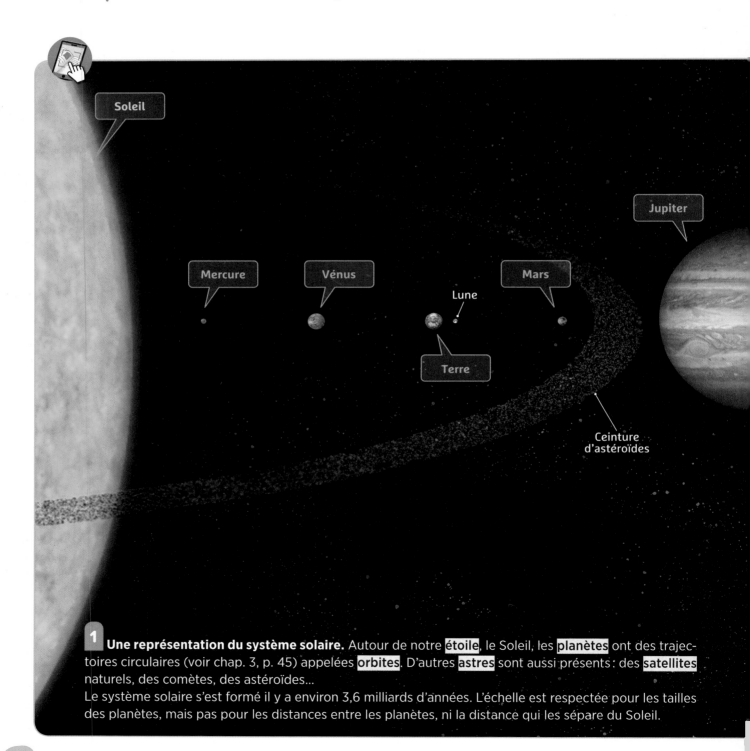

1 Une représentation du système solaire. Autour de notre **étoile**, le Soleil, les **planètes** ont des trajectoires circulaires (voir chap. 3, p. 45) appelées **orbites**. D'autres **astres** sont aussi présents : des **satellites** naturels, des comètes, des astéroïdes…
Le système solaire s'est formé il y a environ 3,6 milliards d'années. L'échelle est respectée pour les tailles des planètes, mais pas pour les distances entre les planètes, ni la distance qui les sépare du Soleil.

Vocabulaire

Astre (un) : objet naturel présent dans l'Univers (étoile, planète, etc.).

Étoile (une) : astre qui produit sa propre lumière.

Orbite (une) : trajectoire d'une planète tournant autour du Soleil.

Planète (une) : astre qui tourne autour du Soleil.

Satellite (un) : astre tournant autour d'une planète (vient du latin *satelles* : compagnon, escorte).

Ta mission

1. Doc. 1 Indique où est placé le Soleil dans le système solaire.
2. Doc. 1 Précise à quelle catégorie d'astres le Soleil appartient.
3. Doc. 1 Précise si les planètes à surface solide sont les plus proches ou les plus éloignées du Soleil.
4. Doc. 1 Donne le nom de la forme géométrique des orbites des planètes.
5. Conclusion Décris le système solaire en utilisant les termes planètes, étoile, orbites.

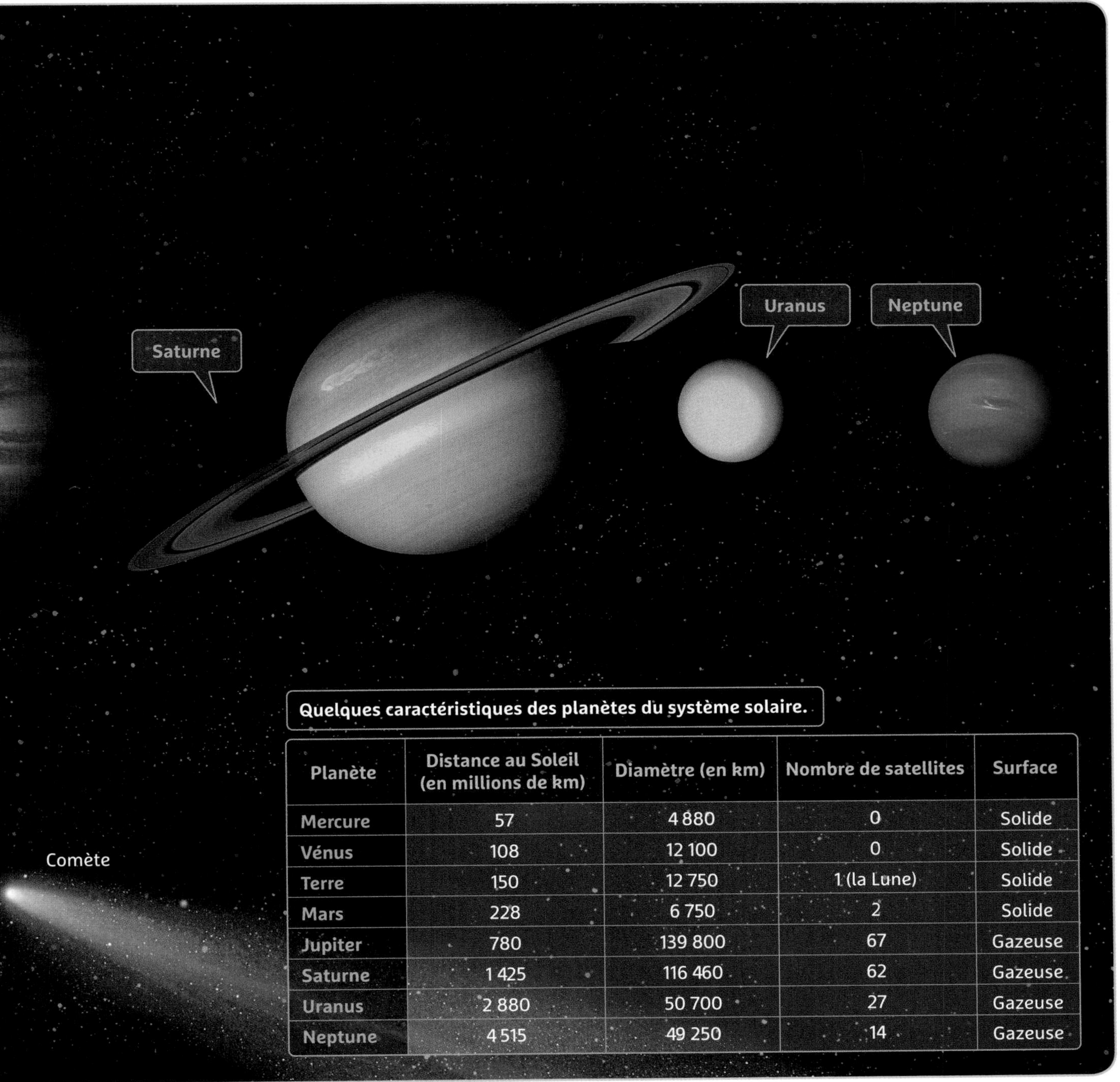

Quelques caractéristiques des planètes du système solaire.

Planète	Distance au Soleil (en millions de km)	Diamètre (en km)	Nombre de satellites	Surface
Mercure	57	4 880	0	Solide
Vénus	108	12 100	0	Solide
Terre	150	12 750	1 (la Lune)	Solide
Mars	228	6 750	2	Solide
Jupiter	780	139 800	67	Gazeuse
Saturne	1 425	116 460	62	Gazeuse
Uranus	2 880	50 700	27	Gazeuse
Neptune	4 515	49 250	14	Gazeuse

Découvrir des conditions favorables à la vie

Compétences
- [D2] Mettre en relation des informations.
- [D4] Interpréter un résultat expérimental.

La Terre est la seule planète du système solaire à abriter la vie. En effet, aucune trace de vie présente ou passée n'a été détectée ailleurs dans le système solaire.

→ Quelles conditions ont contribué au développement de la vie sur Terre ?

Les paramètres indispensables à la vie

Hervé Cottin, professeur d'astrochimie

Les scientifiques pensent qu'une succession de très nombreuses transformations chimiques a été à l'origine de la vie. Or ces transformations peuvent se produire de façon simultanée dans l'eau à l'état liquide, mais pas dans d'autres liquides. L'eau à l'état liquide a donc sans doute été indispensable à l'apparition de la vie sur Terre.

L'eau est très abondante dans l'Univers, mais c'est souvent sous forme de glace ou de vapeur. L'eau à l'état liquide est rare ailleurs que sur notre planète, en raison notamment des conditions de température des autres planètes du système solaire.

1 L'eau liquide et la vie.

- Pour qu'une planète possède de l'eau liquide à sa surface, il faut que la température permette à l'eau de se trouver à l'état liquide. Cela signifie que la température moyenne à la surface de la Terre doit être supérieure à 0 °C.
- La température de surface d'une planète dépend notamment de l'énergie thermique qu'elle reçoit du Soleil. La **modélisation** du doc. 3 ci-dessous permet d'étudier de quoi dépend l'énergie thermique qu'une planète reçoit du Soleil.

2 La température à la surface d'une planète.

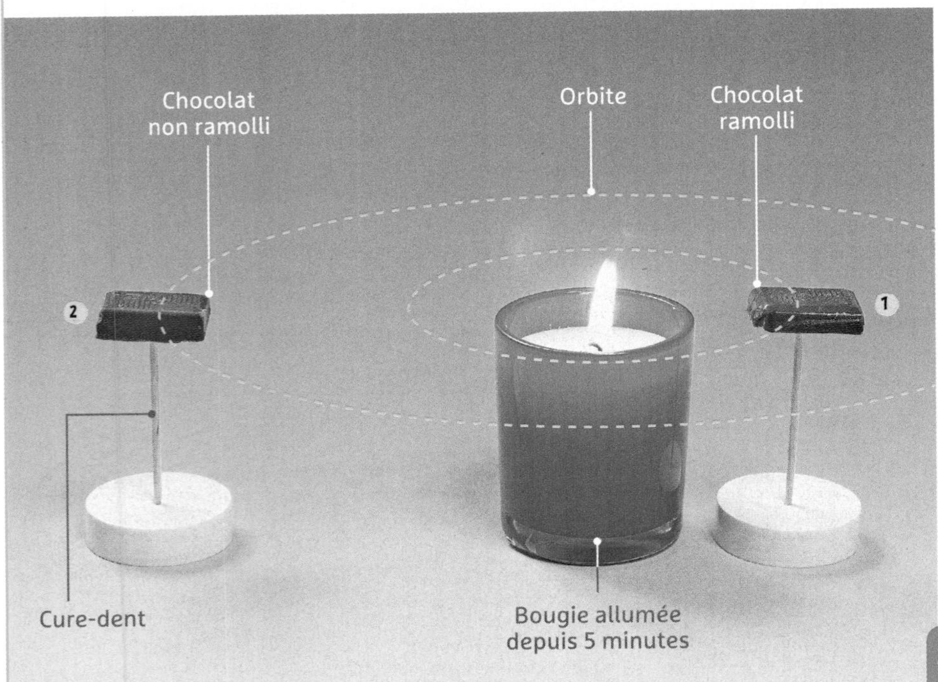

Je manipule

- Place un carré de chocolat à 4 cm d'une bougie et un autre à 10 cm de la bougie.
- Allume la bougie.
- Note au bout de combien de temps les carrés de chocolat 1 et 2 commencent à ramollir.

⚠ Attention, la flamme de la bougie est une source de chaleur qui peut occasionner des brûlures. Les cheveux longs doivent être attachés.

3 Une modélisation.

Les particularités de la Terre

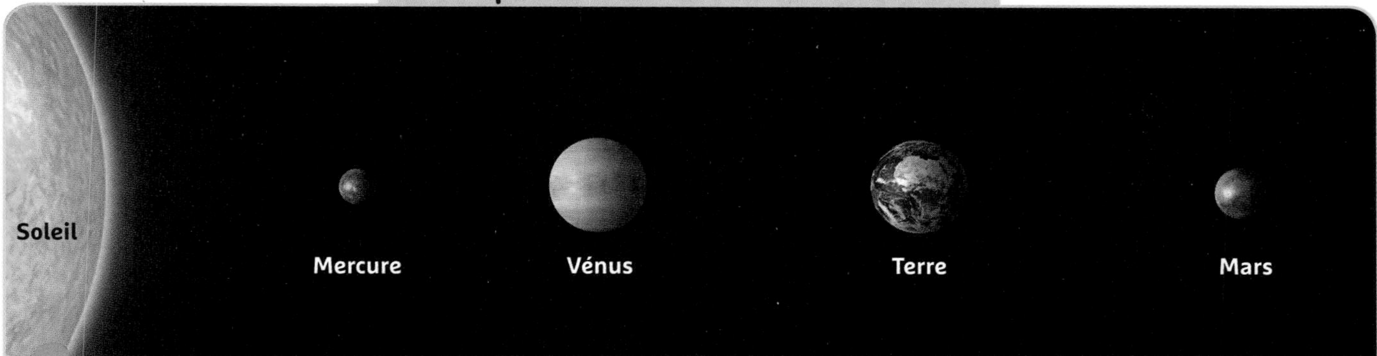

4 **Les quatre premières planètes du système solaire.** Leur surface est solide. La température moyenne à la surface de Mercure et de Vénus, les plus proches du Soleil, est si élevée que l'eau ne peut pas s'y trouver à l'état liquide.

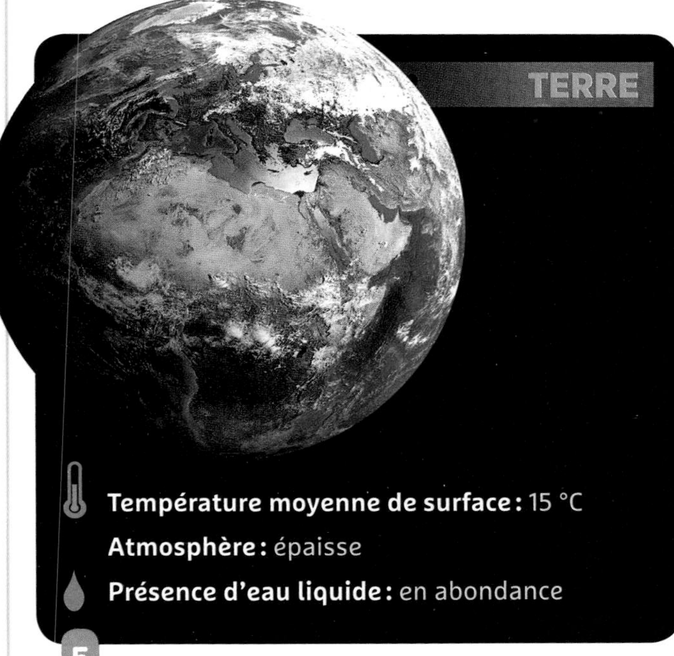

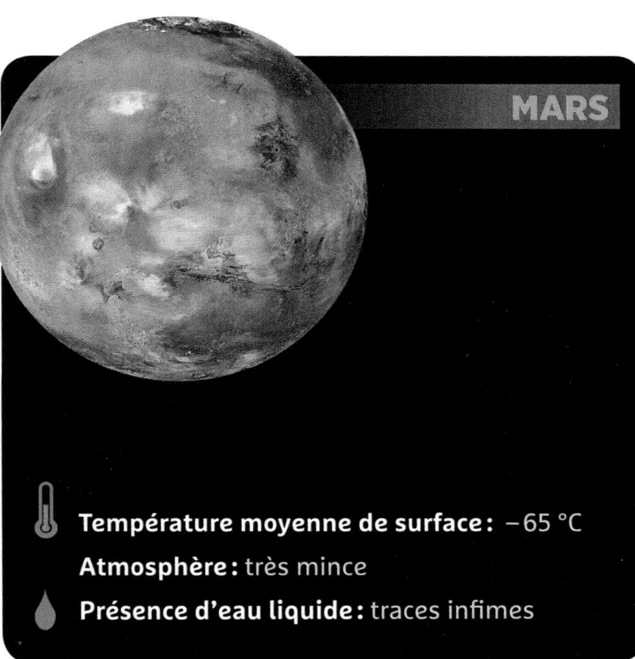

MARS
Température moyenne de surface : −65 °C
Atmosphère : très mince
Présence d'eau liquide : traces infimes

5 **Quelques caractéristiques de la Terre et de Mars.** Sans **atmosphère** épaisse, il ne peut pas y avoir d'eau liquide à la surface d'une planète. De plus, c'est grâce à la composition de l'atmosphère terrestre que la température moyenne à la surface de notre planète est supérieure à 0 °C (voir chap. 1 et chap. 23).

Ta mission

1. **Doc. 1** Indique la particularité de la Terre ayant permis le développement de la vie.
2. **Doc. 2 et 3** Précise quels rôles jouent la bougie, les carrés de chocolat et les cercles dans la modélisation. Décris le résultat observé et déduis-en un facteur dont dépend l'énergie thermique reçue par une planète.
3. **Doc. 4** Détermine si Mercure et Vénus peuvent ou non abriter la vie.
4. **Doc. 2 et 5** Trouve deux facteurs qui expliquent la présence d'eau liquide à la surface de la Terre.
5. **Conclusion** Cite au moins une condition ayant permis le développement de la vie sur Terre.

Vocabulaire

Atmosphère (une) : couche gazeuse entourant un astre.

Modélisation (une) : représentation simplifiée (maquette, expérience, schéma…) de la réalité permettant de comprendre un phénomène.

Bilan La Terre et le système solaire

Je dois savoir

Unité 1 Situer le Soleil et les planètes

- Le système solaire est constitué d'une **étoile**, le Soleil, autour de laquelle tournent de nombreux **astres**.
- Parmi ces astres, il y a huit **planètes** qui décrivent des **orbites** circulaires autour du Soleil.
- Autour de certaines planètes tournent un ou plusieurs **satellites** naturels. Par exemple, la Lune est le satellite naturel de la Terre.
- Certaines planètes ont une surface solide, d'autres ont une surface gazeuse.

Unité 2 Découvrir des conditions favorables à la vie

- Sur une planète, la présence d'eau à l'état liquide et la présence d'une surface solide sont indispensables au développement et au maintien de la vie.
- La présence d'eau liquide sur Terre est permise par une température moyenne en surface de 15 °C.
- Cette température s'explique à la fois par la distance de la Terre au Soleil et par la présence d'une **atmosphère**.

→ L'essentiel du cours en une animation 

Je suis capable de

	Pour vérifier	Si tu n'es pas sûr…
[D4] **Caractériser les conditions de vie sur Terre**	→ Fais les exercices 2 p. 292 et 6 p. 293.	→ Revois les documents de l'unité 2 pp. 288-289.
[D5] **Situer la Terre dans le système solaire.**	→ Fais les exercices 3 et 4 p. 292.	→ Revois le doc. 1 de l'unité 1 pp. 286-287.

Je retiens par l'image

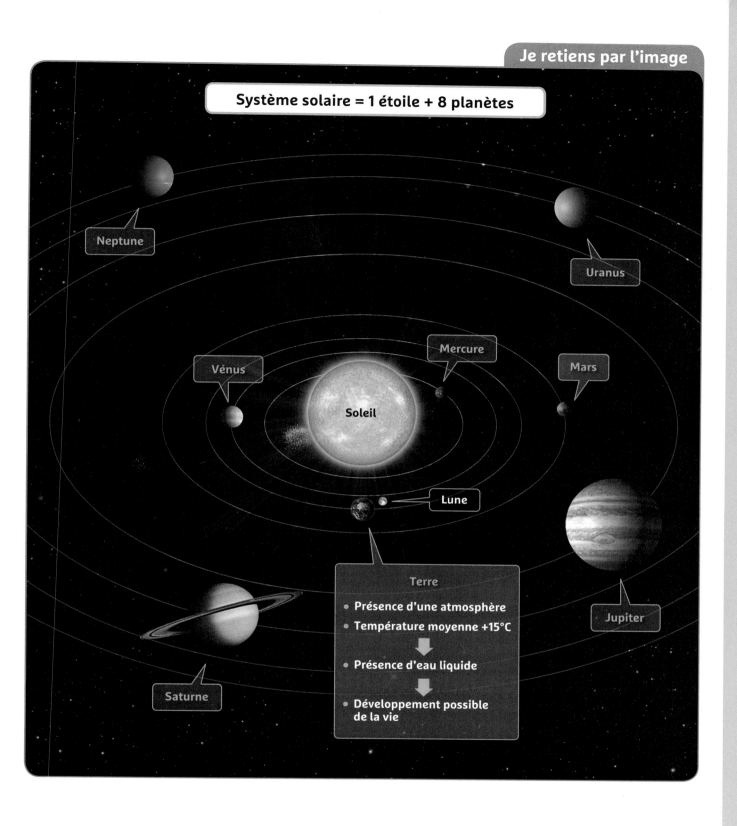

Système solaire = 1 étoile + 8 planètes

Neptune

Uranus

Vénus

Mercure

Mars

Soleil

Lune

Terre

- Présence d'une atmosphère
- Température moyenne +15°C

⬇

- Présence d'eau liquide

⬇

- Développement possible de la vie

Jupiter

Saturne

Je retiens les mots-clés

- Astre
- Atmosphère
- Étoile
- Orbite
- Planète
- Satellite

➔ Pour réviser les définitions  ou Dico du manuel p. 379

Exercices

Je vérifie mes connaissances

1 Chercher l'intrus

Parmi les astres ci-contre, quel est l'intrus ?

a. Terre
b. Lune
c. Jupiter
d. Vénus

2 Vrai ou faux ?

Pour chacune des affirmations, précise si elle est exacte. Corrige-la quand elle est fausse.

a. Le Soleil apporte de l'énergie aux planètes du système solaire.
b. Toutes les planètes du système solaire possèdent de l'eau liquide en abondance.
c. L'eau liquide est indispensable au développement de la vie.

3 Choisir la bonne représentation

Des élèves ont schématisé le Soleil et quelques planètes.
Quelle est la représentation correcte ? Justifie ta réponse.

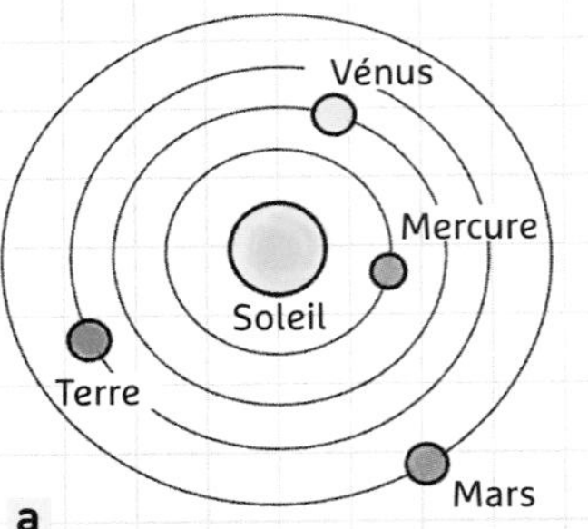

a

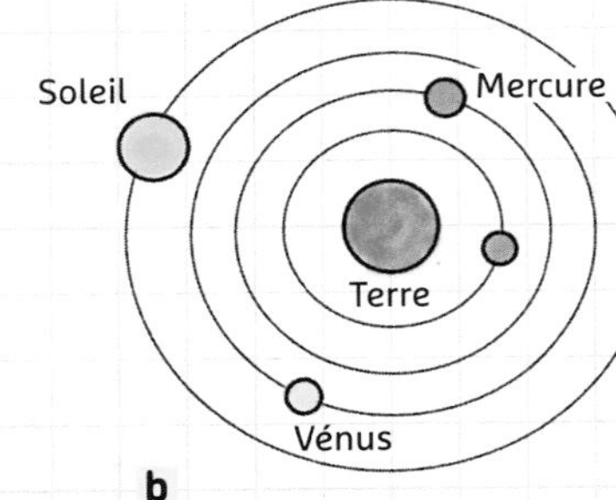

b

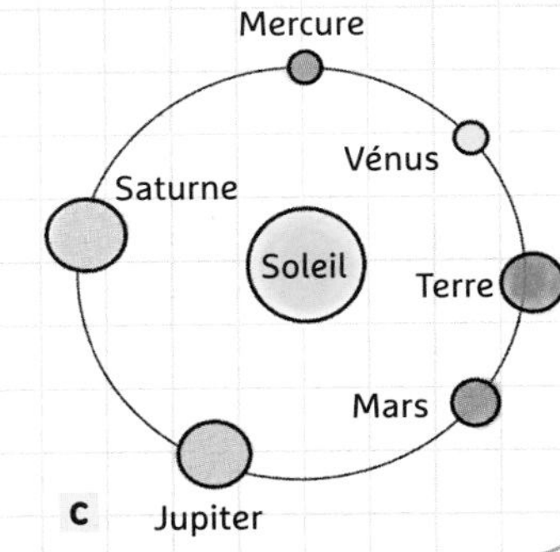

c

→ Exercices supplémentaires

J'utilise mes compétences

4 Se situer dans l'environnement

Un mini-planétarium

Observe attentivement la maquette du système solaire ci-dessous et réponds aux questions suivantes.

a. Que représente la grosse boule rouge ?

b. Que représentent les autres boules ?

c. Quelles trajectoires ces autres boules ont-elles lorsqu'on manipule cette maquette ? Est-ce conforme à la réalité ?

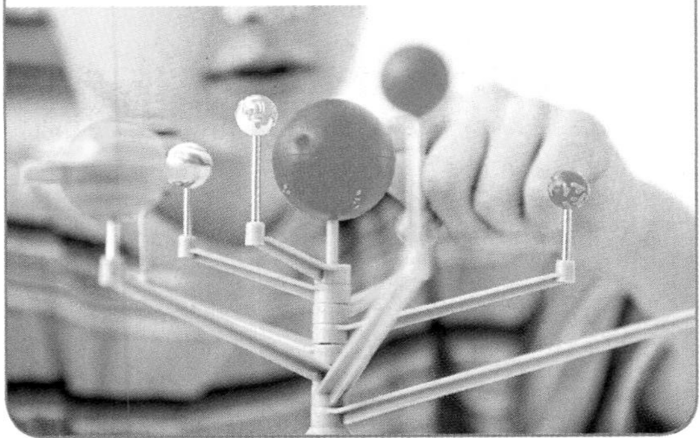

5 Formuler une hypothèse

Paysage martien

a. À quoi te fait penser le large sillon visible sur la photo de la planète Mars ci-dessous ?

b. Formule alors une hypothèse concernant la présence d'eau liquide sur Mars.

Le sillon Reull Vallis sur Mars. Il s'est formé il y a environ 3 milliards d'années.

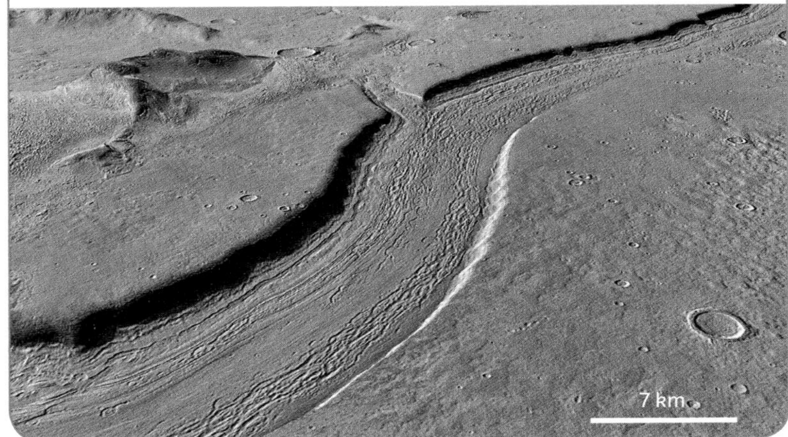

6 Utiliser les outils de recherche

L'étoile du Berger

L'étoile du Berger est l'astre le plus brillant du ciel après le Soleil et la Lune. Lorsqu'il est visible, cet astre apparaît toujours le premier dans le ciel du soir ou disparaît toujours le dernier dans le ciel du matin.

Effectue une recherche afin d'expliquer pourquoi cet astre n'est en fait pas une étoile.

7 Rendre compte avec un vocabulaire précis

Condition nécessaire à la vie

Le Petit Prince est un conte poétique d'Antoine de Saint-Exupéry, publié en 1943.
Sur l'astéroïde B612, où vit le Petit Prince, une fleur pousse.

a. Donne le nom de la substance nécessairement présente sur cet astéroïde.

b. Cet astéroïde possède-t-il une atmosphère ? Justifie ta réponse en utilisant la conjonction « donc ».

8 Extraire les informations

Distance et température

a. Observe la modélisation du doc. 1 et associe à chaque lettre un des mots suivants : orbite, Terre, Mars, Soleil.

b. On relève, à l'aide d'un thermomètre infrarouge, la température de surface de chacune des boules (doc. 2) :
- température **1** : 18,2 °C ;
- température **2** : 24,6 °C.

Associe chaque boule (**a** ou **b**) à la température qui convient en justifiant ta réponse.

Coup de pouce
→ Utilise la notion d'énergie thermique.

1 Une modélisation.

Thermomètre
b
a

2 Relevé de température à la surface des boules.

9 Utiliser les mathématiques

Proportionnalité

Dans une maquette du système solaire, toutes les planètes sont représentées avec la même échelle. La Terre est représentée par une boule de 1,3 cm de diamètre.

a. À l'aide du tableau de l'unité 1 page 287, indique combien de fois environ le diamètre de Jupiter est plus grand que celui de la Terre.

b. Calcule alors le diamètre de la boule qui représente Jupiter dans cette maquette.

Je m'entraîne pour l'évaluation

10 Étude d'un planétarium

Énoncé

Maël s'intéresse à l'astronomie et a reçu en cadeau un mini planétarium représentant le système solaire (p. 284). Il voudrait savoir si ce planétarium représente bien la réalité et comment expliquer que la Terre soit la seule à posséder de l'eau liquide en surface.

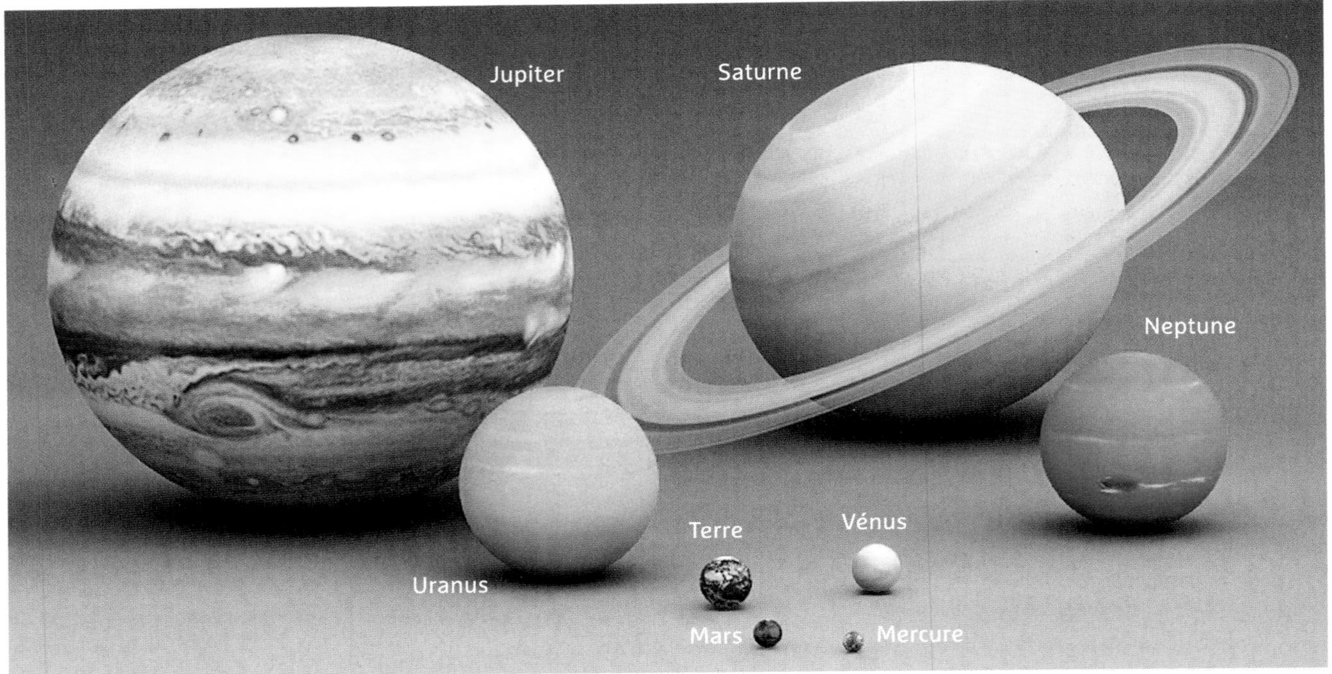

1 Les planètes du système solaire représentées avec la même échelle.
Le diamètre du Soleil est égal à 10 fois celui de Jupiter. Notre étoile ne peut donc pas être représentée à cette échelle.

Planète	Mercure	Vénus	Terre	Mars
Atmosphère	Inexistante	Très épaisse	Épaisse	Fine
Température moyenne en surface (en °C)	140	470	15	−65
Présence d'eau liquide en surface	Non	Non	Oui	Non

2 Caractéristiques de quelques planètes.

Questions

1. Situer le Soleil et les planètes

a. À l'aide du doc. 1 et de tes connaissances, trouve un point commun et une différence entre le planétarium et le système solaire.

b. Fais le schéma du planétarium vu de dessus et dessine l'orbite de la Terre.
Pense à légender ton schéma et à lui donner un titre.

2. Découvrir des conditions favorables à la vie

a. À l'aide du doc. 2, cite un des paramètres qui favorisent la présence d'eau liquide à la surface de la Terre.
b. Explique quelle est la conséquence de cette présence d'eau liquide.

Accompagnement personnalisé

11 J'apprends à lire et exploiter un diagramme en barres

Énoncé

Une exoplanète est une planète qui tourne autour d'une autre étoile que le Soleil. Ce n'est que récemment que les premières exoplanètes furent détectées. Aujourd'hui, plus de 2000 exoplanètes ont été détectées dans l'Univers.

Questions

Réponds aux questions suivantes à l'aide du diagramme ci-dessous.

a. En quelle année 117 nouvelles exoplanètes ont été identifiées ?

b. En quelle année fut découverte la première exoplanète ?

c. Combien d'exoplanètes ont été découvertes pour la période 2009 à 2014 ?

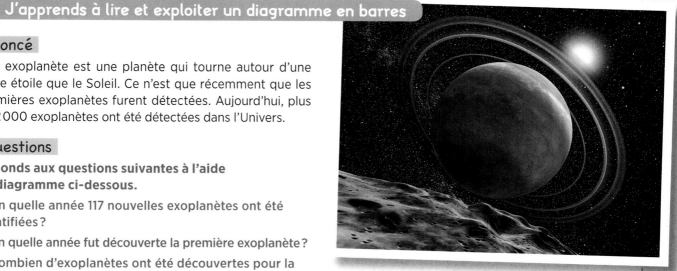

Un artiste a imaginé à quoi pourrait ressembler une exoplanète.

Aide à la résolution

Pour exploiter un graphique en barres...

- **Lis le titre : indique la grandeur étudiée (ici le nombre d'exoplanètes découvertes) en fonction d'une autre grandeur (ici les années).**
- **Si tu connais l'année, repère-la sur l'axe horizontal, puis lis l'étiquette associée à la barre correspondante.**
- **Si la question te donne un nombre d'exoplanètes, recherche ce nombre sur les étiquettes, puis lis l'année correspondant à la barre.**

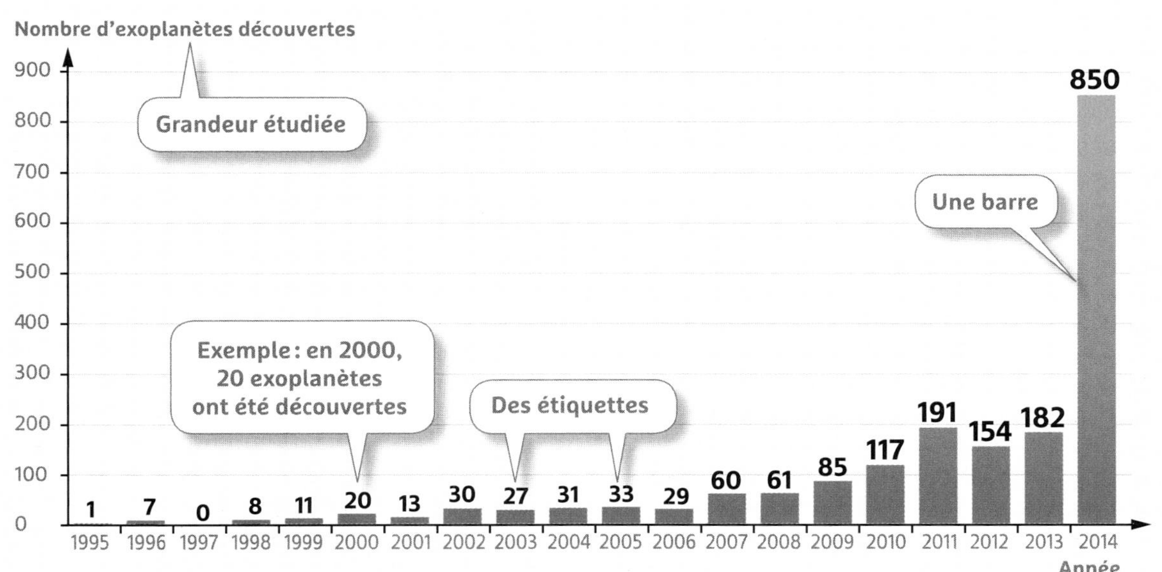

Diagramme en barres indiquant le nombre d'exoplanètes identifiées par année.

Chapitre 22

Pour commencer...

Des mots

« Le mot "midi" désigne une heure de la journée, mais aussi le point cardinal Sud car vers midi, le Soleil culmine dans le ciel en direction du Sud. Voilà pourquoi le Sud de la France s'appelle aussi le Midi. »

>> Pourquoi voit-on le Soleil se déplacer dans le ciel ?

Des images

>> Peut-on patiner à cet endroit toute l'année ?

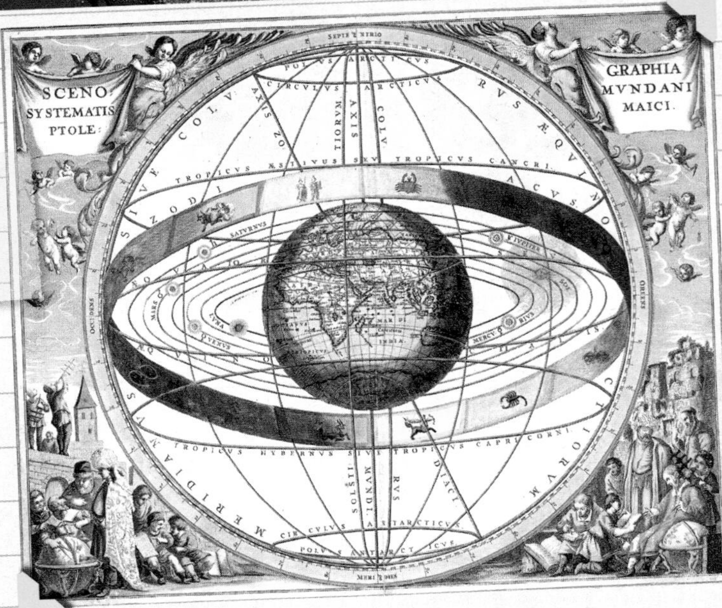

Représentation du monde selon l'astronome égyptien Ptolémée (IIe siècle après J.-C.). La Terre est au centre, le Soleil et les autres planètes tournent autour d'elle.

>> Cette représentation du monde est-elle correcte ?

Les mouvements de la Terre

Comment expliquer l'alternance jour-nuit et le cycle des saisons ?

Décrire le mouvement de la Terre sur elle-même

Compétences
- [D4] Réaliser une expérience.
- [D4] Interpréter un résultat expérimental.

Chaque matin, la nuit s'achève et le Soleil se lève. Chaque soir, la nuit revient. Et toutes les 24 heures, la même séquence se répète.

→ **Pourquoi les journées et les nuits se suivent-elles sans interruption ?**

Observer des ombres

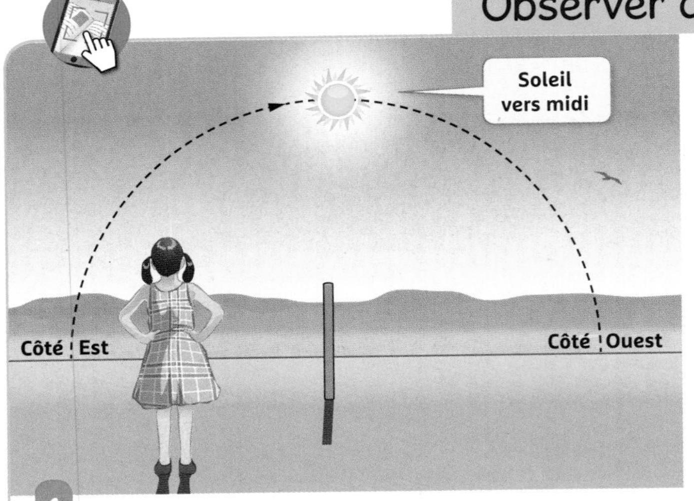

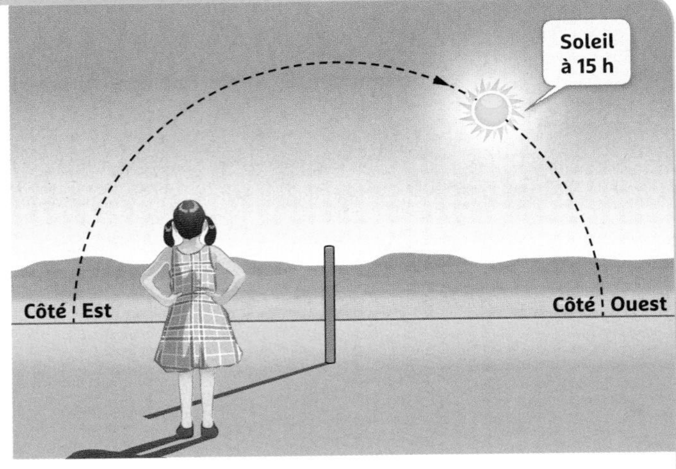

1 Ombre d'un piquet vue depuis la Terre et mouvement apparent du Soleil. Depuis la Terre, nous observons le Soleil se déplacer dans le ciel : il se lève côté Est et se couche côté Ouest.

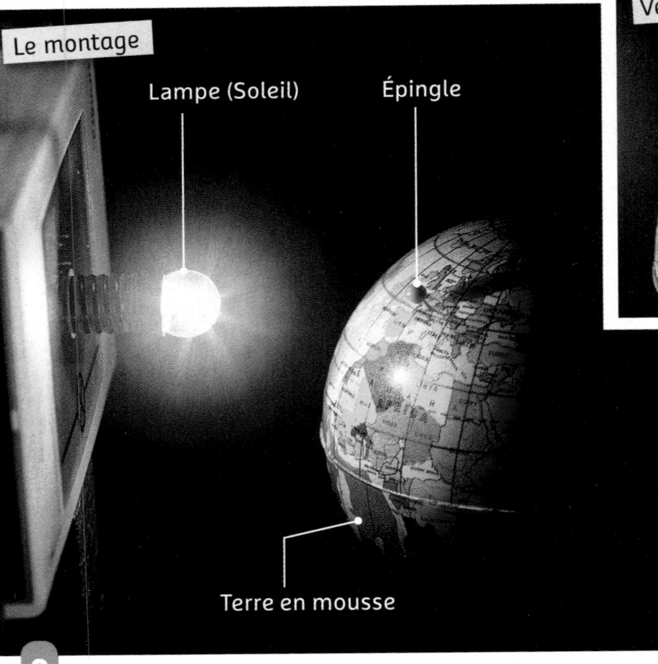

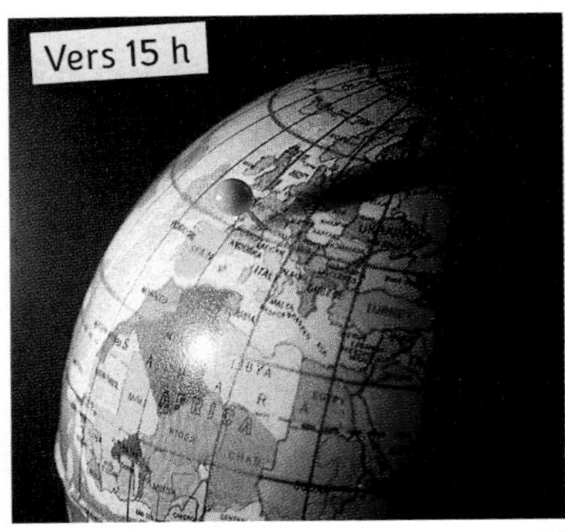

2 Ombre d'un piquet vue depuis un satellite.

J'expérimente

>> Plante une épingle sur la France et oriente la Terre comme sur la photo ci-contre.

>> Positionne la Terre pour obtenir une ombre de l'épingle comme vers midi sur le doc. 1.

>> Sans l'éloigner de la lampe, positionne la Terre pour obtenir une ombre comme vers 15 h sur le doc. 1 et observe le mouvement appliqué à la Terre pour y parvenir.

Modéliser la rotation de la Terre

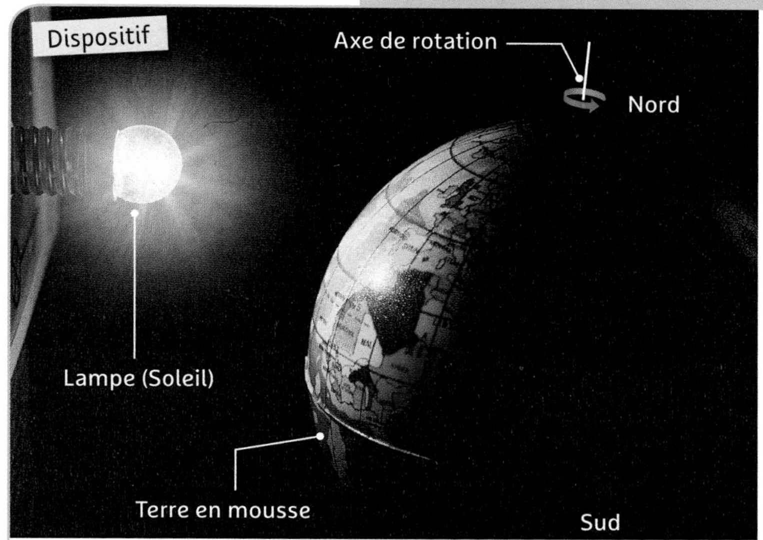

J'expérimente

>> Dispose la Terre par rapport à la lampe pour que la France soit en pleine **journée**.

>> Agis sur la Terre pour que la lumière du Soleil soit rasante sur la France (coucher de Soleil).

>> En agissant toujours sur la Terre, plonge la France dans la nuit.

>> Montre comment la Terre bouge en un **jour** (24 h).

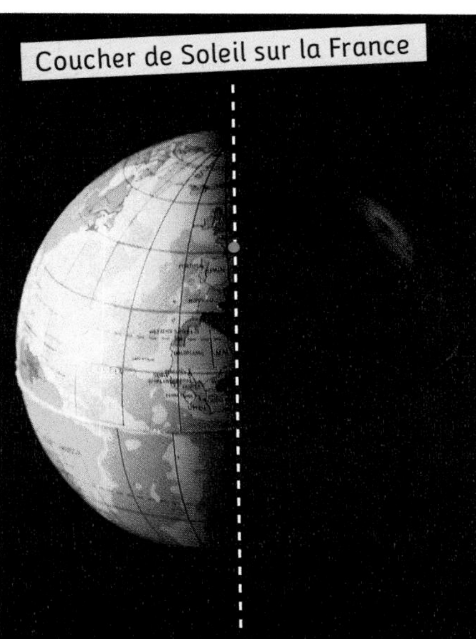

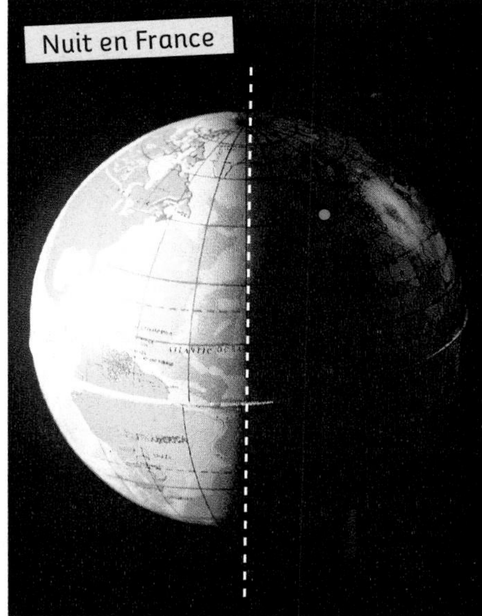

3 **Simulation de la journée et de la nuit.** Le Terre effectue une **rotation** complète autour de son **axe de rotation** en 24 heures, dans le sens indiqué par la flèche.

Vocabulaire

Axe de rotation (un) : droite autour de laquelle un objet tourne sur lui-même.

Jour (un) : c'est l'unité de temps des calendriers (jour = journée + nuit). Sa durée est 24 h.

Journée (une) : partie du jour où le Soleil est au-dessus de l'horizon.

Rotation (une) : mouvement d'un corps qui tourne autour d'un axe.

Ta mission

1 Doc. 1 et 2 À l'aide de la modélisation du doc. 2, explique le déplacement de l'ombre du piquet observé sur le doc. 1.

2 Doc. 3 Indique par quels points passe l'axe de rotation de la Terre.

3 Doc. 3 Parmi les situations observées, précise dans quel(s) cas un observateur placé en France peut voir le Soleil.

4 Conclusion Rédige un court texte expliquant la succession des nuits et des journées et le mouvement apparent du Soleil.

Décrire le mouvement de la Terre autour du Soleil

Compétences
- [D4] Expérimenter.
- [D5] Se situer dans l'environnement.

Sur notre calendrier, les quatre saisons débutent toujours aux mêmes dates. Et chaque année, cette ronde des saisons se répète dans le même ordre.

→ Comment expliquer l'alternance des saisons ?

Observer des changements au cours des saisons

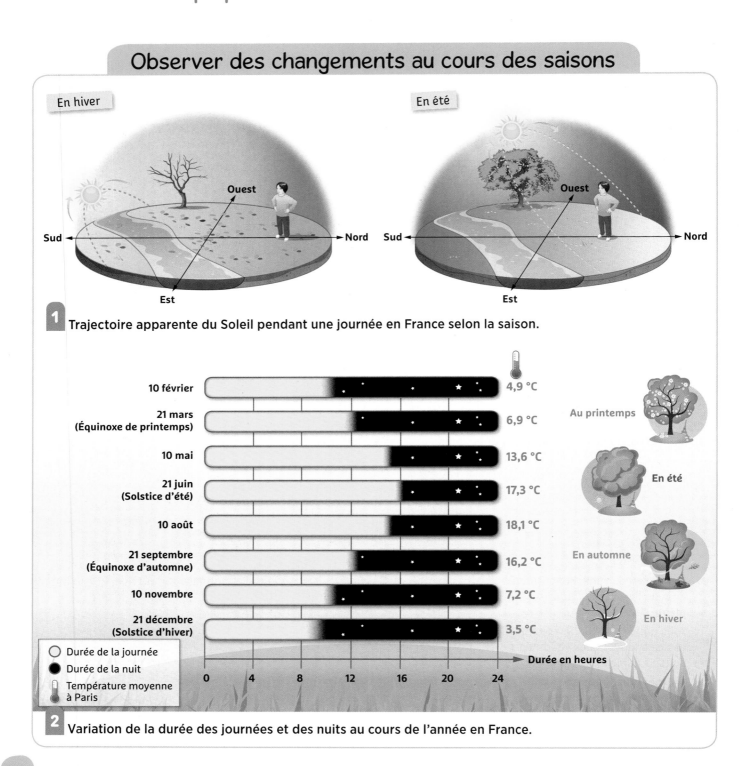

En hiver — En été

Sud — Nord — Ouest — Est

1 Trajectoire apparente du Soleil pendant une journée en France selon la saison.

Date	Température moyenne à Paris
10 février	4,9 °C
21 mars (Équinoxe de printemps)	6,9 °C
10 mai	13,6 °C
21 juin (Solstice d'été)	17,3 °C
10 août	18,1 °C
21 septembre (Équinoxe d'automne)	16,2 °C
10 novembre	7,2 °C
21 décembre (Solstice d'hiver)	3,5 °C

Au printemps — En été — En automne — En hiver

Durée en heures : 0, 4, 8, 12, 16, 20, 24

○ Durée de la journée
● Durée de la nuit
Température moyenne à Paris

2 Variation de la durée des journées et des nuits au cours de l'année en France.

Modéliser le mouvement de la Terre autour du Soleil

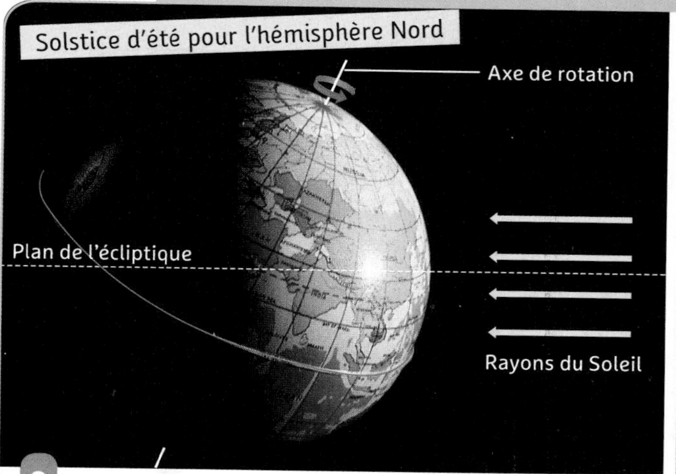

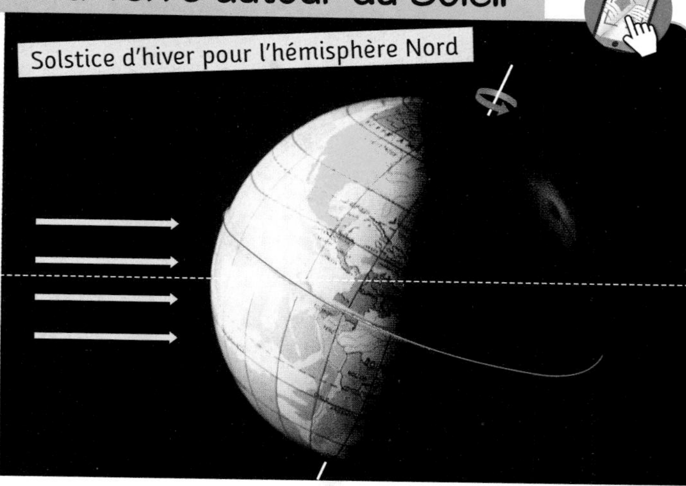

3 Éclairement de la Terre selon la saison. La Terre effectue un tour complet autour du Soleil (voir chap. 21) en une année, soit 365 jours. Son axe de rotation est incliné par rapport au **plan de l'écliptique** et garde une direction fixe pendant toute la **révolution** autour du Soleil.

J'expérimente

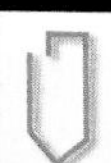

» Fais le montage du doc. 2, p. 298. Place la Terre avec son axe de rotation « vertical ». Vérifie que les hémisphères sont éclairés de façon égale.

» Incline la Terre comme sur le doc. 3 et observe la différence d'éclairement entre les deux hémisphères, en hiver puis en été.

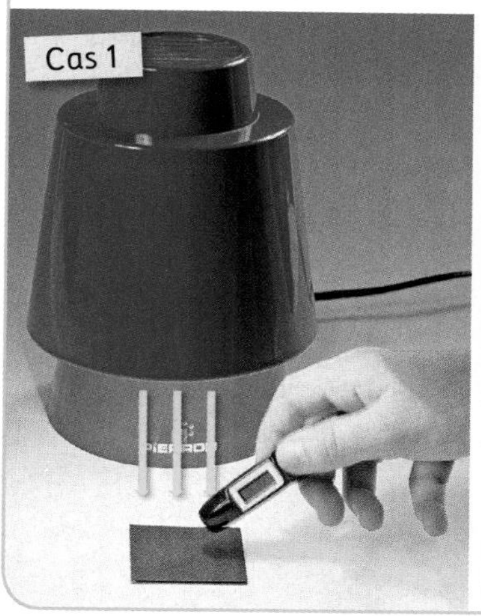

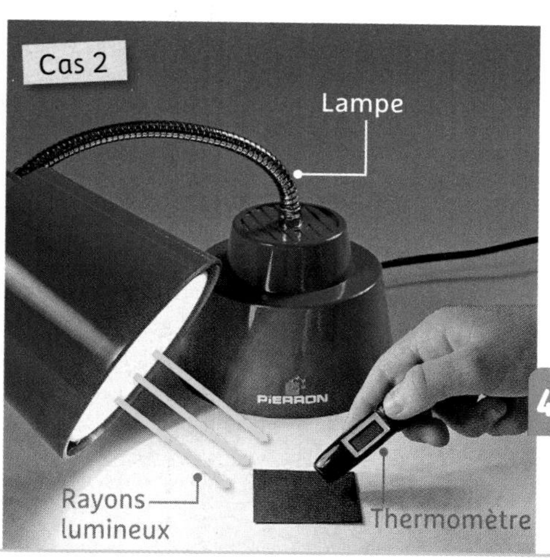

	Température (en °C)	
Temps (en min)	**Cas 1**	**Cas 2**
0	20,0	20,0
4	25,2	22,2
6	28,0	22,6

4 Une expérience pour modéliser la variation de l'énergie reçue selon l'inclinaison des rayons solaires.

Vocabulaire

Équinoxe (un) : jour de l'année où la durée de la journée est égale à celle de la nuit.

Plan de l'écliptique (un) : surface imaginaire contenant l'orbite d'une planète.

Révolution (une) : mouvement d'un astre autour d'un autre astre.

Solstice (un) : jour de l'année où la durée de la journée est soit la plus longue, soit la plus courte.

Ta mission

1. Doc. 1 et 2 Cite au moins une observation qui montre que des saisons existent sur Terre.
2. Doc. 3 Précise comment varie l'inclinaison des rayons solaires parvenant sur l'hémisphère Nord entre l'été et l'hiver.
3. Doc. 4 Utilise ta réponse à la question précédente et les résultats de l'expérience pour expliquer pourquoi il fait plus chaud en été qu'en hiver.
4. Doc. 3 et 4 Montre que les saisons dans l'hémisphère Sud sont inversées par rapport à l'hémisphère Nord.
5. Conclusion Rédige un court texte pour expliquer l'alternance des saisons.

Unité 3

Représenter l'espace

Compétences
- [D1.3] Extraire l'information utile.
- [D5] Replacer des évolutions scientifiques dans un contexte historique.

En observant le ciel, les civilisations anciennes ont imaginé l'organisation du monde. Les astronomes font de même aujourd'hui, avec des instruments d'observation de plus en plus modernes.

→ **Comment notre représentation de la Terre et du système solaire a-t-elle évolué au fil des époques ?**

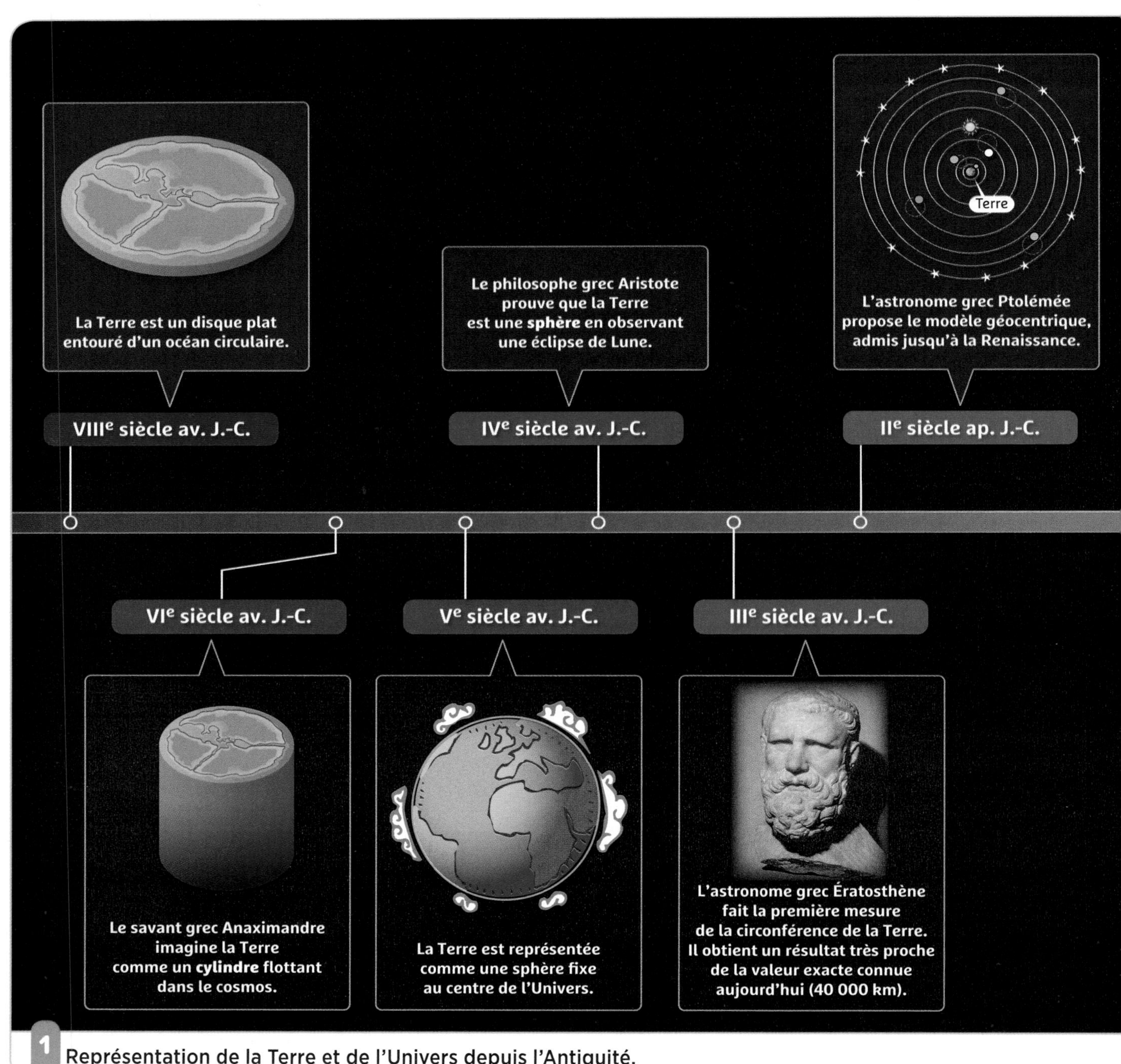

VIIIe siècle av. J.-C.
La Terre est un disque plat entouré d'un océan circulaire.
VIe siècle av. J.-C.
Le savant grec Anaximandre imagine la Terre comme un **cylindre** flottant dans le cosmos.
Ve siècle av. J.-C.
La Terre est représentée comme une sphère fixe au centre de l'Univers.
IVe siècle av. J.-C.
Le philosophe grec Aristote prouve que la Terre est une **sphère** en observant une éclipse de Lune.
IIIe siècle av. J.-C.
L'astronome grec Ératosthène fait la première mesure de la circonférence de la Terre. Il obtient un résultat très proche de la valeur exacte connue aujourd'hui (40 000 km).
IIe siècle ap. J.-C.
Terre
L'astronome grec Ptolémée propose le modèle géocentrique, admis jusqu'à la Renaissance.

1 Représentation de la Terre et de l'Univers depuis l'Antiquité.

Ta mission

1. Retrouve l'époque à laquelle l'idée d'une Terre sphérique a été proposée.
2. Indique quel astre est au centre du système solaire dans le modèle de Ptolémée.
3. Indique quel modèle du système solaire a fini par s'imposer et précise quand ce modèle s'est imposé.
4. Explique pourquoi l'époque actuelle est riche en découvertes sur notre globe et sur le système solaire.
5. **Conclusion** Explique brièvement comment notre représentation de la Terre et du système solaire a évolué au cours de l'histoire.

Vocabulaire

Géocentrique (adj.) : se dit de la représentation du système solaire avec la Terre au centre (préfixe *géo* = Terre).

Héliocentrique (adj.) : se dit de la représentation du système solaire avec le Soleil au centre (préfixe *hélio* = Soleil).

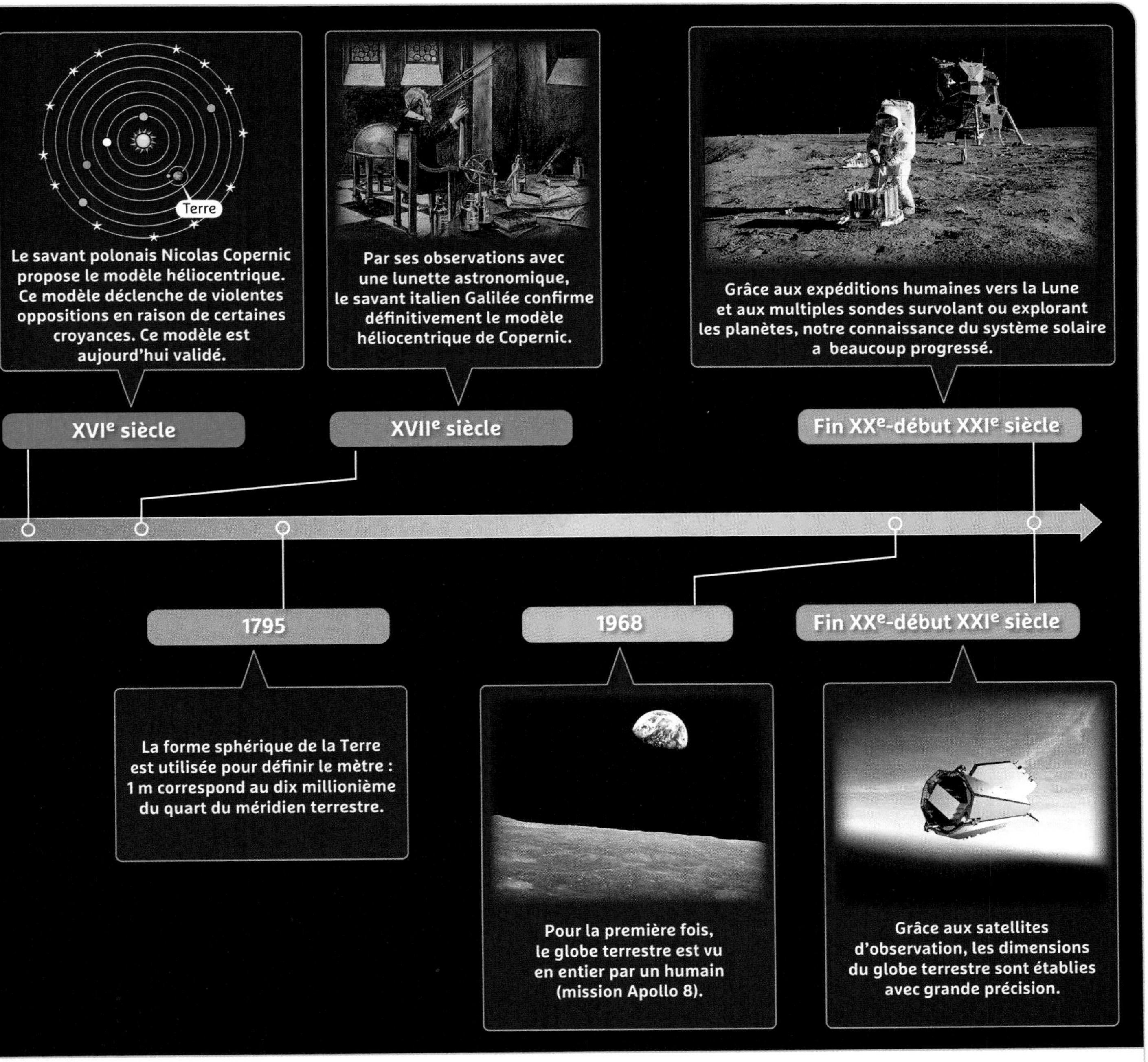

Terre
Le savant polonais Nicolas Copernic propose le modèle héliocentrique. Ce modèle déclenche de violentes oppositions en raison de certaines croyances. Ce modèle est aujourd'hui validé.
XVIe siècle
Par ses observations avec une lunette astronomique, le savant italien Galilée confirme définitivement le modèle héliocentrique de Copernic.
XVIIe siècle
Grâce aux expéditions humaines vers la Lune et aux multiples sondes survolant ou explorant les planètes, notre connaissance du système solaire a beaucoup progressé.
Fin XXe-début XXIe siècle
1795
La forme sphérique de la Terre est utilisée pour définir le mètre : 1 m correspond au dix millionième du quart du méridien terrestre.
1968
Pour la première fois, le globe terrestre est vu en entier par un humain (mission Apollo 8).
Fin XXe-début XXIe siècle
Grâce aux satellites d'observation, les dimensions du globe terrestre sont établies avec grande précision.

Bilan Les mouvements de la Terre

Je dois savoir

Unité 1 Le mouvement de la Terre sur elle-même

- La Terre tourne sur elle-même autour de son **axe de rotation** (axe passant par les deux pôles), d'Ouest en Est. Elle fait un tour complet en 1 **jour** (24 heures).
- Cette **rotation** explique l'alternance des **journées** et des nuits.
- Cette rotation explique également qu'un observateur sur Terre voit le Soleil se lever du côté Est et se coucher du côté Ouest.

Unité 2 Le mouvement de la Terre autour du Soleil

- La Terre a un mouvement de **révolution** autour du Soleil. Sa trajectoire (ou orbite) est circulaire. Notre planète effectue un tour complet en une année (365 jours).
- L'inclinaison de l'axe de rotation de la Terre par rapport au **plan de l'écliptique** explique l'alternance des saisons.
- Les saisons dans l'hémisphère Sud sont inversées par rapport aux saisons dans l'hémisphère Nord.

Unité 3 Représenter l'espace

- Jusqu'au xvie siècle, le système solaire était représenté par un modèle **géocentrique** : la Terre était au centre. Ensuite, le modèle **héliocentrique**, où le Soleil est au centre, a été proposé par Copernic, puis confirmé par les observations de Galilée au xviie siècle.
- Les humains ont d'abord pensé que la Terre était plate. Mais on sait depuis longtemps que, comme les autres planètes du système solaire, la Terre est une sphère.

→ L'essentiel du cours en une animation

Je suis capable de

	Pour vérifier	Si tu n'es pas sûr...
[D1.1] **Rendre compte du mouvement de la Terre sur elle-même**	→ Fais les exercices 1 p. 306 et 5 p. 307.	→ Revois les doc. 2 et 3 de l'unité 1 pp. 298-299.
[D1.1] **Rendre compte du mouvement de la Terre autour du Soleil**	→ Fais les exercices 2 et 4 p. 306.	→ Revois les doc. 2 et 3 de l'unité 2 pp. 300-301.

Je retiens par l'image

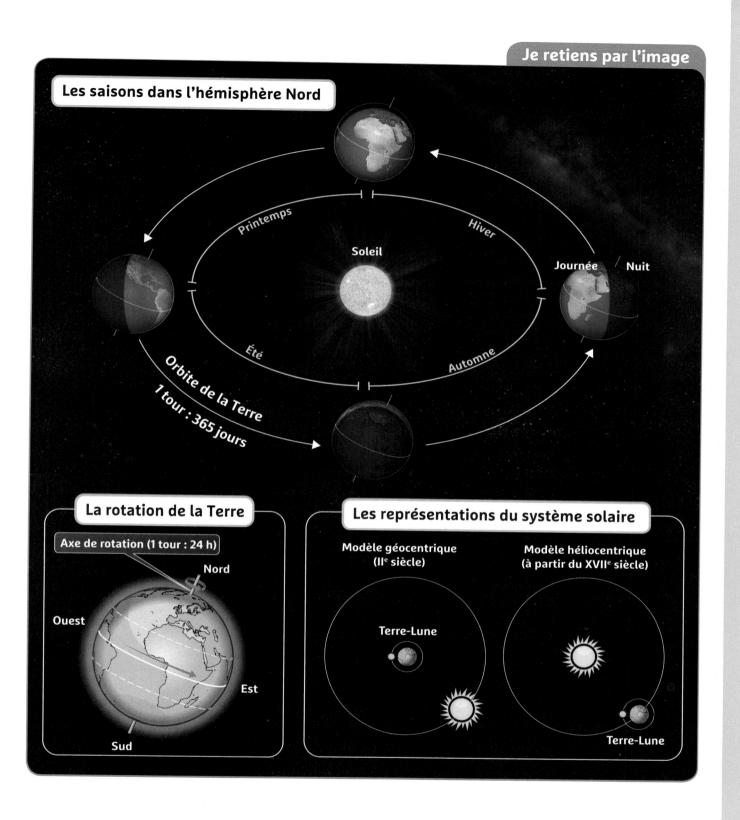

Les saisons dans l'hémisphère Nord

Soleil

Printemps

Hiver

Été

Automne

Journée

Nuit

Orbite de la Terre
1 tour : 365 jours

La rotation de la Terre

Axe de rotation (1 tour : 24 h)

Nord

Ouest

Est

Sud

Les représentations du système solaire

Modèle géocentrique (IIe siècle)

Terre-Lune

Modèle héliocentrique (à partir du XVIIe siècle)

Terre-Lune

Je retiens les mots-clés

- Axe de rotation
- Géocentrique
- Héliocentrique
- Jour
- Journée
- Plan de l'écliptique
- Révolution
- Rotation

→ Pour réviser les définitions

ou Dico du manuel p. 379

Exercices

Je vérifie mes connaissances

1 QCM

1. La représentation correcte du mouvement de la Terre sur elle-même est :

2. La durée d'une rotation de la Terre sur elle-même est :
a. 12 h ; **b.** 24 h ; **c.** 365 jours

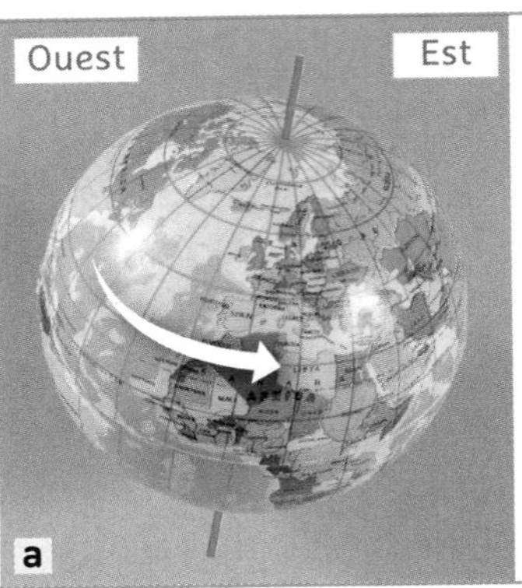

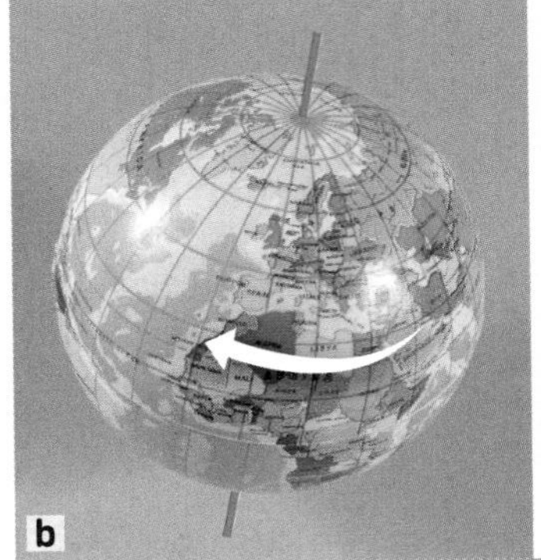

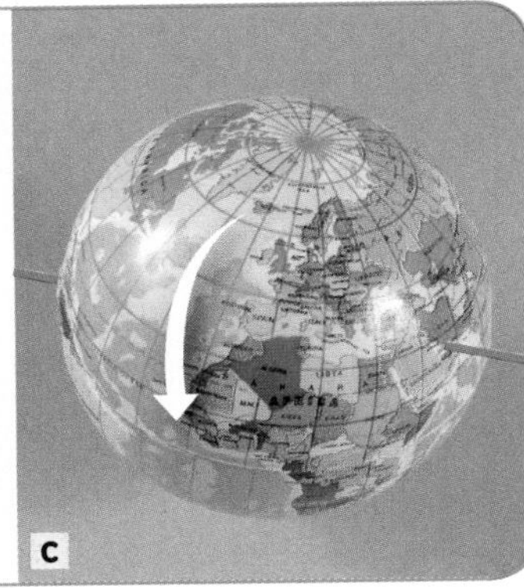

2 Compléter un schéma

Loan a schématisé le mouvement de la Terre autour du Soleil, mais il n'a pas eu le temps de terminer son schéma.

a. Rappelle comment se nomme le mouvement de la Terre autour du Soleil.

b. Recopie le schéma de Loan, complète-le et légende-le.

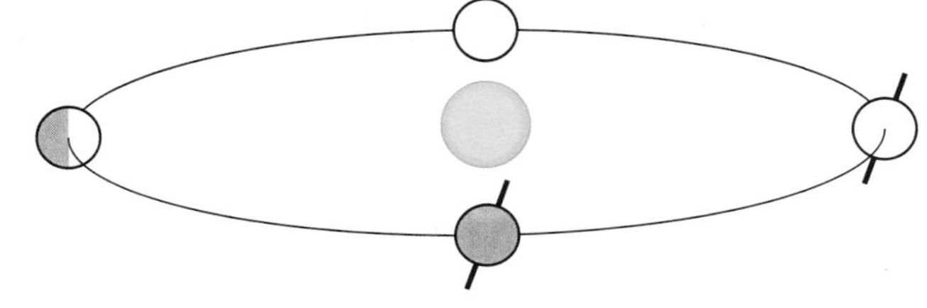

3 Vrai ou faux ?

Précise si les phrases suivantes sont correctes. Si une phrase est fausse, recopie-la en la corrigeant.

a. Dans le modèle géocentrique, le Soleil est au centre du système solaire.

b. C'est le modèle héliocentrique qui est conforme à la réalité.

c. La Terre a toujours été imaginée comme une sphère.

→ Exercices supplémentaires

J'utilise mes compétences

4 Utiliser différents modes de représentation

Photo montage

L'image ci-contre a été obtenue en collant les unes à côté des autres plusieurs photographies du Soleil prises à intervalles réguliers au cours d'une journée.

Schématise la course du Soleil dans le ciel et indique par une flèche son sens de parcours. Légende ton schéma avec les termes suivants : Est, Ouest.

5 Interpréter un résultat expérimental

Un cadran solaire

Un cadran solaire permet de connaître l'heure en fonction de la position de l'ombre de la tige.

Pourquoi l'ombre de la tige change-t-elle de position au cours de la journée ? Justifie en utilisant la conjonction « donc ».

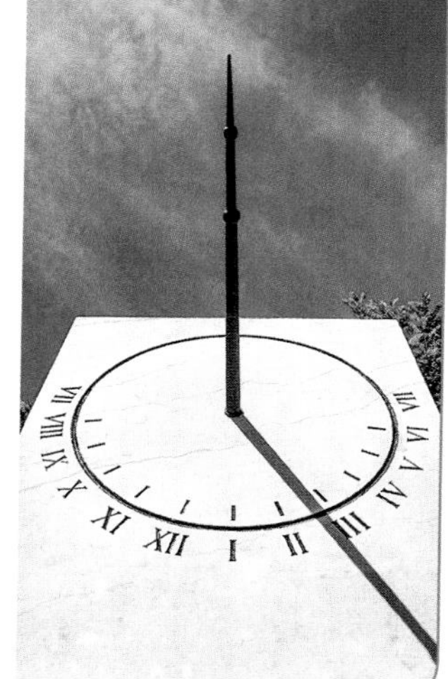

6 Utiliser les outils mathématiques adaptés

Une horloge originale

Passionnée d'astronomie, Inès a trouvé une nouvelle façon de mesurer le temps. Elle parle ainsi de la nuit qu'elle vient de passer : « Pendant mon sommeil, la Terre a tourné de 120° autour de son axe ».

Combien de temps Inès a-t-elle dormi ?

Coup de pouce

➜ 1 tour = 360°

7 Utiliser différents modes de représentation formalisés

La Terre au solstice d'été

Reproduis le schéma ci-contre et complète-le pour représenter la Terre lors du solstice d'été en juin.

Tu représenteras les rayons du Soleil, l'axe des pôles et la partie éclairée du globe.

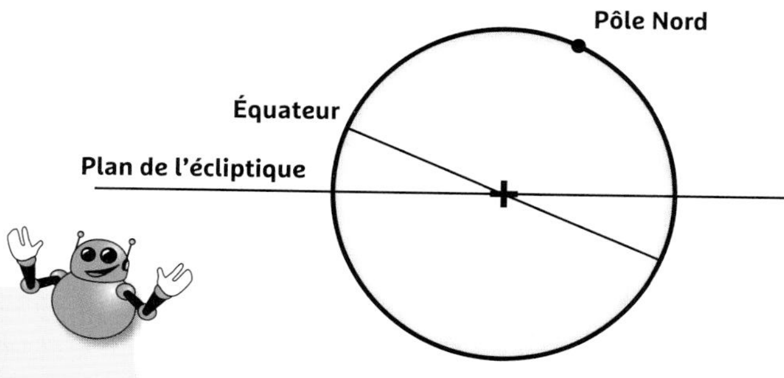

Coup de pouce

➜ Pour placer correctement les rayons du Soleil, aide-toi de la représentation de la Terre p. 309.

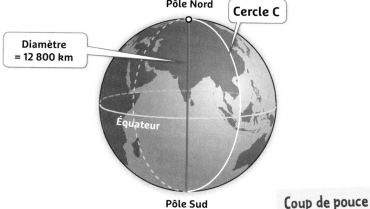

8 Utiliser les outils mathématiques adaptés

Calcule une distance

Pôle Nord

Cercle C

Diamètre = 12 800 km

Équateur

Pôle Sud

1 Les dimensions de la Terre.

Coup de pouce

➜ Longueur d'un cercle = π × diamètre du cercle

2 Un panneau indicateur situé au pôle Nord. La distance à l'équateur est 10 002 km.

a. À l'aide du schéma (doc. 1), montre que la longueur du cercle **C** est 40 000 km environ.

b. La distance à l'équateur indiquée sur le panneau (doc. 2) est-elle correcte ? Justifie ta réponse.

Je m'entraîne pour l'évaluation

9 L'indice UV en deux points du globe

Énoncé

Izïa a entendu parler de l'indice UV des rayons solaires dans un bulletin météo. Son professeur de sciences et technologie lui explique que cet indice renseigne sur l'intensité du rayonnement solaire et les dangers qu'il présente pour la peau. Il demande ensuite à Izïa de mettre en relation ce qu'elle a appris sur les mouvements de la Terre avec les documents ci-dessous.

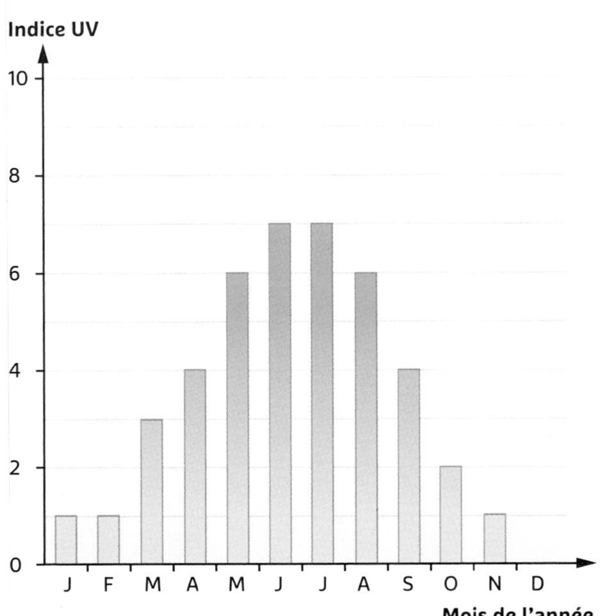

1 Évolution de l'indice UV maximal au cours d'une année à Paris.

Indice UV
10
8
6
4
2
0
J F M A M J J A S O N D
Mois de l'année

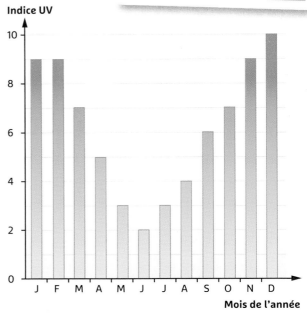

2 Évolution de l'indice UV maximum au cours d'une année au Cap.

Questions

1. Décrire le mouvement de la Terre sur elle-même

a. Les mesures d'indice UV ont-elles été réalisées la journée ou la nuit ?

b. En combien de temps la Terre effectue-t-elle un tour sur elle-même ?

c. Autour de quel axe s'effectue cette rotation ?

2. Décrire le mouvement de la Terre autour du Soleil

a. Précise le(s) mois et la saison où l'indice UV est maximal à Paris.

b. Explique ce résultat en raisonnant sur l'inclinaison des rayons solaires.

c. À partir du doc. 2, quelle hypothèse Izïa peut-elle faire sur la position géographique de la ville du Cap ? Vérifie cette hypothèse sur un atlas.

3. Représenter l'espace

a. En considérant la forme de l'orbite terrestre, explique pourquoi la distance Terre-Soleil ne change pas au cours d'une année.

b. Si l'on considère que Paris est à mi-chemin du pôle Nord et de l'équateur, calcule la distance qui sépare cette ville du pôle Nord.

→ **Rappel :** la circonférence de la Terre est 40 000 km.

Accompagnement personnalisé

10 J'apprends à schématiser

Énoncé

Jules ne comprend pas pourquoi le Soleil ne se lève pas au pôle Nord au moment du solstice d'hiver, en décembre.

Questions

Pour aider Jules, fais un schéma du globe terrestre au moment du solstice d'hiver (le 21 décembre).

Aide-toi de la photo ci-contre pour placer la Terre correctement par rapport au Soleil lors du solstice d'hiver.

La Terre vue par satellite au solstice d'hiver

Aide à la résolution

Pour réaliser un schéma...

- **Dessine une vue de profil (en 2D) et non une vue 3D, plus compliquée à réaliser (voir aussi chapitre 18).**
- **Privilégie des lignes simples (segments, cercle) et utiliser les instruments adaptés (règle, compas, crayon papier).**

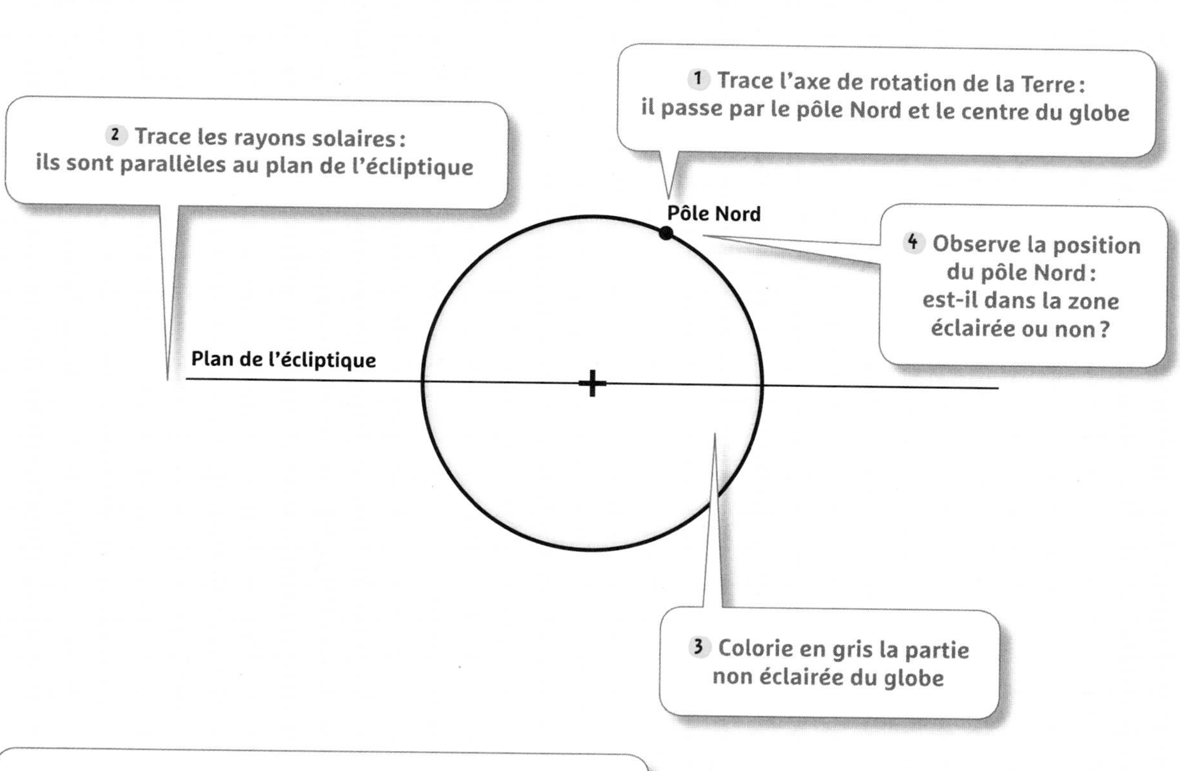

1 Trace l'axe de rotation de la Terre : il passe par le pôle Nord et le centre du globe
2 Trace les rayons solaires : ils sont parallèles au plan de l'écliptique
Pôle Nord
4 Observe la position du pôle Nord : est-il dans la zone éclairée ou non ?
Plan de l'écliptique
3 Colorie en gris la partie non éclairée du globe
5 Pense à légender ton schéma et à lui donner un titre

Chapitre 23

Pour commencer...

Un nombre

Lors de son éruption du 17 au 30 mai 2015, le piton de la Fournaise (île de La Réunion) aurait émis **8 millions de m³** de lave. De quoi remplir **2 600 piscines olympiques**.

>> Quelles peuvent être les conséquences d'une éruption volcanique ?

Des mots

« Quand fleurit l'aubépine, la gelée n'est pas loin. »

« Quand le chat se débarbouille, bientôt le temps se brouille. »

« Hirondelle volant haut, le temps sera beau. »

« Ciel bleu foncé, vent renforcé. »

Autrefois, prévoir le temps, c'était d'abord observer la nature comme en témoignent ces vieux dictons...

>> Quels instruments sont utilisés aujourd'hui pour prévoir le temps ?

Une image

Deux Arbres à Vent®. Chaque feuille est une mini-éolienne produisant de l'électricité, sans émettre de dioxyde de carbone.

>> Comment les émissions humaines de dioxyde de carbone agissent-elles sur le climat planétaire ?

La Terre, planète active

▲ L'île volcanique d'Ambrym vue du ciel (archipel du Vanuatu, océan Pacifique).

Comment l'activité naturelle de la Terre se manifeste-t-elle ?

Des phénomènes volcaniques et sismiques

Compétences
- [D1] S'exprimer à l'écrit.
- [D4] Extraire les informations utiles.

Le volcanisme et les tremblements de terre sont des phénomènes causés par l'activité interne de notre planète.

→ Quels risques l'activité interne de la Terre présente-t-elle pour les humains ?

Observer des éruptions volcaniques

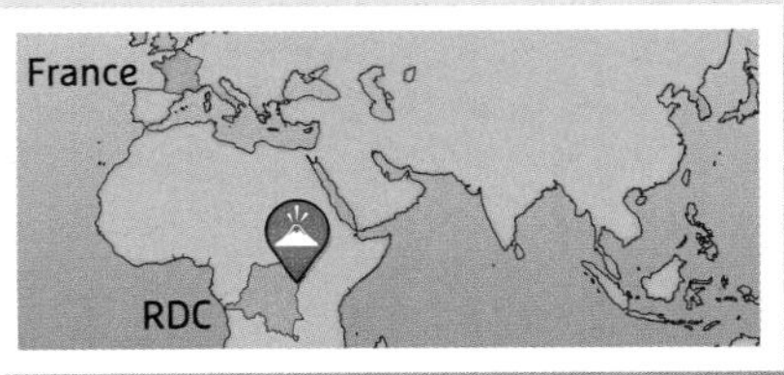

- **2007** : des dizaines de victimes, de nombreux bâtiments détruits, dont 47 écoles.
- **1977** : des coulées de lave fluide dévalant les pentes du volcan à plus de 60 km/h ont tué 2 000 personnes.

1 **L'éruption du volcan Nyiragongo en 2002** (République Démocratique du Congo).

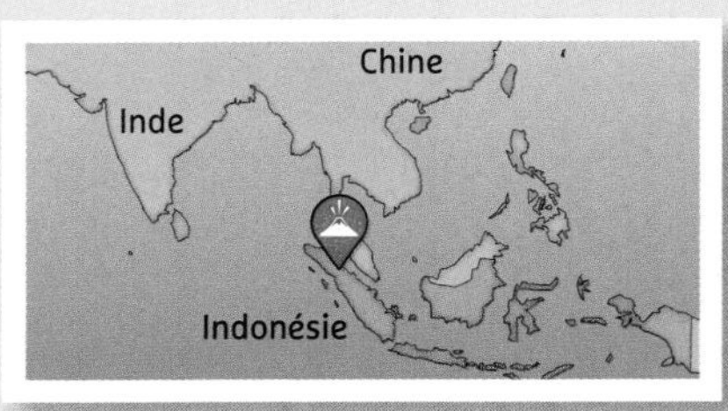

- Évacuation de 30 000 personnes, une vingtaine de victimes.
- 12 000 hectares de terres agricoles détruits par les nuées ardentes qui se sont déplacées à plusieurs centaines de km/h.

2 **Éruption du volcan Sinabung en 2014** (Indonésie).

- Une éruption volcanique se manifeste par l'émission de gaz, de lave et/ou de blocs de roches, de taille allant du millimètre à quelques mètres. La lave provient de roches fondues à moins de 150 km de profondeur. Lorsqu'elle est fluide, elle s'écoule le long du volcan. Si elle est peu fluide, son émission s'accompagne d'explosions projetant de la lave et des nuées ardentes.

3 **L'origine du volcanisme.**

Décrire un séisme

4 Katmandou (Népal) après le séisme du 25 avril 2014 à 6 h 10. Ce séisme a duré moins de deux minutes et a causé environ 8 000 décès et 14 000 blessés.

- Un séisme se manifeste par de brutales secousses du sol. Ces secousses sont notamment provoquées par la cassure de roches jusqu'à 700 km de profondeur.
- Ces secousses sont se propagent dans toutes les directions sous Terre et en surface. Plus on s'éloigne du lieu de la cassure, plus les secousses sont faibles.
- Elles sont enregistrées par des appareils appelés sismographes.
- Ces appareils sont installés un peu partout sur le globe, ils sont plus nombreux dans les régions où les séismes sont fréquents.

5 Comment naissent les séismes ?

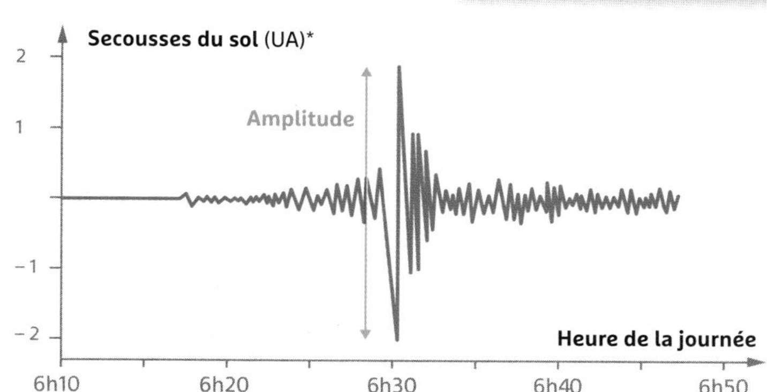

*UA : unité arbitraire (c'est une unité simplifiée)

6 L'enregistrement du séisme (sismogramme) du Népal. Il provient d'un sismographe situé en Chine (voir carte avec le doc. 4). Plus les secousses sont fortes, plus l'amplitude des vibrations est importante sur le sismogramme.

Ta mission

1. Doc. 1, 2 et 4 Indique les risques possibles pour l'Homme lors d'une éruption volcanique ou d'un séisme.
2. Doc. 1 à 3 Indique le type d'éruption qui te semble le plus dangereux pour l'Homme.
3. Doc. 6 Précise l'heure à laquelle le séisme du Népal a été enregistré en Chine.
4. Doc. 4 à 6 Explique pourquoi le séisme a pu être enregistré en Chine alors qu'il s'est produit au Népal.
5. Conclusion Rédige un court texte pour expliquer quels risques pour l'Homme présente l'activité interne de notre planète.

Vocabulaire

Lave (une) : roche fondue émise à la surface d'un volcan lors d'une éruption.

Nuée ardente (une) : nuage de gaz brûlants, transportant des cendres et des blocs de roches.

Séisme (un) : tremblement de terre.

Un phénomène météorologique : la pluie

Compétences
- [D1.3] Lire et interpréter des graphiques.
- [D4] Expérimenter.

La pluie est un phénomène météorologique qui nous est familier.
Les météorologues tentent de le prévoir.

→ Comment peut-on prévoir le temps qu'il va faire ?

Découvrir une station météorologique

Espace fermé, mais ventilé où les mesures sont effectuées.

Thermomètre : permet de repérer la température de l'air.
Unité : degré Celsius (°C).

Baromètre (doc. 2) : mesure la pression atmosphérique (doc. 3 et 5).
Unité : hectopascal (hPa).

Hygromètre : mesure l'humidité de l'air (doc. 3).
Unité : pourcent (%).

Girouette : indique la direction du vent.

Anémomètre : mesure la vitesse du vent. **Unité :** kilomètre par heure (km/h).

Pluviomètre : mesure la hauteur des précipitations.
Unité : millimètre (mm).

1 Une station météorologique.

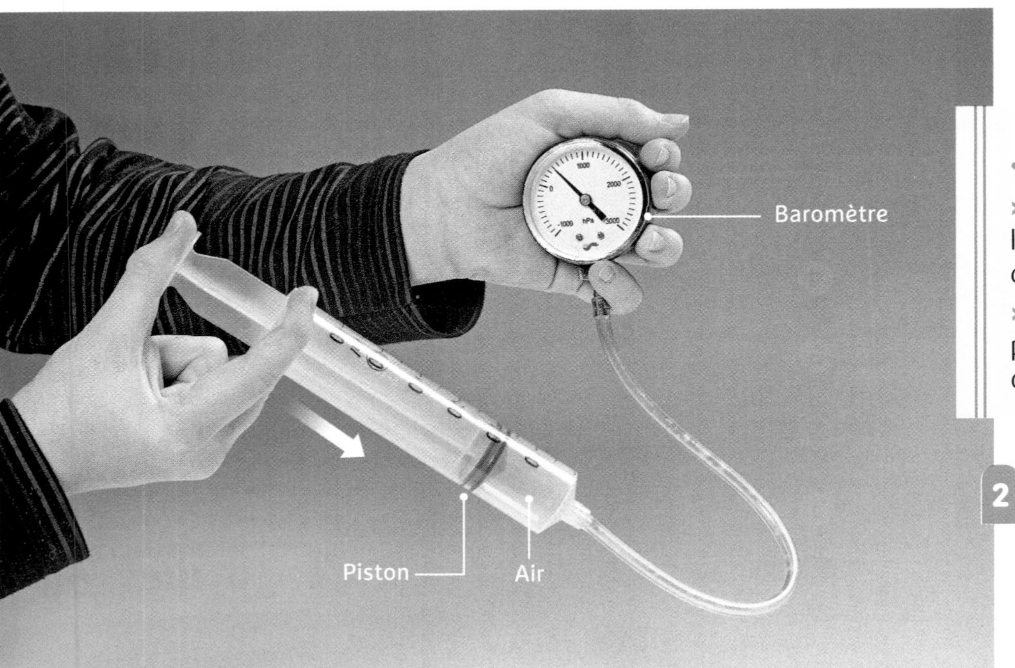

J'expérimente

» À l'aide du capteur, mesure la pression de l'air enfermé dans la seringue.

» Agis sur la seringue pour faire augmenter, puis diminuer la pression de l'air.

2 **Mesurer la pression de l'air.** La matière qui constitue l'air « appuie » sur toutes les parois de la seringue. On dit que l'air exerce une pression.

Prévoir le temps

- La pluie provient de la transformation de la vapeur d'eau (eau à l'état gazeux, donc invisible) en eau liquide au sein des nuages. Si l'humidité de l'air est très élevée et que la pression atmosphérique baisse rapidement, il risque de pleuvoir dans les heures qui suivent.
- Mais attention, ce n'est qu'une prévision : dans les conditions précédentes, il peut ne pas pleuvoir... ou alors pleuvoir si d'autres conditions sont réunies.

3 **Apprenti météorologue.**

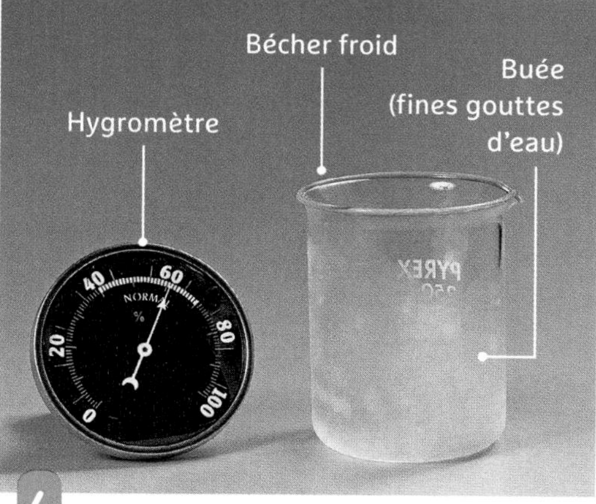

4 **Mise en évidence de la présence d'humidité dans l'air.** La vapeur d'eau, nécessaire à la formation de la pluie, est présente dans l'air ambiant.

Je manipule

» Place un bécher vide au réfrigérateur pendant 15 min.

» Vérifie que l'hygromètre indique la présence de vapeur d'eau dans l'air de la salle de classe, c'est-à-dire une valeur supérieure à zéro.

» Sors le bécher du réfrigérateur et observe des gouttelettes de buée se former sur les parois.

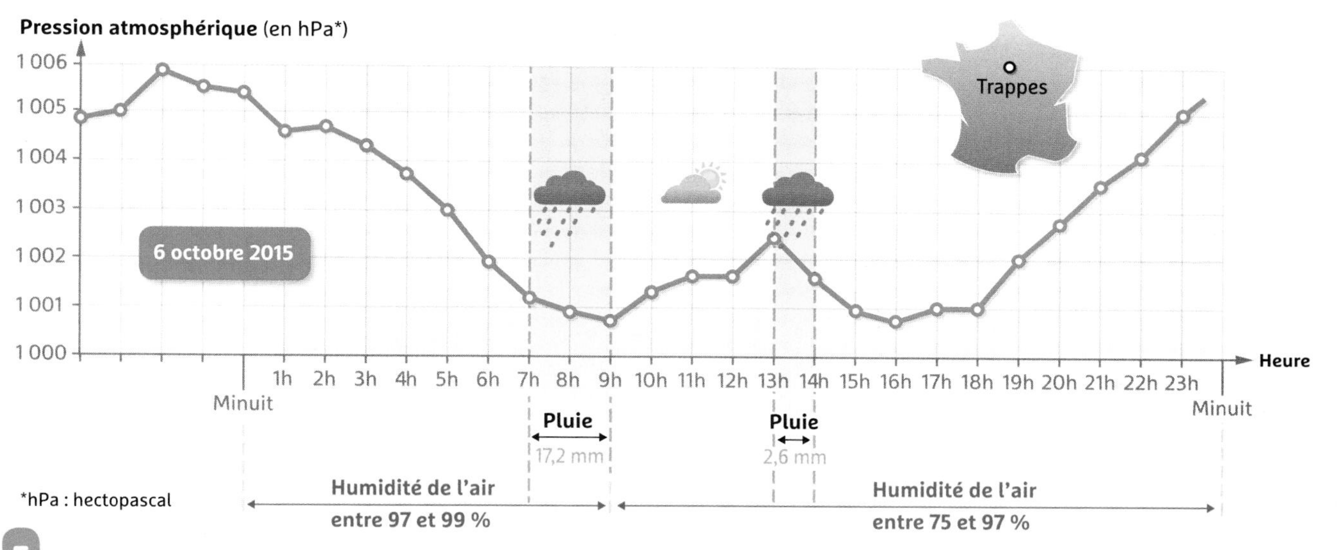

5 **Mesures réalisées par une station météorologique à Trappes (Yvelines), le 6 octobre 2015.**

Vocabulaire

Humidité (une) : quantité de vapeur d'eau dans l'air, en % (humidité maximale de l'air : 100 %).

Précipitations (les) : eau contenue dans l'atmosphère qui tombe à la surface de la Terre sous forme liquide (pluie) ou solide (grêle, neige).

Pression atmosphérique (la) : action de la couche d'air que constitue l'atmosphère qui appuie sur toute la surface des objets présents sur Terre.

Vent (le) : déplacement d'air causé par des différences de température et de pression dans l'atmosphère.

Ta mission

Faire des prévisions

1 Doc. 1 Fais la liste de toutes les grandeurs mesurées dans une station météorologique.

2 Doc. 2 Indique quelles actions tu peux exercer sur le piston de la seringue pour faire varier la pression de l'air qu'elle contient.

3 Doc. 4 Propose une hypothèse pour expliquer la formation de gouttelettes d'eau sur le bécher froid.

4 Doc. 3 et 5 En observant l'évolution au fil des heures de la pression atmosphérique et de l'humidité de l'air, explique comment tu aurais pu prévoir l'arrivée de la pluie à Trappes le matin.

5 Conclusion En prenant l'exemple de la pluie, explique comment on peut essayer de prévoir des phénomènes météorologiques.

Un phénomène climatique : l'effet de serre

Compétences
- [D4] Modéliser pour représenter une situation.
- [D4] Formuler des hypothèses.

Une conférence mondiale sur le climat, la COP21, s'est tenue à Paris en décembre 2015. L'un de ses objectifs était de trouver comment réduire les émissions de gaz à effet de serre liées aux activités humaines.

→ Quelles sont les conséquences des émissions de gaz à effet de serre ?

Découvrir l'effet de serre

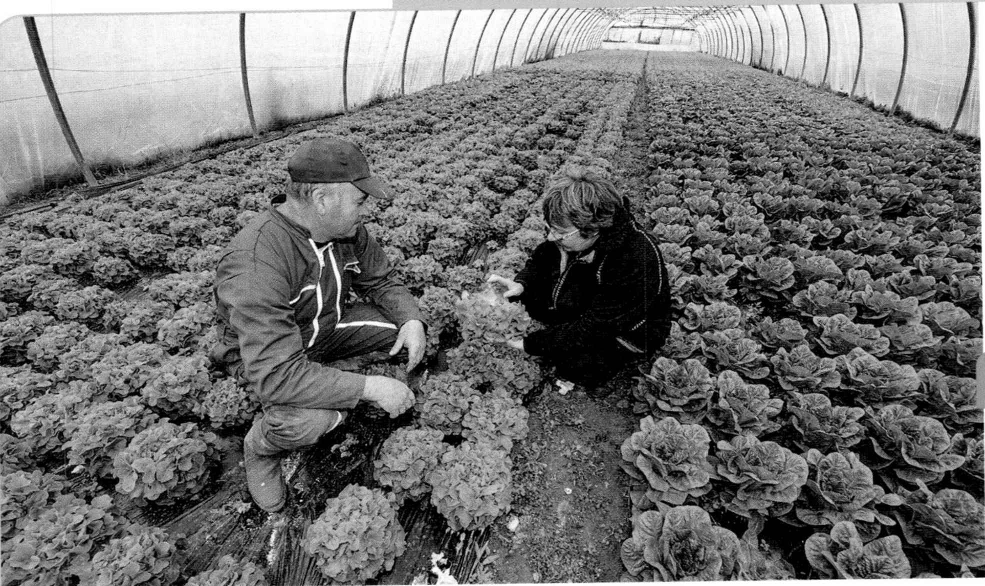

1 **Culture de salades sous serre.** Par temps ensoleillé en hiver, la température sous la serre peut être de 10 °C quand dehors il fait –2 °C.

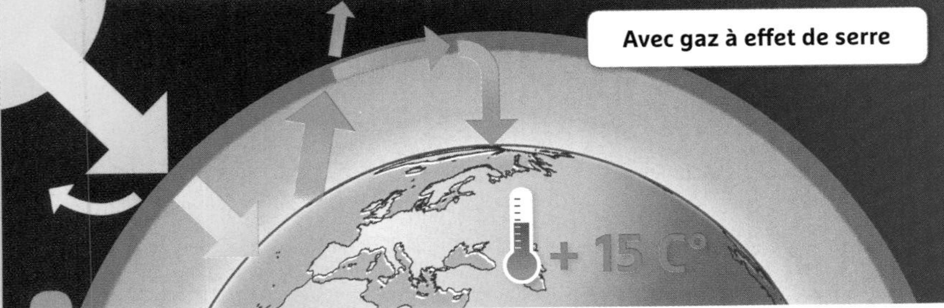

2 L'effet de serre à l'échelle de la Terre.

- Le sol chauffé par le Soleil produit de l'énergie thermique, envoyée vers l'atmosphère, où certains gaz « piègent » une partie de cette énergie. Ce phénomène naturel est appelé **effet de serre**. Les gaz responsables sont les **gaz à effet de serre**, naturellement présents dans l'atmosphère. Il s'agit essentiellement de la vapeur d'eau, du dioxyde de carbone et du méthane.
- Grâce à ce phénomène naturel, la température moyenne sur Terre est de 15 °C. Cela permet à l'eau de rester liquide, condition indispensable au développement de la vie (voir chap. 21 p. 288).

Comprendre les conséquences de l'effet de serre

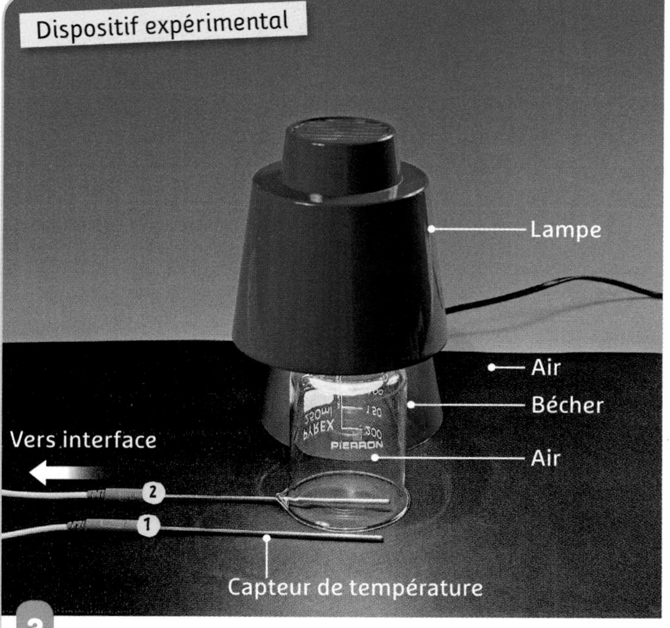

Résultats de l'expérience

Température (°C) ; Durée (s) ; courbes 1 et 2

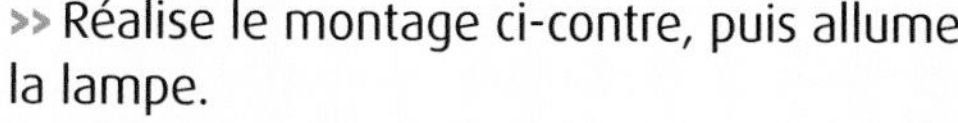

Je manipule

>> Réalise le montage ci-contre, puis allume la lampe.

>> Observe les courbes tracées à l'écran, montrant l'évolution en fonction du temps de la température à côté du bécher 1 et sous le bécher 2.

3 Une **modélisation** d'une serre.

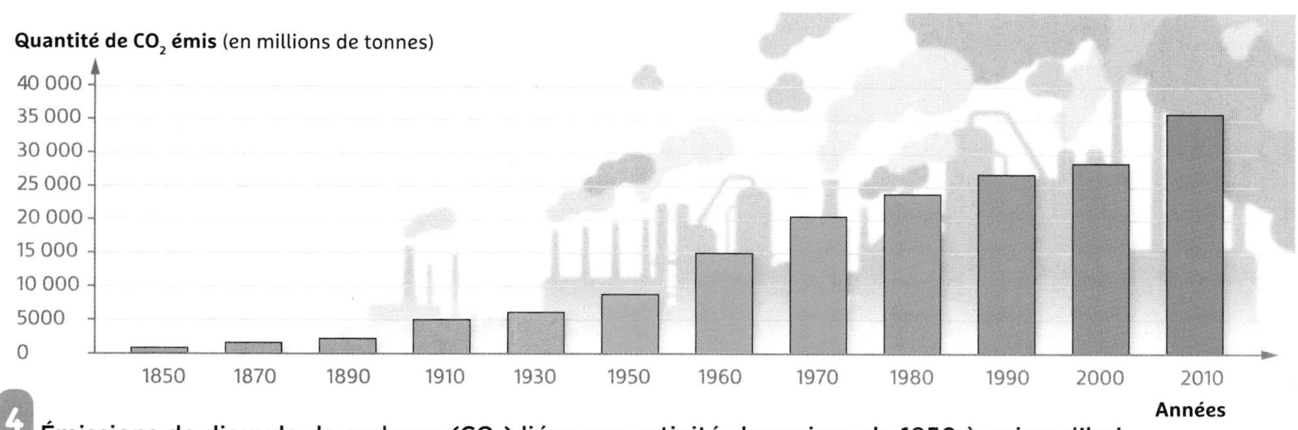

4 **Émissions de dioxyde de carbone (CO_2) liées aux activités humaines de 1850 à aujourd'hui.**

Ta mission

Faire des hypothèses

1 Doc. 1 et 2 Précise pourquoi le phénomène d'effet de serre a été nommé ainsi.

2 Doc. 3 Dans cette expérience, trouve par quoi sont modélisés : le Soleil, les parois de la serre et la surface de la Terre.

3 Doc. 3 Décris les résultats de l'expérience.

4 Doc. 4 Décris l'évolution des émissions de dioxyde de carbone (un gaz à effet de serre) de 1850 à aujourd'hui.

5 Conclusion Formule une hypothèse sur les conséquences pour les températures terrestres de l'augmentation des émissions de gaz à effet de serre par les activités humaines.

Vocabulaire

Climat (un) : description du temps qu'il fait en un lieu donné sur une période longue.

Modélisation (une) : représentation simplifiée de la réalité (illustrée par une maquette, un schéma...) permettant de comprendre un phénomène.

Des événements extrêmes

Compétences
- [D1.3] Exploiter un document.
- [D5] Identifier les risques.

Une pluie très intense pendant quelques heures peut provoquer des inondations.
Au contraire, il arrive qu'il ne pleuve presque pas pendant plusieurs mois (sécheresse).

→ Quels risques ces événements « extrêmes » présentent-ils pour les humains ?

La sécheresse de 2015 en France

- « Juillet a été l'un des trois mois les plus chauds depuis l'histoire des mesures*. »
  sciencesetavenir.fr, 3 août 2015.
- Il a très peu plu depuis la fin du printemps. Et en juillet, les précipitations ont été inférieures de moitié aux précipitations normales.
  D'après le ministère de l'Écologie.
- « En 2015, la récolte de maïs de la France a été de 14,2 millions de tonnes. C'est une baisse de 28 % par rapport à l'année 2014. »
  agrimoney.com, 29 janvier 2016.

* Des relevés de températures réguliers sont effectués depuis les années 1850.

Pied de maïs mort à cause du manque d'eau

1 **Trop chaud, trop sec pour le maïs !**

- **Pas de restriction.**
- **Vigilance :** incitation à faire des économies d'eau.
- **Alerte :** réduction de moitié des prélèvements d'eau pour l'agriculture ; interdiction d'arroser les espaces verts à certaines heures ; interdiction de laver les voitures.
- **Crise :** arrêt de tous les prélèvements, y compris pour l'agriculture. Seuls les prélèvements prioritaires sont autorisés : santé, sécurité civile (incendies, par exemple), eau potable...

2 **Carte des restrictions de l'usage de l'eau en France le 3 août 2015.**

Les inondations à Alès en 2002

«8 septembre 2002: 600 mm d'eau s'abattent sur Alès (Gard). Un cataclysme, l'équivalent d'une année de pluie sur Paris. [...] La capitale cévenole revit le drame des quartiers noyés: 634 villas et appartements inondés, 120 familles à reloger, 300 personnes de passage à abriter, 15 habitants héli-treuillés, 1 000 voitures emportées par les eaux, 75 millions d'euros de dégâts.»

D'après alescevennes.fr

3 **Un cataclysme...**

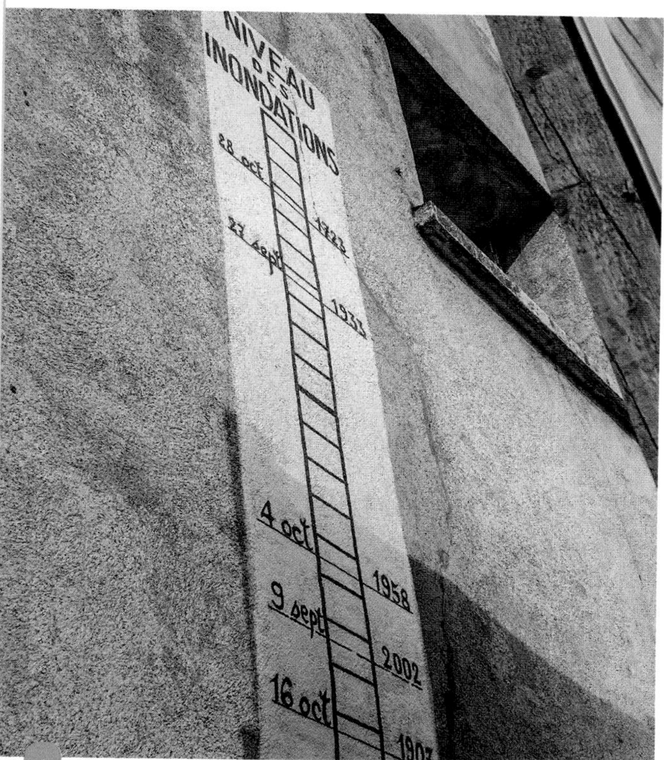

4 **Les inondations au cours du temps.** Sur un mur de la commune de Quissac (Gard), la hauteur de l'eau est inscrite pour chaque inondation depuis 1723.

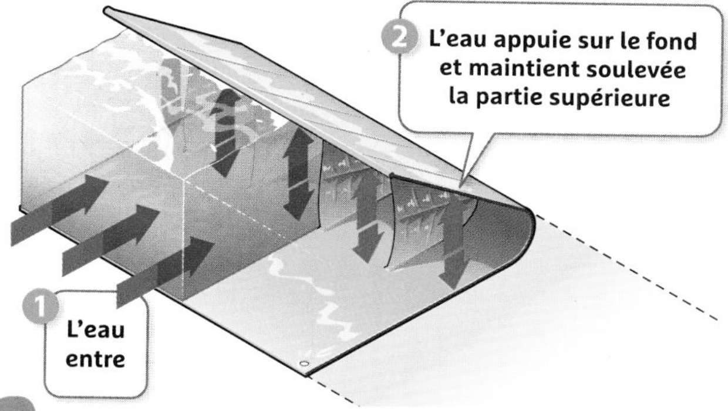

5 **Un dispositif anti-inondation.** Ce barrage en PVC (plastique) souple est facile à installer et à ranger (une seule personne suffit), et il est réutilisable.

Ta mission — Préparer une affiche

1. **Doc. 1** Indique quelles sont les conditions météorologiques favorables à une sécheresse.
2. **Doc. 1 et 2** Précise les conséquences d'une sécheresse pour les êtres vivants, et pour les humains en particulier.
3. **Doc. 3 et 4** Fais une liste des conséquences d'une inondation majeure. Précise si ce phénomène est rare ou fréquent.
4. **Doc. 5** Imagine d'autres solutions pour se protéger en cas d'inondation.
5. **Conclusion** Réalise une affiche pour présenter quelques conséquences d'une sécheresse et quelques conseils à suivre en cas de sécheresse.

Bilan La Terre, planète active

Je dois savoir

Unité 1 Des phénomènes volcaniques et sismiques

◆ Les **éruptions volcaniques** sont des émissions de **lave**, de gaz et de roches au niveau de volcans. Les **séismes** sont des secousses brutales et brèves du sol. Ils peuvent être enregistrés par des sismographes. Ils sont provoqués par la cassure de roches en profondeur.

◆ Les phénomènes sismiques et volcaniques peuvent entraîner des dégâts humains et matériels considérables.

Unité 2 Les phénomènes météorologiques

◆ Les conditions météorologiques correspondent au temps qu'il fait en un lieu donné à un moment précis.

◆ Le temps qu'il fait dépend de plusieurs paramètres : température, **pression atmosphérique**, humidité de l'air, etc. Selon ces paramètres, des phénomènes météorologiques peuvent survenir (nuages, **précipitations**, tempêtes, les orages, etc.). Ces paramètres sont mesurés par des instruments dans une station météorologique.

Unité 3 Un phénomène climatique : l'effet de serre

◆ Le **climat** est le temps qu'il fait en moyenne dans une région donnée.

◆ Le sol, chauffé par le Soleil, produit de l'énergie thermique envoyée vers l'atmosphère où certains gaz piègent une partie de cette énergie. C'est l'**effet de serre** naturel.

◆ Les activités humaines émettent des gaz à effet de serre dans l'atmosphère. Ces émissions provoquent une augmentation de l'effet de serre et un réchauffement de l'atmosphère (ou réchauffement climatique).

Unité 4 Des événements extrêmes

◆ Certains phénomènes météorologiques ou climatiques présentent des risques pour les populations (inondations, sécheresses, tempêtes…).

◆ Pour se protéger de ces risques, l'Homme met en place des dispositifs d'alerte et de protection.

→ L'essentiel du cours en une animation

Je suis capable de

	Pour vérifier	Si tu n'es pas sûr…
[D1.3] **Lire une courbe**	→ Fais la question 4 de l'unité 2 p. 315.	→ Lis la fiche p. 8 de l'aide-mémoire (début du manuel).
[D1.3] **S'exprimer à l'écrit avec un langage scientifique**	→ Fais la question 1 de l'unité 1 p. 313.	→ Fais l'exercice guidé p. 91.

Je retiens par l'image

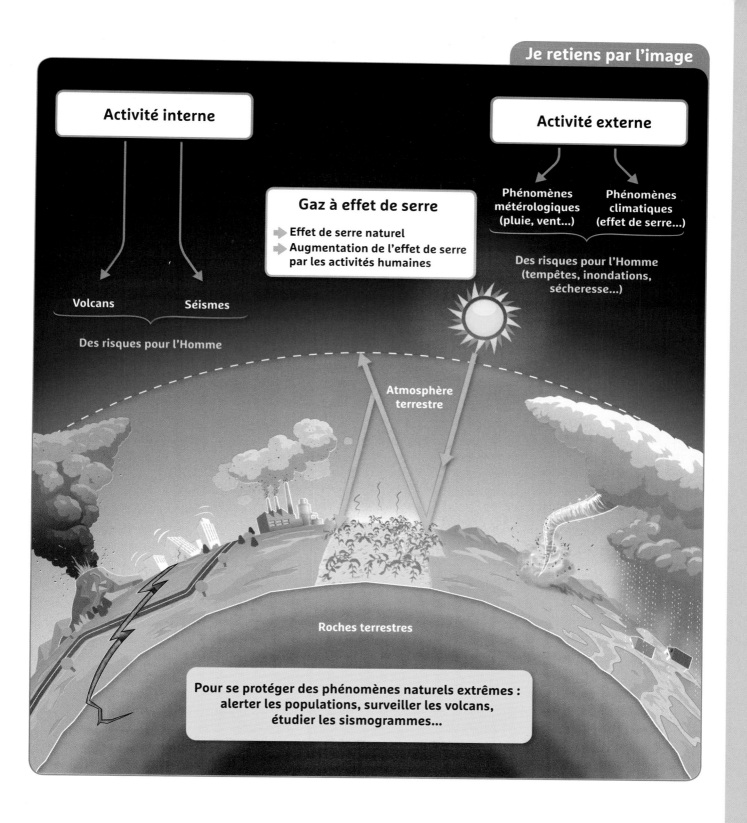

Activité interne

Volcans

Séismes

Des risques pour l'Homme

Gaz à effet de serre

- Effet de serre naturel
- Augmentation de l'effet de serre par les activités humaines

Activité externe

Phénomènes métérologiques (pluie, vent...)

Phénomènes climatiques (effet de serre...)

Des risques pour l'Homme (tempêtes, inondations, sécheresse...)

Atmosphère terrestre

Roches terrestres

Pour se protéger des phénomènes naturels extrêmes : alerter les populations, surveiller les volcans, étudier les sismogrammes...

Je retiens les mots-clés

- Climat
- Effet de serre
- Éruption volcanique
- Lave
- Précipitations
- Pression atmosphérique
- Séisme

➜ Pour réviser les définitions  ou Dico du manuel p. 379

Exercices

Je vérifie mes connaissances

1 Le mot caché

Recopie et complète la grille à l'aide des définitions. Donne la définition du mot caché.

1. Relief où se produit une éruption.
2. Émission de lave, de gaz et de roches.
3. Planète active.
4. Tremblement de terre.

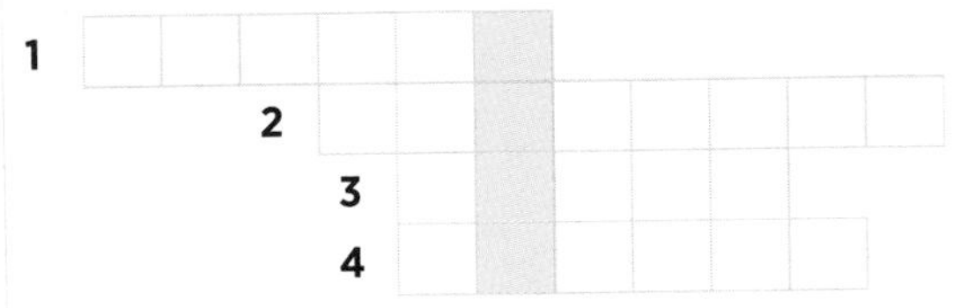

4 Une photo à légender

Nomme l'objet numéroté 1 sur la photo et indique son rôle.

2 L'intrus

Cherche l'intrus de la station météo. Explique ton choix.

humidité
eau
vents
pression atmosphérique
température
masse

3 Le schéma correct

Parmi les schémas ci-dessous, indique celui qui représente correctement l'effet de serre.

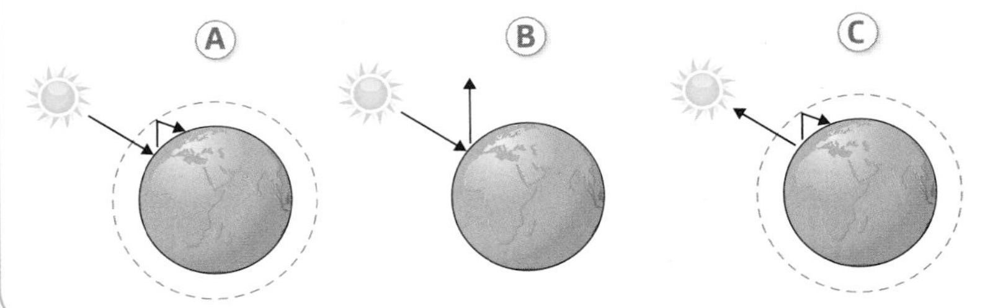

→ Exercices supplémentaires

J'utilise mes compétences

5 Décrire la fonction d'un objet technique

Une protection bien utile

a. Indique la fonction de cette protection solaire installée dans une voiture en stationnement.

b. Précise dans quelles circonstances il est conseillé d'utiliser cette protection.

c. Quel phénomène cette voiture permettrait-elle de modéliser s'il n'y avait pas de protection ?

6 Saisir des informations d'un texte et d'une photo

Un port qui a eu chaud

En 1973, l'éruption du volcan islandais Eldfell surprend la population qui évacue précipitamment l'île. Les coulées de lave menacent de détruire le port de pêche. Pour les arrêter, les habitants arrosent la lave avec de l'eau de mer. La lave ainsi refroidie, s'est durcie, formant de la roche.

1 Une technique pour stopper l'écoulement de lave.

2 Arrosage d'une coule de lave.

À l'aide des documents, explique comment le port de pêche a été sauvé.

7 Saisir des informations d'un schéma et raisonner

Une maison parasismique

Les constructions parasismiques sont plus résistantes aux séismes que des constructions classiques.

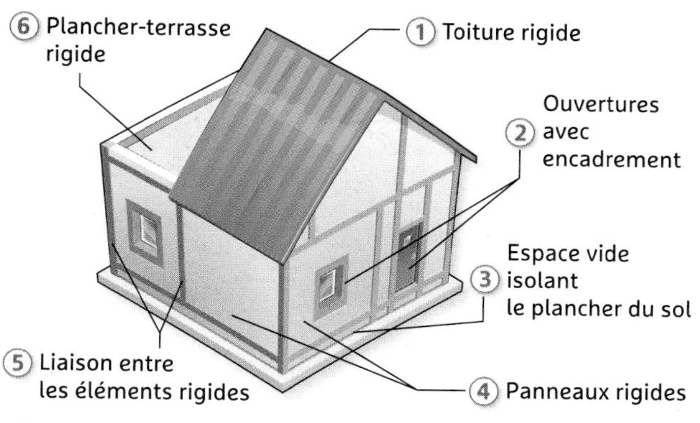

1 Le principe d'une maison parasismique.

Pendant les secousses, la construction:
A) bouge peu (il faut limiter son contact avec le sol).
B) se déforme peu (les matériaux doivent être rigides).
C) a des murs et un toit qui restent solidement liés les uns aux autres.

2 Des causes de la résistance d'une maison parasismique.

a. Recherche la définition de « parasismique ».

b. Associe chaque particularité de la maison (notées 1 à 6 dans le doc. 1) à une des trois causes de sa résistance (notées A, B, C dans le doc. 2).

c. Explique pourquoi une maison parasismique résiste bien à un séisme.

8 Lire une carte

Carte météo

Voici une carte d'observations météorologiques faites en Europe le 17 février 2016 entre 7 h et 13 h. Dans une zone de dépression, il fait mauvais temps; dans une zone d'anticyclone, il fait beau.

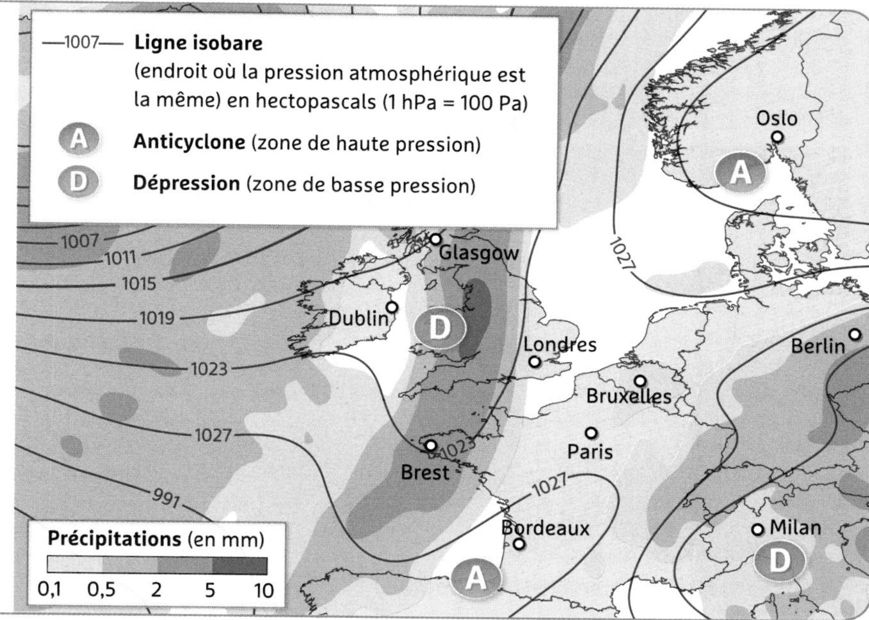

a. Donne la valeur de la pression atmosphérique à Brest.

b. Fait-il beau à Bordeaux ? À Milan ? Justifie tes réponses en utilisant la conjonction « donc ».

c. Compare les précipitations à Brest et à Berlin.

Je m'entraîne pour l'évaluation

9 Un phénomène naturel extrême : le tsunami

Énoncé

Le 11 mars 2011, des secousses brutales des roches sous-marines au large du Japon ont provoqué de brusques mouvements d'eau. Une série de vagues géantes s'est abattue sur 600 km de côtes. Ce phénomène d'origine géologique est appelé tsunami. Le tsunami au Japon en 2011 a détruit de nombreuses villes et fait plus de 20 000 morts.

1 Le tsunami du 11 mars 2011 au Japon.

▸ **Des systèmes d'alerte** ont été créés dans la zone du Pacifique où les tsunamis sont fréquents. Des sismographes répartis dans le monde détectent très tôt la formation d'un tsunami. Les moyens de limiter les risques humains sont l'alerte rapide des populations, ainsi que des dispositifs techniques : brise-vagues ou abris en hauteur.

2 Des dispositifs pour protéger les populations et les constructions face à un tsunami.

Questions

1. Des phénomènes volcaniques et sismiques

a. Explique l'origine d'un tsunami.

b. Indique les conséquences d'un tsunami.

2. Des événements extrêmes

a. Indique le ou les événement(s) extrême(s) qui peuvent avoir les mêmes conséquences qu'un tsunami.

b. Quel dispositif à l'échelle de la planète a été adopté pour détecter la formation d'un tsunami ? Décris-le brièvement.

c. Quels sont les dispositifs côtiers mis en place pour limiter les pertes humaines ?

Accompagnement personnalisé

10 J'apprends à utiliser un langage scientifique

Énoncé

En 1902, la Montagne Pelée, volcan de Martinique, entre en éruption : 28 000 personnes périssent. Ellery Scott, officier du navire Roraïma à proximité du volcan, témoigne. Il n'a jamais connu d'éruption jusqu'alors et raconte ci-contre son expérience.

« Il se produisit [...] une sorte de trépidation de l'atmosphère, et j'eus la sensation d'avoir été bousculé par une main invisible. Immédiatement, quelqu'un s'écria auprès de moi : Grand Dieu ! regardez. On aurait dit que tout ce qu'il y a de dynamite dans l'univers venait de faire sauter la montagne.*

Une immense colonne de flammes s'éleva droit dans l'air, puis [...] une véritable avalanche de pierres incandescentes, de fange* bouillante et de gouttes de feu s'abattit sur le navire. »*

***Fange (une) :** boue.
***Incandescent (adj) :** rougeoyant et brûlant.
***Trépidation (une) :** tremblement.

Questions

Rédige un court texte pour décrire cette éruption, en utilisant des mots scientifiques.

Aide à la résolution

1 Repère les expressions décrivant la violence de l'éruption.

« Il se produisit [...] une sorte de trépidation de l'atmosphère, et j'eus la sensation d'avoir été bousculé par une main invisible. Immédiatement, quelqu'un s'écria auprès de moi : Grand Dieu ! regardez. On aurait dit que tout ce qu'il y a de dynamite dans l'univers venait de faire sauter la montagne.

Une immense colonne de flammes s'éleva droit dans l'air, puis [...] une véritable avalanche de pierres incandescentes, de fange bouillante et de gouttes de feu s'abattit sur le navire. »

2 Repère les expressions décrivant les produits que le volcan a émis lors de l'éruption.

3 Associe ces expressions aux mots scientifiques que tu connais :
coulée de lave, explosion, projections de lave, de roches, de cendres, de gaz.

4 Rédige des phrases pour décrire l'éruption avec ces mots scientifiques.
Lors de l'éruption, ...

Chapitre 24

Pour commencer...

Une image

Le Bilboquet en forêt de Fontainebleau.
Les roches peuvent prendre des formes étonnantes. La géologie est la science qui étudie les roches et la Terre.

>> La géologie permet-elle d'expliquer les formes étonnantes que l'on peut observer dans un paysage ?

Un nombre

2 200 mètres c'est l'altitude au-delà de laquelle on ne trouve presque plus d'arbres dans les Alpes.

>> Les arbres ont-ils le mal des montagnes ?

Des mots

« La végétation est le fard de la géologie. »

Sylvain Tesson (2008)

>> Cette citation est-elle un message codé ?

À la découverte d'un paysage

Comment l'étude des roches peut-elle nous aider à expliquer un paysage ?

Montpellier-le-Vieux (Aveyron).

Unité 1

Les roches et le paysage

Compétences
- [D4] Questionner ses observations.
- [D5] Lire des paysages.

Un paysage est une partie de l'espace que l'on observe. Il a fallu des millions d'années pour qu'il se forme. Certains paysages présentent une allure étonnante.

→ Peut-on expliquer comment s'est formé un paysage ?

Observer un paysage

Sommet
Falaise
Flanc avec des forêts

1 Le Mont Aiguille dans les Alpes (2 085 m d'altitude au sommet).

2 La roche formant le sommet et la falaise du Mont Aiguille : un calcaire.

3 La roche formant la base et les flancs du Mont Aiguille : une marne.

Expliquer un paysage

J'expérimente

>> Mets un morceau de calcaire et un morceau de marne chacun dans un entonnoir.

>> Place chaque entonnoir sur un bécher.

>> Fais couler lentement de l'eau sur les roches.

>> Observe l'eau recueillie dans chaque bécher.

4 **Une expérience sur les roches du Mont Aiguille.** Sur des durées très longues (plusieurs milliers d'années), l'eau qui coule sur le calcaire le dissout, ce qui est à l'origine des fissures.

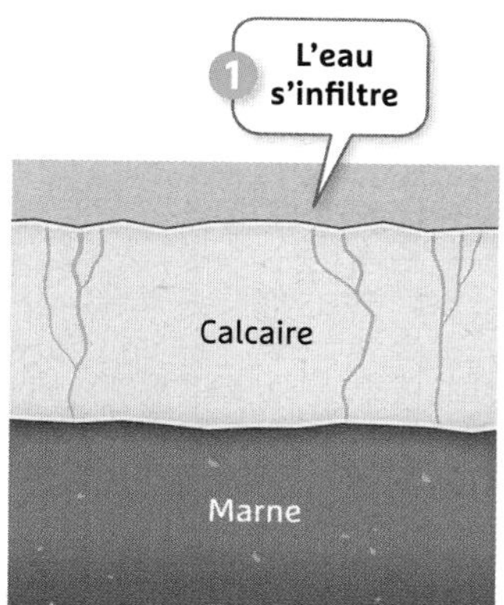

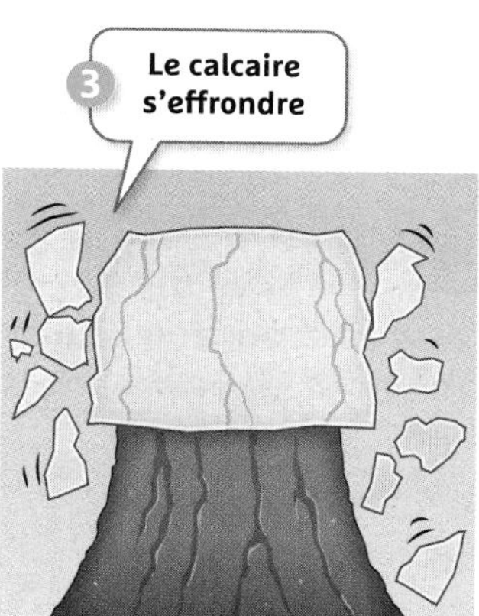

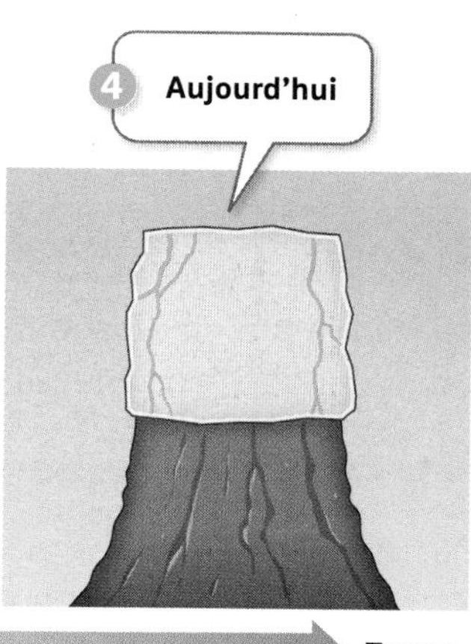

5 **Un modèle expliquant la formation du Mont Aiguille.**

Vocabulaire

Roche (une) : matériau constitutif de la Terre, composé de minéraux et le plus souvent solides.

Paysage (un) : Partie de l'espace observé qui peut être décrite par son relief, sa géologie, sa végétation et ses réalisations humaines.

Ta mission

1. Doc. 1 et 2 Réalise un schéma représentant ce **paysage**. Indique sur ton schéma la position des deux roches qui constituent le Mont Aiguille.
2. Doc. 3 et 4 Décris la conséquence d'une exposition d'une marne et d'un calcaire à l'eau de pluie.
3. Doc. 3 à 5 Utilise ta réponse à la question précédente pour expliquer certaines étapes du modèle présenté doc. 5.
4. Conclusion En prenant l'exemple du Mont Aiguille, rédige un court texte pour montrer comment l'étude des roches peut permettre d'expliquer la formation d'un paysage.

Les roches et le peuplement d'un milieu

Compétences
- [D2] Utiliser des outils numériques.
- [D4.3] Produire des schémas.

Décrire un paysage nécessite de s'intéresser aux êtres vivants qui le peuplent. Le peuplement de chaque paysage est différent.

→ Quel lien peut-on trouver entre les roches d'un paysage et son peuplement ?

Le Mont Aiguille « vu de près »

1 **Sur la prairie du sommet (altitude : environ 2100 m).** Le calcaire étant une roche fissurée, il y a très peu d'eau disponible pour les plantes.

2 **Un pin à crochet sur les rochers autour du sommet.**

3 **Forêt de hêtres et de sapins sur les flancs (altitude : environ 1500 m).** Les marnes retiennent bien l'eau et permettent le développement d'importantes racines.

Quelques plantes et animaux du Mont Aiguille

4 Un bourdon visitant une fleur de gentiane printanière. Cette fleur vit autour de 2000 m d'altitude. Elle supporte des sols pauvres en eau. Grande et colorée, elle attire efficacement les rares insectes pollinisateurs présents à ces altitudes.

5 Un sanglier. On le rencontre surtout dans les grandes forêts. Il se nourrit essentiellement des fruits du hêtre (les faines) et du chêne (les glands), ainsi que des bulbes qu'il déterre dans le sol.

	Hêtre	Sapin	Pin à crochet
Racines	Importantes	Importantes	Elles se glissent dans les fissures
Altitude maximale supportée	1700 mètres	1700 mètres	2200 mètres*

* Au-delà d'environ 2200 m, les arbres sont absents, car le sol est gelé une trop grande partie de l'année.

6 Les caractéristiques de quelques arbres.

Ta mission — Préparer une affiche

1 Doc. 1 à 3 Décris les différents types de végétation que l'on trouve sur le Mont Aiguille. Place ces différents types de végétation sur le schéma réalisé unité 1.

2 Doc. 4 et 5 Détermine dans quelle partie du Mont Aiguille on peut trouver les animaux et végétaux présentés. Complète ton schéma.

3 Doc. 1 à 6 Avec un exemple de ton choix, montre comment la nature des roches influence le **peuplement** du Mont Aiguille par les animaux et les végétaux.

4 Conclusion Réalise une affiche où tu expliqueras les richesses du peuplement du Mont Aiguille, en les mettant en relation avec la nature des roches qui le constituent.

Vocabulaire

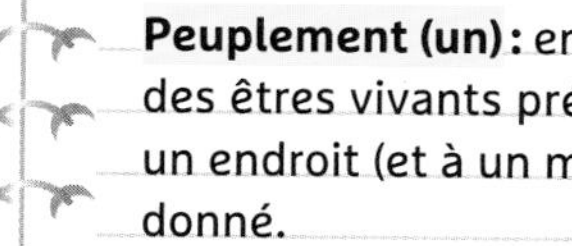

Peuplement (un) : ensemble des êtres vivants présents à un endroit (et à un moment) donné.

Bilan À la découverte d'un paysage

Je dois savoir

Unité 1 Les roches et le paysage

◆ Lorsque l'on découvre un **paysage**, on peut commencer à décrire par les reliefs (montagnes, collines, falaises, etc.) et les **roches** que l'on observe.

◆ La formation des reliefs s'explique notamment par les modifications des roches sous l'effet de l'eau de la pluie, de la neige ou de la glace. Ces modifications se produisent pendant des millions d'années.

◆ L'eau n'a pas le même effet sur toutes les roches. Et d'une région à l'autre, les roches ne reçoivent pas la même quantité d'eau. La nature des roches et le **climat** sont donc deux éléments importants pour comprendre les reliefs d'un paysage.

Unité 2 Les roches et le peuplement d'un milieu

◆ Découvrir un paysage, c'est aussi s'intéresser à son **peuplement**, c'est-à-dire à l'ensemble des animaux et végétaux qui s'y trouvent.

◆ Selon la nature des roches qui sont présentes, l'altitude et le climat (quantité d'eau disponible, température), on observe des végétaux différents.

◆ Selon les espèces de végétaux présentes et le climat, on observe également des animaux différents.

◆ La nature des roches et le climat sont donc également deux éléments importants pour comprendre le peuplement d'un paysage.

→ L'essentiel du cours en une animation

Je suis capable de

	Pour vérifier	Si tu n'es pas sûr...
[D4] **Réaliser un schéma d'observation d'après une photographie**	→ Fais la question 1 de l'unité 1 p. 329.	→ Fais l'exercice guidé p. 191.

Je retiens par l'image

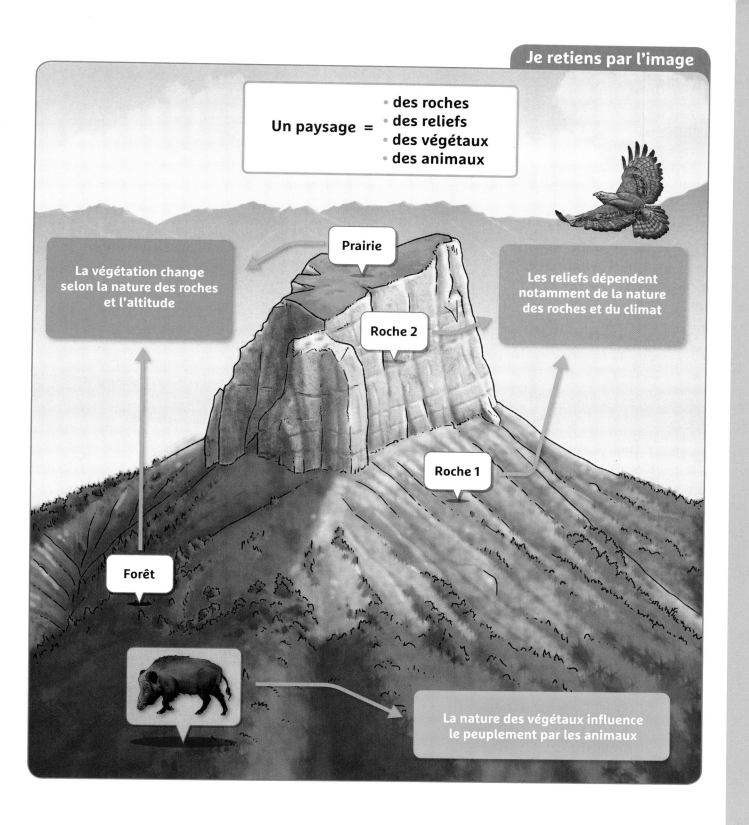

Un paysage =
- des roches
- des reliefs
- des végétaux
- des animaux

Prairie

La végétation change selon la nature des roches et l'altitude

Roche 2

Les reliefs dépendent notamment de la nature des roches et du climat

Roche 1

Forêt

La nature des végétaux influence le peuplement par les animaux

Je retiens les mots-clés

- Climat
- Paysage
- Peuplement
- Roche

→ Pour réviser les définitions  ou Dico du manuel p. 379

Exercices

Je vérifie mes connaissances

1 VRAI ou FAUX

Retrouve les propositions exactes et recopie celles qui sont fausses en les corrigeant.

a. Lorsque l'on décrit un paysage, il faut notamment décrire le relief et la végétation.

b. Les roches et la végétation que l'on trouve dans un paysage n'ont pas de rapport entre eux.

c. La végétation que l'on trouve à un endroit dépend uniquement du relief.

d. Les animaux ne font pas partie d'un paysage.

2 L'intrus

Pour chaque liste de mots, un intrus a été placé en gras. Justifie ce choix.

a. Calcaire, roche, **hêtre**, marne.

b. Hêtre, sapin, **calcaire**, sanglier, bourdon.

c. Forêt, **marmotte**, prairie, pelouse.

3 Les phrases

Rédige une phrase à partir des mots proposés.

a. paysage, comprendre, climat, roche.

b. relief, action, l'eau, roches, paysage, expliquer.

c. connaissance, roche, végétation, expliquer, paysage.

4 QCM

Trouve la bonne réponse

Pour étudier un paysage, il faut commencer par :

a. donner le nom des animaux qui s'y trouvent.

b. décrire seulement son relief.

c. aller au laboratoire faire des expériences avec les roches.

d. décrire son relief et son peuplement.

→ Exercices supplémentaires

J'utilise mes compétences

5 Proposer une hypothèse

En haut de la plage...

En Bretagne, en haut de certaines plages où il y a des falaises, on observe des roseaux à balais, comme sur la photo ci-contre. Les roseaux aiment la présence d'eau douce dans le sol et ils ne supportent pas l'eau trop salée.

a. Décris en une phrase la localisation des roseaux dans ce paysage.

b. Propose une hypothèse pouvant expliquer cette localisation.

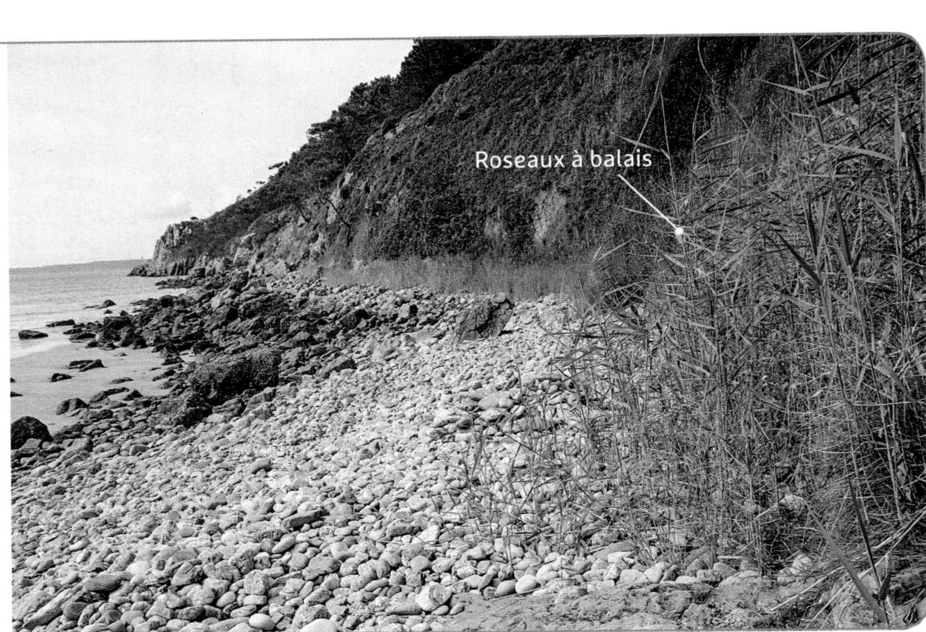

6 Réaliser un dessin d'observation

Les paysages de la Brenne

Localisée dans le centre de la France, la Brenne est surnommée « Pays des mille étangs » (photo ci-contre).

a. Réalise un dessin d'observation du paysage photographié.

b. Indique une caractéristique des roches et une caractéristique du relief qui ont permis la formation de nombreux étangs dans cette région.

7 Interpréter le résultat d'une expérience

Sable, argile et eau

Le sable et l'argile sont deux roches meubles, c'est-à-dire que l'on peut déformer avec les doigts. Elles sont très fréquentes à la surface de la terre.

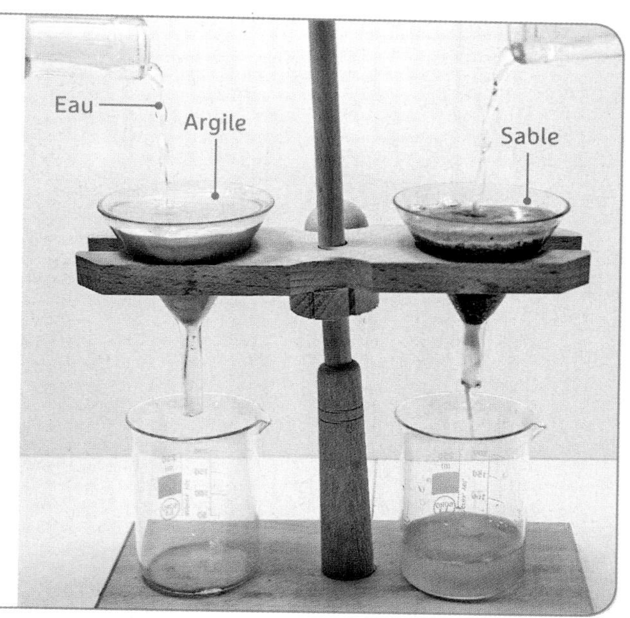

En observant l'expérience photographiée ci-contre, choisis, parmi les propositions suivantes, celle qui est exacte.

a. L'argile et le sable laissent passer l'eau de la même façon.

b. Le sable laisse passer l'eau plus facilement que l'argile.

c. L'argile laisse passer l'eau plus facilement que le sable.

d. Le sable et l'argile ne laissent pas passer l'eau.

8 Décrire et questionner ses observations

Le poivre d'eau

Le poivre d'eau (ci-dessous) est une plante qui apprécie les sols humides, mais n'aime pas être dans l'eau en permanence. Dans la vallée de Chevreuse, on trouve cette plante à certains endroits au milieu de la pente, loin de la rivière (voir ci-contre).

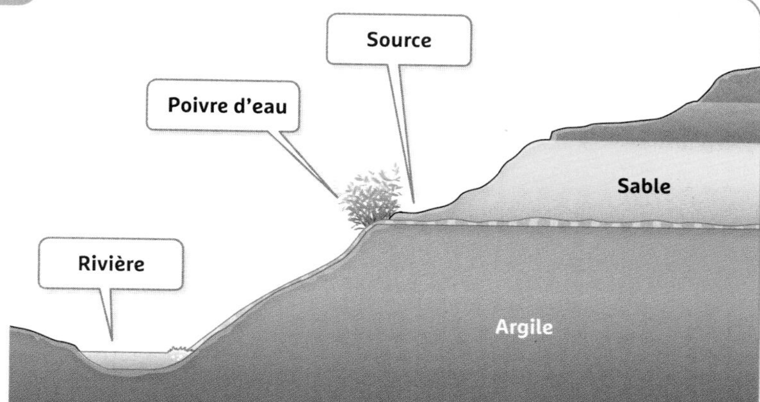

Coupe schématique de la vallée de Chevreuse. On observe les différentes couches de roches qui se superposent dans cette région.

En utilisant le document et le résultat de l'expérience de l'exercice 7, explique la localisation du poivre d'eau.

Coup de pouce

→ Décris le parcours de l'eau de pluie qui tombe sur ce paysage.

Chapitre 25

Pour commencer...

Un nombre

44 C'est le nombre d'espèces de libellules que l'on a compté près des mares d'Île-de-France.

>> Quelles autres espèces peut-on observer près d'une mare ?

Des images

>> Comment les êtres vivants d'une mare cohabitent-ils ?

De jeunes tortues à tempes rouges.

>> Imaginerais-tu que ces charmantes tortues puissent perturber une mare ?

À la découverte d'un écosystème

Comment les espèces interagissent-elles dans un milieu tel qu'une mare ?

▲ Une guifette moustac nourrissant ses petits (plateau de la Dombes, Ain).

Une mare près de chez soi

Compétences
- [D1.3] S'exprimer à l'écrit et produire des tableaux
- [D4] Prélever et organiser l'information utile.

Dans le parc situé près du collège, des élèves ont trouvé une mare. Avec leur professeur, ils partent à sa découverte.

→ Quels êtres vivants peut-on découvrir dans une mare ?

Récolter et identifier

1 **Une mare dans un parc.** Température moyenne de l'eau : 16 °C en été, 5 °C en hiver. Quantité de sels minéraux : 0,5 g/L.

Un écosystème est constitué d'un milieu de vie et de l'ensemble des êtres vivants qui le peuplent. La mare est un exemple d'écosystème. Pour décrire un écosystème, on commence par décrire le milieu de vie et son **peuplement**.

2 **Qu'est-ce qu'un écosystème ?**

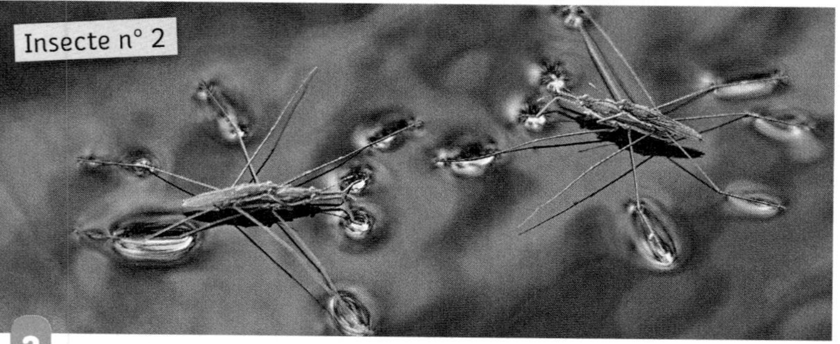

3 **Deux insectes récoltés dans la mare.** Ils passent l'essentiel de leur vie dans l'eau, de même que leurs larves.

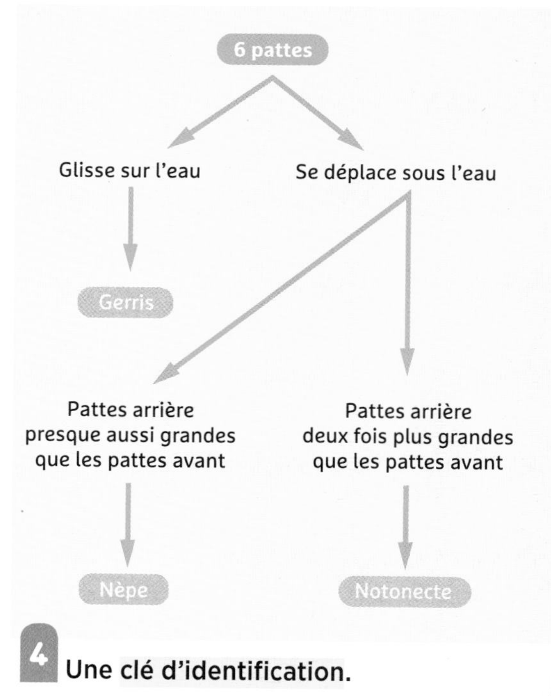

4 **Une clé d'identification.**

Préparer un compte-rendu

Grenouille verte (amphibien)
- Elle vit dans l'eau et sur la terre ferme.
- Elle dépose ses œufs à la surface de l'eau.
- Ses larves sont des têtards et vivent dans l'eau.

Libellule déprimée (insecte)
- Elle chasse de petits insectes en vol.
- Elle pond ses œufs au fond de la mare.
- Ses larves vivent dans l'eau.

Héron cendré (oiseau)
- Il peut se poser dans l'eau peu profonde.
- Il vole d'une mare à l'autre.

Hirondelle des fenêtres (oiseau)
- Elle fait ses nids dans les étables, les granges, etc.
- Elle chasse des insectes en vol et boit en frôlant la surface de la mare.

4 Quelques êtres vivants rencontrés par les élèves. Tu en découvriras d'autres pp. 340 à 345 de ce chapitre.

Vocabulaire

Peuplement (un) : ensemble des êtres vivants présents à un endroit (et à un moment) donné.

Clé d'identification (une) : outil permettant de savoir à quelle espèce appartient un être vivant.

Ta mission

1. **Doc. 1** Donne une caractéristique physique et une caractéristique chimique de la mare.
2. **Doc. 3 et 4** À l'aide de la clé d'identification, indique le nom des deux espèces photographiées.
3. **Doc. 3, 5 et pp. 340-345** Réalise un tableau où tu préciseras, pour trois espèces de ton choix, leur nom, leur groupe, leur lieu de vie, et la forme sous laquelle on les trouve dans leur lieu de vie (œuf, larve, adulte, etc.).
4. **En conclusion** Rédige un court texte décrivant le milieu de vie et la biodiversité de l'écosystème que constitue la mare.

Une mare en hiver

Compétences
- [D4] Décrire et questionner ses observations.
- [D5] Situer un lieu sur une carte.

En janvier, les élèves retournent visiter la mare. Le héron, au plumage plus fourni, continue à pêcher sur la mare qui n'est pas gelée. Mais à part lui, on ne voit plus grand monde...

→ Où sont passés les autres animaux de la mare ?

Les grenouilles et les hirondelles

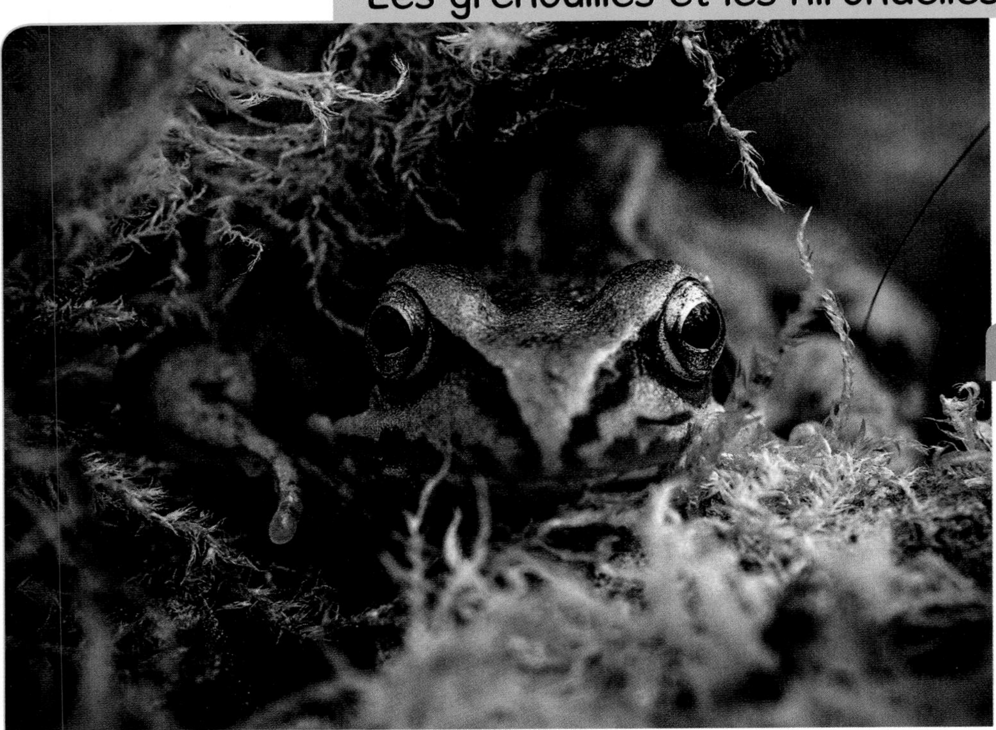

1 Une grenouille en train d'hiberner. La température du corps des grenouilles dépend de la température extérieure. Elles passent l'hiver dans un abri (sous des feuilles, dans la vase, etc.), sans se nourrir ni sortir et en vivant au « ralenti » : c'est l'hibernation.

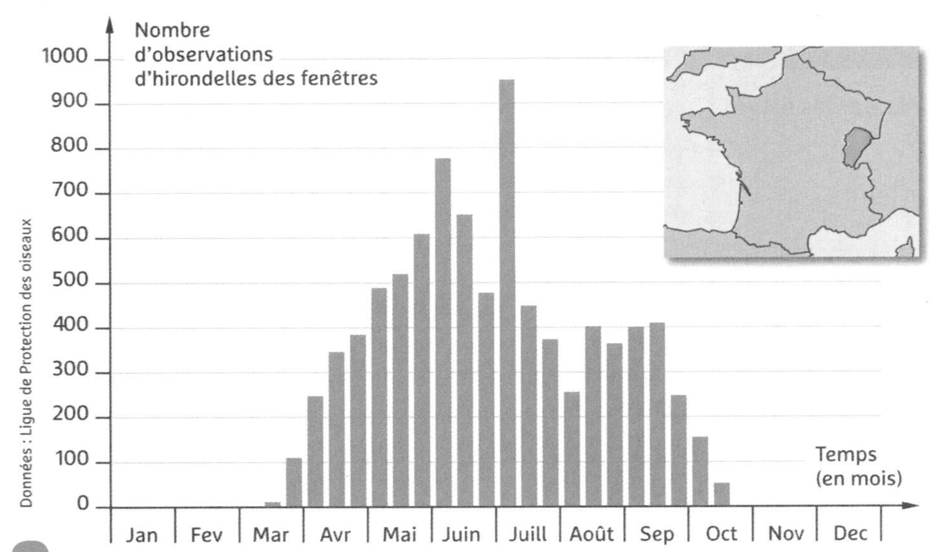

2 Nombre d'observations d'hirondelles des fenêtres en Franche-Comté en 2013.

- Au printemps, l'hirondelle des fenêtres se reproduit en Europe. Les parents chassent des insectes près des mares pour se nourrir et nourrir leurs petits.
- Avant l'hiver, les hirondelles partent en Afrique. En effet, les insectes dont elles se nourrissent disparaissent en hiver de nos régions, mais sont présents toute l'année en Afrique.

3 Le long voyage de l'hirondelle des fenêtres.

Les libellules

1 Début du printemps
La larve sort de l'eau en grimpant le long d'une tige. son enveloppe se déchire et libère un adulte : c'est la métamorphose.
Jeune adulte
Enveloppe de la larve
2 Printemps-été
Une libellule mâle et une libellule femelle s'accouplent au-dessus de la mare.
Mâle
Femelle
Œuf
3 Printemps-été
La femelle pond ses œufs dans l'eau. Lorsqu'ils éclosent, ils donnent naissance à des larves.
4 Automne-hiver
Les libellules adultes meurent au début de l'automne. La larve grandit et passe l'hiver dans la mare.

4 La libellule déprimée à quatre moments de sa vie.

Ta mission

1 Doc. 1 à 3 Utilise les documents pour expliquer à tes camarades pourquoi ils ne voient plus ni grenouilles, ni hirondelles en janvier.

2 Doc. 4 Raconte l'histoire d'une libellule afin d'expliquer à tes camarades pourquoi ils ne voient plus cet insecte en janvier.

3 Conclusion À partir de ce que tu as pu voir pour la mare, précise quelques comportements possibles des animaux en hiver.

Vocabulaire

Hibernation (une) : état inactif de certains animaux dans leur milieu de vie durant l'hiver.

Migration (une) : déplacement d'un milieu de vie à un autre.

La construction d'une mare

Compétences
- [D1.1] Lire un plan.
- [D4] Prélever et traiter l'information utile.

Il est possible d'installer une mare dans un collège. Mais si l'on veut qu'elle soit peuplée par de nombreuses espèces, creuser un simple trou et le remplir d'eau ne suffit pas.

→ Comment s'y prendre pour creuser une mare ?

Des végétaux aux exigences différentes

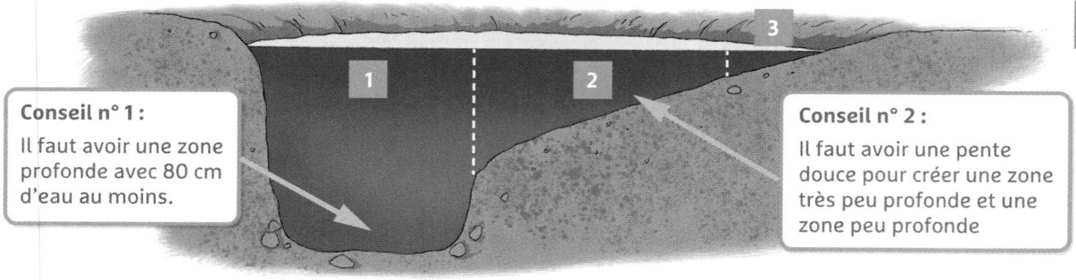

Conseil n° 1 : Il faut avoir une zone profonde avec 80 cm d'eau au moins.

Conseil n° 2 : Il faut avoir une pente douce pour créer une zone très peu profonde et une zone peu profonde

1 zone de 80 cm d'eau
2 zone de 3 à 50 cm d'eau
3 zone de 0 à 3 cm d'eau

1 Vue en coupe d'une mare de petite dimension et deux conseils pour sa construction.

1 **La menthe aquatique** se développe dans les sols recouverts de 0 à 3 cm d'eau.

2 **Les roseaux à balais** s'installent dans l'eau jusqu'à 50 cm de profondeur. Leurs feuilles doivent être à l'air libre.

3 **Les feuilles de nénuphar** sont ancrées au fond de la mare grâce à leurs racines. Elles ont besoin d'au moins 50 cm d'eau.

2 Trois plantes à fleurs observées par les élèves dans la mare étudiée pp. 338-339.

Des relations entre les espèces

1 **Une poule d'eau (oiseau)** fait son nid entre les roseaux.

2 **Un triton (amphibien)** fuit des prédateurs (le héron par exemple) en descendant en profondeur dans la mare.

3 **Le bourdon** est un insecte pollinisateur qui se nourrit du nectar des fleurs (pissenlit, menthe aquatique, etc.).

4 **Une grenouille verte** se réchauffe au soleil sur un nénuphar blanc. Elle peut aussi se cacher dessous si un héron cendré arrive.

3 **Quatre animaux observés par les élèves dans la mare étudiée pp. 338-339.** Pour décrire un écosystème, il faut préciser les relations entre les êtres vivants qui le peuplent.

Ta mission

1 Doc. 1 et 2 Indique la zone de la future mare où chaque végétal pourra s'installer. Justifie tes choix.

2 Doc. 3 Rédige un texte où tu imagineras les conséquences de la disparition des végétaux de la mare pour chacun des quatre animaux présentés.

3 Conclusion À partir de l'exemple de la mare, explique l'importance de l'aménagement d'un milieu pour sa biodiversité.

La mare menacée par une nouvelle espèce animale

Compétences
- [D4] Prélever et traiter l'information utile.
- [D4] Adopter un comportement responsable vis-à-vis de l'environnement.

Des tortues originaires des États-Unis sont présentes dans certaines mares de notre pays.

→ Quelles sont les conséquences de leur présence dans une mare ?

L'introduction d'une espèce étrangère

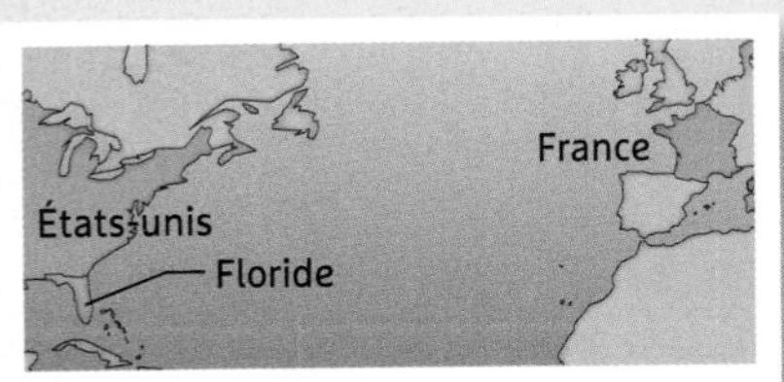

- **Milieu de vie** : les mares et les étangs du sud-est des États-Unis.
- **Mode de vie** : cette tortue est plus grande que la cistude (doc. 4). Elle la chasse des sites de bain de soleil et la prive de ressources alimentaires.
- **Taille de l'adulte** : jusqu'à 30 cm.
- **Régime alimentaire** : plantes aquatiques, insectes aquatiques et leurs larves, têtards de grenouille ou de tritons.

1 Une tortue à tempes rouges adulte.

2 **Tortues à tempes rouges âgées de quelques jours dans une animalerie.** Peu coûteuses, ces tortues peuvent être élevées dans un petit aquarium sans nuisance ni danger, mais elles grandissent vite.

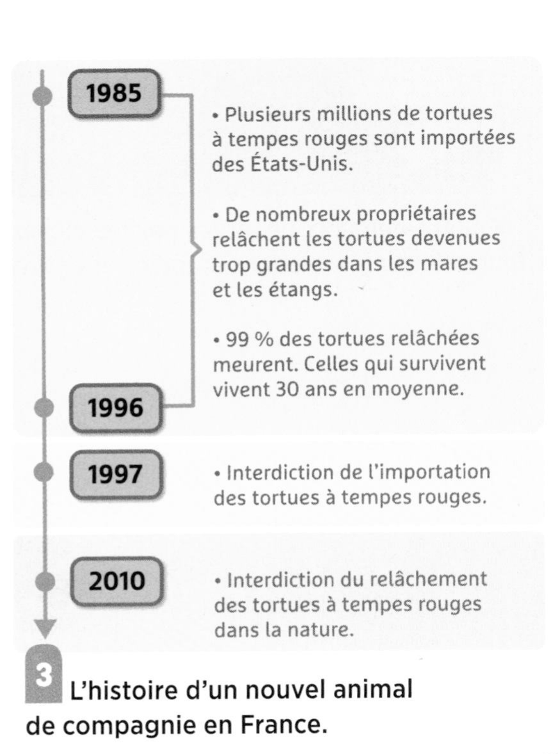

1985
• Plusieurs millions de tortues à tempes rouges sont importées des États-Unis.
• De nombreux propriétaires relâchent les tortues devenues trop grandes dans les mares et les étangs.
• 99 % des tortues relâchées meurent. Celles qui survivent vivent 30 ans en moyenne.
1996
1997
• Interdiction de l'importation des tortues à tempes rouges.
2010
• Interdiction du relâchement des tortues à tempes rouges dans la nature.

3 **L'histoire d'un nouvel animal de compagnie en France.**

Les conséquences de l'introduction

- **Milieu de vie** : mares et étangs de certaines régions de France et d'Europe. La cistude est de plus en plus rare.
- **Mode de vie** : comme toutes les tortues, elle doit s'exposer chaque jour plusieurs heures au soleil.
- **Taille moyenne** : 15 cm.
- **Régime alimentaire** : vers, insectes aquatiques, mollusques aquatiques.

4 Une cistude d'Europe (tortue) prenant un bain de soleil.

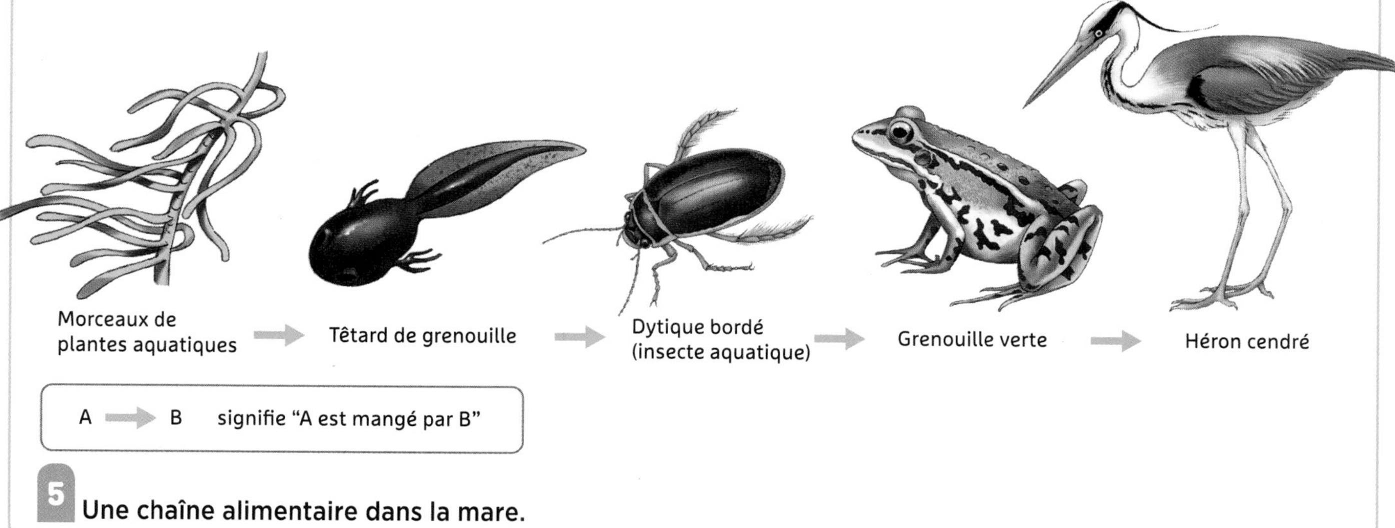

5 Une chaîne alimentaire dans la mare.

Ta mission

1. **Doc. 1 à 3** Explique pourquoi des tortues à tempes rouges sont encore présentes dans les mares en France malgré les mesures prises.
2. **Doc. 1 et 4** Montre que la tortue à tempes rouges peut être une des causes de disparition de la cistude d'Europe.
3. **Doc. 1 et 5** Indique à quels endroits de la chaîne alimentaire (doc. 5), la tortue à tempes rouges vient se placer.
4. **Conclusion** En prenant l'exemple de la tortue à tempes rouges, donne quelques conseils à un ami qui veut acheter un animal de compagnie original.

Vocabulaire

Espèce étrangère (une) : espèce qui a récemment été introduite dans un écosystème. Le plus souvent, c'est l'Homme qui est responsable de l'introduction d'une espèce étrangère.

Bilan — À la découverte d'un écosystème

Je dois savoir

Unité 1 — Une mare près de chez soi

◆ Un **écosystème** est un milieu de vie et l'ensemble des êtres vivants qui le peuplent. Il existe une grande diversité d'écosystèmes.

◆ La mare est un écosystème qui comprend un milieu aquatique et des berges humides. Elle abrite une riche **biodiversité**.

Unité 2 — Une mare en hiver

◆ Le **peuplement** d'un écosystème change selon les saisons.

◆ Beaucoup d'animaux de la mare ne sont plus visibles en hiver. Certains **hibernent**, d'autres font une **migration** vers des milieux plus chauds où la nourriture est abondante, d'autres encore passent l'hiver sous une autre forme.

Unité 3 — La construction d'une mare

◆ Les conditions du milieu influencent la répartition des êtres vivants dans un écosystème. Dans une mare, on observe des plantes différentes selon la profondeur d'eau.

◆ Dans un écosystème, on observe des relations entre les êtres vivants. Les plantes d'une mare permettent à certains êtres vivants de se cacher ou de se nourrir (**relations de favorisation**).

Unité 4 — La mare menacée par une nouvelle espèce animale

◆ Certains êtres vivants sont mangés par d'autres : on dit que des **relations alimentaires** s'établissent entre les êtres vivants d'un écosystème.

◆ L'introduction d'une espèce étrangère dans un écosystème peut modifier son peuplement. Par exemple, elle peut être en **compétition** avec d'autres espèces pour des ressources alimentaires.

→ L'essentiel du cours en une animation

Je suis capable de

	Pour vérifier	Si tu n'es pas sûr…
[D1.1] **Extraire les informations d'un texte**	→ Fais la question 1 de l'unité 2 p. 341.	→ Fais l'exercice guidé p. 211.
[D1.3] **Lire un graphique en barres**	→ Fais la question 1 de l'unité 2 p. 341.	→ Fais l'exercice guidé p. 351.

Je retiens par l'image

Un écosystème : la mare en été

Relation de compétition

Relation de favorisation

hirondelle des fenêtres

poule d'eau

roseau

menthe d'eau

cistude d'Europe

tortue à tempes rouges

grenouille

nénuphar

libellule déprimée

Relation de favorisation

héron cendré

triton

berges humides

eau

milieu

Relations alimentaires

Un écosystème =
- **un milieu**
- **des êtres vivants**
- **des relations entre les êtres vivants**

La mare en automne et en hiver

Le héron reste sur place

La grenouille hiberne

L'hirondelle migre

La libellule change de forme

Je retiens les mots-clés

- Biodiversité
- Compétition
- Écosystème
- Hiberner
- Migration
- Relation alimentaire
- Relation de favorisation

→ Pour réviser les définitions

ou Dico du manuel p. 379

Exercices

Je vérifie mes connaissances

1 VRAI ou FAUX

Retrouve les affirmations exactes et recopie celles qui sont fausses en les corrigeant.

a. Dans un écosystème, il n'y a que des espèces animales.

b. Il y a peu d'écosystèmes différents sur Terre.

c. Certains animaux changent de forme au cours des saisons.

d. Au printemps, certains animaux migrent vers des milieux plus chauds.

2 Une réponse courte

Réponds à la question posée

a. Pour quelles raisons une espèce étrangère peut-elle être en compétition avec une autre espèce de l'écosystème ?

b. Pour quelles raisons la présence de végétaux dans une mare est-elle nécessaire à certains animaux ?

3 Les phrases

Rédige une phrase à partir des mots proposés.

a. êtres vivants / écosystème / relations

b. écosystème / espèce étrangère / peuplement / introduction / modifie

c. hiver / nourriture / animaux / migrent

4 L'intrus

Pour chaque liste, un mot « intrus » a été placé en gras. Justifie ce choix.

a. Hirondelles / Larves / Têtards / Grenouilles

b. Migration / **Espèce étrangère** / Hibernation / Hiver

c. Libellule / Roseaux / **Mouette** / Mare / Nénuphar / Triton

→ Exercices supplémentaires

J'utilise mes compétences

5 Extraire les informations utiles

Les poissons carnivores et les mares

On a comparé le nombre d'amphibiens dans des mares où des poissons carnivores sont présents et dans des mares où ils sont absents. Ces poissons carnivores peuvent manger les œufs et les larves d'amphibiens, à l'exception des têtards de crapauds communs. Ces larves produisent en effet une substance qui leur donne mauvais goût.

Pour chaque phrase, trouve la bonne proposition :

a. En présence de poissons carnivores dans une mare :

1. Il y a trois fois plus d'espèces d'amphibiens.

2. Il y a trois fois moins d'espèces d'amphibiens.

3. il y a deux fois moins d'espèces d'amphibiens.

b. Les têtards du crapaud commun ne sont pas mangés par les poissons carnivores car :

1. Ils produisent une substance qui les rend glissants.

2. Ils produisent une substance désagréable au goût.

3. Ils produisent une substance dangereuse.

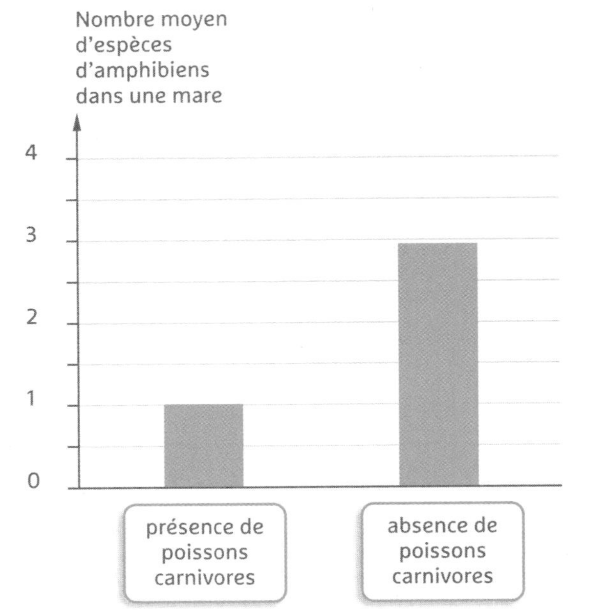

Graphique montrant le résultat de l'étude.

6 Produire un schéma

Nos amies les mésanges

Les chenilles processionnaires sont des larves d'insectes. Elles consomment les aiguilles de pin, ce qui peut ralentir la croissance de l'arbre. Pour protéger les arbres, l'Homme peut installer des nichoirs à mésanges charbonnières au lieu d'utiliser des substances chimiques tuant les insectes (insecticides).

a. Utilise l'énoncé et la photo pour construire une chaîne alimentaire.

b. Explique alors pourquoi les mésanges charbonnières peuvent remplacer des insecticides.

Mésange charbonnière attrapant une chenille processionnaire.

7 Exploiter des documents

La vie dans les bouses

Le staphylin mange les œufs et les larves du scatophage.
L = 1,5 cm

Le scatophage du fumier pond ses œufs dans la bouse lorsqu'elle est toute fraîche.
L = 1 cm

Le bousier fait des boulettes de bouse bien sèche et s'en nourrit.
L = 1 cm

Quelques insectes amateurs de bouses.
Le mot « bouse » désigne les excréments de mammifères comme les vaches, les bisons ou encore les éléphants.

a. Fais la liste des êtres vivants que l'on peut trouver dans ou près d'une bouse.

b. Indique dans quel ordre ces êtres vivants arrivent dans la bouse.

c. Explique pourquoi la bouse est nécessaire à la vie de chacun de ces êtres vivants.

Exercices

8 Lire une carte

La cigogne blanche, une grande voyageuse

La cigogne blanche mange des criquets et des sauterelles qui disparaissent dès les premiers froids. Elle apprécie aussi les campagnols. Ces petits rongeurs se réfugient en hiver dans les granges. Au mois d'août, la cigogne migre vers des pays chauds : c'est l'hivernage.

a. Indique sur quel continent la cigogne blanche passe l'hiver.

b. Explique pourquoi la cigogne blanche doit quitter son lieu de reproduction en hiver.

Lieu de reproduction (printemps - été)

Lieu d'hivernage (automne - hiver)

Voies de migration

Carte de migration de la cigogne blanche.

Coup de pouce

→ Repère la France sur la carte, puis identifie les différents continents présents.

→ Lis attentivement les légendes.

9 Extraire les informations utiles

Les arbres morts, indispensables à la vie de la forêt ?

a. Fais la liste des êtres vivants observés sur cet arbre mort.

b. Détermine pour chacun d'eux le type de relation qu'il entretient avec l'arbre mort.

Quelques êtres vivants trouvés sur du bois mort.

Le lézard vert se chauffe au soleil sur les troncs d'arbres morts.

Le schyzophylle est un champignon qui décompose le bois mort.

La larve du lucane cerf-volant se nourrit de bois mort.

Accompagnement personnalisé

10 J'apprends à lire un graphique

Énoncé

Les « araignées rouges » sont des acariens, de minuscules animaux qui se nourrissent des feuilles d'arbres fruitiers. Cela entraîne une baisse du nombre de fruits produits. Pour limiter les dégâts, les agriculteurs peuvent utiliser des coccinelles, car elles mangent les « araignées rouges ». Le graphique ci-dessous permet de comparer l'appétit de deux espèces de coccinelles.

Questions

Quelle espèce de coccinelle conseillerais-tu à un agriculteur dont les cultures sont envahies d'araignées rouges ?

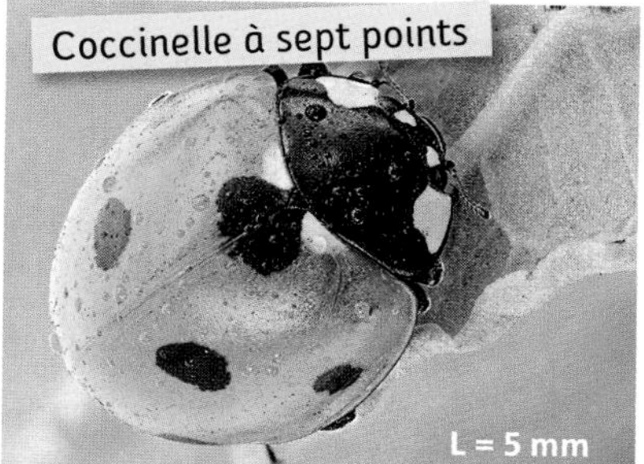

Aide à la résolution

Pour répondre à la question...

1. Lis le titre du graphique.
2. Repère à quoi correspond l'axe des abscisses et à quoi correspond l'axe des ordonnées.
3. Cherche sur le graphique le nombre d'araignées rouges consommées par chaque espèce de coccinelle.

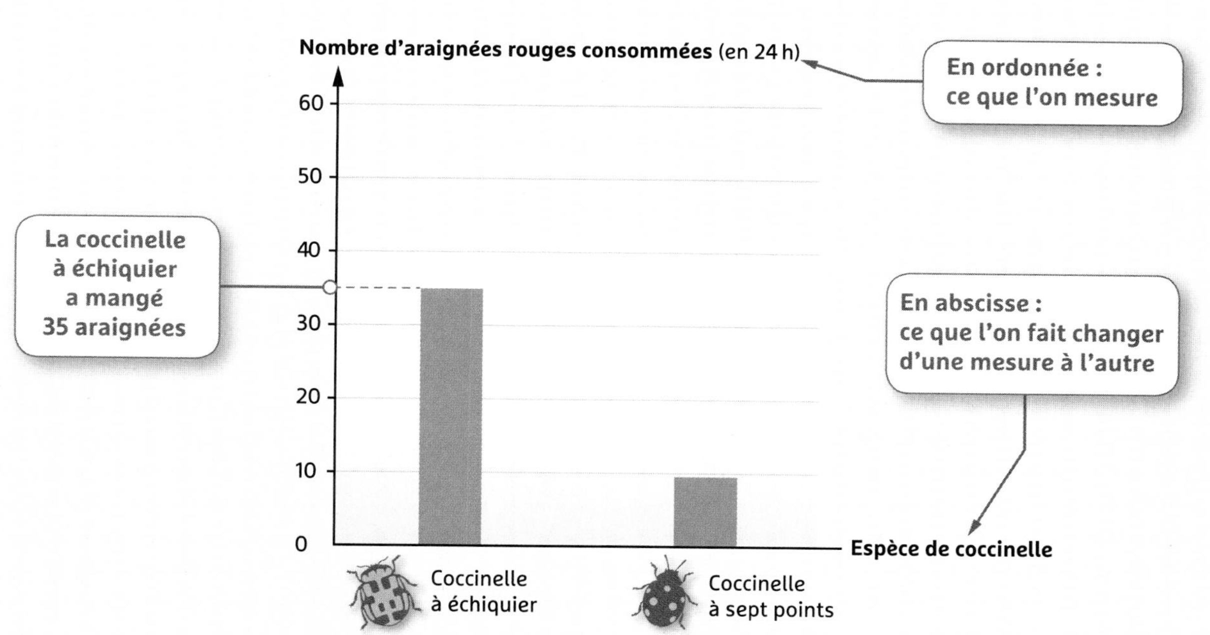

Nombre d'araignées rouges consommées par deux espèces de coccinelles.

Chapitre 26

Pour commencer...

Un nombre

Plus de 10 000 km

C'est la longueur des clôtures qui bordent les autoroutes en France

>> Comment font les animaux pour traverser ?

Des images

Le temps passé dans les bouchons par toutes les voitures qui empruntent l'autoroute A86 (ci-contre) pendant un an est de 180 000 heures.

>> Des aménagements peuvent-ils rendre les déplacements plus simples en ville ?

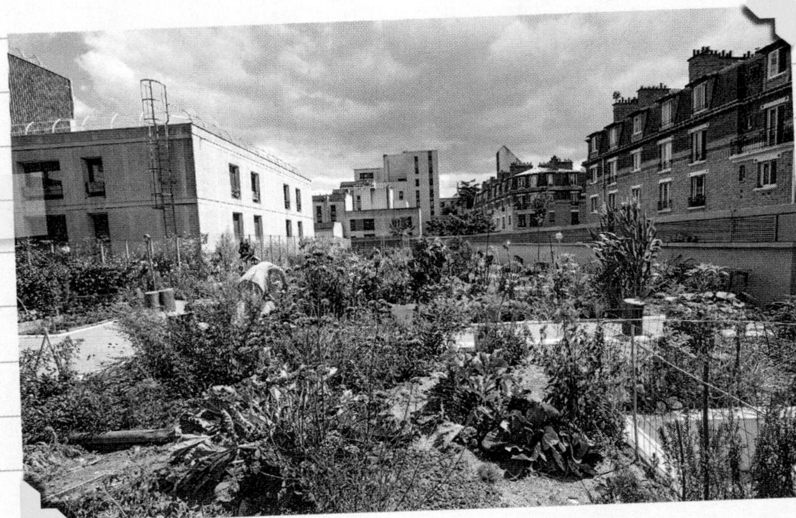

Sur un toit à Paris.

>> À quoi servent les espaces verts en ville ?

Quelques impacts de l'Homme sur son environnement

Quels sont les effets positifs et négatifs des aménagements humains sur l'environnement ?

Unité 1

Les conséquences d'un aménagement routier

Compétences
- [D3] Fonder ses jugements en s'appuyant sur la réflexion.
- [D4] Extraire l'information utile.

Une autoroute rend de nombreux services aux humains.
Mais sa construction cause des dégâts aux écosystèmes.

→ Quels sont ces dégâts et comment les limiter ?

Le rôle des « écoponts »

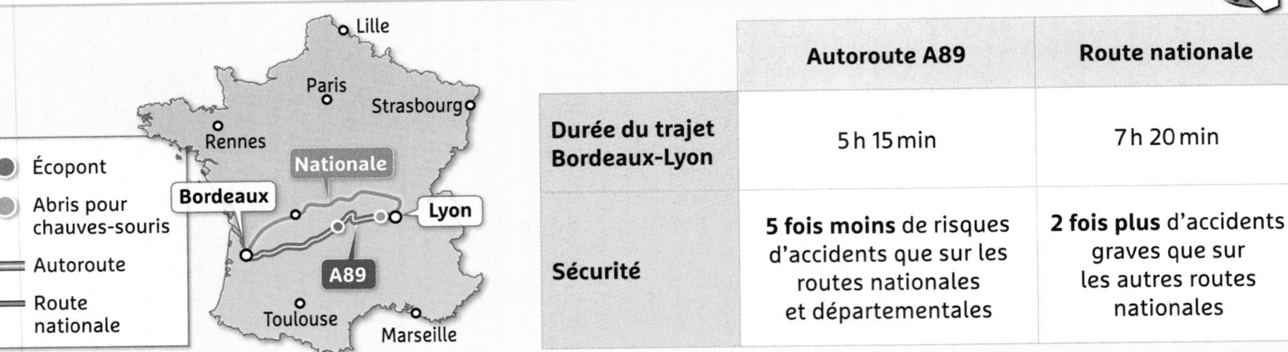

	Autoroute A89	Route nationale
Durée du trajet Bordeaux-Lyon	5 h 15 min	7 h 20 min
Sécurité	**5 fois moins** de risques d'accidents que sur les routes nationales et départementales	**2 fois plus** d'accidents graves que sur les autres routes nationales

1 **L'exemple de l'autoroute A89.**

2 **L'écopont de l'A89.** Il a été construit au niveau de la forêt de Boucaud. Dans quelques années, des rangées d'arbustes locaux auront poussé et masqueront l'autoroute.

3 **Quelques êtres vivants de la forêt de Boucaud.** Cette forêt est coupée en deux par l'A89 et des clôtures empêchent les animaux de traverser au niveau des voies.

Le rôle des passages et des abris

4 **Deux passages « petite faune ».** Sur les 50 km de la dernière portion de l'A89 qui a été construite, on compte en moyenne un passage « petite faune » tous les 420 mètres. Le blaireau, la fouine, le putois, le renard roux, le lièvre d'Europe ou divers amphibiens peuvent les emprunter.

5 **Un abri à barbastelles.** La construction de la dernière portion de l'A89 a entraîné la destruction des arbres creux où logeaient des barbastelles (chauves-souris protégées). Des associations les ont récupérées, puis deux abris artificiels ont été construits.

Interview de Jeff Mauffrey, écologue.

Un écopont devrait remplir plusieurs fonctions : favoriser la dispersion des jeunes individus qui vont fonder de nouvelles populations ; autoriser la connexion entre des populations isolées par l'autoroute ; permettre des va-et-vient quotidiens de certains individus entre les lieux où ils se nourrissent, où ils se reproduisent et où ils s'abritent. Et cela pour une grande diversité d'espèces. Mais un seul édifice peut difficilement remplir la totalité de ces objectifs, pourtant essentiels si l'on veut compenser les dégâts occasionnés par l'autoroute aux écosystèmes.

6 **L'écopont est-il efficace ?**

Ta mission

1. Doc 1 Trouve au moins deux services que l'autoroute A89 rend aux humains.
2. Doc. 3, 5 et 6 Donne deux exemples de dégâts occasionnés aux écosystèmes provoqués par la construction de l'A89.
3. Doc 2, 4 et 5 Explique quels aménagements ont été réalisés pour limiter ces dégâts.
4. Doc. 6 Quelles sont les limites de l'écopont ?
5. Conclusion Montre comment l'Homme peut limiter les dégâts sur les écosystèmes provoqués par la construction d'une autoroute.

Vocabulaire

Aménagement (un) : transformation d'un lieu réalisée par l'Homme dans un but donné.

Les conséquences d'aménagements en ville

Compétences
- [D2] Travailler en équipe.
- [D4] Avoir conscience de l'influence des activités humaines sur l'environnement.

38 millions de Français, soit 60 % de la population, vivent dans les villes ou dans leur périphérie. L'Homme doit donc aménager les villes pour se loger, se déplacer et se détendre.

→ Comment certains aménagements peuvent-ils améliorer les conditions de vie en ville ?

Le tramway en région parisienne

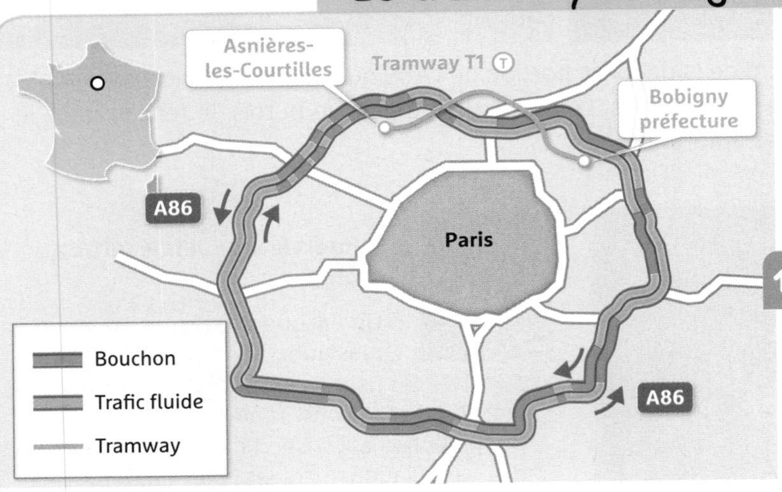

	Temps de parcours	Émission de dioxyde de carbone
Tramway T1	57 minutes	42 g par personne
Voiture par l'A86	35 à 40 minutes	2,7 kg si le conducteur est seul à bord

1 **Un trajet entre Asnières et Bobigny le 14 janvier 2016 à 8 h 20.** Le dioxyde de carbone (CO_2) est un gaz qui contribue au réchauffement climatique (voir p. 320). Les voitures émettent aussi des polluants qui peuvent être nocifs pour la santé.

2 **Les tramways électriques à Paris.** La première ligne fut mise en service en 1892. Dans les années 1920, on compta jusqu'à 112 lignes de « tram ». Entre 1930 et 1938, elles furent toutes remplacées par des autobus pour laisser plus de place aux voitures particulières.

3 **Le tramway T1 à Saint-Denis.** Le « T1 » a été inauguré en 1992. En 2015, 8 lignes sont en service en région parisienne. Le « tram » ne connaît pas les embouteillages. Mais il est bondé aux heures de pointe ou en cas d'incident.

Les espaces verts en ville

4 **Le bois de Vincennes,** un espace de détente précieux, notamment pour ceux qui ne partent pas en vacances.

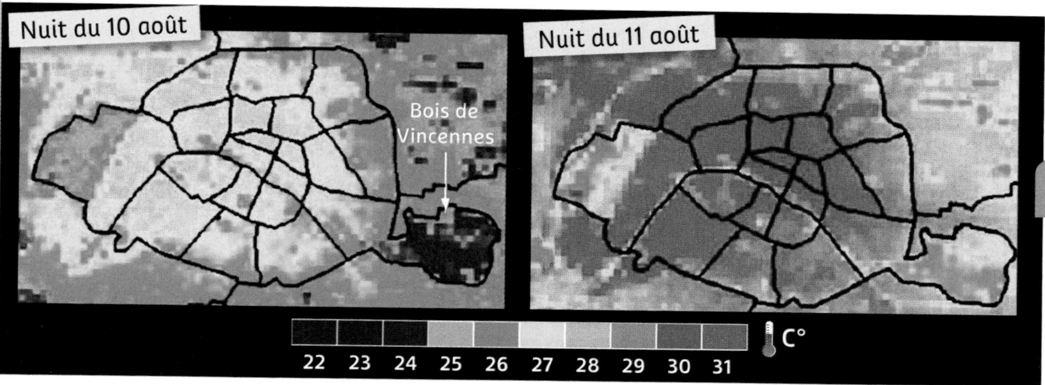

5 **Température moyenne de l'air entre 4 et 6 heures du matin à Paris lors de la canicule de 2003.**

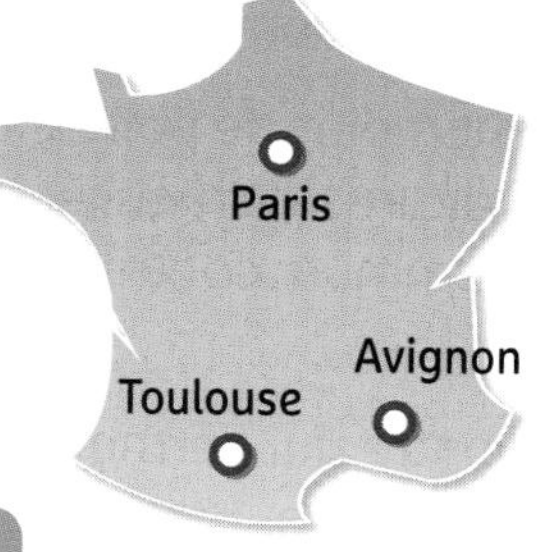

	Période **1976-2005**	Prévisions pour **2021-2050**	Prévisions pour **2071-2100**
Paris	0 à 4	0 à 5	5 à 10
Toulouse		0 à 10	10 à 15
Avignon		5 à 10	15 à 20

6 **Le nombre de jours de grande chaleur par an à Paris, Toulouse, Avignon.**

Ta mission

Travail en groupe

Groupe 1 :

• Résumez l'histoire du tramway en région parisienne à l'aide d'une frise chronologique. (doc. 2 et 3).

• Trouvez quels sont les avantages et les inconvénients du tramway, puis de la voiture particulière pour faire le trajet considéré (doc. 1 et 3).

Groupe 2 :

• Donnez quelques exemples de services que les espaces verts rendent aux habitants des villes (doc. 4 à 6).

Mise en commun

• Montrez comment certains aménagements peuvent améliorer les conditions de vie en ville.

Vocabulaire

Canicule (une) : épisode prolongé de chaleur particulièrement forte.

Bilan

Quelques impacts de l'Homme sur l'environnement

Je dois savoir

Unité 1 Les conséquences d'un aménagement routier

◆ Les humains aménagent leur environnement pour améliorer leurs conditions de vie. Mais ces **aménagements** causent aussi des dégâts aux **écosystèmes**.

◆ Ainsi, une autoroute permet de se déplacer plus rapidement et de façon plus sûre. Mais sa construction détruit l'habitat de nombreux êtres vivants et perturbe leurs déplacements.

◆ Pour limiter les dégâts sur les écosystèmes, les humains peuvent réaliser d'autres aménagements. Par exemple, autour d'une autoroute, on peut aménager des passages pour animaux, reconstruire leur habitat, etc.

◆ Les aménagements permettant aux humains de satisfaire leurs besoins tout en préservant l'environnement contribuent au **développement durable.**

Unité 2 Les conséquences d'aménagements en ville

◆ Les humains doivent aménager les villes pour se loger, se détendre et se déplacer tout en limitant leur impact sur l'environnement et en améliorant leurs conditions de vie.

◆ Certains transports en commun (tramway par exemple) émettent moins de polluants et de gaz contribuant au réchauffement climatique que les voitures particulières. Les aménagements qui facilitent l'usage des transports en commun contribuent à améliorer le quotidien des citadins.

◆ Les espaces verts en villes sont des lieux de détente et de rencontre qui permettent aux citadins d'avoir un accès à la nature. Ce sont aussi des îlots de fraîcheur très utiles en été. Les espaces verts rendent donc **service** aux habitants des villes.

➜ L'essentiel du cours en une animation

Je suis capable de

	Pour vérifier	Si tu n'es pas sûr...
[D1.1] **Extraire les informations d'un texte**	➜ Fais la question 4 de l'unité 1 p. 355.	➜ Fais l'exercice guidé p. 375.

Je retiens par l'image

Des aménagements ayant un impact +

Amélioration des conditions de vie

- Se déplacer en sécurité

- Se déplacer sans polluer

- Aménager les villes

Limitation des impacts −

Des aménagements ayant un impact −

Perturbations de l'environnement

- Destruction ou fragmentation des habitats

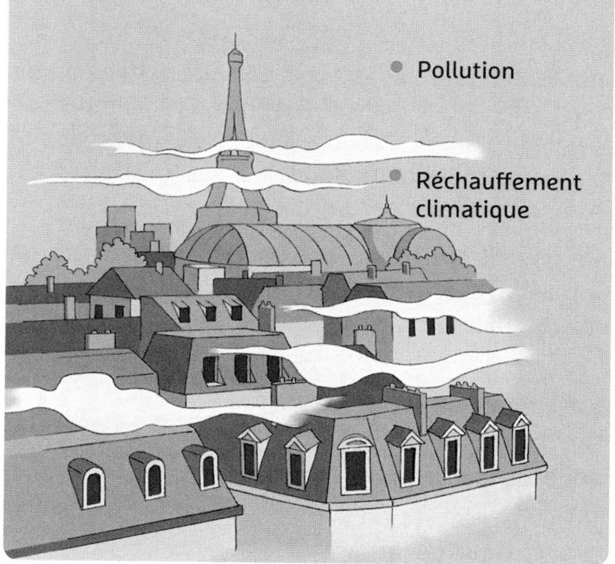

- Pollution
- Réchauffement climatique

Je retiens les mots-clés

- Aménagement
- Développement durable
- Écosystème
- Service

→ Pour réviser les définitions  ou Dico du manuel p. 379

Exercices

Je vérifie mes connaissances

1 Vrai ou faux ?

Retrouve les propositions exactes et recopie celles qui sont fausses en les corrigeant.

a. Les aménagements réalisés par les humains n'ont que des effets néfastes sur les écosystèmes.

b. Certains aménagements sont utiles pour préserver l'environnement.

c. Les humains doivent aménager les villes seulement pour se loger et pour se déplacer.

2 Réponses courtes

Réponds à la question posée.

a. Donne quelques exemples d'aménagements qui facilitent les déplacements en ville.

b. Donne au moins deux raisons d'aménager des espaces verts en ville.

c. Cite un moyen qu'ont les humains de limiter les impacts négatifs d'un aménagement routier.

→ Exercices supplémentaires

J'utilise mes compétences

3 Extraire l'information utile

Les maisons passives

Une maison passive consomme 90 % d'énergie en moins pour le chauffage qu'une maison classique. Ses fenêtres sont orientées vers le Sud, où l'ensoleillement est maximal en hiver et minimal en été. Ses murs, son toit et ses fenêtres sont très bien isolés pour éviter les pertes de chaleur.

Dans l'énoncé et à la photo, recherche des caractéristiques de la maison passive permettant de moins consommer d'énergie pour le chauffage.

4 Formuler une hypothèse

Enquête sur les grenouilles

Au Royaume-Uni, les écologues ont constaté que des espèces de grenouilles avaient disparu de certaines mares. Ils ont étudié le trafic routier à 400 mètres de distance de plusieurs mares.

a. Décris les résultats obtenus.

b. Formule une hypothèse pour expliquer la disparition des grenouilles dans certaines mares.

1 Une grenouille sur la route.

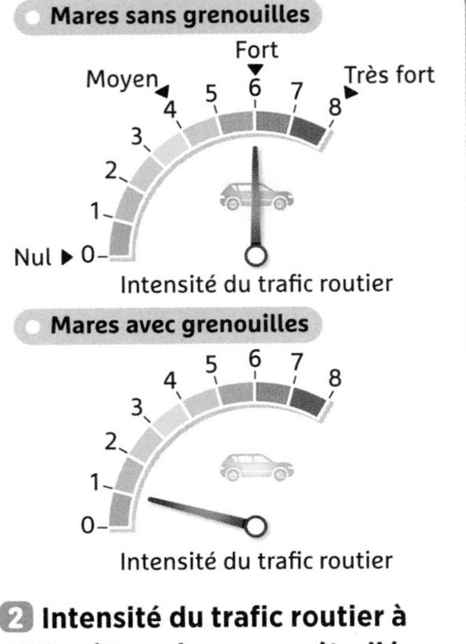

2 Intensité du trafic routier à 400 mètres des mares étudiées.

5 Calculer

L'impact d'une ligne de TGV

Les vieux arbres sont l'habitat de nombreuses espèces. Or, lors de la construction de la ligne de TGV Tours-Bordeaux, des milieux riches en biodiversité ont été détruits. Dans la région Poitou-Charentes, les propriétaires de bois situés à proximité de la ligne peuvent recevoir 80 euros par hectare et par an s'ils s'engagent pendant 25 ans au moins à ne pas couper leurs vieux arbres et à laisser les arbres morts sur place.

a. Indique l'intérêt de ne pas couper les vieux arbres.

b. Calcule la somme reçue par le propriétaire d'un bois de 15 hectares au bout de 25 ans.

6 Se familiariser avec le monde technique

Un aménagement au collège

Un collège de la région de Toulouse souhaite refaire le revêtement de l'allée qui permet l'accès des camions de livraison pour la cantine. Les documents ci-dessous présentent les caractéristiques de trois revêtements. Lorsqu'un revêtement est imperméable, il faut installer un système d'évacuation des eaux de pluie, ce qui est coûteux.

a. Établis une liste des avantages et des inconvénients de chaque revêtement.

b. Précise si la couleur du revêtement est un critère de choix important.

c. Quel revêtement choisirais-tu pour l'allée ? Justifie ton choix.

	Gazon	Béton drainant	Enrobé
Prix	7 €/m²	80 €/m²	35 €/m²
Résistance au passage des camions	Faible	Bonne	Bonne
Revêtement imperméable	Non	Non	Oui
Couleur	Vert	Nombreuses couleurs disponibles	Noir
Sol situé sous le revêtement	Préservé	Détruit	Détruit

1 Les propriétés de quelques revêtements.

Coup de pouce

➜ Compare le coût et les propriétés des différents revêtements.

➜ Reporte-toi au doc. 6 p. 357 pour déterminer si, dans le futur, il risque de faire souvent très chaud l'été à Toulouse.

2 La température d'un revêtement de différentes couleurs en été à 22 heures.
Plus un revêtement est chaud, plus il fait chaud autour de lui.

Chapitre 27

Pour commencer...

Un nombre

5 485 litres C'est le volume d'eau qui est consommé en moyenne quand on achète un nouveau jean et qu'on le porte pendant 3 ans.

>> Pourquoi un jean consomme-t-il autant d'eau ?

Des images

Chaque année, de nouvelles versions de smartphone sont produites par les fabricants.

>> Changer de téléphone portable a-t-il un impact sur la planète ?

Chaque minute dans le monde, une surface de forêt équivalant à 35 terrains de football est coupée.

>> Peut-on exploiter le bois sans mettre la forêt en danger ?

L'exploitation des ressources naturelles et son impact

Quelles sont les conséquences de nos choix de consommation sur les ressources de la planète ?

Un jean et la planète

Compétences
- [D1.4] Lire une carte.
- [D2] Relier les connaissances acquises en sciences à des questions d'environnement.

Lorsque l'on achète un jean, il a déjà parcouru un long chemin. Mais, on n'imagine pas toujours que ce chemin, de même que l'utilisation du jean, ont des conséquences sur les ressources de la planète.

→ Quelles sont les conséquences de l'achat d'un jean sur certaines ressources ?

Les étapes de la vie d'un jean

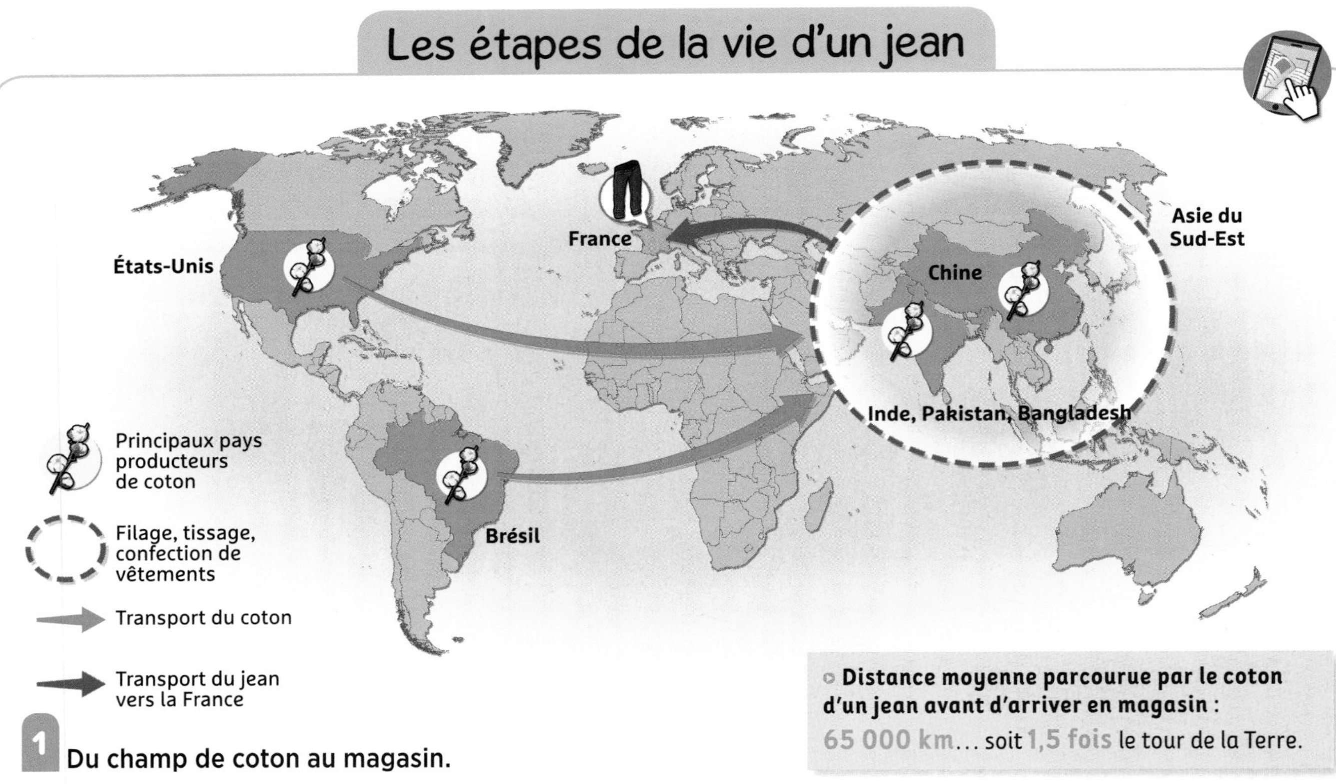

Distance moyenne parcourue par le coton d'un jean avant d'arriver en magasin : 65 000 km… soit 1,5 fois le tour de la Terre.

1 **Du champ de coton au magasin.**

2 **Une culture de coton irriguée.** Le cotonnier demande beaucoup d'eau. En Chine, premier pays producteur de coton, les trois quarts des cultures doivent être irriguées.

3 **Un bac de recyclage textile en France.** Seuls 30 % des textiles sont recyclés dans notre pays. Les fibres de coton issues du recyclage servent à la fabrication de nouveaux objets (rembourrage de coussins, filtres, etc.).

Un jean et quelques ressources de la planète

	Culture du cotonnier	Fabrication et transport du jean	Utilisation du jean	Total
Consommation d'eau (en litres, L)	4740	125	620	**5485**
Consommation d'énergie (en kilojoules, kJ)	28000	136000	324000	**488000** soit l'énergie fournie par 13,4 litres de pétrole

4 Le coût en eau et en énergie de la fabrication et de l'utilisation d'un jean pendant 3 ans. On considère que le jean est porté 2 jours par semaine et lavé toutes les 3 utilisations. Chaque année, environ 2 milliards de jeans sont vendus dans le monde.

5 Rejets d'eaux usées près d'une fabrique de vêtements (Chine). De nombreuses substances chimiques sont utilisées dans l'industrie textile, notamment lors des teintures. Dans certaines usines, peu contrôlées et souvent clandestines, elles sont déversées dans la nature et peuvent polluer l'air, l'eau et les sols.

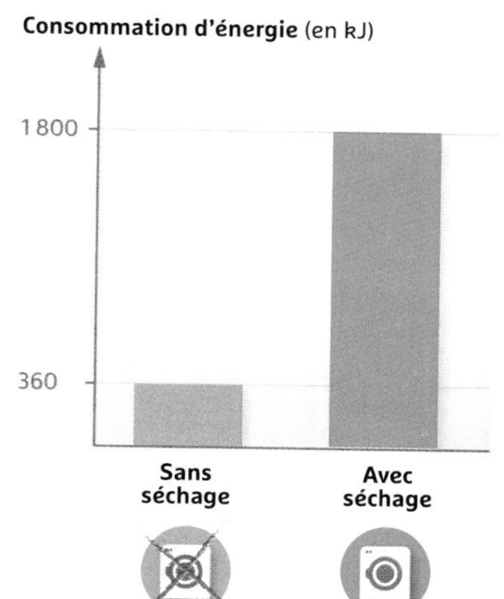

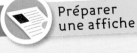

6 Consommation d'énergie lors du lavage d'un jean en machine. Un lavage consomme environ 6 litres d'eau.

Ta mission

Préparer une affiche

Réalise une affiche expliquant les conséquences de l'achat d'un jean sur les ressources en eau et en énergie. Pour cela :

1. Construis le **cycle de vie** d'un jean en faisant apparaître les différentes étapes (doc. 1 à 3).
2. Indique sur le cycle les conséquences de chaque étape sur la consommation en énergie et en eau (doc. 4 à 6).
3. Conclus ton affiche par quelques slogans incitant à réduire l'impact de la consommation d'un jean à différentes étapes de son cycle de vie.

Vocabulaire

Cycle de vie (un) : série d'étapes comprenant la naissance d'un produit (extraction des matières premières, fabrication, transport et distribution), sa vie (utilisation, consommation) et sa mort (élimination, recyclage).

Unité 2

Tâche complexe

Un smartphone et la planète

Compétences
- [D1.4] Prélever l'information utile.
- [D4] Prendre conscience de l'effet de l'activité humaine sur l'environnement.

Une situation-problème

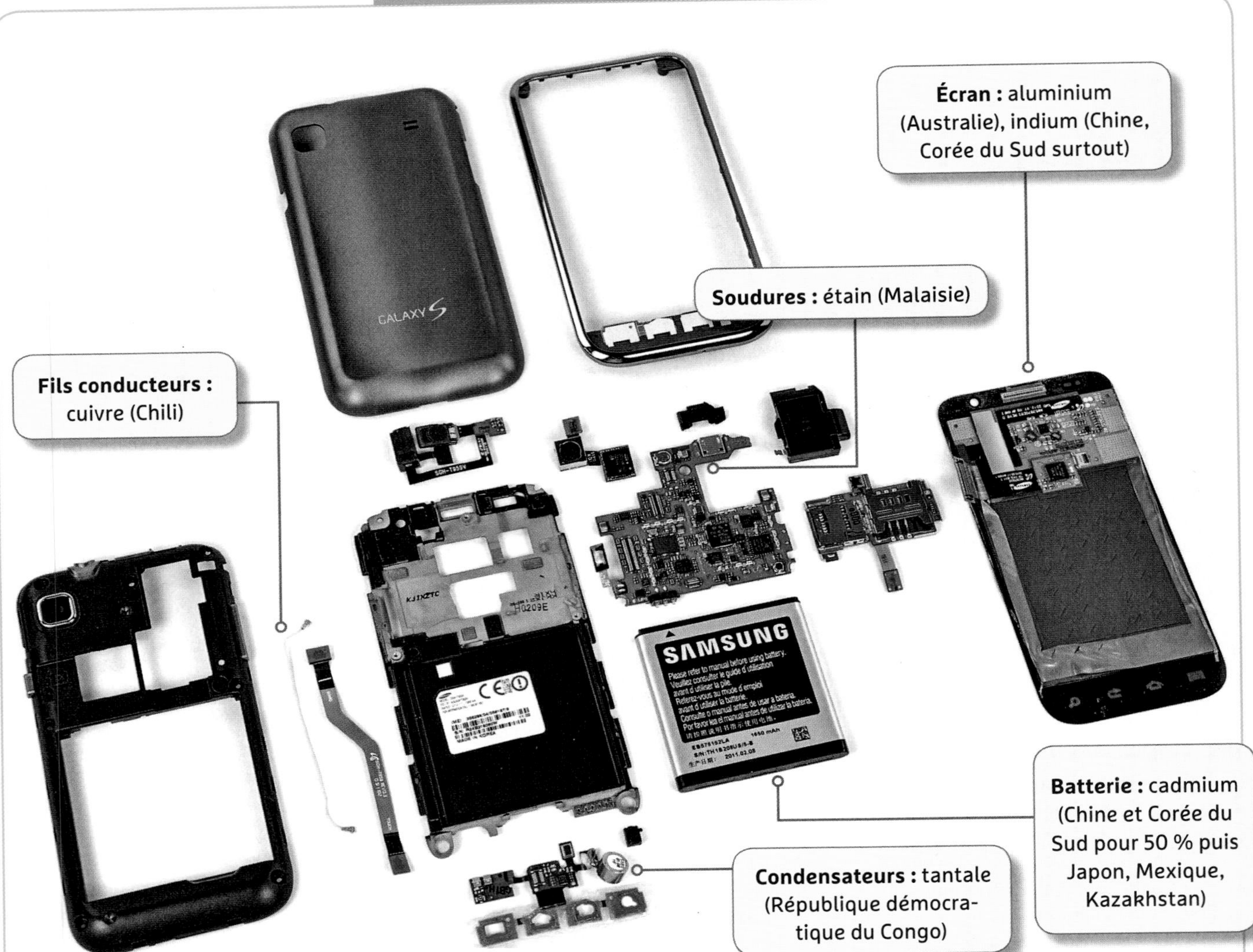

1 Quelques matières minérales composant un téléphone portable.
Un téléphone portable fonctionne grâce à des composants électroniques. La fabrication de ces composants nécessite l'utilisation de matières minérales extraites du sous-sol. Un Français renouvelle son téléphone portable tous les 18 mois en moyenne. Chez les jeunes de 18 à 24 ans, ce renouvellement a même lieu tous les 10 mois.

→ **Est-il raisonnable de changer si souvent de téléphone portable ?**

La consigne

Tu utiliseras les documents de la page de droite pour expliquer quelques conséquences de la fabrication des téléphones portables sur l'environnement et les Hommes. Tu proposeras des solutions pour limiter ces conséquences en tant que consommateur.

Des documents pour comprendre

Matière minérale	Durée estimée des réserves
Indium	5 à 50 ans
Étain	
Cuivre	50 à 100 ans
Cadmium	
Aluminium	100 à 1000 ans
Tantale	

2 Estimation de la date d'épuisement des réserves de quelques matières minérales. On donne des fourchettes de dates, car l'épuisement d'une ressource dépend de nombreux facteurs difficiles à prévoir (découverte de nouvelles réserves, niveau de consommation, etc.).

Nombre de téléphones portables vendus dans le monde (2014)
1,9 milliard

Taux de recyclage de ces téléphones
10 à 15 %

10 000 euros
C'est la valeur d'une tonne de téléphones portables si on pouvait tout recycler

3 Les téléphones portables en quelques chiffres.

4 Une mine de tantale en République démocratique du Congo. Le tantale est extrait d'une roche dont 80 % des réserves se trouvent en République démocratique du Congo. Elle est prélevée dans des mines où les employés travaillent souvent pour un faible salaire, dans des conditions pénibles et dangereuses. Pour les construire, il faut détruire des forêts, ce qui menace l'habitat de nombreuses espèces, dont les gorilles.

? BESOIN D'UN COUP DE POUCE ?

→ Rends-toi sur :
http://sciences6e.editions-belin.com

→ Ou 

J'ai réussi si...

- ☐ J'ai fait le lien entre les matières minérales composant le smartphone et la durée estimée des réserves.
- ☐ J'ai repéré au moins trois conséquences de la fabrication d'un smartphone sur l'environnement et les Hommes.
- ☐ J'ai proposé au moins deux solutions pour limiter ces conséquences.

L'exploitation du bois

Compétences
- [D1.4] Produire et utiliser des schémas.
- [D5] Connaître une problématique mondiale concernant l'environnement.

30% de la surface terrestre est recouverte de forêts. Le bois qui en est extrait est une matière première dont les utilisations sont très variées. Mais c'est une ressource limitée.

→ Comment exploiter le bois tout en préservant la forêt nécessaire à sa production ?

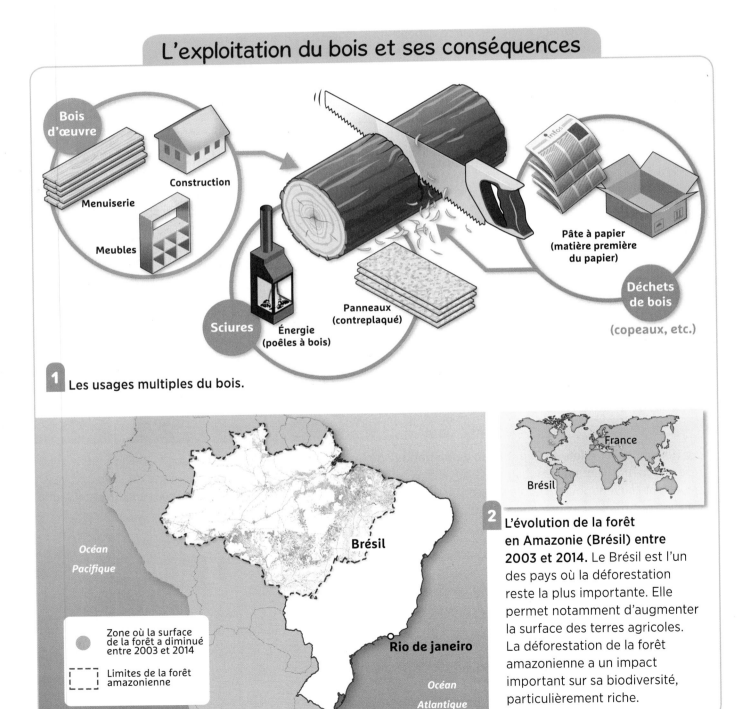

L'exploitation du bois et ses conséquences

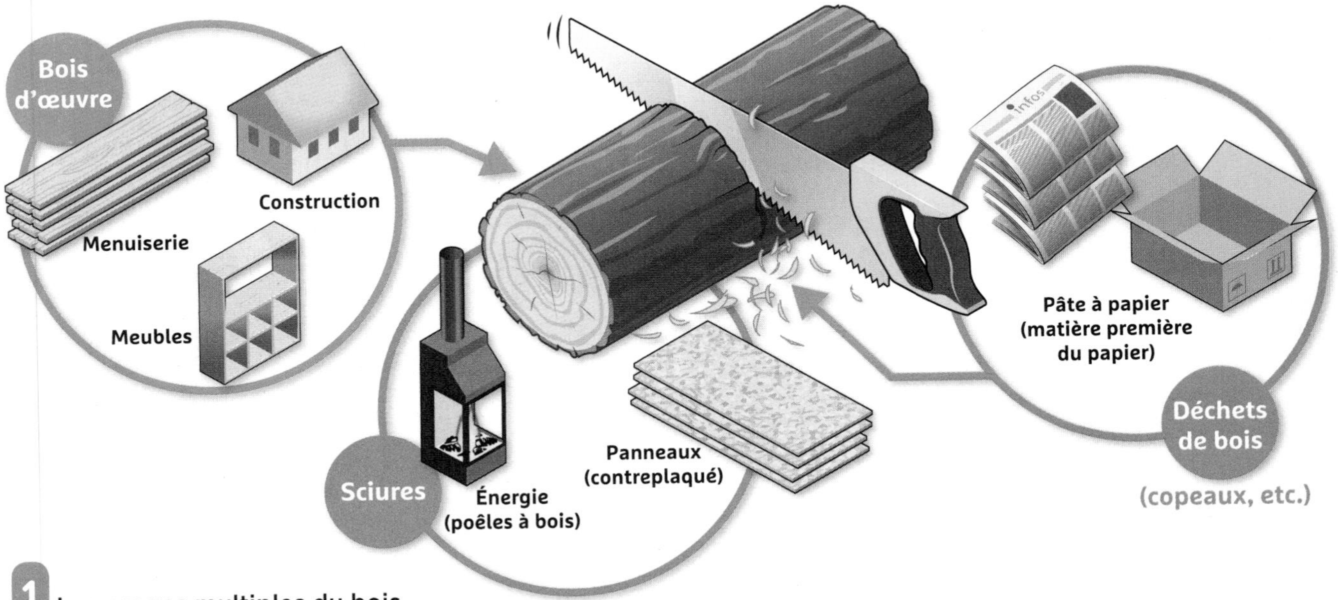

Bois d'œuvre
Construction
Menuiserie
Meubles
Sciures
Énergie (poêles à bois)
Panneaux (contreplaqué)
Pâte à papier (matière première du papier)
Déchets de bois
(copeaux, etc.)

1 Les usages multiples du bois.

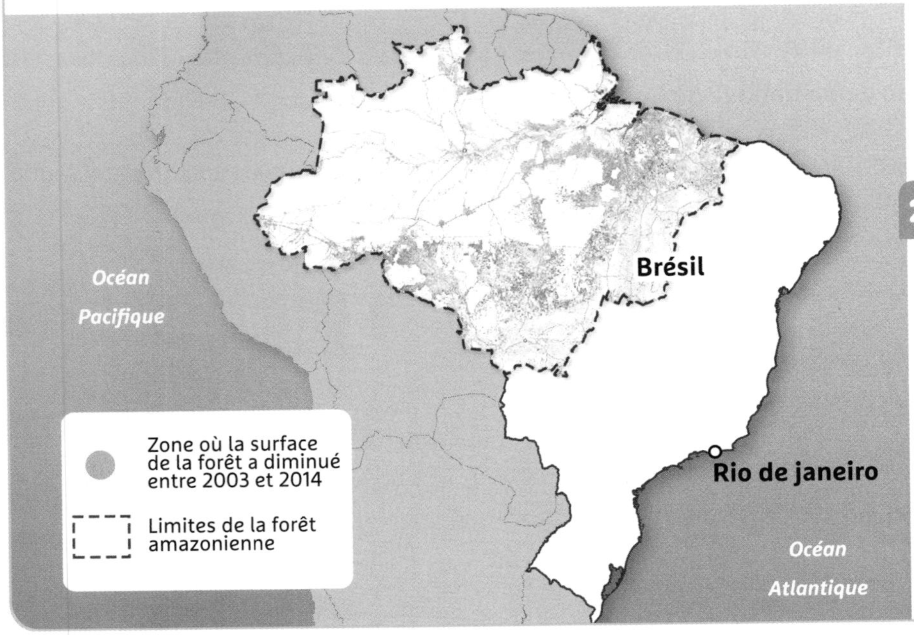

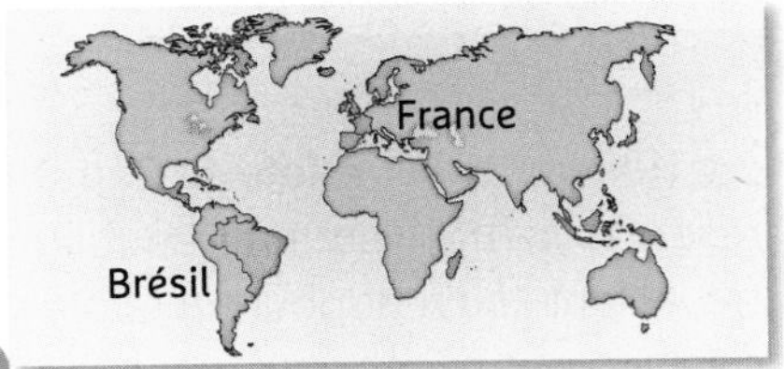

Océan Pacifique
Brésil
Rio de janeiro
Océan Atlantique
Zone où la surface de la forêt a diminué entre 2003 et 2014
Limites de la forêt amazonienne
France
Brésil

2 **L'évolution de la forêt en Amazonie (Brésil) entre 2003 et 2014.** Le Brésil est l'un des pays où la déforestation reste la plus importante. Elle permet notamment d'augmenter la surface des terres agricoles. La déforestation de la forêt amazonienne a un impact important sur sa biodiversité, particulièrement riche.

Agir pour préserver les ressources en bois

3 L'exploitation raisonnée d'une forêt. Certains **sylviculteurs** s'engagent à gérer leurs forêts de façon raisonnée : ils sélectionnent les espèces destinées à la coupe et replantent des arbres.

4 Bac de pâte à papier dans une papeterie. Certaines papeteries vérifient que le bois qui sert à faire la pâte à papier provient d'exploitations qui pratiquent une gestion raisonnée.

5 Une ramette de papier. Le logo « FSC » certifie que le papier est issu de forêts à gestion raisonnée.

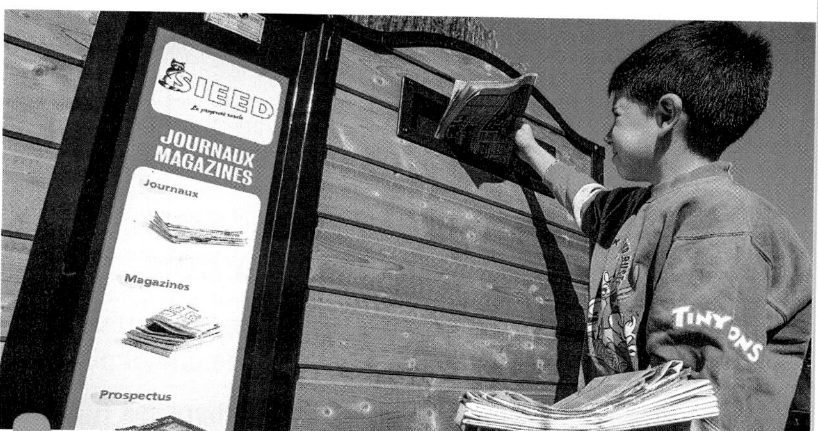

6 Un bac de recyclage. Les papiers et cartons usagés sont utilisés pour reformer de la pâte à papier. En 2014, la France a recyclé 52 % de ses vieux papiers.

Vocabulaire

- **Forêt (une) :** terres d'une superficie de plus de 5 000 m² recouvertes d'arbres d'une hauteur de plus de 5 mètres (au moins 10 % de la surface recouverte d'arbres).
- **Sylviculteur (un) :** personne exploitant les forêts.

Ta mission

1. Doc. 1 Cite quelques utilisations du bois dans la vie quotidienne.
2. Doc. 2 Décris l'évolution de la surface forestière au Brésil entre 2003 et 2014. D'après tes connaissances, cite au moins deux conséquences de cette évolution pour l'Homme.
3. Doc. 3 à 6 Construis le cycle de vie du papier.
4. Conclusion Complète ton schéma en listant les actions possibles permettant d'exploiter le bois tout en préservant les forêts.

Bilan

L'exploitation des ressources naturelles et son impact

Je dois savoir

◆ Chaque jour, nous avons besoin de nombreux objets techniques (livre, Smartphone ou pantalon en jean par exemple). Leur fabrication et leur utilisation consomment des **ressources naturelles** et ont un impact sur l'environnement.

Unité 1

Un jean et la planète

◆ Il faut de l'eau pour laver un jean et cultiver le coton dont il est fait. Il faut de l'énergie pour transporter le coton et les jeans, puis pour les laver.

◆ Ne pas laver inutilement un jean et le **recycler** quand il est usé sont des moyens d'économiser ces ressources.

Unité 2

Un Smartphone et la planète

◆ La fabrication d'un Smartphone nécessite des matières minérales dont les réserves sont limitées. Leur exploitation a aussi des conséquences sur les humains et sur l'environnement.

◆ La fréquence à laquelle on change son Smartphone et l'efficacité du recyclage ont donc un impact sur les ressources naturelles et l'environnement.

Unité 3

L'exploitation du bois

◆ Le bois est une ressource permettant de satisfaire de nombreux besoins de l'Homme. Son exploitation a entraîné une diminution des surfaces forestières dans le monde.

◆ On peut gérer durablement les forêts afin de préserver cette ressource pour les générations futures. Les consommateurs peuvent participer à cette préservation en achetant des produits issus de forêts certifiées ou en recyclant les matériaux.

◆ Pour connaître l'**impact** d'un objet technique sur les ressources naturelles et l'environnement, il faut donc étudier son **cycle de vie**, c'est-à-dire toutes les étapes qui vont de sa « naissance » (production) jusqu'à sa « mort » (élimination, recyclage).

→ L'essentiel du cours en une animation

Je suis capable de

	Pour vérifier	Si tu n'es pas sûr...
[D1.4] **Lire un tableau**	→ Fais la tâche complexe p. 366-367	→ Fais l'exercice guidé p. 91

Je retiens par l'image

Le cycle de vie d'un objet technique

Extraction

- Raréfaction des ressources
- Consommation d'énergie

Eau

Matières premières

- Exploitation raisonnée

Fabrication

- Conditions de travail
- Pollutions

- Achat de matières premières certifiées

Transport

- Consommation d'énergie
- Pollutions

- Achat de produits locaux

Recyclage

Tri

Utilisation

- Consommation d'eau
- Consommation d'énergie

- Achat de produits certifiés
- Réutilisation

Impacts de l'utilisation des ressources

Moyens de limiter l'impact

Je retiens les mots-clés

- Cycle de vie
- Impact
- Recycler
- Ressource naturelle

→ Pour réviser les définitions

ou Dico du manuel p. 379

Exercices

Je vérifie mes connaissances

1 Schéma à légender

Associe chaque chiffre du schéma au mot qui correspond dans la liste suivante puis donne-lui un titre.

Transport / fabrication / recyclage / fin de vie / extraction des matières premières / tri sélectif / utilisation

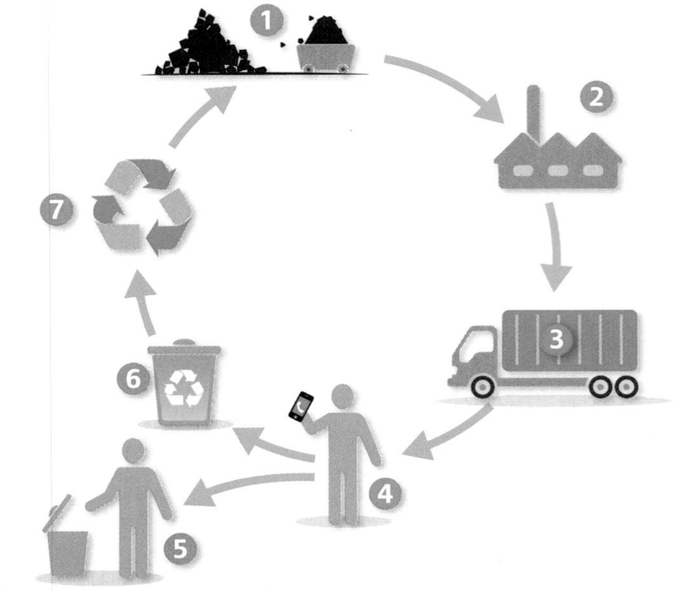

2 Réponses courtes

Réponds à la question posée.

a. Cite au moins deux moyens pour un utilisateur d'appareils électroniques (smartphones, tablettes etc.) de limiter l'exploitation des ressources naturelles.

b. Cite au moins deux moyens permettant d'exploiter le bois de façon raisonnée.

c. Définis le cycle de vie d'un objet technique.

3 Vrai ou Faux

Retrouve les propositions exactes et recopie celles qui sont fausses en les corrigeant.

a. L'utilisation d'un jean est la seule étape de son cycle de vie qui consomme de l'eau.

b. Un smartphone contient de nombreuses matières minérales inépuisables.

c. La totalité du papier utilisé en France est recyclée.

d. On peut préserver des ressources naturelles en augmentant la durée d'utilisation des objets que nous achetons.

→ Exercices supplémentaires

J'utilise mes compétences

4 Adopter un comportement responsable vis-à-vis de l'environnement

Fraises et mangues en hiver

À l'aide de la photographie ci-contre et de tes connaissances, explique pourquoi consommer ces fraises et ces mangues a des conséquences sur les ressources naturelles.

Coup de pouce

→ Recherche la ressource naturelle consommée lors du transport des fruits vers la France.

→ Pense que les fraises sont cultivées sous des serres chauffées.

Chez un marchand de fruits et légumes au mois de février.

5 Lire et exploiter un tableau

Le recyclage du cuivre

Le cuivre est un métal qui est présent dans de très nombreux objets techniques : lave-linge, téléviseurs, tablettes, ordinateurs, câbles électriques, moteurs, etc. En 2011, seul un tiers du cuivre dans les objets techniques en fin de vie était recyclé dans le monde.

a. Définis le recyclage.

b. Utilise les données du doc. 2 pour montrer qu'il est nécessaire de recycler davantage le cuivre.

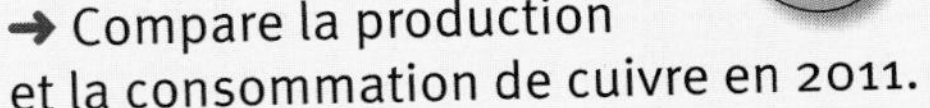

→ Compare la production et la consommation de cuivre en 2011.

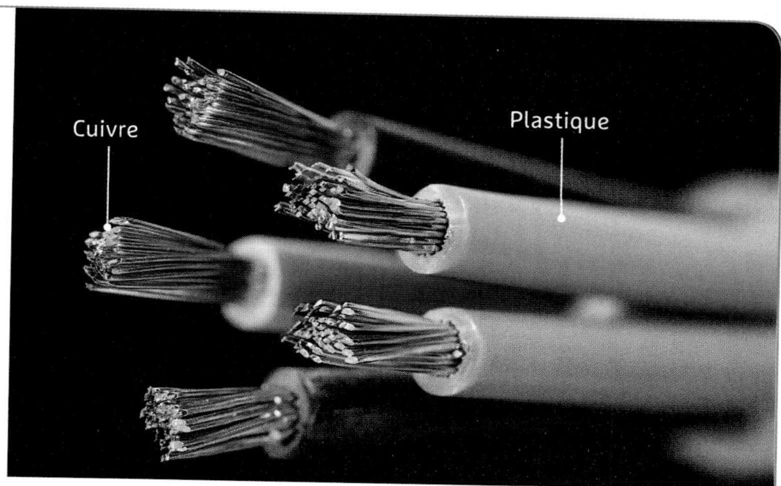

1 Un câble électrique dénudé.

	2001	2006	2011
Production	15,6	17,4	16,1
Consommation	14,9	17,0	20,4

2 Évolution de la production et de la consommation mondiale de cuivre (en millions de tonnes).

6 S'exprimer à l'écrit pour argumenter

Les forêts de Bornéo

En Indonésie, sur l'île de Bornéo, les forêts sont remplacées par des terres permettant de cultiver des palmiers dont l'huile est très utilisée dans la fabrication de produits alimentaires.

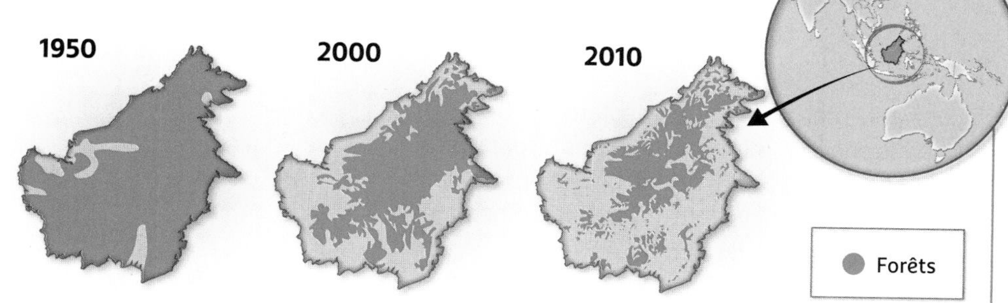

1 La surface des forêts sur l'île de Bornéo (Indonésie) en 1950, 2000 et 2010.

2 Un orang-outan dans une forêt abattue à Bornéo. Les forêts de Bornéo abritent l'une des dernières populations de ce grand singe.

a. À l'aide des documents 1 et 2, indique les conséquences de l'action humaine sur la forêt de Bornéo.

b. Propose une solution pour limiter le recul des forêts à Bornéo.

Coup de pouce

→ Compare l'évolution de la surface des forêts sur l'île de Bornéo en Indonésie entre 1950 et 2010.

Exercices

7 Extraire des informations

Cher pétrole…

Un tiers de l'énergie qui est consommée dans le monde provient du pétrole. Le pétrole fait non seulement avancer avions, bateaux et voitures, mais il permet de produire de nombreuses matières plastiques.

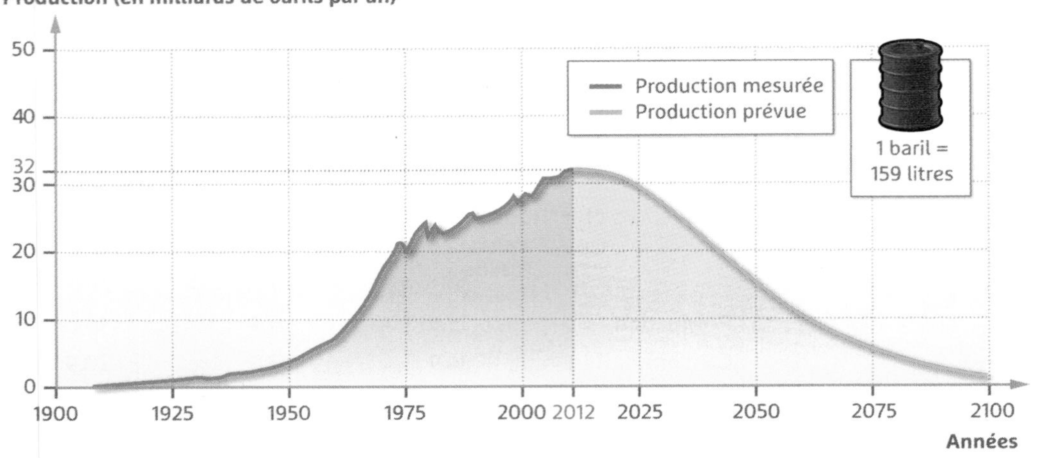

Évolution de la production de pétrole entre 1900 et 2012 et prévisions jusqu'en 2100.

a. À partir de l'énoncé, explique pourquoi le pétrole est une ressource naturelle utile à l'Homme.

b. À partir du graphique, explique pourquoi le pétrole est une ressource épuisable.

8 Calculer et raisonner

Chers sols…

On compte 1500 millions d'hectares de terres cultivables dans le monde (1 hectare = 10 000 m²). Chaque année, 5 millions d'hectares disparaissent à cause de l'érosion des sols ou de leur épuisement en réserves nutritives. Et 20 millions d'hectares sont aussi perdus du fait de la construction de bâtiments ou de routes.

a. Au rythme actuel, calcule dans combien de temps les réserves en terres agricoles seront épuisées.

b. Sachant qu'il faut entre 10 et 50 ans pour former un millimètre de sol, explique quel problème cela pose.

Des sols abimés par l'érosion.

Coup de pouce

→ Calcule la surface totale de sol qui disparaît en une année.

→ Pour répondre à la question **a,** divise la surface totale de terres cultivées par le résultat que tu as obtenu.

9 S'exprimer à l'écrit pour expliquer

Les piles jetables

« Le cycle de vie d'une pile jetable est beaucoup plus court que celui d'une pile rechargeable : pour obtenir la même quantité d'énergie, le consommateur utilisant une pile jetable doit répéter son geste plusieurs fois [c'est-à-dire acheter plusieurs fois des piles]. Le fabricant, quant à lui, doit fabriquer un plus grand nombre de piles. »

Un document de l'Agence de l'environnement et de la maîtrise de l'énergie.

Explique pourquoi l'utilisation de piles rechargeables est préférable à celle de piles jetables.

Accompagnement personnalisé

10 J'identifie le type de question qu'on me pose

L'histoire d'une petite cuillère en plastique

Énoncé

La matière première nécessaire à la fabrication du plastique constituant une cuillère est le pétrole. Pour faire une cuillère en plastique, il faut donc commencer par extraire le pétrole dans le sous-sol. Ce pétrole est transporté dans des usines pour être transformé en granules de plastique. Ces granules sont ensuite achetées par une autre usine qui les transforme en cuillères. Puis ces cuillères sont livrées à des magasins 6 000 km plus loin. Elles sont ensuite achetées et utilisées une seule fois lors d'un pique-nique, par exemple. Elles finissent leur vie dans une poubelle sans pouvoir être recyclées.

Questions

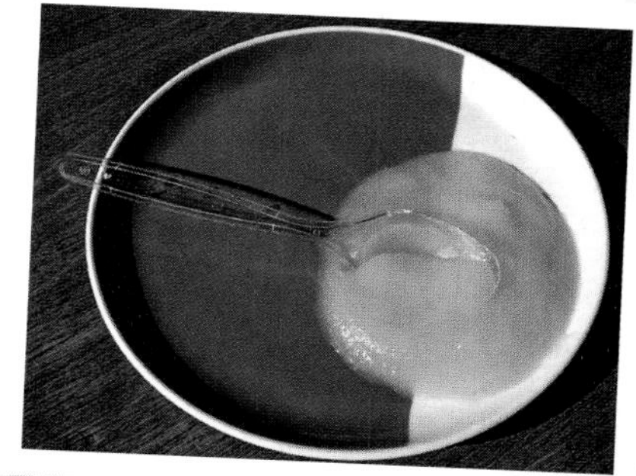

a. Quelle est la matière première permettant de fabriquer une petite cuillère en plastique ?

b. Retrouve les étapes nécessaires à la fabrication d'une petite cuillère en plastique.

c. Cite au moins deux conséquences de la consommation d'une petite cuillère en plastique sur l'environnement.

Aide à la résolution

Les questions posées par le professeur sont un moyen de t'aider à comprendre un texte. Il en existe 3 types.

Quand le professeur te pose une question, tu dois donc repérer à quel type elle appartient.

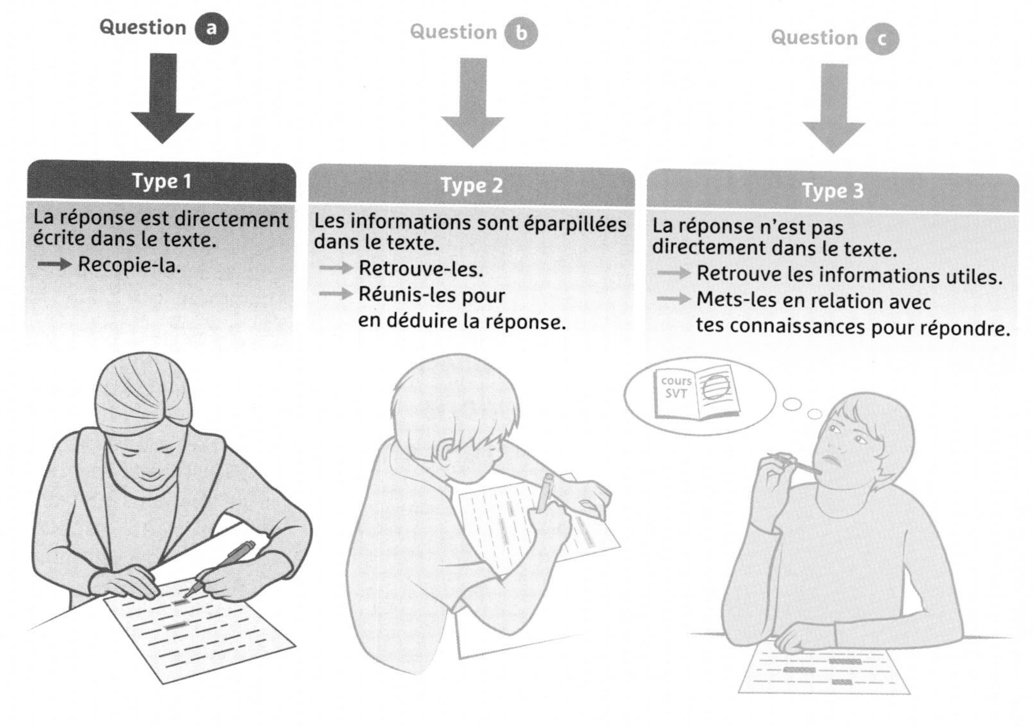

Question a
Question b
Question c
Type 1
La réponse est directement écrite dans le texte.
→ Recopie-la.
Type 2
Les informations sont éparpillées dans le texte.
→ Retrouve-les.
→ Réunis-les pour en déduire la réponse.
Type 3
La réponse n'est pas directement dans le texte.
→ Retrouve les informations utiles.
→ Mets-les en relation avec tes connaissances pour répondre.
cours SVT

Corrigé des exercices

Je vérifie mes connaissances

Partie 1

Matière, mouvement, énergie, information

De l'école au collège .... pp. 8-9

1. 1-b. 2-a. 3-c. 4-a.
2. 5-a. 6-c. 7-b.
3. 8-a. 9-a. 10-c.
4. 11-c. 12-a.

Chapitre 1. La matière .... p. 22

1. 1: métal. 2: verre. 3: minéral. 4: plastique. 5: matière organique.
2. La température.
3. 1-b, 2-2, 3-a, 4-d
4. La masse caractérise un échantillon de matière.

Chapitre 2. Matière et mélanges .... p. 36

1. a. Un mélange. **b.** Une évaporation. **c.** Une transformation chimique.
2. Filtration: montage **c**.
3. Le mélange de certains produits chimiques peut être dangereux.
4. Proposition correcte: **b** (un mélange ne provoque pas toujours une transformation chimique et certains mélanges peuvent être dangereux).

Chapitre 3. Les mouvements .... p. 50

1. a. Le mouvement d'un objet est défini par la trajectoire et la vitesse de l'objet.
b. Le mouvement d'un objet dépend de la position de l'observateur par rapport à cet objet.
2. 1-b. 2-c
3. Intrus: **b** (mouvement rectiligne, les deux autres images montrent des mouvements circulaires).

Chapitre 4. Les formes et les sources d'énergie .... p. 64

1. Un objet en mouvement possède une énergie qui dépend de sa masse et de sa vitesse.

→ Chap. 4, **exercice 3**

Énergie ......musculaire...... → ..Lampe de poche... ...à main.... → [..Énergie lumineuse.. + Énergie thermique..]

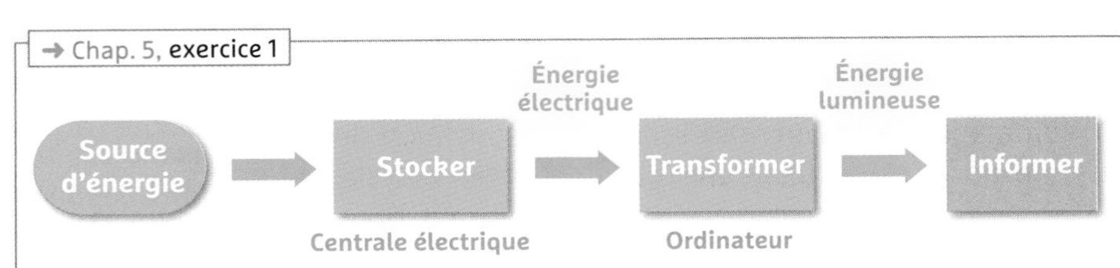

2. Sources d'énergie: Soleil, vent, pétrole, gaz.
3. Voir schéma ci-dessous.

Chapitre 5. Les besoins en énergie .... p. 76

1. Voir schéma ci-dessus.
2. a et **b**.
3. a. Un objet technique a besoin d'énergie pour être fabriqué.
b. Un objet technique a besoin d'énergie pour fonctionner.

Chapitre 6. Signaux et information .... p. 88

1. Lorsqu'un smartphone reçoit un signal **radio** provenant d'une antenne, il avertit son propriétaire de l'appel par une sonnerie. Ce signal **sonore** s'accompagne d'un signal **lumineux** puisque l'écran du téléphone s'éclaire simultanément.
2. Pour être transmise d'un émetteur à un récepteur, l'information doit être codée.
3. 1: organigramme. **2:** algorithme. **3:** binaire. **4:** information.

Partie 2

Le vivant, sa diversité, les fonctions qui le caractérisent

De l'école au collège .... pp. 94-95

1. 1-c. 2-a. 3-b.
2. 4-a. 5-a. 6-a. 7-c.
3. 8-a. 9-c.
4. 10-a. 11-b. 12-a.
5. 13-a. 14-c. 15-a.

Chapitre 7. Diversité et unité des êtres vivants .... p. 108

1. 1: champignon. **2:** membrane. **3:** aile. **4:** plumes. **5:** noyau. **6:** cytoplasme. **7:** espèce. **Mot caché:** cellule (voir définition p. 105).
2. a. Faux (un seul caractère commun ne suffit pas à définir une espèce). **b.** Vrai. **c.** Vrai.
3. 1: membrane. **2:** cytoplasme. **3:** noyau. **4:** cellule.

Chapitre 8. Histoire de la vie et évolution .... p. 122

1. a. Un fossile est un reste d'être vivant trouvé dans une roche. Le plus souvent, ces restes sont certains os du squelette, qui se sont transformés en roches.
b. Classer des êtres vivants c'est regrouper des espèces à partir de caractères (définis par les scientifiques) qu'elles ont en commun.
c. Pour représenter des liens de parenté entre les espèces, on peut rassembler dans un même groupe des espèces qui possèdent un ou plusieurs caractères en commun.
2. a. Faux. Classer les espèces c'est les regrouper à partir de caractères (définis par les scientifiques) qu'elles ont en commun.
b. Vrai.
c. Faux. L'espèce humaine est apparue il y a 200 000 ans environ, la vie est apparue il y a au moins 3,5 milliards d'années.
d. Faux. Les espèces disparues ont des liens de parenté avec les espèces actuelles.

Chapitre 9. Le développement des êtres vivants .... (p. 138)

1. a. Faux. Le ténébrion devient capable de se reproduire à l'âge adulte.
b. Faux. La fleur se transforme en fruit contenant les graines.

c. Vrai.
d. Faux. L'être humain est capable de se reproduire à partir de la puberté.
2. a. Œuf, larve, nymphe, adulte.
b. Les abeilles permettent la pollinisation (union d'une cellule reproductrice mâle à une cellule reproductrice femelle).
c. Filles: production des cellules reproductrices (ovules); apparition des règles.
Garçon: le volume des testicules augmente; démarrage de la production de spermatozoïdes.
3. 1: étamine. **2:** pistil. **3:** pétale.

Chapitre 10. Les besoins nutritifs des animaux et des plantes vertes .... p. 152

1. a. Vrai.
b. Faux. Certains êtres vivants ont aussi besoin de matière organique.
c. Vrai.
d. Faux. Les plantes vertes sont le premier élément des chaînes alimentaires.
2. a. La matière qui compose une plante provient de la matière qu'elle prélève dans son milieu de vie.
b. Les besoins nutritifs des animaux sont variés.
c. Les besoins nutritifs d'un chêne sont les minéraux.
d. La matière organique est la matière fabriquée par les êtres vivants.
3. a. Les êtres vivants produisent leur propre matière organique à partir de leur nourriture.
b. Pour leur croissance, les animaux ont besoin de matière organique et d'eau.
c. Pour leur croissance, les plantes vertes ont besoin de matière minérale, de lumière et d'eau.
d. Une chaîne alimentaire est une suite de relations alimentaires entre des êtres vivants.

Chapitre 11. Les fonctions de nutrition .... p. 164

1. a. La quantité d'énergie dans les aliments est exprimée en kilojoules (kJ) ou en kilocalories (kcal).
b. Estomac, intestin grêle, gros intestin.
c. Les réserves de nutriments sont des sources d'énergie et de matière pour notre corps.
d. Les besoins en aliments dépendent notamment de l'activité physique et de l'âge.
2. a. Le pain est un aliment, pas un nutriment.
b. « réserve » n'est pas un des facteurs qui modifient les besoins alimentaires d'un individu.
c. Le cerveau n'est pas un organe du tube digestif.
3. Titre: Le tube digestif humain.
1: Bouche (dents). **2:** œsophage. **3:** foie.
4: estomac. **5:** intestin grêle. **6:** anus.

Chapitre 12. L'origine des aliments .... p. 176

1. a: culture. **b:** champ. **c:** biologique.
d: élevage. **e:** aliments.
2. a. Faux. Pour cultiver des végétaux, l'agriculteur peut utiliser des produits chimiques.
b. Vrai.
c. Vrai.
3. a. Insecticide. **b.** Biologique. **c.** Label Rouge.

Chapitre 13. Les micro-organismes et nos aliments .... p. 188

1. a. Faux. Certains micro-organismes sont utiles à l'être humain.
b. Vrai. **c.** Vrai.
2. a. Le chat n'est pas un micro-organisme.
b. Le lave-vaisselle ne permet pas de conserver des aliments.
3. 1: cellule. **2:** fromage. **3:** vache. **4:** eau.
5: microscope. **6:** réfrigérateur. **Mot caché:** levure (définition: voir p. 181).

Chapitre 14. Le devenir de la matière organique .... p. 202

1. a: minérale. **b:** organique. **c:** fruit.
d: décomposeurs. **Mot mystère:** service.
2. a. La matière organique peut être utilisée comme matière première pour fabriquer des objets techniques.
b. Certains médicaments sont fabriqués à partir de substances produites par des êtres vivants.
c. Certains décomposeurs permettent le recyclage de la matière organique en matière minérale.
3. a. Vrai. **b.** Faux. Certains animaux produisent aussi des substances pour fabriquer des médicaments. **c.** Faux. les décomposeurs transforment la matière organique en matière minérale.

Partie 3
Matériaux et objets techniques

De l'école au collège .... (pp. 210-211)

1. 1-c. 2-b. 3-b. 4-c. 5. b.
2. 6-c. 7-c. 8-c.
3. 9-a. 10-c. 11-c. 12-a. 13-b.
4. 14-b. 15-b. 16-a. 17-a.

Chapitre 15. L'évolution technologique, une réponse à l'évolution des besoins .... p. 218

1. Innovations: le film en celluloïd, photo en couleurs, photo numérique.
Invention: daguerréotype.
Principes techniques: autofocus, flash.
2. 1: connaître l'heure. **2:** se déplacer.
3: communiquer. **4:** prendre des photos.
5: s'éclairer. **6:** se vêtir.

Chapitre 16. Objets techniques: fonctions, constitutions et fonctionnement .... p. 229

1. Chauffer un logement: convecteur électrique, poêle à granulés.
2. a. Fonction commune: fournir de l'énergie électrique.
b. Tour du monde à la voie sans escale: batterie rechargeable, éolienne, panneau solaire photovoltaïque.
Exploration de Mars par un robot: batterie rechargeable, panneau solaire photovoltaïque.
Écouter de la musique en courant: batterie rechargeable.

Chapitre 17. Les principales familles de matériaux .... p. 239

1. a. La valorisation. **b.** Des tests. **c.** Une famille de matériaux.
2. a. Vrai. **b.** Vrai. **c.** Faux. La dureté est la résistance que la surface d'un échantillon oppose à la pénétration d'un poinçon. La flexion est l'action de fléchir, courber, plier.

Chapitre 18. L'objet technique, des contraintes à la solution technique .... p. 249

1. a-3. b-2. c-1. d-5. e-4.
2. a. Un concepteur. **b.** Un modeleur numérique. **c.** Une solution technique.

Chapitre 19. Réaliser une solution technique répondant à un besoin .... (p. 263)

1. 1-c. 2-a. 3-b. 4-d. 5-e.
2. a. Faux: les pièces d'une maquette doivent être assemblées dans un ordre précis. **b.** Vrai.
c. Vrai. **d.** Faux: la dimension souhaitée pour une pièce est appelée cote nominale.

Chapitre 20. Communication et gestion de l'information .... p. 276

1. a-5. b-1. c-2. d-3. e-4.
2. a. Intrus: logiciel (les autres mots désignent des périphériques). **b.** Intrus: unité centrale (les autres mots désignent des logiciels). **c.** Intrus: vidéoprojecteur (les autres mots désignent des supports de stockage).
3. a. Pour accéder à l'ENT d'un collège, il faut un identifiant et un mot de passe.
b. Ces informations doivent rester personnelles car cela permet de protéger ses données.

Partie 4

La planète Terre. Les êtres vivants dans leur environnement

De l'école au collège ....pp. 210-211

1. 1-a. 2-c. 3-a.
2. 4-c. 5-c. 6-c.
3. 7-c. 8-b. 9-b.
4. 10-a. 11-a. 12-b.

Chapitre 21. La Terre et le système solaire .... p. 292

1. L'intrus est la Lune (c'est un satellite, les autres astres sont des planètes).
2. a. Vrai. **b.** Faux. Seule la Terre possède de l'eau liquide en abondance. **c.** Vrai.
3. Représentation correcte : **a**.

Chapitre 22. Les mouvements de la Terre .... p. 306

1. 1-a, car la Terre tourne sur elle-même d'Ouest en Est et autour de l'axe des pôles. **2-b.**
2. a. Le mouvement de la Terre autour du Soleil est une révolution.
b. Voir schéma ci-dessous.
3. a. Faux. Dans le modèle géocentrique, la Terre est au centre du système solaire.
b. Vrai.
c. Faux. Autrefois, la Terre a autrefois été imaginée comme un disque ou un cylindre.

Chapitre 23. La Terre planète active .... p. 322

1. 1: volcan. **2:** éruption. **3:** Terre. **4:** séisme. **Mot caché :** lave (roche fondue émise à la surface d'un volcan lors d'une éruption).
2. L'intrus est la masse : ce n'est pas une grandeur mesurée dans une station météorologique.
3. Cet objet est une barrière pour se protéger lors d'une inondation.
4. Schéma correct : **a.**

Chapitre 24. À la découverte d'un paysage .... p. 334

1. a. Vrai. **b.** Faux. La végétation dépend de la nature des roches. **c.** Faux. La végétation dépend aussi du climat. **d.** Vrai.
2. a. Le hêtre est une plante verte, pas une roche. **b.** Le calcaire est une roche, pas un être vivant. **c.** La marmotte est un être vivant, pas un paysage.
3. a. La géologie est la science de l'étude des roches.
b. L'action de l'eau sur les roches permet d'expliquer le relief de certains paysages.
c. La connaissance des roches permet d'expliquer la végétation présente dans un paysage.
4. Réponse correcte : d.

Chapitre 25. À la découverte des écosystèmes .... p. 348

1. a. Faux. Dans un écosystème, il y a des espèces animales et des espèces végétales.
b. Faux. Il y a beaucoup d'écosystèmes différents sur Terre.
c. Vrai. **d.** Faux. À l'automne ou en hiver, certains animaux migrent vers des milieux plus chauds.
2. a. Une espèce étrangère peut être en compétition avec d'autres espèces pour des ressources alimentaires.
b. Les végétaux d'une mare permettent à certains êtres vivants de se cacher ou de se nourrir.
3. a. Il existe des relations entre les êtres vivants d'un écosystème.
b. L'introduction d'une espèce étrangère dans un écosystème peut modifier le peuplement de cet écosystème.
c. En hiver certains animaux hibernent ou migrent pour trouver de la nourriture.
4. a. L'hirondelle migre en hiver.
b. L'espèce étrangère n'est pas une façon qu'ont les animaux de passer l'hiver.
c. La mouette n'est pas un animal que l'on croise habituellement près d'une mare.

Chapitre 26. Quelques impacts de l'Homme sur son environnement ....(p. 360)

1. a. Faux. Les aménagements réalisés par les humains peuvent avoir des effets bénéfiques sur les écosystèmes. **b.** Vrai.
c. Faux. Les humains aménagent les villes aussi pour se détendre.
2. a. Transports en commun, aménagement de pistes cyclable.
b. Détente pour les citadins, fraîcheur en été.
c. Les humains peuvent construire des écoponts.

Chapitre 27. L'exploitation des ressources naturelle et son impact .... p. 372

1. 1 : extraction des matières premières. **2 :** fabrication. **3 :** transport. **4 :** utilisation. **5 :** fin de vie. **6 :** tri sélectif. **7 :** recyclage.
2. a. Changer moins souvent d'appareil ; le recycler.
b. Recycler le papier ; utiliser des produits en bois avec un label de certification. **c.** Le cycle de vie d'un objet technique est une série d'étapes comprenant la naissance d'un produit (extraction des matières premières, fabrication, transport et distribution), sa vie (utilisation, consommation) et sa mort (élimination, recyclage).
3. a. Faux. Un jean nécessite de l'eau à plusieurs étapes de son cycle de vie (culture du coton, fabrication...).
b. Faux. Un smartphone contient de nombreuses matières minérales épuisables.
c. Faux. 52 % du papier utilisé en France est recyclé.
d. Vrai.

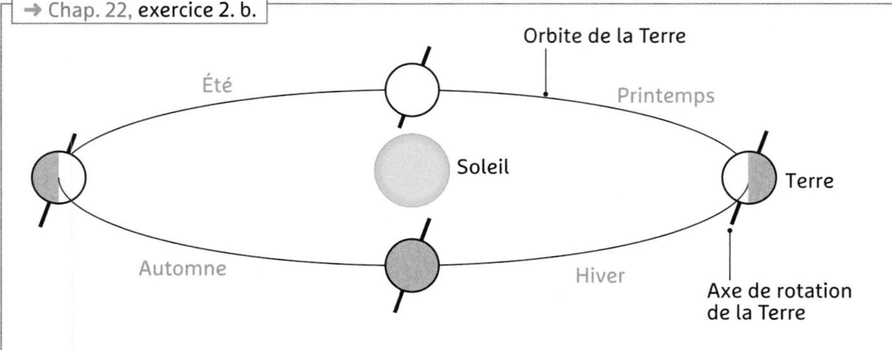

Mon dico des sciences et technologie

Agriculteur (un) : femme ou homme qui produit des aliments grâce à une culture ou à des élevages. 174

Algorithme (un) : description écrite d'une suite d'actions aboutissant à un résultat. 85, 273

Alliage (un) : mélange d'un métal de d'autres constituants. 29

Aménagement (un) : transformation d'un lieu réalisée par l'Homme dans un but donné. 355

Astre (un) : objet naturel présent dans l'Univers (étoile, planète, etc.). 287

Atmosphère (une) : couche gazeuse entourant un astre. 289

Axe de rotation (un) : droite autour de laquelle un objet tourne sur lui-même. 299

Besoin (un) : nécessité ou désir éprouvé par un utilisateur (manger, dormir, communiquer, s'amuser…). 217

Besoins nutritifs (des) : ensemble des substances nécessaires à la croissance et au développement d'un être vivant. 147

Biodiversité (une) : ensemble des espèces d'êtres vivants en un lieu donné. 101, 369

Caractère (un) : particularité d'un être vivant qui permet de le distinguer d'un autre être vivant. 103

Caractéristique (une) : grandeur physique avec un jugement de valeur pour faire ressortir l'intérêt particulier d'un matériau par rapport à d'autres (par exemple : une caractéristique du diamant est sa dureté élevée par rapport à tous les autres matériaux). 233

Cellule (une) : structure commune à tous les êtres vivants. Elle est délimitée par une membrane et contient, selon les espèces, un noyau ou non. 105

Cellule reproductrice (une) : cellule qui assure la reproduction d'un individu. Les animaux et les plantes vertes sont issus de l'union d'une cellule reproductrice mâle et d'une cellule productrice femelle. 129

Cellule-œuf (une) : première cellule de l'être humain qui est formée par la rencontre des cellules reproductrices de l'homme et de la femme. 133

Chaîne alimentaire (une) : suite de relations entre des êtres vivants : chaque être vivant mange celui qui le précède et est mangé par celui qui le suit dans la chaîne. 149

Chaîne d'énergie (une) : suite des conversions d'énergie qui ont lieu lors du fonctionnement d'un objet technique, en partant de la source d'énergie pour aller vers l'action réalisée. 71

Classer : regrouper des espèces à partir de caractères (définis par les scientifiques) qu'elles ont en commun. On obtient ainsi une **classification**. 117

Climat (un) : description du temps qu'il fait en un lieu donné sur une période longue. 317

Codage binaire (un) : conversion d'une information qui consiste à n'utiliser que deux valeurs, comme oui/non, vrai/faux, niveau haut/niveau bas. Ces deux valeurs sont représentées numériquement par 0 ou 1. 85

Compétition (une) : rivalité entre plusieurs êtres vivants pour une même ressource (nourriture, abri, etc.) dans un écosystème. 346

Concepteur (un) / conceptrice (une) : personne qui conçoit des objets techniques en les imaginant, en les dessinant. 247

Concevoir : action qui consiste à créer, imaginer une solution technique. 245

Constitution (une) : manière dont tous les organes d'un objet technique sont regroupés. 227

Contrainte (une) : obligation dont il faut tenir compte lors de la conception d'un objet technique. 243

Corps pur (un) : contient un seul constituant. 29

Courriel ou e-mail (un) : message codé qui circule dans un réseau informatique. 269

Croissance (une) : augmentation de la taille et de la masse d'un être vivant au cours de son développement. 136

Culture (une) : ensemble des étapes permettant à un agriculteur d'obtenir de la matière organique végétale. 174

Cycle de vie (un) : série d'étapes comprenant l'extraction des matières premières constituant un objet technique, sa fabrication, son utilisation, son transport et sa fin de vie. 237, 365

Décantation (une) : séparation des constituants d'un mélange hétérogène par dépôt des particules solides au fond du récipient. 31

Décomposeur (un) : organisme du sol qui transforme la matière organique en matière minérale. 200

Décomposition (une) : transformation de la matière organique morte (feuilles, branches etc.) en matière minérale. 199

Développement (un): ensemble des étapes de la vie d'un être vivant à partir de l'union des deux cellules reproductrices dont il est issu. 136

Développement durable (un): forme de développement dont l'objectif est de permettre à la fois l'amélioration des conditions de vie actuelles des humains et la préservation de l'environnement pour les générations futures. 358

Digestion (une): ensemble des transformations physiques et chimiques subies par les aliments dans le tube digestif. 161

Donnée numérique (une): information codée afin d'être utilisée par un ordinateur. 267

Écosystème (un): milieu de vie et ensemble des êtres vivants qui le peuplent. 338

Élasticité (une): propriété de reprendre sa forme d'origine après une déformation. 19

Élevage (un): ensemble des étapes permettant à un agriculteur d'obtenir de la matière organique animale 174

Énergie (une): un objet qui possède de l'énergie peut produire des actions: chauffer, éclairer, mettre en mouvement, etc. 57, 71, 159

Engrais (un): substance apportée à une culture pour améliorer la croissance des végétaux. 174

Équinoxe (un): jour de l'année où la durée de la journée est égale à celle de la nuit. 301

Espèce (une): ensemble des individus capables de se reproduire entre eux et dont les descendants peuvent aussi se reproduire entre eux. 101

Espèce étrangère (une): espèce qui a récemment été introduite dans un écosystème. Le plus souvent, c'est l'Homme qui est responsable de l'introduction d'une espèce étrangère. 345

État physique (un): la matière peut être à l'état solide, liquide ou gazeux. 15

Étoile (une): astre qui produit sa propre lumière. 287

Façonner: donner une forme à un matériau. 233

Famille de matériaux (une): ensemble de matériaux regroupés en fonction de propriétés ou d'origines communes. 235

Famille d'objets (une): regroupe tous les objets qui ont une même fonction d'usage. 223

Fermentation (une): action de micro-organismes qui conduit à la transformation d'un aliment. 173, 181

Filtration (une): séparation des constituants d'un mélange hétérogène par passage à travers un filtre. 31

Fleur (une): partie d'une plante verte contenant les organes reproducteurs. 136

Fœtus (un): stade de développement de l'être humain qui succède au stade embryon et aboutit à la naissance. Il commence dès la 8e semaine de grossesse. 133

Fonction d'estime (une): un objet technique est conçu pour plaire à l'utilisateur. La fonction d'estime correspond au goût des utilisateurs. 223

Fonction d'usage (une): un objet technique est conçu pour répondre à un besoin. La fonction d'usage répond à ce besoin. 223

Fonction technique (une): une des actions que doit réaliser un objet technique pour assurer sa fonction d'usage. 225

Forêt (une): terres d'une superficie de plus de 5 000 m^2 recouvertes d'arbres d'une hauteur de plus de 5 mètres (au moins 10 % de la surface recouverte d'arbres). 369

Fossile (un): reste d'être vivant trouvé dans une roche. Le plus souvent, ces restes sont certains os du squelette, qui se sont transformés en roches. 115

Fruit (un): organe d'une plante contenant des graines. 197

Géocentrique (adj.): se dit de la représentation du système solaire avec la Terre au centre (préfixe géo = Terre). 303

Graine (une): stade de développement des plantes à fleurs. Une graine donne une nouvelle plante après avoir germé. 136

Héliocentrique (adj.): se dit de la représentation du système solaire avec le Soleil au centre (préfixe hélio = Soleil). 303

Hibernation (une): état inactif de certains animaux dans leur milieu de vie durant l'hiver. 341

Hygiène (une): les mesures d'hygiène permettent d'éviter la prolifération de micro-organismes pathogènes. 186

Impact (un): ensemble des conséquences d'une action. 358, 370

Information (une): renseignement qu'un émetteur porte à la connaissance d'un récepteur. 83

Innovation (une): utilisation d'une technologie nouvelle avec pour objectif de répondre à un besoin. 215

Internet (l'): ensemble d'ordinateurs reliés entre eux à travers le monde entier. 267

Invention (une): imagination, réalisation de quelque chose de nouveau, que personne n'avait encore fait. 215

Jour (un): c'est l'unité de temps des calendriers (jour = journée + nuit). Sa durée est 24 h 299

Journée (une): partie du jour où le Soleil est au-dessus de l'horizon. 299

Lave (une): roche fondue émise à la surface d'un volcan lors d'une éruption. 313, 339

Larve (une): stade de développement de certains insectes à la sortie de l'œuf. La forme de la larve est différente de celle de l'adulte. 129

Levure (une): champignon composé d'une cellule. 181

Lien de parenté (un): des êtres vivants ont un lien de parenté entre eux s'ils partagent une histoire commune. 103, 117

Logiciel (un): ensemble de programmes informatiques réalisant une tâche définie (créer et mettre en forme un texte, retoucher des images, créer des tableaux et graphiques, etc.). 271

Maquette (une): représentation réelle d'un objet technique respectant ses proportions. 255

Masse (une): caractérise un échantillon de matière. Elle se mesure avec une balance (unité légale: le kilogramme, kg). 17, 59

Matériau (un): matière utilisée pour fabriquer un objet. 235

Matière (une): ce qui constitue les solides, les liquides et les gaz. 15

Matière inerte (une): matière qui n'est pas vivante. 15

Matière minérale (une): l'eau, les composants de l'air, les sels minéraux sont des exemples de matières minérales. 150, 200

Matière naturelle (une): matière qui n'a pas été fabriquée par un être humain. 15

Matière organique (la): matière fabriquée par les êtres vivants. 145

Matière première (une): matière à l'état brut extraite de la nature. 173, 197

Mélange (un): matière qui contient plusieurs constituants. 29

Métamorphose (une): série de transformations qui permettent le passage du stade larvaire au stade adulte. 129

Micro-organisme (un): organisme observable seulement au microscope. 186

Microscope optique (un): instrument permettant d'observer des structures invisibles à l'œil nu. 106

Migration (une): déplacement d'un milieu de vie à un autre. 341

Modélisation (une): représentation simplifiée (maquette, expérience, schéma...) de la réalité permettant de comprendre un phénomène. 289, 317

Mot-clé (un): mot ou groupe de mots utilisé dans une requête pour trouver des sites Internet traitant d'un sujet donné. 271

Mouvement (un): déplacement d'un objet par rapport à un objet de référence. Le mouvement d'un objet est caractérisé par la trajectoire et la vitesse de cet objet. 43

Mouvement circulaire (un): mouvement dont la trajectoire est un cercle. 45

Mouvement rectiligne (un): mouvement dont la trajectoire est une droite. 45

Mue (une): renouvellement de la peau d'un insecte. 129

Nuée ardente (une): nuage de gaz brûlants, émise lors d'une éruption volcanique et transportant des cendres et des blocs de roches. 313

Nutriment (un): élément utilisé par les organes pour leur fonctionnement. 161

Objet technique (un): objet fabriqué par l'Homme pour répondre à un besoin. 214

Orbite (une): trajectoire d'une planète tournant autour du Soleil. 287

Organe (un): ensemble de pièces d'un objet technique ayant une fonction particulière (propulsion, freinage, etc.). 227

Organigramme (un): représentation graphique d'un algorithme. 85

Pathogène (adj.): se dit d'un organisme qui provoque des maladies chez l'Homme. 183

Paysage (un): partie de l'espace observé qui peut être décrite par son relief, sa géologie, sa végétation et ses réalisations humaines. 329

Peuplement (un): ensemble des êtres vivants présents à un endroit et à un moment donnés. 331, 339

Planète (une): astre qui tourne autour du Soleil. 287

Pollen (le): éléments d'une fleur contenant les cellules reproductrices mâles. 131

Pollinisation (la): transport du pollen d'une fleur vers le pistil d'une autre fleur. 131

Pression atmosphérique (la): action de la couche d'air que constitue l'atmosphère, qui appuie sur toute la surface des objets présents sur Terre. 315

Principe technique (un): groupe de pièces d'un objet réalisant une action. 215

Procédé de fabrication (un): ensemble des techniques de transformation de matière utilisées pour fabriquer une pièce. 255

Processus (un): suite d'opérations à réaliser dans un ordre défini pour fabriquer une pièce. 255

Producteur de matière (un): tous les êtres vivants sont des producteurs de matière car ils produisent la matière organique dont ils sont faits. 150

Producteur primaire (un): organisme qui produit sa propre matière organique à partir de matière minérale. 147

Programme (un): ensemble d'instructions traduisant un algorithme dans un langage qui sera exécuté par un ordinateur. 273

Prototype (un): premier exemplaire réalisé d'un objet technique pour tester sa conformité et son bon fonctionnement. 255

Puberté (la): période au cours de laquelle le corps et le comportement d'un être humain se transforment; ce dernier devient capable de se reproduire. 135

Recyclage (un): récupération des matériaux d'un objet technique usagé dans le but de fabriquer un autre objet technique. 237

Relation alimentaire (une): deux êtres vivants entretiennent des relations alimentaires si l'un se nourrit de la matière organique produite par l'autre. 346

Relation de favorisation (une): deux êtres vivants entretiennent des relations alimentaires si l'un rend un service à l'autre. 346

Représentation virtuelle (une): technique permettant de visualiser un objet sous tous les angles à partir d'un logiciel, sans être obligé de le réaliser. 247

Réseau (un): ensemble d'ordinateurs reliés entre eux dans le but de partager et d'échanger des informations sous forme numérique. 267

Ressource naturelle (une): élément présent dans la nature qui permet aux humains de satisfaire un ou plusieurs de leurs besoins. 370

Révolution (une): mouvement d'un astre autour d'un autre astre. 301

Roche (une): matériau constitutif de la Terre, composé de minéraux et le plus souvent solides. 329

Rotation (une): mouvement d'un corps qui tourne autour d'un axe. 299

Satellite (un): astre tournant autour d'une planète (vient du latin *satelles*: compagnon, escorte). 287

Schéma (un): dessin représentant de manière simple les éléments essentiels d'un objet et permettant de faire comprendre son fonctionnement. 227

Séisme (un): tremblement de terre. 313

Service (un): un aménagement, un écosystème ou encore un être vivant rend un service à l'Homme s'il lui permet de satisfaire un ou plusieurs de ses besoins. 358, 370

Signal (un): permet de transporter de l'information d'un émetteur jusqu'à un récepteur. 83

Solstice (un): jour de l'année où la durée de la journée est soit la plus longue, soit la plus courte. 301

Soluble (avec l'eau): solide qui peut se dissoudre dans l'eau liquide. 19

Solution technique (une): choix techniques retenus pour réaliser une fonction technique. 225, 245

Souche (une): au sein d'une même espèce animale, il existe différentes souches qui diffèrent par certains de leurs caractères. 174

Source d'énergie fossile (une): source d'énergie qui provient de la décomposition de matière organique pendant des millions d'années. 61

Source d'énergie renouvelable (une): source d'énergie qui se renouvelle rapidement par rapport à la durée d'une vie humaine. Elle est considérée comme inépuisable (exemple: le Soleil). 61

Stérilisation (une): élimination des micro-organismes grâce à une action de l'Homme (chauffage à haute température par exemple). 186

Texture (une): on peut connaître la texture d'un aliment quand on appuie dessus: liquide, solide, mou, dur, cassant, etc. 183

Trajectoire (une): ensemble des positions occupées au cours du temps par un objet qui se déplace. 43

Transformation (une): modification d'un aliment par l'Homme ou par des micro-organismes. 200

Tube digestif (un): ensemble des organes dans lesquels transitent les aliments ingérés (bouche, œsophage, estomac, intestin grêle, gros intestin). 162

Valorisation (une): production de matière première ou d'énergie à partir d'objets techniques en fin de vie. 237

Vaporisation (une): passage de l'état liquide à l'état gazeux. 31

Variété (une): au sein d'une même espèce de plante, il existe différentes variétés qui diffèrent par certains de leurs caractères. 174

Vitesse (une): quotient de la distance parcourue par la durée du parcours. L'unité légale de la vitesse est le mètre par seconde (m/s). On utilise souvent le kilomètre par heure (km/h). 43, 59

Couverture : Ferrantraite/Getty

p. 8-9, reprise p. 2g : Massimo Brega/Quark/Gamma-Rapho ; **p. 10h** : Günter Fischer/ImageBroker/AGE ; **p. 10b** : Stefan Warmuth/Reuters ; **p. 11h** : C12/iStock ; **p. 11b** : Titeuf, Le Miracle de la Vie, tome 7 par ZEP © Glénat Éditions ; **p. 12-13** : Pierre Jacques/Hemis.fr ; **p. 12h** : Dave & Les Jacobs/Getty ; **p. 12b** : Lourens Smak/Alamy/Photo12 ; **p. 14hg** : Christopher Futcher/iStock ; **p. 14hd** : David Mercado/Reuters ; **p. 14b** : Nicholas Bailey/Rex Features/Sipa ; **p. 15h** : Gail Shumway/Getty ; **p. 15bg** : Tarker/Bridgeman Images ; **p. 16b** : Henning Dalhoff/SPL/Cosmos ; **p. 17b** : Hervé Conge ; **p. 23h** : FineArtImages/Leemage © Salvador Dali, Fundacio Gala-Salvador Dali/ADAGP, Paris 2016 ; **p. 23bg** : The Natural History Museum/Alamy/Photo12 ; **p. 23bd** : Ian Steele & Ian Hutcheon/SPL/Cosmos ; **p. 24** : MargouillatPhotos/iStock ; **p. 25h** : Stockbyte/Getty ; **p. 26-27** : Roulier-Turiot/Photocuisine ; **p. 26** : PQR/La Provence/MaxPPP ; **p. 28hg** : Nathan Alliard/Photononstop ; **p. 30hg** : Nanka-Stalker/iStock ; **p. 32** : illustration Frédéric Péault/INPES ; **p. 37b** : Foodcollection/Getty ; **p. 40-41** : Frederick Florin/AFP ; **p. 40** : Technotr/Getty ; **p. 42hg** : Per Eriksson/Getty ; **p. 42hd** : Anders Ekhdm/Getty ; **p. 42bg** : Laurent Grandguillot/Réa ; **p. 42bd** : Sébastien Rabany/Photononstop ; **p. 43hg** : ArtMarie/iStock ; **p. 43hd** : Gilles Rolle/Réa ; **p. 44hg** : Gilaxia/iStock ; **p. 44hd** : Ollo/iStock ; **p. 45hg** : Enrique Algarra/AGE ; **p. 45hd** : P. Carril/ESA ; **p. 46** : Thomas Barwick/Getty ; **p. 50d** : Nikada/iStock ; **p. 51hg** : Shironosov/iStock ; **p. 51hd** : Targovcom/iStock ; **p. 51b** : PhET Interactive Simulations, University of Colorado Boulder, http://phet.colorado.edu ; **p. 54-55** : Solar Impulse/Olga Stefatou/Rezo.ch ; **p. 54h** : Joseph Giacomin/Getty ; **p. 54b** : Stéphane Lartigue/PQR/Sud-Ouest/MaxPPP ; **p. 56h** : Richard T. Nowitz/AGE ; **p. 56bg** : Meigneux/Sipa ; **p. 56bd** : Alfred/DPPI/Sipa ; **p. 60hg** : Rob_Ellis/iStock ; **p. 60hd** : Itajohoos/iStock ; **p. 60bg** : AVTG/iStock ; **p. 60bd** : Ricard Decker/Photononstop ; **p. 61hg** : Hans Blossey/AGE ; **p. 61hd** : Ilozavr/iStock ; **p. 61bg** : Robert Francis/AGE ; **p. 61bd** : Ivan Alvarado/Reuters ; **p. 64bg** : Ian Hanning/Réa ; **p. 64bd** : Nikada/iStock ; **p.65h** : Ahmed Jadallah/Reuters ; **p. 65b** : Global NCAP ; **p. 66g et d** : Jacques Vapillon/www.vapillon.com ; **p. 67** : Brian Cassella/Chicago Tribune/MCT/Getty ; **p. 68-69** : Planetary Visions Ltd/SPL/Cosmos ; **p. 68** : Onur Döngel/iStock ; **p. 71h** : Philippe Turpin/Photononstop ; **p. 72** : Ivansmuk/iStock ; **p. 73hg** : Westlight/iStock ; **p. 73hmg** : Eduardo Luzzatti Buyé/iStock ; **p. 73hmd** : Oktay Ortakcioglu/iStock ; **p. 73hd** : design56/iStock ; **p. 77** : US Department of Energy/SPL/Cosmos ; **p. 78** : Bryn Lennon/Getty ; **p. 80-81** : Mike Hewitt/FIFA/Getty ; **p. 80h** : Peter Newark American Pictures/Bridgeman Images ; **p. 80b** : Pathdoc/Shutterstock ; **p. 82g** : David Tipling/Bios ; **p. 82m** : Franck Fouquet/Bios ; **p. 82d** : Arco/Nature PL/EBPhoto ; **p. 83g et m** : Karl-Friedrich/iStock ; **p. 83d** : Aanton/iStock ; **p. 84h** : Sam Lian/Presse Sports ; **p. 89hg** : Michael Sohn/AP/Sipa ; **p. 89hd** : Galazka/Sipa ; **p. 91** : Stephen Dalton/Nature PL/EBPhoto ; **p. 92** : Jürgen Freund/Nature PL/EBPhoto ; **p. 93m** : Rebecca Hosking/FLPA/Biosphoto ; **p. 93d** : Kevin Schafer/Nature PL/EBPhoto ; **p. 94-95, reprise p. 2d** : Frédéric Desmette/Biosphoto ; **p. 96b** : Foodcollection/Getty ; **p. 97h** : David Gregs/Alamy/Photo12 ; **p. 97m** : Royal Horticultural Society/RHS/Biosphoto ; **p. 97b** : Pixar Animation Studios, Walt Disney Pictures/Coll. Christophe L ; **p. 98-99** : Fabrice Cahez/Nature PL/EBPhoto ; **p. 98** : Archives Belin ; **p. 100h** : Power & Syred/SPL/Cosmos ; **p. 100bg** : Scimat Scimat/Science Source/Getty ; **p. 100bd** : Alena Haurylik/Shutterstock ; **p. 101hg** : Eye of Science/SPL/Cosmos ; **p. 101hd** : J. Kottmann/AGE ; **p. 101bg** : Alex Hyde/Nature PL/EBPhoto ; **p. 101bd** : Power & Syred/SPL/Cosmos ; **p. 102h** : Serkucher/Shutterstock ; **p. 102b** : Elenaeonova/Getty ; **p. 103g** : Matthew Maran/Nature PL/EBPhoto ; **p. 103d** : Visuals Unlimited/Nature PL/EBPhoto ; **p. 104hd** : Ed Reschke/Getty ; **p. 104bg** : laindiapiaroa/iStock ; **p. 104bd** : Jim Zuckerman/Corbis ; **p. 105hg** : Science Vu/Visuals Unlimited/SPL/Cosmos ; **p. 105hd** : UIG/BSIP/Getty ; **p. 105b** : Guillaume Lecointre ; **p. 108** : Astrid & Hanns-Frieder Michler/SPL/Cosmos ; **p. 109hg** : Claude Nuridsany & Marie Perrenou/SPL/Cosmos ; **p. 109hm** : Olga Anourina/iStock ; **p. 109hd** : H. Bellmann-F. Hecker/AGE ; **p. 109mg** : Alex Hyde/Nature PL/EBPhoto ; **p. 109md** : Steffen Schellhorn/AGE ; **p. 109b** : Carausius/iStock ; **p. 110hg** : Solvin Zanki/Nature PL/EBPhoto ; **p. 110hd** : Jimcloughlin/iStock ; **p. 110bg** : David Greyo & Séverine Pillet/Naturimages ; **p. 110bd** : Martial Colas/Naturimages ; **p. 111h** : Aimstock/iStock ; **p. 111g** : Jean-Claude Révy/ISM ; **p. 112-113** : Markus Varesvuo/Nature PL/EBPhoto ; **p. 112** : John Cancalosi/Biosphoto ; **p.114h** : © Alain Bénéteau 2016 ; **p. 114b, reprise p. 116hg** : Xing et al., « Abdominal Contents from Two Large Early Cretaceous Compsognathids (Dinosauria: Theropoda) Demonstrate Feeding on Confuciusornithids and Dromaeosaurids » 10. 1371/journal.pone.0044012 ; **p. 115h** : Hervé Lenain/Hemis.fr ; **p. 115mg** : Fabrice Cahez/Biosphoto ; **p. 115md** : Staffan Widstrand/Nature PL/EBPhoto ; **p. 115bg** : Guy Van Langenhove/Biosphoto ; **p. 115bd** : Laurie Campbell/Nature PL/EBPhoto ; **p. 116hd** : © Alain Bénéteau 2016 ; **p. 123hg** : Steve Byland/iStock ; **p. 123hd** : Dietmar Nill/Nature PL/EBPhoto ; **p. 123bg** : PhanuwatNandee/iStock ; **p. 123bd** : arlind071/iStock ; **p. 124** : John Cancalosi/Getty ; **p. 124bd** : © Alain Bénéteau 2016 ; **p. 126-127** : Frank Siteman/AGE ; **p. 127h** : « Le guide du zizi sexuel », par Zep et Hélène Bruller © Glénat Éditions ; **p. 128hg** : Studio Annika/iStock ; **p. 128hd** : Schantz/Shutterstock ; **p. 128bg** : Master2/iStock ; **p. 128bd** : Eric Isselée/Shutterstock ; **p. 129h** : Visuals Unlimited/Nature PL/EBPhoto ; **p. 129b** : Power & Syred/SPL/Cosmos ; **p. 130h et b** : Hervé Conge ; **p. 131h, bg et bd** : Hervé Conge ; **p. 132hg** : Dr Yorgos Nikas/SPL/Cosmos ; **p. 132hd** : Thierry Berrod, Mona Lisa Productions/SPL/Phanie ; **p. 132bg** : Dr Charles/Phanie ; **p. 133** : Raymond Delalande/Sipa ; **p. 134g** : Gent Shkullaku/AFP ; **p. 134d** : Siephoto/Masterfile/Corbis ; **p. 135** : Loup/Iconovox ; **p. 138h** : Catherine Lenne ; **p. 138m** : Adrian Bicker/SPL/Cosmos ; **p. 138b** : Hervé Conge/ISM ; **p. 139h** : Charles Schmidt/Getty ; **p. 139b** : Radek Petrasek/AGE ; **p. 141g** : Colin Varndell/Nature PL/EBPhoto ; **p. 141d** : Will Watson/Nature PL/EBPhoto ; **p. 142-143** : Eric Baccega/Nature PL/EBPhoto ; **p. 142h** : Juniors/Biosphoto ; **p. 142b** : Lee Dalton/Biosphoto ; **p. 144** : Doug Wechsler/Nature PL/EBPhoto ; **p. 145hg** : Westend61/Getty ; **p. 145hd** : Véronique Fournier/Biosphoto ; **p. 145bg, reprise bm** : Kim Taylor/Nature PL/EBPhoto ; **p. 145bd** : Kativ/iStock ; **p. 146** : Nicolas Datiche/Sipa ; **p. 148hg** : Kim Taylor/Nature PL/EBPhoto ; **p. 148hd** : Jean-Michel Labat/Biosphoto ; **p. 148b** : Hervé Conge ; **p. 149hg** : Philippe Clément/Nature PL/EBPhoto ; **p. 149hd** : cbrookes_75/iStock ; **p. 149bg** : Michel Gunther/Biosphoto ; **p. 149bd** : Dave Watts/Nature PL/EBPhoto ; **p. 153h** : Patrick Aventurier/Sipa ; **p. 153m** : Gwhitton/AGE ; **p. 153b** : Henrik-L/iStock ; **p. 154h** : Adrian Davies/Nature PL/EBPhoto ; **p. 154b** : Graphic Design/Shutterstock ; **p. 155** : tob_katrina/iStock ; **p. 156-157** : Steve Debenport/iStock ; **p. 156h** : Peter Menzel/Cosmos ; **p. 156b** : Photo AFP. Wim Delvoye, Cloaca Professional, 2010, mixed media, 710 x 176 x 285cm. Permanent collection, MONA, Hobart © ADAGP, Paris 2016 ; **p. 159hg et hd** : Christopher Futcher/iStock ; **p. 159b** : drbimages/iStock ; **p. 160** : MedicalRF/Getty ; **p. 161b** : Alain Mounic/Presse Sports ; **p. 165h** : Coll. Christophe L ; **p. 165b** : White Fox/AGE ; **p. 166-167** : Jean-Daniel Sudres/Hemis.fr ; **p. 166h** : Davor Lovincic/iStock ; **p. 166b** : Akg-Images ; **p. 168h** : Christopher Hill Photographic/Alamy/Photo12. Famine Memorial, sculpture de Rowan Gillepsie, 1997. ; **p. 168b** : US Department of Agriculture ; **p. 170h** : Vandervelden/iStock ; **p. 170b** : Mircea Costina/Alamy/Photo12 ; **p. 171h** : Claudius Thiriet/Biosphoto ; **p. 171m** : Pierre Gleizes/Réa ; **p. 171bg et bd** : Phillipe Guillet ; **p. 172hg** : Ron Giling/Linear Fotoarchief/Biosphoto ; **p. 172hd** : Luc Gnago/Reuters ; **p. 172bg** : Thierry Gouegnon/Reuters ; **p. 172bm** : 123foto/iStock ; **p. 172bd** : Christian Goupi/AGE ; **p. 173** : aluxum/iStock ; **p. 176** : Unclesam/Fotolia ; **p. 177h** : Stéphane Frey ; **p. 177mg** : Mistikas/iStock ; **p. 177md** : Bertrand Nicolas/INRA ; **p. 177b** : Multiart/iStock ; **p. 178-179** : René Mattes/Hemis.fr ; **p. 178h** : Russell Glenister/AGE ; **p. 172b** : DebbiSmirnoff/iStock ; **p. 180hd** : Photosaint/iStock ; **p. 180md** : billnoll/iStock ; **p. 180b** : Dr John D. Cunningham/Visuals Unlimited/Getty ; **p. 182hg** : Claudius Thiriet/Biosphoto ; **p. 182hd** : Pisacreta/Ropi/Réa ; **p. 182b** : Benoit Decout/Réa ; **p. 183h** : Samuel Rebulard ; **p. 183m et b** : Archives Belin ; **p. 185hg, hd, mg et md** : Samuel Rebulard ; **p. 185bg et bm** : Stéphane Frey ; **p. 185bd** : Florence Baron ; **p. 189hg et hd** : Samuel Rebulard ; **p. 189b** : Stéphane Frey ; **p. 190hg** : Dieter Telemans/Cosmos ; **p. 190hd** : ImageBroker/Alamy/Photo12 ; **p. 191g** : Dr John D. Cunningham/Visuals Unlimited/BSIP ; **p. 191d** : Hervé Conge ; **p. 192** : Sabrina et Jean-Michel Krief ; **p. 194b** : Jean E. Roche/Nature PL/EBPhoto ; **p. 195hg** : Visuals Unlimited/Nature PL/EBPhoto ; **p. 195hd** : Dr Jeremy Burgess/SPL/Cosmos ; **p. 195b** : Franco Banfi/AGE ; **p. 196hg** : Michael Warren/iStock ; **p. 196hd** : Hervé Conge ; **p. 196b** : Tomas Munita/The New York Times-Redux/Réa ; **p. 197g** : Lewis W. Hine/George Eastman House/Getty ; **p. 197hd** : Power & Syred/SPL/Cosmos ; **p. 197bd** : deyangeorgiev/iStock ; **p. 198g** : Samuel Rebulard ; **p. 198m et d** : Hervé Conge ; **p. 199hg** : Visuals Unlimited/Nature PL/EBPhoto ; **p. 199hd** : Blickwinkel/Alamy/Photo12 ; **p. 199bg et bd** : Samuel Rebulard ; **p. 202** : Hervé Conge ; **p. 203h** : Doug Perrine/Nature PL/EBPhoto ; **p. 203b** : Paul Box/Report Digital/Réa ; **p. 204g** : Lypnyk2/iStock ; **p. 204d** : wfinguss/iStock ; **p. 207** : Jean Schormans/RMN-Grand Palais ; **p. 208-209, reprise p. 3g** : Dorling Kindersley/Getty ; **p. 210h** : Stefano Torrione/Hemis.fr ; **p. 210m** : Costa/Leemage ; **p. 210b** : onurdangel/iStock ; **p. 211h** : Zothen/iStock ; **p. 211b** : Eric Audras/Getty ; **p. 212-213** : Henning Dalhoff/SPL/Cosmos ; **p. 212g** : Bridgeman Images ; **p. 212d** : Airbus S. A. S. 2011. Computer rendering by Fixian GWLNSD ; **p. 214hg** : Costa/Leemage ; **p. 214hd** : Science Museum/SPL/Cosmos ; **p. 214bg** : Akg-Images ; **p. 214bd** : Pablo Blazquez Dominguez/Getty ; **p. 216g** : Costa/Leemage ; **p. 216m** : OVRM/Rue des Archives ; **p. 216d** : Science Museum/SPL/Cosmos ; **p. 216hm** : Coll. particulière ; **p. 216b** : Fairphone ; **p. 219hg** : (1) popovaphoto/iStock ; **p. 219hd** : (2) Peugeot Direction de la Communication ; **p. 219mg** : (3) Hadrian/Shutterstock ; **p. 219mhm** : (4) Studio-casper/iStock ; **p. 219mbm** : (5) choness/iStock ; **p. 219md** : (6) Volodymyr Krasyuk/iStock ; **p. 219b** : UIG/Coll. Christophe L ; **p. 220-221** : Sébastien Ortola/Réa ; **p. 220h** : Gaston Lagaffe, « La gang des gaffeurs », T12, Franquin © Éditions Dupuis ; **p. 220b** : Lapi/Roger-Viollet ; **p. 222g** : FastWheel ; **p. 222mg** : Ashim Prill/iStock ; **p. 222md** : Givaga/iStock ; **p. 222d** : Ljupco/iStock ; **p. 223g** : Nikada/iStock ; **p. 223mg** : Anthony Hall/Shutterstock ; **p. 223md** : Gena73/Shutterstock ; **p. 223d** : LuFeeTheBear/Shutterstock ; **p. 229** : JPL-Caltech/Nasa ; **p. 230-231** : Francis Demange/AFP ; **p. 236g** : Crystite RF/Alamy/Photo12 ; **p. 236d** : Pete Ryan/Getty ; **p. 237hg** : NaKphotos/iStock ; **p. 237hd** : Fintastique/iStock ; **p. 237b** : Robert Deyrail/Gamma-Rapho ; **p. 239** : pbpgalleries/Alamy/Photo12 ; **p. 240-241** : Ken Welsh/Bridgeman Images ; **p. 240g** : Image by Frankie Flood ; **p. 240d** : Brian Snyder/Reuters ; **p. 242g** : MCPhoto/Blickwinkel/AGE ; **p. 242m** : Agence DER/Fotolia ; **p. 244h** : Paolo Siccardi/Marka/AGE ; **p. 244bg** : Belushi/Shutterstock ; **p. 244bd** :

Ron Balley/iStock; **p. 245 et 247:** Sketchup Make; **p. 249g**: Olivier Rault/Fotolia; **p. 249d**: Richard Damoret/Réa; **p. 250g**: Uolir/Fotolia; **p. 250d**: Pascal Sittler/Réa; **p. 251h:** Sketchup Make. **p. 251bg**: Art Konovalov/Shutterstock; **p. 251bd**: DarthArt/iStock; **p. 252-253**: Nick Clements/Renault; **p. 252**: Yannick Brossard/Renault; **p. 256h**: Inok/iStock; **p. 256mh**: allenwormzond/iStock; **p. 256mmh**: adventtr/iStock; **p. 256mmb**: Irin-k/Shutterstock; **p. 256mb**: Dreamsquare/Shutterstock; **p. 256b**: wsf-s/Shutterstock; **p. 258bg:** Technologie Service; **p. 263**: Givaga/iStock; **p. 264-265**: Baranozdemir/iStock; **p. 267:** ENT PLACE; **p. 268hg**: Claylib/iStock; **p. 268hd**: borzaya/iStock; **p. 268m**: Art Thailand/Shutterstock; **p. 268bg**: daboost/iStock; **p. 268mg**: MichaelJay/iStock; **p. 268md**: LPettet/iStock; **p. 268d**: Chiyacat/iStock; **p. 271**: SurkovDimitri/iStock; **p. 273**: Thomas Peter/Reuters; **p. 277**: Digit-sole; **p. 278**: Walter G. Arce/Cal S/Newscom/Sipa; **p. 280-281, reprise p. 3d**: Jon Arnold Images/Hemis.fr; **p. 282h**: Kimimasa Mayama/Reuters; **p. 282b**: Richard Bouhet/AFP; **p. 283h**: Akiko et Pierre Javelle; **p. 283b**: La Compagnie Cinématographique, Haut et Court, Panache Productions, Team To/Coll. Christophe L; **p. 284-285**: den-balitsky/iStock; **p. 284b**: Mars One; **p. 286-287**: JPL-Caltech/Nasa; **p. 289h**: JPL-Caltech/Nasa; **p. 289bg**: MarcelIC/iStock; **p. 289d**: Nasa/JPL/MSSS; **p. 291**: JPL-Caltech/Nasa; **p. 292g**: Ableimages/Alamy/Photo12; **p. 292d**: ESA/DLR/FU Berlin (G. Neukum); **p. 293h**: Antoine de Saint-Exupery, Le Petit Prince © Éditions Gallimard; **p. 294**: Lsmpascal, www.lesud.com; **p. 295**: Nasa, ESA & G. Bacon (STScI); **p. 296-297**: Sara Montella/EyeEm/Getty; **p. 296h**: Jerry Kobalenko/Getty; **p. 296b**: Archives Belin; **p. 302bd**: Ancient Art & Architecture Collection/Bridgeman Images; **p. 303hg**: Johann Brandstetter/Akg-Images; **p. 303hd**: Nasa; **p. 303bg**: Nasa; **p. 303bd**: ESA-AOES Medialab; **p. 306b**: Harald Cook/Getty; **p. 307h**: dbencek/iStock; **p. 307b**: Daisy Gilardini/Getty; **p. 308**: Felix Wirth/AGE; **p. 309**: Celestia; **p. 310-311**: Nasa Earth Observatory, image by Jesse Allen using Landsat data from the U. S. Geological Survey; **p. 310**: Loic Venance/AFP; **p. 312h**: Werner Van Steen/Getty; **p. 312b**: Ulet Ifansasti/Getty/AFP; **p. 313g**: Navesh Chitrakar/Reuters; **p. 313d**: Sunil Pradhan/Anadolu Agency/AFP; **p. 314h**: CIMA Technologies; **p. 316**: Patrick Allard/Réa; **p. 318**: John Sommers II/Reuters; **p. 319h**: Dominique Guet/BEP/Le Midi Libre/MaxPPP; **p. 319bg**: Séverine Mathieu; **p. 319bd**: MegaSecur Europe; **p. 322h**: Reproduced with kind permission from Floodgate Ltd UK; **p. 322b**: Joe_Potato/iStock; **p. 323**: Vittoriano Rastelli / Corbis; **p. 324g**: Sadatsugu Tomisawa/AP/Sipa; **p. 324hd**: Havet/iStock; **p. 324bd**: Brad Calkins/iStock; **p. 326-327**: Hervé Lenain/Hemis.fr; **p. 326**: François Michel; **p. 328h, bg et bd**: François Michel; **p. 329**: Samuel Rebulard; **p. 330hg**: Conservatoire Botanique National Alpin, Jean-Charles Villaret, « Reconnaissance du 10 et 11 juillet 2012. Bilan sur la flore et la végétation. Mont Aiguille, pelouses et crêtes sommitales », ref. 22569; **p. 330hd**: Guilhem Manzano/Naturimages; **p. 330b**: Michel Cavalier/Hemis.fr; **p. 331g**: Blickwinkel/Alamy/Photo12; **p. 331d**: Frank Sommariva/ImageBroker/AGE; **p. 334**: Samuel Rebulard; **p. 335h**: Francis Leroy/Hemis.fr; **p. 335m**: Samuel Rebulard; **p. 335b**: Ernie Janes/Nature PL/EBPhoto; **p. 336-337**: Sylvestre Popinet & Christel Freidel/Biosphoto; **p. 336h**: F. Rauschenbach/AGE; **p. 336b**: Salvador Barki/Getty; **p. 338h**: Ulf Boettcher/Look/Getty; **p. 338m**: Stephen Dalton/Nature PL/EBPhoto; **p. 338b**: Thomasmales/iStock; **p. 339hg**: Wild Wonders of Europe/Wothe/Nature PL/EBPhoto; **p. 339hd**: Kim Taylor/Nature PL/EBPhoto; **p. 339bg**: Mike Lane/Biosphoto; **p. 339bd**: Stephen Dalton/Nature PL/EBPhoto; **p. 340**: Nick Goulthorp/Nature PL/EBPhoto; **p. 341hg**: Bruno Guenard/Biosphoto; **p. 341hd**: Bildagentur Zoonar GmbH/Shutterstock; **p. 341bg**: Rene Krekels/NIS/Minden Pictures/Biosphoto; **p. 341bd**: Stephen Dalton/Nature PL/EBPhoto; **p. 342g**: Steen Drozd Lund/Biosphoto; **p. 342hd**: Hermann Brehm/Nature PL/EBPhoto; **p. 342bm**: aimintang/iStock; **p. 342bd**: Rémi Masson/Biosphoto; **p. 343hg**: Jose B. Ruiz/Nature PL/EBPhoto; **p. 343hd**: Robert Thompson/Nature PL/EBPhoto; **p. 343bg**: Joël Héras/Biosphoto; **p. 343bd**: Justus de Cuveland/ImageBroker/Biosphoto; **p. 344h**: Robert Henno/Biosphoto; **p. 344b**: Michael Marquand/Lonely Planet/Getty; **p. 345**: Sylvain Cordier/Biosphoto; **p. 349h**: Michel Poinsignon/Biosphoto; **p. 349mg**: J. Kottmann/AGE; **p. 349md**: Andy Sands/Nature PL/EBPhoto; **p. 349b**: J. J. Alcalay & B. Marcon/Biosphoto; **p. 350h**: Jose B. Ruiz/Nature PL/EBPhoto; **p. 350bg**: FLPA/Alamy/Photo12; **p. 350bm**: H. Bellmann & F. Hecker/AGE; **p. 350bd**: Thomas Marent/Minden Pictures/Biosphoto; **p. 351g**: Nature Photographers Ltd/Alamy/Photo12; **p. 351m**: Shu/McPhoto/AGE; **p. 351d**: Francisco Javier Torrent Andrea/Visual & Written/Biosphoto; **p. 352-353**: Philippe Guignard/Air-Images.net; **p. 352h**: Jean-Baptiste Quentin/PQE/Le Parisien/MaxPPP; **p. 352b**: Meigneux/Sipa; **p. 354h**: Vinci Autoroutes - Dolidon Alaterra SAS; **p. 354b**: Vinci Autoroutes - E. Rondeau; **p. 355hg**: Vinci Autoroutes - E. Rondeau; **p. 355hd**: Vinci Autoroutes - W. Daniels; **p. 355bg**: Vinci Autoroutes - F. Mainard; **p. 355bd**: Jean-François Mauffrey; **p. 356g**: Keystone/Gamma-Rapho; **p. 356d**: Yann Mambert/Cit'Images; **p. 357h**: François Renault/Photononstop; **p. 360h**: Hamilton/Réa; **p. 360b**: Eric Ferry & Bruno Dertel/Biosphoto; **p. 361h**: Pierre Gleizes/Réa; **p. 361b**: APUR, Les îlots de Chaleur Urbains à Paris, cahier#1, 2014; **p. 362-363**: Martine Mouchy/Getty; **p. 362h**: Petar Chernaev/iStock; **p. 362b**: Tom Dulat/TheFA/Getty; **p. 364g**: Claver Carroll/Getty; **p. 364d**: Bénard/Andia; **p. 365**: Z. Xiaoli/Feature China/Ropi/Réa; **p. 366**: Ifixit; **p. 367**: Source/Zuma/Réa; **p. 369hg**: Johner/Photononstop; **p. 369hd**: Ludek Perina/AP/Sipa; **p. 369bd**: Gilles Rolle/Réa; **p. 372**: Stéphane Frey; **p. 373h**: demarcomedia/iStock; **p. 373b**: Vier Pfoten/Four Paws/RHOI/Rex Features/Sipa; **p. 374**: Georg Gerster/Gamma-Rapho; **p. 375**: Stéphane Frey.

Toutes les photos non référencées sont de : Christophe Michel/Paxal Image

Iconographie : Valérie Delchambre

Illustrations : Alain Bénéteau (p. 114h, 116hd, 124bd), Laurent Blondel/Coredoc, Thomas Haessig, Amélie Veaux, Amandine Wanert

Animations proposées en compléments numériques du manuel :
Maxime Treiber et Aurélie Deneux (pp. 111, 141, 144, 155, 191 et 375)
Hervé Conge (pp. 107, 121, 137, 151, 163, 175, 187, 201, 333, 347, 359 et 371)
Tanguy Saïbi (pp. 21, 25, 35, 39, 49, 53, 63, 67, 75, 79, 87, 218, 228, 238, 248, 262, 275, 291, 295, 305, 321)

Remerciements

Les éditions Belin, les directeurs d'ouvrage et les auteurs remercient les sociétés Jeulin, Pierron Éducation, A4 Technologie, Technologie Services et Biolab-Phylab-Mobilab pour l'aide matérielle qu'elles nous ont apportée, ainsi que Noémie Aumaître, responsable clientèle et communication chez réseau ASF (groupe Vinci Autoroute).
Merci à Maël, Chloé, Allan et Gwenn pour leur participation efficace.
Nous remercions également Stéphane Griess, directeur de l'ensemble scolaire Notre-Dame-Saint-Sigisbert pour son accueil lors des photos d'expériences, ainsi que Hubert Jacques pour son aide précieuse.
Merci à Philippe Odier pour ses éclairages précieux.
Merci enfin à Florence Baron, Hervé Cottin, Philippe Guillet, Guillaume Lecointre et Jeff Mauffrey pour leur participation aux interviews.

La pâte à papier utilisée pour la fabrication du papier de cet ouvrage provient de forêts certifiées et gérées durablement.

Imprimé en Italie par La Tipografica Varese
Dépôt légal : avril 2016
N° d'édition : 70119708-02/août2016